ВКУСНО
И БЫСТРО

ЭКСМО-ПРЕСС

2000

УДК 641.55
ББК 84(2Рос-Рус)6-4
В 56

Разработка серийного оформления
художника *А. Саукова*

Фотосъемка *Е. Рязановой*

В 56 Вкусно и быстро. — М.: ЗАО Изд-во ЭКСМО-Пресс,
2000. — 352 с. (Серия «Лакомка»).

ISBN 5-04-001829-0

В книге собраны рецепты приготовления блюд в самых современных кухонных электроприборах: турбопечи, фритюрнице, ростере, гриле и блиннице, мороженице и вафельнице.

Более семисот рецептов всевозможных закусок, овощных, грибных, мясных и рыбных блюд, пирогов, блинов, мороженого и пр. удовлетворят самые изысканные вкусы, позволят при минимальной затрате времени и сил разнообразить ваше меню и сделать его более разумным и здоровым.

УДК 641.55
ББК 84(2Рос-Рус)6-4

К читателю

Для живых существ на Земле питание — это прежде всего жизненная необходимость. Для человека еда и все, что с ней связано, — неотъемлемая часть материальной культуры любого народа. Наслаждение пищей человек испытывает от ее внешнего вида, запаха, консистенции и вкусовых качеств. Чтобы кулинарные изделия удовлетворяли разнообразным требованиям, предъявляемым к ним, для их изготовления требуются знания, умение и опыт. Поэтому кулинария как искусство приготовления, оформления и подачи кушаний культивировалась и ценилась с древнейших времен.

Современному человеку необходимо, чтобы все, что он употребляет в пищу, было не только вкусным и привлекательным, но и полезным для здоровья. Напряженный ритм жизни, информационный прессинг, оставляющая желать лучшего экология — все это заставляет любого здравомыслящего человека задумываться о рациональности своего питания. А нежелание тратить драгоценное время на процесс приготовления пищи подталкивает его к использованию приборов, которые помогли бы при минимальной затрате времени и сил сделать пищу разнообразной и полезной для здоровья. Эти приборы освобождают нас от бесконечной возни на кухне, когда нет возможности часами простаивать у плиты, чтобы радовать домашних кулинарными шедеврами.

В предлагаемой книге собраны рецепты приготовления блюд в самых современных кухонных электроприборах: турбопечи (аэрогриль), фритюрнице и ростере, гриле и блиннице, мороженице и вафельнице.

Книга предназначена не только для тех читателей, которые, приобретя новое устройство для своей кухни, ищут возможности разнообразить с его помощью свое меню. Она будет полезна и тем, кто только планирует покупку какого-либо современного кухонного прибора и пока еще не сделал своего выбора.

В книге впервые приводятся рецепты приготовления пищи с помощью как уже сравнительно известных, так и совершенно новых для нашего потребителя электроприборов, например турбопечи, которая на сегодняшний день в наибольшей степени отвечает современным экологическим требованиям. Каждый рецепт сопровождается указанием режима работы, что позволяет даже неискушенному в кулинарных тонкостях человеку готовить изысканные, деликатесные блюда. В соответствующих разделах для каждого электроприбора приводятся рецепты простых и доступных блюд, не требующих использования ни каких-то особенных продуктов, ни больших затрат времени и сил для их приготовления. Читатель найдет в книге рецепты как повседневных блюд, так и блюд для праздничного стола, а также рецепты приготовления экзотических продуктов, совсем недавно появившихся в продаже (например, устриц, мидий, редких фруктов и т.д.), с которыми наши хозяйки еще недостаточно хорошо знакомы. Для любителей кухни разных народов даются рецепты приготовления разнообразных национальных блюд, приспособленные к режимам работы новых современных кухонных электроприборов.

Некоторые особенности конструкции одних и тех же приборов, изготовленных разными фирмами, не затруднят пользование книгой, поскольку в кратком введении к каждому разделу приводятся пояснения, позволяющие пользоваться ими в соответствии с режимами, указанными на корпусе каждого электроприбора или в инструкции к нему.

Все рецепты, приведенные для того или иного устройства, разделены по типу основного используемого в них продукта (мяса, рыбы, овощей и т.д.), они даны в алфавитном порядке. Расход продуктов указан в наиболее удобных единицах измерения (например, в ложках, стаканах), не требующих от хозяйки дополнительных усилий при пользовании рецептами.

Надеемся, что книга поможет сделать труд на кухне не только полезным, но и привлекательным во всех отношениях.

Желаем приятного аппетита!

ТУРБОПЕЧЬ (аэрогриль)

Турбопечь — это самая современная кухонная машина, в которой для приготовления пищи используется совершенно новый принцип нагрева продуктов. Поток горячего воздуха при заданной температуре обдувает приготавливаемое блюдо, равномерно нагревая его со всех сторон. Технология обогрева позволяет сохранить пищу сочной даже при образовании поджаристой корочки. Устройство турбопечи дает возможность одновременно готовить несколько совершенно различных продуктов (например жарить мясо или рыбу и запекать яблоки), не пропитывающихся посторонними запахами. Конструкция турбопечи позволяет открывать ее в процессе работы, извлекать из нее приготавливаемые блюда, что-либо добавлять в них, заправлять приправами и т.д.

В турбопечи продукты можно тушить, запекать, жарить до золотистой корочки, готовить десерты и изделия из теста. Блюда, приготовленные в турбопечи, содержат незначительное количество холестерина, поскольку для их приготовления используется минимум жиров. В процессе приготовления продукты не требуют перемешивания, так как нагревание осуществляется равномерно со всех сторон. Турбопечи изготавливаются из прозрачных материалов, что позволяет легко определять степень готовности того или иного блюда. Абсолютная экологическая безопасность, минимальное потребление электроэнергии, компактность, а главное — универсальность и возможность готовить пищу, полезную для здоровья, делают использование турбопечи в домашних условиях весьма перспективным. Приведенные в книге рецепты подходят для турбопечей производства любых фирм. Для тех читателей, которые пользуются турбопечами производства США, приводится соотношение температур в градусах Цельсия и Фаренгейта, а также их соответствие различным режимам.

В приведенных рецептах температура дана в градусах Цельсия.

Соотношение температур в градусах Цельсия и Фаренгейта в различных режимах нагрева турбопечи

Режим	°C	°F
Слабый	150	300
Умеренно слабый	160	325
Умеренный	180	350
Умеренно горячий	210	425
Горячий	220	450
Очень горячий	260	525

БЛЮДА ИЗ МЯСА И ПТИЦЫ

БАБОТЕ
(индонезийская кухня)

500 г баранины, 1 булочка, 1 яйцо, 1 луковица, 1—2 дольки чеснока, 1 столовая ложка кетчупа, 2 столовые ложки измельченного миндаля, 1/2 лимона, 2—3 столовые ложки сливок, сахар, соль по вкусу.

Мясо пропустить через мясорубку, смешать с размягченной булкой, яйцом, натертым луком и чесноком, миндалем и сливками. Все хорошо перемешать, приправить соком лимона, кетчупом и щепоткой сахара. Форму для выпекания хорошо смазать маслом, положить в нее фарш и поместить в турбопечь. Запекать 20 минут при температуре 200. Отдельно подать рассыпчатый рис и зеленый салат.

БАКЛАЖАНЫ С РУБЛЕНЫМ МЯСОМ

400 г говядины, 400 г свинины, 3 крупных баклажана, 6 яиц, 200 г растительного масла, 0,5 л молока, 1 луковица, 3 помидора, 2 столовые ложки муки, 2 столовые ложки мелко нарезанной зелени петрушки, перец, соль по вкусу.

Вымытые и подсушенные баклажаны поставить в горячую духовку, чтобы кожица на них сморщилась, после чего ее удалить. Баклажаны ни в коем случае не должны подгореть! Кроме того, баклажаны нужно очищать только ножом из нержавеющей стали, иначе они могут изменить цвет. Очищенные баклажаны разрезать на полоски, посолить и дать постоять, затем слегка отжать и обсушить. Каждую полоску обвалять в яйце и муке. В смазанную жиром форму уложить слой баклажанов, на него — слой рубленого мяса, снова слой баклажанов и мясо и т.д. (сверху должен быть слой баклажанов), добавить мелко нарезанный лук, нарезанные дольками помидоры и зелень петрушки. Оставшиеся 5 яиц взбить, соединив с молоком, залить этой смесью подготовленное блюдо, посолить его и поперчить. Запекать в турбопечи в течение 30 минут при температуре 180. Подать в посуде, в которой его готовили. Отдельно подать салат из свежих овощей.

БАРАНИНА, ЗАЖАРЕННАЯ С ЯЙЦАМИ

500 г баранины, 2 яйца, 1/2 стакана растительного масла, 250 г зеленого лука, 250 г репчатого лука, 300 г простокваши, 2 столовые ложки муки, 2 стакана мясного бульона, перец, соль по вкусу.

Мясо разрезать на кубики величиной 4x5 см, посолить, обвалять в муке, обжарить и снять со сковороды. В горшок положить мясо, нарезанный кольцами репчатый лук, мелко нарезанный зеленый лук, залить бульоном, поперчить, посолить и поставить в турбопечь. Тушить 25 минут при температуре 200. Когда жидкость выкипит наполовину, а мясо станет мягким, осторожно добавить яйца, смешанные с подсоленным кислым молоком. Еще на 2 минуты поместить в турбопечь при температуре 160, чтобы яйца свернулись, и сразу же в той же посуде подать на стол.

БАРАНИНА ПО-ПОРТУГАЛЬСКИ

4 бараньи лопатки, 1/2 стакана сухого красного вина, 2 столовые ложки растительного масла, 2 столовые ложки винного уксуса или 1 столовая ложка лимонного сока, 3 дольки толченого чеснока, 1 луковица, 4 головки гвоздики, 1/4 чайной ложки молотой гвоздики, 1 столовая ложка смеси пряностей (типа хмели-сунели).

Приготовить маринад, добавив в вино растительное масло, уксус (или лимонный сок), чеснок, нарезанный лук и пряности. Бараньи лопатки залить маринадом, оставить на 4—6 часов. Приготовленное мясо положить на нижнюю подставку в турбопечь и запекать 10—12 минут при температуре 200.

БАРАНИНА «РАБАТ»

4 бараньи отбивные весом примерно 180 г каждая, 2 чайные ложки зерен кунжута, 2 стакана соевого соуса, 1 чайная ложка кетчупа, 1 столовая ложка растительного масла, 1 чайная ложка сахара, 1 чайная ложка кардамона.

Смешать соевый соус, сахар, кардамон, кетчуп и растительное масло. Полученной смесью обмазать мясо и на 2 часа поставить в холодильник в той посуде, в которой оно будет готовиться (по истечении 1 часа мясо перевернуть в маринаде). Затем поместить мясо в турбопечь и готовить в течение 15—20 минут при температуре 200.

БАРАНИНА С БАКЛАЖАНАМИ

500 г баранины, 500 г баклажанов, 3 столовые ложки масла, 2 луковицы, 3—4 помидора, 2 столовые ложки мелко нарезанной петрушки, 1 столовая ложка муки, красный перец, соль по вкусу.

Мясо нарезать кусочками, сложить в неглубокую кастрюлю с растопленным маслом, добавить лук, нарезанные кусочками помидоры, поперчить, посолить. Очистить баклажаны, нарезать кусочками и положить в кастрюлю. Запекать в турбопечи в течение 20 минут при температуре 190. Готовое блюдо посыпать мелко нарезанной петрушкой.

БАРАНИНА С БОБАМИ ПО-ИТАЛЬЯНСКИ

500 г стручковой фасоли, 500 г баранины (или свинины), 250 г грибов (лисичек или белых), 2 луковицы, 2 столовые ложки томатной пасты, 4 помидора, 1 яйцо, 1 чайная ложка муки, 1/2 стакана сметаны, 100 г натертого сыра, перец, соль по вкусу.

В одну посуду сложить мясо, нарезанное кубиками, нашинкованный лук и нарезанные кусочками помидоры, стручки фасоли, сломанные пополам, нарезанные ломтиками грибы. Добавить томатную пасту, яйцо и сметану, долить немного горячей воды, посолить и поперчить. Все перемешать, сверху посыпать сыром. Запекать в турбопечи в течение 15 минут при температуре 180.

БАРАНИНА С ЧЕРНОСЛИВОМ

750 г баранины (грудинки), 1 луковица, 2 столовые ложки сливочного масла, 1 столовая ложка муки, 1/4 чайной ложки корицы, 120 г чернослива, 1 чайная ложка сахара, перец и соль по вкусу.

Чернослив предварительно замочить на 6 часов, удалить из него косточки. Мясо нарезать узкими кусочками (1—5 см), добавить к нему мелко нарезанный лук, слегка обжарить в турбопечи в течение 5 минут при температуре 220. Затем добавить специи, чернослив, сахар, посыпать мукой, все хорошо перемешать и залить горячей водой так, чтобы она покрыла мясо. Тушить в турбопечи в течение 15 минут при температуре 160. Подать с рассыпчатым рисом.

БАТОН, ФАРШИРОВАННЫЙ МЯСОМ И ГРИБАМИ

1 батон белого хлеба, 500 г мясного фарша или постной колбасы, 200 г грибов, 100 г шпика, 1/2 стакана сливок, 1 яйцо, 100 г томатной пасты, 100 г натертого сыра, 2 столовые ложки сливочного масла, 2 столовые ложки мелко нарезанной петрушки, перец, соль по вкусу.

С батона срезать верхнюю корку, вынуть мякиш так, чтобы остался слой хлеба толщиной в два пальца. Половину вынутого мякиша залить сливками и томатной пастой. Шпик мелко нарезать, обжарить, добавить нарезанные грибы, лук, мясной фарш или мелко нарезанную колбасу и слегка обжарить все вместе. Размоченный хлеб смешать с обжаренными продуктами, добавить яйцо, перец, соль и зелень. Массу перемешать, заполнить ею батон, поместить его на противень, сбрызнуть растопленным маслом и посыпать сыром. Запекать в турбопечи в течение 15—20 минут при температуре 180. Фаршированный батон подать горячим. Украсить ломтиками помидора, огурца и красного сладкого перца.

БАТОНЫ МЯСНЫЕ

250 г свинины, 250 г говядины, 250 г белокочанной капусты, 150 г моркови, 2 столовые ложки муки, 1 столовая ложка натертой лимонной цедры, 1 столовая ложка сахара, 4 столовые ложки молотых сухарей, душистый молотый перец, черный молотый перец, соль по вкусу.

Мясо свинины пропустить через мясорубку вместе с белокочанной капустой, морковью и репчатым луком. Добавить цедру лимона, специи, соль и сахар, мелко рубленную говядину и муку, все хорошо перемешать. Разделать фарш в виде продолговатых батонов, обвалять их в панировочных сухарях, сверху положить кусочки сливочного масла. На смазанном маслом противне разместить батоны на расстоянии 5 см друг от друга. Запекать в турбопечи в течение 10—15 минут при температуре 200. Отдельно подать отварной картофель и салат из свежей капусты.

БИТОЧКИ, ТУШЕННЫЕ С ХРЕНОМ

500 г говядины, 2 луковицы, 1/4 стакана воды, 1/2 яйца, 100 г хрена, 1 столовая ложка готовой горчицы, 2 столовые ложки топленого масла, 1/2 стакана бульона, 4 столовые ложки сливочного масла, 4 столовые ложки молотых сухарей, 1 столовая ложка мелко нарезанной петрушки, перец, соль по вкусу.

Мясо пропустить два раза через мясорубку, добавить мелко нарезанный репчатый лук, яйцо, перец, соль, воду, хорошо взбить и сформовать биточки. Смазать смесью мелко натертого хрена и горчицы, обвалять в сухарях, выложить в смазанную топленым маслом форму, сверху на каждый биточек положить по кусочку сливочного масла. Поместить на высокую подставку и тушить в турбопечи в течение 5—7 минут при температуре 220. Готовое блюдо посыпать петрушкой. Отдельно подать отварной картофель, строганый хрен, малосольные огурцы.

БИФШТЕКС ПО-АВСТРАЛИЙСКИ

1 кг говяжьей вырезки (кусок толщиной не менее 5 см), 300 г грибов, 3 столовые ложки консервированных или отваренных устриц или мидий, 2 столовые ложки сливочного масла, 3 столовые ложки майонеза, 1/2 чайной ложки мелко нарезанной зелени петрушки, 2 столовые ложки молотых сухарей, 1/2 чайной ложки натертой цедры лимона, 1 яйцо, черный перец, красный перец, соль по вкусу.

Грибы слегка обжарить в масле, добавить молотые сухари, петрушку, цедру лимона, взбитое яйцо, устрицы или мидии. Начинку сильно поперчить и хорошо перемешать. Вырезку надрезать в виде кармана, наполнить начинкой, края крепко зашить. Мясо густо смазать майонезом, положить в мелкую посуду. Запекать в турбопечи в течение 25—30 минут при температуре 200. В качестве гарнира подать картофель и салат из свежих овощей.

ВЕТЧИНА ПО-ВИРДЖИНСКИ

750 г ветчины, 1—2 столовые ложки сахара, 1 столовая ложка сухой горчицы, 8 головок гвоздики, 2 стакана гороха, 2 ломтика шпика, 1/3 стакана сливок, 2—3 персика или груши, перец, соль по вкусу.

Ветчину нашпиговать гвоздикой, посыпать смесью сахара и горчицы. На дно посуды положить нарезанные дольками фрукты, сверху положить подготовленное мясо. Жарить в турбопечи в течение 10 минут при температуре 200. Соус от жаренья подать в соуснике. Горох стушить в небольшом количестве воды, смешав с обжаренными кубиками шпика, жир от которых слить, затем добавить сливки и приправить солью и перцем. Отдельно подать мисочку жареного гороха.

ВЕТЧИНА С ФАСОЛЬЮ В ПИКАНТНОМ СОУСЕ

500 г белой фасоли, 250 г ветчины, 1 луковица, 3 столовые ложки растительного масла, 1 чайная ложка натертой цедры лимона, 1—2 столовые ложки мелко нарезанного зеленого лука, перец, соль по вкусу.

Фасоль замочить на ночь, затем промыть, смешать с луком, нарезанным ломтиками и слегка обжаренным в растительном масле. Добавить нарезанную ломтиками ветчину, цедру лимона, поперчить и посолить. Тушить в турбопечи в течение 20 минут при температуре 160. Готовую фасоль посыпать зеленым луком. Отдельно подать острый томатный соус и отварной картофель.

ГОВЯДИНА ПО-ИНДОНЕЗИЙСКИ

600 г говяжьего филе, 1 долька чеснока, 2 столовые ложки соевого соуса, 1/2 чайной ложки тмина, 1/2 чайной ложки кориандра, соль по вкусу.

Мясо нарезать кубиками примерно по 2 см. Чеснок растереть с солью. Все составляющие маринада смешать в одной посуде вместе с мясом так, чтобы оно было равномерно покрыто маринадом. Поставить на холод на 1—2 часа. Вынуть из маринада, надеть на шампуры и поместить в турбопечь. Запекать в течение 10 минут при температуре 200.

ГОВЯДИНА ПО-ОХОТНИЧЬИ

800 г говядины, 70 г шпика, 2 столовые ложки 3%-ного уксуса, 25 г ягод можжевельника, 1 луковица, 2 морковки, 2 столовые ложки нарезанной зелени петрушки, 40 г корня сельдерея, 2 стакана воды, 1/2 чайной ложки кориандра, 1 чайная ложка перца, соль по вкусу.

Мясо нарезать на крупные куски, посолить, поперчить и замариновать с добавлением уксуса, ягод можжевельника, кориандра. В течение нескольких суток мясо в маринаде держать на холоде. После этого поместить в посуду, добавить обжаренный шпик, лук, петрушку, морковь и сельдерей, нарезанные кубиками, залить водой и поместить в турбопечь. Тушить в течение 10 минут при температуре 200. На гарнир подать тушеный картофель или тушеную капусту.

ГОВЯДИНА С АЙВОЙ

400 г говядины (мякоти), 400 г айвы, 1 луковица, 2 столовые ложки растительного масла, зелень петрушки или укропа, перец, соль по вкусу.

Мясо обмыть, нарезать небольшими кусочками, положить в невысокую посуду и залить водой так, чтобы она покрыла мясо. Айву нарезать дольками, очистить от кожицы и сердцевины, положить в посуду с мясом, добавить слегка обжаренный на масле лук, соль и перец. Поместить в турбопечь на 15 минут при температуре 180. При подаче мясо с айвой переложить на подогретое блюдо и посыпать зеленью петрушки или укропа.

ГОВЯДИНА С КАПУСТОЙ БРОККОЛИ

400 г говядины, 400 г капусты брокколи, 1 чайная ложка соевого соуса, 2 столовые ложки десертного вина, 2 чайные ложки крахмала, 3 дольки чеснока, 1 чайная ложка сахара, 1/2 стакана воды.

Мясо нарезать тонкими ломтиками. В вино добавить соевый соус, крахмал, мелко нарезанный чеснок, сахар. В полученный маринад на полчаса опустить мясо. Затем вынуть его из маринада, завернуть в фольгу, положить на подставку, на дно турбопечи налить 1/2 стакана воды. Мясо запекать в течение 10 минут при температуре 160. Затем открыть фольгу, добавить соцветия брокколи и готовить еще в течение 6—8 минут при той же температуре.

ГОВЯДИНА, ТУШЕННАЯ С КАРТОФЕЛЕМ

250 г говядины, 250 г вареного картофеля, 3 стручка сладкого перца, 2 столовые ложки томата-пасты, 1 лимон, сахар, перец и соль по вкусу.

Говядину нарезать кубиками, разогреть в жире и подавить. Нарезанный кубиками картофель, нарезанные стручки сладкого перца и томат-пасту добавить к мясу, все вместе поставить в турбопечь на 10 минут при температуре 180. Приправить соком лимона и сахаром, посолить и поперчить. Подать с белым хлебом.

ГОЛУБЦЫ СО СВИНИНОЙ ПО-ВЬЕТНАМСКИ

125 г свинины, 600 г риса, 350 г белой фасоли, 1 луковица, 1 столовая ложка майонеза, 2 чайные ложки соли, листья белокочанной капусты, 1/2 стакана воды, перец по вкусу.

Рис замочить в холодной воде на 5 часов, затем хорошо промыть, просушить и посолить (1 чайная ложка соли). Фасоль, также предварительно замоченную на ночь, промыть, удалить шелуху, обдать кипятком, дать стечь воде. Фасоль растолочь и добавить чайную ложку соли. Свинину мелко нарезать или пропустить через мясорубку, добавить нарезанный лук, майонез, соль и перец. На капустные листья положить по кучке риса, разровнять, на рис положить слой фасоли и также разровнять, затем положить слой свиного мяса, затем фасоль и сверху рис. Листья с начинкой скатать в трубочку и перевязать. На дно кастрюли налить немного воды и уложить трубочки. Кастрюлю на высокой подставке поместить в турбопечь. Тушить в течение 7—10 минут при температуре 180.

ГРУДИНКА БАРАНЬЯ, ФАРШИРОВАННАЯ СВИНИНОЙ

1 кг бараньей грудинки, 200 г свиного фарша, 1 луковица, 1 столовая ложка зелени петрушки, 3 столовые ложки измельченных консервированных шампиньонов, 100 г белого хлеба, 1/2 стакана молока, 1 чайная ложка соли, перец по вкусу.

Лук мелко нарезать. Белый хлеб намочить в молоке и отжать. Приготовить начинку из свиного фарша, лука, петрушки, грибов и хлеба, все тщательно перемешать до получения однородной массы. Грудинку глубоко надрезать между костью и мясом, посолить изнутри, заполнить начинкой и зашить разрез. Кусок мяса посолить и поперчить сверху. Смазать растительным маслом подставку и поместить на нее мясо. Запекать в турбопечи в течение 1 часа при температуре 200.

ГРУДИНКА ГОВЯЖЬЯ В МАРИНАДЕ

2 кг говяжьей грудинки, 1 л воды, 1 столовая ложка сока лимона или яблочного уксуса, по 2 столовые ложки мелко нарезанного лука, зелени укропа, петрушки и кинзы, 1 столовая ложка молотого перца, 1 столовая ложка соли.

В холодную кипяченую воду добавить все составляющие для маринада и на 3—4 часа положить в него грудинку. Вынуть из маринада, обсушить салфеткой и смазать растительным маслом. Смазать маслом подставку, на которую поместить мясо. Запекать в течение 1,5 часа при температуре 200. Грудинку можно сразу нарезать на отдельные порции. В таком случае время приготовления следует уменьшить до 10 минут.

ГРУДИНКА ТЕЛЯЧЬЯ ФАРШИРОВАННАЯ

750 г телячьей грудинки, 100 г белого хлеба, 2 яйца, 1/2 стакана молока, 2 столовые ложки натертого миндаля, 2 столовые ложки сливочного масла, 1 столовая ложка коньяка, 1 лимон, 2 столовые ложки мелко нарезанной петрушки, 4 столовые ложки молотых сухарей, 2 столовые ложки сливок, листья зеленого салата, перец, соль по вкусу.

Грудинку обмыть, посолить и нижнюю, более широкую, часть осторожно срезать с костей так, чтобы получился карман. Половину количества масла взбить с яйцами, добавить размоченный в молоке и отжатый белый хлеб, натертый миндаль и мелко нарезанную зелень петрушки. Приправить солью, перцем и соком лимона. При желании массу можно сделать более густой, добавив панировочные сухари, или, наоборот, если нужно, разбавить молоком. Полученной массой наполнить карман, но не заполнять его слишком плотно. Грудинку зашить и поместить в турбопечь. Запекать в течение 20 минут при температуре 200. Из готового мяса удалить нитки, а жаркому дать постоять некоторое время. Затем разрезать готовое блюдо на ломтики в палец толщиной и выложить на подогретое блюдо. Украсить кружочками лимона и листьями зеленого салата. В соус, оставшийся от жарения, добавить немного муки, влить 1 столовую ложку коньяка, добавить 1 столовую ложку сливочного масла, сливки, приправить солью и перцем. В качестве гарнира подать тушенные в масле овощи.

ГРУДИНКА ТЕЛЯЧЬЯ ШПИГОВАННАЯ

1 кг телячьей грудинки, 50 г замороженного сала, 50 г моркови, 5—6 штук чернослива без косточек, 1/4 чайной ложки корицы, 1/4 чайной ложки перца, соль по вкусу.

Сало, чернослив и морковь нарезать брусочками. Грудинку равномерно нашпиговать, чередуя морковь, сало и чернослив. Мясо смазать растительным маслом, посолить, поперчить, посыпать корицей и поставить на холод на 1—2 часа. В плоскую форму налить воды слоем в 1 см, положить в форму грудинку и поставить в турбопечь. Запекать в течение 1 часа при температуре 200.

ЖАРКОЕ В ГОРШОЧКЕ ПО-ТЮРИНГСКИ

500 г нежирной свинины, 1 говяжья почка, 1 лавровый лист, 4 горошины черного перца, 1 столовая ложка красного вина, 1 чайная ложка меда, 1—2 столовые ложки сливочного масла, перец, соль по вкусу.

Почку вымочить и удалить из нее желчные протоки. Мясо отварить в небольшом количестве воды до полуготовности, добавить почку, лавровый лист и перец. Поместить в турбопечь и запекать в течение 15 минут при температуре 200. После чего мясо и почку охладить и нарезать на небольшие кусочки. Бульон еще немного проварить с медом, маслом, вином, солью и перцем. Затем добавить в готовый бульон мясо и дать блюду настояться. Подать в горшочке.

ЖАРКОЕ ИЗ КРОЛИКА

1,2 кг мяса кролика, 200 г шампиньонов, 2 дольки чеснока, 1 морковка, 2 столовые ложки мелко нарезанной петрушки, 3—4 столовые ложки растительного масла, 125 г шпика, 12 маленьких луковиц, 4 столовые ложки белого вина, 1 стакан горячей воды, 2 столовые ложки томатной пасты, перец, соль по вкусу.

Мелко нарезать чеснок и 3 маленькие луковицы, добавить петрушку. В кастрюлю влить растопленное масло, положить в него нарезанный ломтиками шпик и подготовленные куски кролика, добавить оставшиеся целые луковицы, а также нарезанные лук и чеснок с петрушкой. Все осторожно перемешать, влить воду и белое вино, добавить томатную пасту и тонко нарезанные шампиньоны. Тушить в турбопечи в течение 20 минут при температуре 200.

ЖАРКОЕ ИЗ СВИНИНЫ С ОРЕХАМИ И ГРИБАМИ

250 г свинины, 250 г очищенных грецких орехов, 50 г грибов, 500 г помидоров, 2 луковицы, 2 дольки чеснока, 4 столовые ложки растительного масла, 2 столовые ложки нарезанного зеленого лука, 2 стручка острого перца, 2 столовые ложки измельченной петрушки, 1/2 лимона, перец, соль по вкусу.

Мясо нарезать кубиками. Репчатый лук и чеснок мелко нарезать и обжарить в масле. Помидоры облить кипятком и снять с них кожицу. Грибы нарезать тонкими дольками, добавить лук, петрушку, нарезанный кусочками перец. Все смешать с мясом, поперчить, посолить и тушить в турбопечи в течение 10 минут при температуре 180. Отдельно в течение 10 минут сварить орехи, засыпав их в кипящую воду. Готовое жаркое смешать с быстро охлажденными и обсушенными орехами. Мясо и овощи переложить в подогретое глубокое блюдо и украсить полосками омлета (крест-накрест). Посыпать зеленью и полить соком лимона.

ЖАРКОЕ С АЙВОЙ

350 г баранины, 600 г айвы, 2 луковицы, 2 столовые ложки мелко нарезанного зеленого лука или кинзы, перец, соль по вкусу.

Жирную баранину нарезать мелкими кусочками, лук нашинковать кольцами, смешать с мясом, посолить, поперчить, заправить зеленью и все перемешать. Айву, удалив сердцевину, нарезать дольками. На дно кастрюли положить дольки айвы, сверху — мясо с зеленью, добавить немного воды и тушить в турбопечи в течение 10 минут при температуре 180. При подаче посыпать зеленым луком или зеленью кинзы.

ЗАПЕКАНКА ИЗ КУРИЦЫ С КРЕВЕТКАМИ

120 г куриного мяса, 8 креветок, 100 г рыбы, 4 яйца, 1 столовая ложка ликера, 1/2 чайной ложки соевого соуса, 4 столовые ложки консервированных грибов, 50 г зеленого горошка (можно мороженого), 1/2 чайной ложки соли.

Смешать куриное мясо, нарезанное на мелкие кусочки, с креветками, очищенными от панциря, и мелко нарезанной рыбой, добавить зеленый горошек. Полученную массу разделить на 4 порции, разложить в огнеупорные формочки, залить яйцами, тщательно перемешанными с соевым соусом и ликером, посолить. Запекать в турбопечи в течение 15—20 минут при температуре 180.

ЗАПЕКАНКА ПАСТУШЬЯ

300 г баранины, 2 стакана бульона, 3 желтка, 600 г картофельного пюре, 2 столовые ложки сливочного масла или маргарина, 2 столовые ложки мелко нарезанного репчатого лука, 3 столовые ложки мелко нарезанного сельдерея, 2 столовые ложки мелко нарезанной петрушки, 1 долька чеснока, 1/2 чайной ложки молотого черного перца, соль по вкусу.

Лук и сельдерей обжарить в масле, добавить растертый чеснок, нарезанную маленькими кубиками баранину и петрушку, влить бульон, все поперчить и посолить. Смешать картофельное пюре с яичными желтками и выложить слоем в 2—3 см в смазанную жиром форму, наверх положить мясную начинку, а сверху — снова картофельную массу. Выпекать в турбопечи в течение 8 минут при температуре 160.

ИНДЕЙКА В МАРИНАДЕ «ТЕРИЯКИ»

800 г филе индейки. Для маринада: 1/4 столовой ложки соевого соуса, 1/4 столовой ложки коричневого сахара, 1 столовая ложка винного уксуса, 1/4 стакана вишневого ликера, 1 столовая ложка сахара, 1/4 стакана рисовой водки саке.

Филе индейки разрезать вдоль волокон на 4 продолговатых куска, поместить в приготовленный маринад на 4—5 часов при комнатной температуре. Затем мясо извлечь из маринада, обсушить и готовить на нижней решетке в турбопечи в течение 20 минут при температуре 240.

ИНДЕЙКА, ГЛАЗИРОВАННАЯ АЛЫЧОЙ

800 г мяса индейки (желательно грудки), 2 столовые ложки лимонного сока, 2 дольки чеснока, 200 г консервированной красной алычи (или слив) без сока, перец, соль по вкусу.

Мясо нарезать ломтиками толщиной 1,5 см, положить на сковороду, с двух сторон обмазав лимонным соком и специями, предварительно растерев чеснок с солью. Запекать в турбопечи на нижней подставке в течение 15 минут при температуре 200. Затем помазать сверху растертой алычой и готовить еще 5 минут при той же температуре.

ИНДЕЙКА С ОБЛЕПИХОЙ

500 г мяса индейки (грудка), 1 стакан ягод облепихи, 1 столовая ложка растительного масла, 4—5 горошин кориандра, 1—2 головки гвоздики, щепотка мускатного ореха, 1/4 чайной ложки молотого перца, 1/4 чайной ложки соли.

Ягоды облепихи провернуть через мясорубку вместе с гвоздикой и кориандром, добавить нарезанное тонкими полосками мясо и мускатный орех, посолить. Все тщательно перемешать и оставить на холоде на 4—5 часов. Дно формы смазать растительным маслом, выложить приготовленную смесь, разровнять. Форму поместить в турбопечь на верхнюю решетку. Запекать в течение 15 минут при температуре 220.

ИНДЕЙКА ФАРШИРОВАННАЯ

1 индейка, 300 г тушеного мяса (говядины или свинины), 50 г шпика, 30 г сушеных грибов, 1 стакан молотых сухарей, 2 яйца, 200 г сливочного масла, 1 стакан очищенных измельченных орехов, 2 столовые ложки мелко нарезанной петрушки, 2 луковицы, 3 морковки, 1 столовая ложка натертой цедры лимона, 2 лавровых листа, мускатный орех на кончике ножа, перец, соль по вкусу.

Индейку очистить, кости извлечь, залить водой и сварить бульон. Приготовить начинку. Для этого дважды пропустить через мясорубку печенку, желудок, сердце индейки, тушеное мясо и шпик. Затем добавить сухари, размягченное масло, яйцо, орехи, зелень петрушки, мускатный орех, цедру и соль. Начинку тщательно перемешать, при необходимости развести сливками. Наполнить начинкой индейку, зашить, крылышки и ножки прижать к туловищу, обвязать ниткой. Не следует туго набивать индейку начинкой — при жаренье шов может разойтись. Бульон из костей процедить, добавить сушеные грибы, луковицы целиком, морковь, зелень петрушки, посолить. Подготовленную индейку опустить в бульон и поместить в турбопечь при температуре 200 на время из расчета 10 минут на 0,5 кг веса птицы. Подать с салатом из маринованных фруктов (груш, слив, яблок, вишен) или с тушеными овощами.

ИНДЕЙКА-ШЕРРИ

800 г филе индейки (6 кусков), 1/2 стакана вишневого ликера или вишневой наливки, 1 столовая ложка сладкого кетчупа, 1/2 чайной ложки корицы, красный перец, соль по вкусу.

Приготовить маринад из вишневого ликера, кетчупа и корицы, добавить красный перец и соль. Мясо индейки положить в маринад не менее чем на сутки. Поставить его в холодильник, переворачивая куски через каждые 4—5 часов. Замаринованное мясо положить прямо на нижнюю подставку в турбопечь. Запекать в течение 10—12 минут при температуре 220.

КЕБАБ ИЗ БАРАНИНЫ

1 кг баранины, 100 г сливочного масла, 500 г зеленого лука, 100 г зелени петрушки, 250 г помидоров, 250 г черного хлеба, 500 г муки, перец, соль по вкусу.

Хлеб замочить, отжать и, добавив муку, замесить крутое тесто. Мясо нарезать небольшими кусками вместе с костями, легкими и печенкой, перемешать с мелко нарезанным луком, зеленью петрушки, сливочным маслом, очищенными и нарезанными кубиками помидорами, посолить, поперчить. Приготовленной смесью наполнить порционные горшочки, отверстия закрыть лепешками из приготовленного теста. Запекать в турбопечи в течение 15 минут при температуре 200. Подать в горшочках, предварительно сняв тесто.

КОЛЬРАБИ, ФАРШИРОВАННАЯ КОЛБАСОЙ

4—6 кольраби, 200 г копченой колбасы, 2 яйца, 1 столовая ложка томатной пасты, 2 столовые ложки растительного масла, 1/2 стакана бульона или воды, 1 столовая ложка мелко нарезанной петрушки, соль по вкусу.

Подготовленную кольраби поварить в течение 3—5 минут, затем удалить сердцевину, нафаршировать мелко нарезанной колбасой, смешанной с яйцами и томатной пастой. Положить в посуду, смазанную жиром, добавить сердцевину, посолить. Тушить в турбопечи в течение 25 минут при температуре 220. Готовое блюдо посыпать зеленью петрушки.

КОРЕЙКА С ЧЕЧЕВИЦЕЙ ПО-ЭЛЬЗАССКИ

100 г нежирной корейки, 250 г чечевицы, 4 стакана красного вина, 3 стакана мясного бульона, 2 луковицы, 25 г картофеля, 1—2 морковки, 1 лавровый лист, 2 головки гвоздики, 1/4 стакана сливок, соль, перец, сахар по вкусу.

Чечевицу перебрать, вымыть, залить вином и оставить так на ночь для набухания. На следующий день нарезать кубиками корейку, слегка обжарить ее на сковороде, добавив нарезанный кольцами лук. Размоченную чечевицу залить мясным бульоном, добавить нарезанный кубиками картофель, морковь, лук, корейку, лавровый лист и гвоздику. Поместить в турбопечь на 20 минут при температуре 200. Когда чечевица будет готова, добавить щепотку сахара, влить кипяченые сливки, посолить и поперчить.

КОТЛЕТЫ БАРАНЬИ «ТЕГЕРАН»

4 толстые натуральные бараньи котлеты, 4 половинки сарделек, 4 листика мяты, 1 крупный помидор, 4 дольки чеснока, 1 столовая ложка растительного масла.

Котлеты нашпиговать листиками мяты, на каждую сверху положить половинку сардельки, сняв с нее кожу, и ломтик помидора, посыпать тертым чесноком и скрепить котлету спичкой. Подготовленные таким образом бараньи котлеты положить на сковородку с растительным маслом, поставить на высокую подставку и поместить в турбопечь. Жарить 5—7 минут при температуре 220. К готовому блюду подать спелую фасоль.

КОТЛЕТЫ «КУБАНОЧКА»

*500 г говядины или свинины, 1/2 стакана молока, 4 луковицы, 3 сто-
ловые ложки топленого жира, 50 г очищенных грецких орехов, 50 г
российского сыра, 1 яйцо, 2 столовые ложки зелени петрушки и укропа, 6 столовых ложек молотых сухарей или хлебных крошек, перец,
соль по вкусу.*

Мясо пропустить через мясорубку, поперчить, добавить обжаренный
лук и второй раз пропустить через мясорубку. Массу хорошо вымешать и
разделать на порции в виде лепешек. На середину каждой лепешки положить фарш из обжаренных орехов, натертого сыра и мелко порубленного
сваренного яйца, добавить зелень, завернуть и защипать края лепешек,
запанировать в молотых сухарях или хлебных крошках. Поместить в турбопечь на высокую подставку. Жарить в течение 5—7 минут при температуре 200.

КОТЛЕТЫ ОТБИВНЫЕ С ЧЕСНОКОМ

*500 г свинины, 4 дольки чеснока, 1 чайная ложка сахара, 2 столовые
ложки топленого масла, по 2 столовые ложки нарезанной зелени петрушки и укропа, 2—3 луковицы, перец, соль по вкусу.*

Свинину слегка отбить, нарезать на порции, натереть сахаром и толченым чесноком, посолить и поперчить. Положить на сковородку с растопленным маслом, на середину сковородки положить крупно нарезанные кольца репчатого лука. Жарить в турбопечи на высокой подставке в
течение 5 минут при температуре 220. Подать, посыпав зеленью.

КРОЛИК В ГОРШОЧКЕ

*750 г мяса кролика, 250 г свиного жира, 3 луковицы, 1—2 ломтика
черного хлеба, 2 столовые ложки муки, 1 стакан красного вина, перец,
соль по вкусу.*

Мясо кролика нарезать на порции, посолить и поперчить, обвалять в
муке и выложить в горшок, чередуя мясо с нарезанными ломтиками свиного жира, нашинкованным луком и крошками черного хлеба. Полить
красным вином так, чтобы вся масса примерно на 3/4 была покрыта
жидкостью. Тушить в турбопечи в течение 35 минут при температуре 160.

КРОЛИК ПОД ОРЕХОВЫМ СОУСОМ

*500 г мяса кролика, 100 г очищенных орехов, 1 столовая ложка лимон-
ного сока, 100 г сливочного масла, 2 луковицы, 1 стакан сливок, 1 столовая ложка муки, 2 столовые ложки мелко нарезанной петрушки,
соль по вкусу.*

Мясо нарезать кусочками, положить в кастрюлю, добавить молотые
или рубленые орехи, мелко нарезанный лук, сметану, лимонный сок,

муку, смешанную с маслом, посолить. Можно добавить ломтики яблок или несколько ягод неспелого крыжовника. Тушить в турбопечи в течение 15 минут при температуре 200. Готовое мясо посыпать зеленью, подать с отварным картофелем или салатом.

КУРИЦА В ВИНЕ

1—2 небольших цыпленка, 2 столовые ложки сливочного масла, 100 г шпика, 8 луковиц, 125 г шампиньонов, 2 столовые ложки коньяка, 0,5 л красного вина, 3—4 стебелька тимьяна, 1 лавровый лист, 1 долька чеснока, 1 столовая ложка муки, перец, соль по вкусу.

Подготовленные тушки разделить каждую на 4 части и обжарить в масле. К мясу добавить нарезанный кубиками шпик, лук, мелко нарезанные грибы и растолченный чеснок. Затем влить коньяк, посыпать мукой, добавить лавровый лист, тимьян. Все хорошо перемешать, влить красное вино, поперчить и посолить. Тушить в турбопечи в течение 10 минут при температуре 160.

КУРИЦА, ЗАПЕЧЕННАЯ В ФОЛЬГЕ

500 г куриного мяса, 1 столовая ложка десертного вина или ликера, 1 чайная ложка сахара, 2 чайные ложки крахмала, 1/4 чайной ложки молотого перца, 2 дольки чеснока, 3 столовые ложки соевого соуса, 1 морковка, 50 г свежих или консервированных грибов, по 3 столовые ложки соцветий цветной капусты и брокколи.

Морковку натереть на крупной терке, мелко нарезать чеснок и грибы. Кусочки курицы обвалять в крахмале, смешать все остальные составляющие и опустить в них мясо. Поставить в холодильник на 1 час. На середину листа фольги выложить овощи из маринада, сверху положить мясо. Завернуть фольгу так, чтобы не вытекал сок. Запекать в турбопечи в течение 20 минут при температуре 180.

КУРИЦА ПО-ПОЛИНЕЗИЙСКИ

1 курица (весом около 1,5 кг), 3 столовые ложки рома или коньяка, 3 столовые ложки острого кетчупа, 1 столовая ложка соевого соуса, 1 столовая ложка порошка имбиря, 3 столовые ложки патоки или 2 столовые ложки меда, 1 чайная ложка крахмала, 1/2 стакана сока ананаса, 4 кружка ананаса.

Курицу вымыть и целиком замариновать в смеси, приготовленной из всех указанных продуктов, тщательно обмазав ею птицу и снаружи и внутри. Через 3—4 часа достать из маринада, обсушить и поместить на нижнюю подставку в турбопечь. Жарить в течение 30 минут при температуре 240. Затем на курицу положить сверху кусочки ананаса и полить оставшимся маринадом. Готовить еще 10 минут при той же температуре.

КУРИЦА ПО-ФИЛИППИНСКИ

4 куриных окорочка, 10 сухих грибов, 2 столовые ложки соевого соуса, 2 столовые ложки коричневого сахара, 1 столовая ложка порошка имбиря, 1/2 чайной ложки молотого перца, 1 чайная ложка корицы, 2 головки гвоздики, 6 столовых ложек измельченных орехов, соль по вкусу.

Размочить сухие грибы, промыть и нарезать крупными кусками, затем смешать их с остальными составляющими (кроме мяса). Полученной смесью обмазать куриное мясо и поставить на холод на 1—2 часа. Замаринованное мясо вместе с маринадом уложить в посуду для запекания и поместить в турбопечь. Запекать в течение 30 минут при температуре 180.

КУРИЦА С ЦВЕТНОЙ КАПУСТОЙ

1 курица (весом примерно 1 кг), 500 г цветной капусты (свежей или замороженной), 1 столовая ложка сметаны, 1 стакан бульона, 1 столовая ложка сливочного масла, 1 столовая ложка крошек белого хлеба, 2 столовые ложки натертого сыра, перец, соль по вкусу.

Разрезанную на 4 части курицу посолить, поперчить, обвалять в хлебных крошках и положить в смазанную маслом форму на слой цветной капусты, предварительно разобранной на мелкие соцветия. Сметану смешать с бульоном, полученной смесью залить курицу, посыпать сыром и поместить в турбопечь. Запекать в течение 30 минут при температуре 180.

ЛИВЕР БАРАНИЙ В САЛЬНИКЕ

Бараний сальник, 300 г легких, сердца, печенки, барашка, 4 луковицы, 100 г сливочного масла, 1 булка городская, 2 стакана молока, 2 столовые ложки сметаны, перец, соль по вкусу.

Хорошо промыть сальник, разложить его на сковороде так, чтобы края его свешивались со сковороды. Легкие, сердце и печенку хорошо промыть, разрезать на кусочки и пропустить через мясорубку вместе с булкой, предварительно очищенной от корок, размоченной в молоке и хорошо отжатой. Лук мелко нарезать, посолить, обжарить в масле и добавить вместе со сметаной в приготовленный фарш. Полученную массу хорошо вымесить, посолить, поперчить, положить ровным слоем на сальник, накрыть его свисавшими краями. Подготовленное таким образом блюдо запекать в турбопечи в течение 25 минут при температуре 160. Отдельно подать соленые огурцы и помидоры или салат из квашеной капусты с мелко нарезанным луком и сахарным песком.

ЛУК, ФАРШИРОВАННЫЙ МЯСОМ

100 г ветчины, 12 луковиц, 2 булочки, 2 яйца, 2 столовые ложки натертого сыра, 2 столовые ложки мелко нарезанной петрушки, 100 г маргарина, 2 столовые ложки сахара, 1 стакан бульона.

Ветчину мелко нарубить, смешать с размягченной размятой булкой. Нарубить лук, вынутый из середины луковиц, приготовленных для фарширования, смешать с яйцом, петрушкой и сыром, посолить и поперчить. Наполнить фаршем луковицы. Выложить их в смазанную маслом кастрюлю. Сахар и масло подрумянить на слабом огне, влить бульон и залить полученной смесью фаршированный лук. Тушить в турбопечи в течение 10 минут при температуре 160.

МЯСО, ЗАПЕЧЕННОЕ «ПОД ШУБОЙ»

500 г отварной говядины или жареной свинины, 5 луковиц, 1/2 стакана майонеза, 2 столовые ложки зелени укропа, 1 столовая ложка мелко нарезанной петрушки, соль во вкусу.

Мясо нарезать ломтиками, уложить на смазанную маслом сковороду, посыпать зеленью укропа, нашинкованным репчатым луком, залить майонезом. Запекать в турбопечи в течение 5 минут при температуре 160. Подать в горячем виде, украсив веточками петрушки.

МЯСО ПО-МАРОККАНСКИ

500 г баранины, 100 г куриного мяса, 3 сосиски, 1 баранья почка, 3 столовые ложки сливочного масла, 1 стакан воды, 2 луковицы, 250 г моркови, 2 помидора, 1 свежий огурец, 200 г белокочанной капусты, 150 г сухого зеленого гороха, 1 чайная ложка соли, черный и красный молотый перец по вкусу.

Горох замочить на ночь, лук нарезать и обжарить в масле. Почку хорошо промыть, ошпарить кипятком, нарезать мелкими ломтиками, как и сосиски, сложить их в посуду, добавить нарезанное кубиками мясо, горох, лук и остальные овощи, предварительно вымыв и нарезав их. Все приправить специями, долить воду и поместить в турбопечь. Тушить в течение 10 минут при температуре 180.

МЯСО ПО-ПЕРУАНСКИ

400 г телятины или свинины, 500 г белокочанной капусты, 1 луковица, 2 стручка сладкого перца, 200 г шампиньонов, 1 долька чеснока, 1 чайная ложка красного молотого перца, 2 стакана мясного бульона, 2 стакана риса, 2 столовые ложки маргарина или растительного масла.

Мясо разрезать на кубики величиной 2x2 см. Нарезать лук и чеснок, капусту нарезать тонкими полосками. Из стручков перца удалить сердцевину, нарезать их кольцами. Грибы очистить и разрезать пополам. Все эти овощи добавить к мясу, залить мясным бульоном, добавить рис, сваренный до полуготовности. Поместить в турбопечь и запекать в течение 10 минут при температуре 160.

МЯСО С КРЫЖОВНИКОМ И ОРЕХАМИ

800 г мяса, 100 г орехов, 100 г крыжовника, 1 столовая ложка молотого красного перца, 1 луковица, 1 чайная ложка натертой цедры лимона.

Мясо нарезать небольшими кусочками, положить в кастрюлю, добавить перец, измельченные орехи, цедру, крыжовник, лук, посолить по вкусу. Тушить в турбопечи в течение 20 минут при температуре 200. Перед подачей положить сметану. Можно добавить томатную пасту, ломтики огурцов. Отдельно подать отварной картофель.

МЯСО С ЦИКОРИЕМ ПО-ФЛАМАНДСКИ

250 г говядины, 500 г цикория, 500 г яблок, 1 столовая ложка изюма, 1 стакан белого вина, 1 столовая ложка меда, 1 столовая ложка сливочного масла.

Яблоки очистить, нарезать дольками, смешать с изюмом и выложить в смазанную маслом форму. Второй слой выложить из предварительно нарезанного тонкими дольками цикория, полить вином, сверху положить ломтики мяса, сбрызнуть их медом, разведенным в небольшом количестве воды. Поместить в турбопечь на высокую подставку. Запекать в течение 5—7 минут при температуре 220.

МЯСО, ТУШЕННОЕ С ОВОЩАМИ

400 г говядины, 125 г шпика, 2—3 пера лука-порея, 250 г моркови, 2 баклажана, 150 г сельдерея, 100 г грибов, 2 стакана картофельного пюре, 2 столовые ложки сливочного масла, 2 столовые ложки панировочных сухарей, перец, соль по вкусу.

Мясо и овощи (кроме баклажанов) пропустить через мясорубку, посолить и поперчить. Баклажаны ошпарить кипятком и снять с них кожу. В смазанную жиром форму на дно положить картофельное пюре, на него — фарш из мяса и овощей, затем — нарезанные тонкими ломтиками баклажаны, сверху положить кубики шпика. Все посыпать сухарями, сверху разложить кусочки сливочного масла. Заполненную таким образом форму поместить в турбопечь на высокую решетку. Тушить при температуре 160 в течение 15 минут.

НОЖКИ СВИНЫЕ С КИСЛОЙ КАПУСТОЙ И ГОРОШКОМ
(немецкая кухня)

4 свиные ножки, 400 г очищенного зеленого горошка, 1 кг квашеной капусты, 1 луковица, 5—6 ягод можжевельника, 1 лавровый лист, 1 чайная ложка майорана, 2 стакана воды, соль по вкусу.

Горох замочить на ночь, затем промыть, добавить майоран и соль и отварить в 1 стакане воды в турбопечи в течение 20 минут при температуре 200. Затем горох извлечь из турбопечи и протереть сквозь сито. Свиные ножки залить стаканом воды, добавить лук, лавровый лист, ягоды можжевельника и поместить в турбопечь. Тушить в течение 20 минут при температуре 200. Затем приподнять свиные ножки, на дно кастрюли положить квашеную капусту и вновь поместить в турбопечь на 25 минут при температуре 180. Протертый горох выложить на блюдо вместе со свиными ножками и тушеной капустой. Отдельно подать отварной картофель и горчицу.

ОГУРЦЫ, ФАРШИРОВАННЫЕ МЯСОМ ИЛИ ГРИБАМИ

4 свежих огурца средней величины, 150 г рубленого мяса (или 500 г мелко нарезанных тушеных грибов), 1—2 столовые ложки отварного риса, 1 луковица, 2 яйца, 2 столовые ложки томатной пасты, 2 столовые ложки сметаны, 1 чайная ложка лимонного сока, 1 столовая ложка муки, по 2 столовые ложки мелко нарезанной зелени петрушки и укропа, перец, соль по вкусу.

Огурцы очистить от кожицы, разрезать пополам и вынуть семена. Очищенные половинки заполнить фаршем. Для приготовления фарша рубленое мясо или грибы смешать с мелко нарезанным репчатым луком, рисом, добавить сырые или сваренные яйца, зелень петрушки, посолить и поперчить. Полученной массой наполнить половинки огурцов, накрыть пустыми половинками, перевязать нитками и уложить в смазанную жиром посуду. Сметану смешать с томатной пастой, добавить муку. Полученный соус вылить на подготовленные огурцы, сбрызнуть лимонным соком. Тушить в турбопечи в течение 10 минут при температуре 160. Готовые огурцы посыпать укропом и подать с белым хлебом.

ОКОРОК БАРАНИЙ, ЗАПЕЧЕННЫЙ С ОВОЩАМИ

1 кг бараньего окорока (одним куском), 1 телячья голяшка, 1 луковица, 2 морковки, 3 столовые ложки бульона, соль по вкусу.

Телячью голяшку нарубить небольшими кусками, луковицу разрезать на 4 части, морковки разрезать вдоль на 8 частей. На дно глубокой формы положить куски голяшки, сверху положить баранину, обложив ее по краям морковью и луком, посолить и залить бульоном. Запекать в турбопечи в течение 1 часа при температуре 200.

ОКОРОК СО СТРУЧКОВОЙ ФАСОЛЬЮ

750 г стручков фасоли (можно замороженных), 750 г картофеля, 150 г сырокопченого окорока, 3 яйца, 250 г молока, 2 столовые ложки натертого сыра, 2 столовые ложки сливочного масла, 1 столовая ложка лимонного сока, перец, соль по вкусу.

Фасоль и окорок мелко нарезать, добавить картофель, нарезанный тонкими ломтиками, слоями уложить в смазанную маслом форму. Яйца взбить с молоком, добавить лимонный сок, поперчить и посолить. Полученную смесь осторожно вылить в форму, сверху посыпать сыром и положить кусочки сливочного масла. Запекать в турбопечи в течение 10—12 минут при температуре 200.

ОМЛЕТ ИМБИРНЫЙ СО СВИНИНОЙ

4 яйца, 1 чайная ложка молотого имбиря, 250 г свиного фарша, 1 столовая ложка оливкового масла, 4 столовые ложки мелко нарезанного зеленого лука, 1 долька чеснока, 1 чайная ложка сахара, 1/2 чайной ложки черного молотого перца, 1 столовая ложка соевого соуса, 1/2 чайной ложки соли.

Свиной фарш выложить в форму для омлета, смешать с маслом, растертым чесноком и имбирем, на 5—6 минут поместить на нижнюю решетку в турбопечь при температуре 160. Яйца взбить с соевым соусом, сахаром, перцем и солью. Полученную смесь вылить на фарш, перемешать, посыпать зеленым луком. Готовить в турбопечи в течение 8—10 минут при температуре 160.

ОМЛЕТ ПО-ЯПОНСКИ

4 яйца, 150 г куриного белого мяса, 250 г консервированных грибов, 4 крупные креветки, 120 г рыбного филе, 50 г очищенного жареного арахиса, 1 столовая ложка вишневого ликера, 1 чайная ложка сахара, 1/2 чайной ложки соли.

Яйца взбить с вином, сахаром и солью. Все остальные продукты мелко нарезать и распределить по 4 формочкам, сверху залить яичной смесью. Готовить в турбопечи в течение 15—20 минут при температуре 160.

ОМЛЕТ С ВЕТЧИНОЙ И ОВОЩАМИ

4 яйца, 100 г ветчины, 1 сладкий перец, 1 помидор, 1 луковица, 1 столовая ложка кетчупа, 1/4 чайной ложки сладкого молотого перца, соль по вкусу.

Помидор ошпарить, очистить от кожицы и зерен, мелко нарезать. Перец очистить от семян, нашинковать кружочками толщиной 1—2 мм, так же нарезать лук. Яйца взбить, смешать с мелко нарезанной ветчиной, овощами и приправами. Форму выстлать фольгой, смазать маслом, заполнить приготовленной смесью. Запекать в турбопечи на нижней решетке в течение 15—18 минут при температуре 160.

ОТБИВНЫЕ ИЗ СВИНИНЫ В СОЕВОМ СОУСЕ

4 свиные отбивные, 2 столовые ложки соевого соуса, 2 столовые ложки лимонного сока, 1 луковица, 1 столовая ложка мелко нарезанного репчатого лука, по 1 чайной ложке мелко нарезанной зелени сельдерея и розмарина, перец и соль по вкусу.

Отбивные натереть солью и перцем, посыпать мелко нарезанным луком, залить соевым соусом и лимонным соком. Все хорошо перемешать и оставить на 3—4 часа. Луковицу разрезать на кольца толщиной 0,5 см, обжарить в масле с двух сторон на сильном огне. Отбивные уложить на сковородку вместе с маринадом, сверху положить по 2 кусочка поджаренного лука и поместить в турбопечь. Запекать в течение 15 минут при температуре 200. Готовые отбивные украсить зеленью.

ОТБИВНЫЕ ИЗ СВИНИНЫ, ЗАПЕЧЕННЫЕ В СУХАРЯХ

600 г свинины, 1 яйцо, 1 столовая ложка молока, 4 столовые ложки молотых сухарей, перец и соль по вкусу.

Мясо разделить на 4 порции, хорошенько отбить, посолить и поперчить, сложить стопкой и оставить на 1—2 часа. Яйцо влить в молоко и тщательно взбить. Каждую отбивную обмакнуть в эту смесь, свернуть в тугие рулетики и обвалять в сухарях. Сковородку или плоскую форму смазать маслом, уложить в нее рулетики так, чтобы они не касались друг друга, и поместить в турбопечь. Запекать в течение 15 минут при температуре 200.

ОТБИВНЫЕ ПО-ТАДЖИКСКИ

1 кг баранины (или говядины), 2 столовые ложки 3%-ного уксуса, 5 яиц, 4 столовые ложки муки, 4 луковицы, 100 г животного топленого жира, 50 г сливочного масла или маргарина, 50 г зелени петрушки и укропа, перец, соль по вкусу.

Мясо нарезать на порции, отбить, мариновать в течение 6—8 часов с добавлением мелко нарезанного лука, уксуса и специй. Перед жареньем порционный кусок смочить в яйце, запанировать в муке (повторить дважды) и положить в сковородку с небольшим количеством жира. Поместить в турбопечь на высокую подставку. Жарить в течение 5—7 минут при температуре 220. Готовые отбивные полить жиром. Отдельно подать жареный картофель и зелень.

ПЕЧЕНКА, ЗАЖАРЕННАЯ КУСКОМ

1 кг говяжьей печенки, 5 столовых ложек топленого масла, 150 г шпика, 1/2 стакана сметаны, 1 столовая ложка муки, 1 стакан бульона или молока, 1 луковица, 400 г картофеля, 2 столовые ложки нарезанной зелени петрушки, перец, соль по вкусу.

Печенку очистить от пленок и вымочить в холодной воде, меняя воду. Обсушить печенку, затем нашпиговать тонкими кусочками шпика, обмазать сметаной, обсыпать мелко нарезанным луком и петрушкой, поперчить и посолить, обвалять в муке. Сковороду смазать маслом, положить на нее печенку, добавить бульон или молоко. Поместить в турбопечь на 7 минут при температуре 150. Отварить картофель, слить воду, обсушить его, залить растопленным сливочным маслом, посыпать зеленью. Кастрюлю накрыть крышкой и хорошо потрясти, чтобы зелень и масло равномерно обволокли картофель. Подать к печенке.

ПЕЧЕНКА, ЗАПЕЧЕННАЯ В ГОРШОЧКЕ

750 г печенки, 2 столовые ложки муки, 2 столовые ложки топленого масла, 250 г жареных грибов, 250 г пресного теста, 150 г пассерованного лука, 500 г жареного картофеля, 500 г сметаны, 5 ложек мелко нарезанной зелени петрушки, перец, соль по вкусу.

Обработать печенку, нарезать ее кубиками, обвалять в муке, положить в горшок, добавить жареные грибы, пассерованный репчатый лук, жаренный кубиками картофель, сметану, зелень. Все перемешать, поперчить и посолить. Горшок закрыть крышкой из теста. Запекать в турбопечи в течение 10 минут при температуре 200.

ПИРОЖКИ КАРТОФЕЛЬНЫЕ С МЯСОМ

500 г картофеля, 1 столовая ложка растительного масла, 1/2 стакана сметаны или молока, 2 яйца, 1 яичный желток, 25 г дрожжей, 1 1/2 стакана муки, 1 чайная ложка сахара, 1/2 чайной ложки соли. Для начинки: 800 г говядины или нежирной свинины, 100—150 г сливочного масла, 3 яйца, 3 луковицы, соль и перец по вкусу.

Сваренный в кожуре картофель очистить, натереть на терке, смешать с разведенными в подслащенном молоке или сметане дрожжами, добавить муку и яйца, посолить. Вымешивать до тех пор, пока тесто не будет отставать от рук. Оставить в теплом месте на час, после чего раскатать в пласт толщиной в палец, вырезать стаканом кружочки. Для приготовления начинки нарезать мясо кусочками по 40—50 г, поджарить на масле с большим количеством лука, добавить воду или бульон и потушить, затем мелко порубить, добавить соль, перец, крутые рубленые яйца, влить 1—2 столовые ложки крепкого бульона, если фарш недостаточно сочный. На один из кружков теста положить начинку, сверху накрыть другим кружком, края защипать. Пирожки смазать яичным желтком, уложить в смазанную растительным маслом форму. Выпекать в турбопечи в течение 15—18 минут при температуре 200.

ПОТРОХА БАРАШКА ПО-РУМЫНСКИ

500 г сердца, печенки и легких, 2 яйца, 1 ломоть хлеба, 1 столовая ложка сметаны, 1 столовая ложка топленого сала, по 1 столовой ложке мелко нарезанной зелени укропа, петрушки, зеленого лука, 2 пера зеленого лука, перец, соль по вкусу.

Отварить потроха и мелко их нарезать. Добавить яйца, немного хлебной мякоти, размоченной в молоке, сметану, зелень. Все перемешать, поперчить и посолить. Хорошо, в нескольких водах, вымыть сальник. Слегка смазать топленым салом сковороду с низкими краями. Растянуть сальник так, чтобы в него можно было завернуть начинку. Положить начинку, разровнять ее и прикрыть краями сальника. Запекать в турбопечи в течение 5—7 минут при температуре 200. Подать целиком или разрезать на части.

ПОЧКИ, ЖАРЕННЫЕ ПО-КИТАЙСКИ

500 г почек, 3 столовые ложки растительного масла,1 столовая ложка мелко нарезанной зелени петрушки, 250 г сельдерея, 2 столовые ложки нарезанного зеленого лука, 50 г коньяка, 1 долька чеснока, перец, соль по вкусу.

Почки разрезать вдоль, удалить желчные протоки, хорошо промыть и нарезать тонкими ломтиками, затем слегка отварить и обвалять в муке. Такими же ломтиками нарезать сельдерей и лук, слегка обжарить их в растительном масле. В посуду положить овощи, сверху ломтики почек, добавить толченый чеснок и коньяк и поместить в турбопечь на 5 минут при температуре 160. Готовое блюдо посыпать зеленью. Отдельно подать рассыпчатый рис.

ПУДИНГ ИЗ ПТИЦЫ

500 г мяса птицы, 2 ломтика черствого белого хлеба, 4 яйца, 3 столовые ложки сливочного масла, 1/2 стакана молока, 2 столовые ложки муки, 0,5 л куриного бульона, 2 яичных желтка, 3 столовые ложки сметаны, 1 чайная ложка лимонного сока, 1 столовая ложка мелко нарезанной зелени петрушки, мускатный орех на кончике ножа.

Сваренное мясо птицы пропустить через мясорубку вместе с размоченным в молоке белым хлебом, добавить 4 яичных желтка, специи и взбитые белки. Полученную массу выложить в смазанную маслом форму и запекать в турбопечи в течение 30 минут при температуре 160. Подать с соусом. Для его приготовления 2 столовые ложки масла смешать с мукой, прогреть, разбавить куриным бульоном, вскипятить, вмешать 2 яичных желтка, посолить по вкусу, вылить в соусницу и посыпать нарезанной зеленью петрушки.

РАГУ ИЗ БАРАНИНЫ ПО-ГРЕЧЕСКИ

500 г баранины, 1 луковица, 2 столовые ложки растительного масла, 1 долька чеснока, 1—2 столовые ложки томатной пасты, 0,5 л белого вина, 25 маслин, 2 столовые ложки муки, 1/2 чайной ложки тимьяна, 1 лавровый лист, перец, соль по вкусу.

Мясо нарезать кубиками, посолить, поперчить, добавить слегка обжаренный в масле лук и чеснок, растертый с солью. Все залить вином так, чтобы оно покрыло мясо, добавить томатную пасту, тимьян и лавровый лист. Тушить в турбопечи в течение 15 минут при температуре 180. Перед подачей соус заправить мукой, добавить маслины и дать настояться 5 минут. Подать на подогретых тарелках, натертых чесноком.

РЕБРЫШКИ СВИНЫЕ С КИСЛОЙ КАПУСТОЙ

500 г свиных ребер, 750 г квашеной капусты, 1 яблоко, 1 луковица, 3—5 ягод можжевельника, 1/4 чайной ложки тмина, 1 стакан белого вина, 1/2 стакана воды, соль по вкусу.

Мясо залить водой и варить в турбопечи в течение 10 минут при температуре 180. Квашеную капусту смешать с очищенным и нарезанным яблоком, ягодами можжевельника и нашинкованным луком. Полученную смесь добавить к мясу и тушить все вместе еще 15 минут при температуре 160. Жидкость должна почти полностью выкипеть, вместо нее влить белое вино. Отдельно подать отварной картофель.

РУЛЕТ ИЗ РУБЛЕНОГО МЯСА С ВЕТЧИНОЙ

700 г мяса, 150 г ветчины, 50 г копченой грудинки, 2 столовые ложки сливочного масла, 100 г сметаны, 1 столовая ложка горчицы, 5 ломтиков черствой булки, 1 луковица, 1 яйцо, 2 столовые ложки панировочных сухарей, перец, соль по вкусу.

Мясо пропустить через мясорубку, добавив размоченные ломтики булки и жареный лук, посолить и поперчить. Влить 1/2 стакана воды, яйцо и хорошо выбить фарш о мокрую доску. Сформировать два рулета, положить их на глубокую сковороду, смазанную маслом, обсыпать сухарями, полить растопленным сливочным маслом и нашпиговать кусочками копченой грудинки и ветчины. Подлить немного воды и поставить в турбопечь. Запекать в течение 10 минут при температуре 160. Перед подачей в образовавшийся сок добавить сметану. Отдельно подать салат из свежих овощей.

РУЛЕТ ПО-КАРЛСБАДСКИ

1 кг телячьей грудинки, 100 г шпика, 100 г свинины или копченого мяса, 100 г сливочного масла или маргарина, 1 соленый огурец, 2—3 яйца, 1 столовая ложка муки, соль по вкусу.

Из мяса удалить ребра, грудинку отбить и посолить. Мясо выложить тонкими полосками шпика и свинины, чередуя их, затем покрыть остуженной яичницей-глазуньей, на которой равномерно распределить мелко нарезанный огурец. Грудинку туго скатать, обвязать ниткой и запекать в турбопечи в течение 25 минут при температуре 180. В соус к рулету для густоты добавить немного муки.

СВИНИНА В КОКОСОВОМ СОУСЕ

*500 г свинины, 50 г кокосовой стружки, 1 сладкий зеленый перец, 1 лу-
ковица, 1/2 чайной ложки молотого имбиря, 3 столовые ложки приправы карри, 1/2 стакана сметаны, 1/2 стакана воды, соль по вкусу.*

Перец очистить от семян, нарезать кольцами, добавить нарезанный
лук, кокосовую стружку, имбирь и карри. Туда же положить нарезанное
кусочками мясо, посолить и выдержать на холоде 2—3 часа. Затем влить
воду и поместить в турбопечь на 15—20 минут при температуре 200. В готовое блюдо добавить сметану, украсить его кольцами зеленого перца.

СВИНИНА В МАРИНАДЕ «ТЕРИЯКИ»

*500 г свиной вырезки. Для маринада: 1/4 столовой ложки соевого
соуса, 1/4 столовой ложки коричневого сахара, 1 столовая ложка винного уксуса, 1/4 стакана вишневого ликера, 1 столовая ложка сахара,
1/4 стакана рисовой водки саке.*

Свинину нарезать на кусочки по 50 г, залить приготовленным маринадом, поместить на ночь в холодильник. Куски мяса вынуть из маринада,
обсушить и запекать в турбопечи на верхней решетке в течение 10—12 минут при температуре 240.

СВИНИНА, ГЛАЗИРОВАННАЯ АЛЫЧОЙ

*800 г постной свинины, 2 столовые ложки лимонного сока, 2 дольки
чеснока, 2 столовые ложки лимонного сока, 200 г консервированной
красной алычи (или слив) без сока, перец, соль по вкусу.*

Мясо нарезать ломтиками толщиной 1,5 см, положить на сковороду, с
двух сторон обмазав лимонным соком и специями, предварительно растерев чеснок с солью. Запекать в турбопечи на нижней подставке в течение 15 минут при температуре 200. Затем помазать сверху растертой алычой и готовить еще 5 минут при той же температуре.

СВИНИНА, ЗАПЕЧЕННАЯ В МАРИНАДЕ

*1,5 кг свинины, 1/2 стакана оливкового масла, 3/4 стакана столового
уксуса, 3/4 стакана мадеры, 1 луковица, 4 лавровых листа, 1 столовая ложка готовой горчицы, 1 столовая ложка сахара, перец, соль по
вкусу.*

Мясо положить в эмалированную кастрюлю, обложить лавровым листом и тонко нарезанным луком, посыпать перцем. Уксус смешать с оливковым маслом, мадерой, солью и сахаром. Залить этим маринадом свинину и поставить на 3 суток, ежедневно поворачивая мясо, чтобы оно
промариновалось равномерно. Через 3 суток вынуть свинину из марина-

да, обсушить салфеткой, обмазать горчицей, положить на сковороду, подлить немного маринада. Запекать в турбопечи на высокой подставке в течение 15 минут при температуре 200. Готовую свинину нарезать ломтиками, положить на блюдо, полить соком, оставшийся сок подать отдельно в соуснике. В качестве гарнира подать картофельное пюре и салат из свежих овощей.

СВИНИНА ПО-ВЕНЕСУЭЛЬСКИ

1,5 кг свиного окорока (одним куском), 2 луковицы, 3 дольки чеснока, 1/4 чайной ложки молотого перца, 2 столовые ложки оливкового масла, 3 столовые ложки уксуса, 2 столовые ложки мелко нарезанной зелени петрушки, 120 г консервированного красного перца (без жидкости).

Мясо положить в небольшую посуду. Смешать все составляющие, полученной смесью покрыть мясо и на 2 часа поставить его в холодильник. Подготовленное мясо положить на нижнюю подставку в турбопечь и запекать в течение 10—12 минут при температуре 240.

СВИНИНА «ШАРДОН»

500 г постной свинины, 150 г пикулей, 2 дольки чеснока, 2 столовые ложки лимонного сока, 2 столовые ложки сахара, 2—3 столовые ложки суповой зелени, 1 чайная ложка крахмала, 1 столовая ложка муки, 1/2 чайной ложки соли, 1/2 чайной ложки перца, 4 столовые ложки воды, 2 столовые ложки растительного масла, 1 столовая ложка кетчупа.

Мясо нарезать кусками. Для приготовления соуса взять 2 столовые ложки растительного масла, разогреть его в сковороде, добавить толченый чеснок, слегка обжарить и снять с огня. Затем добавить лимонный сок, сахар, суповую зелень, разведенный крахмал, измельченные пикули, перец; соус вскипятить. Мясо уложить на блюдо, залить соусом. Готовить в течение 10—12 минут при температуре 180.

СВИНЫЕ НОЖКИ С ГОРОХОМ

5 свиных ножек, 1/2 стакана гороха, 3 морковки, 1 луковица, 3—4 лавровых листа, 2 столовые ложки нарезанной петрушки, несколько горошин черного перца, 1 чайная ложка соли.

Горох замочить на ночь. Обработанные ножки положить в кастрюлю с холодной водой, добавить лук, морковь, петрушку, лавровый лист, перец и соль и 30—40 минут варить в турбопечи при температуре 160. У сваренных ножек отделить кости, мясо нарезать на порции, добавить горох, залить оставшимся соусом и готовить еще 20 минут при температуре 180.

СОЛЯНКА ИЗ ЯЗЫКА

500 г отварного языка, 200 г пассерованных грибов, 100 г пассерованного лука, 3 лавровых листа, 50 г сливочного масла, 50 г белого виноградного вина, 150 г припущенных соленых огурцов, 300 г помидоров, 600 г бульона, 2 столовые ложки нарезанной зелени петрушки, перец, соль по вкусу.

Отварной язык нарезать мелкими ломтиками, положить в горшок (или все продукты распределить на 5 порционных горшочков), добавить грибы, лук, соль, перец, лавровый лист, сливочное масло, вино, припущенные соленые огурцы, помидоры, нарезанные ломтиками. Все залить бульоном и поставить в турбопечь. Тушить в течение 10 минут при температуре 200. Подать в горшочке, посыпав зеленью.

ТЕЛЯТИНА ЖАРЕНАЯ С СОУСОМ ИЗ ЯБЛОК И БРУСНИКИ

1,5 кг телятины, 1 столовая ложка масла, 500 г брусники (или клюквы), 750 г яблок, 1 стакан сахара.

Мясо натереть солью, поместить на высокую подставку, обмазать маслом и жарить в турбопечи в течение 20 минут при температуре 200. Готовую телятину нарезать тонкими ломтями, залить оставшимся соком. Подать в горячем или холодном виде. В обоих случаях к мясу подать соус из яблок и брусники (клюквы). Для приготовления соуса бруснику сварить, отцедить воду, протереть через дуршлаг. В полученное пюре добавить сахар, вскипятить, положить яблоки, нарезанные на четвертинки и очищенные от семян. Когда яблоки станут мягкими, соус остудить и подать холодным.

ТЕЛЯТИНА ПО-ДИЖОНСКИ

6 телячьих отбивных, 2 столовые ложки сладкой готовой горчицы, 1/2 стакана красного виноградного вина, 2 столовые ложки оливкового масла, 1—2 дольки чеснока, 1/2 чайной ложки «вегеты», 1/4 чайной ложки молотого перца, соль по вкусу.

Приготовить маринад из вина, горчицы, оливкового масла, растертого чеснока и приправ. Отбивные положить в широкую посуду одним слоем и залить маринадом, оставить на полчаса. Затем отбивные поместить на нижнюю подставку в турбопечи и жарить в течение 10—15 минут при температуре 200.

ТЕЛЯТИНА С ВИШНЯМИ

1,2 кг телятины, 400 г вишни, 150 г масла, 2 столовые ложки муки, 1/2 стакана вишневого сока, 1 стакан воды, 1/2 чайной ложки корицы, перец и соль по вкусу.

В крупном куске телятины вдоль волокон сделать глубокие проколы ножом, нашпиговать вишнями без косточек и посолить. В посуду положить телятину, полить маслом, посыпать корицей, добавить вишневый сок, воду, спассерованную муку и поместить в турбопечь на 15 минут при температуре 220. Готовую телятину нарезать на порции и подать со свежими овощами, полив соусом, в котором она тушилась.

ТЕЛЯТИНА ФАРШИРОВАННАЯ

1 кг телятины (грудинки), 100 г жирного свиного фарша, 200 г жареной телячьей печенки, 1 яйцо, 2 столовые ложки измельченных консервированных грибов, 1 столовая ложка мелко нарезанного лука, 100 г белого хлеба, 1/2 стакана молока, мускатный орех, перец и соль по вкусу.

Белый хлеб намочить в молоке и отжать. В свиной фарш добавить белый хлеб, мелко нарезанную печенку, лук, яйцо и грибы, все перемешать до получения однородной массы. Грудинку глубоко надрезать между костью и мясом, посолить и поперчить изнутри, наполнить приготовленной массой и зашить. Сверху посолить и посыпать мускатным орехом, уложить на смазанную растительным маслом поверхность. Запекать в турбопечи в течение 1 часа при температуре 200.

УТКА, ФАРШИРОВАННАЯ ФРУКТАМИ

1 молодая утка, 2 крупных яблока, 2 груши, 5—7 слив, 1 столовая ложка сахарного песка, цедра 1/2 лимона, 1/4 чайной ложки кардамона, 1 кубик мясного бульона, 1/2 стакана воды, 2 столовые ложки сливочного масла, 1/4 чайной ложки соли.

Яблоки и груши очистить и мелко нарезать, смешать с измельченной цедрой лимона, добавить сахар и кардамон, залить водой с растворенным в ней кубиком мясного бульона. Все перемешать, добавить мелко нарезанные сливы без косточек. Утку нафаршировать фруктовой смесью, зашить. Снаружи тушку натереть солью, уложить в форму, полить растопленным сливочным маслом и поместить в турбопечь. Готовить 30 минут при температуре 220, затем уменьшить температуру до 160 и готовить утку еще 30 минут, через каждые 10 минут поливая собственным соком.

ФЛЯКИ С СЫРОМ

1 кг говяжьего рубца, 100 г сыра, 1 стакан сметаны, по 1 корню петрушки и сельдерея, 1 столовая ложка мелко нарезанной зелени майорана, 1 стакан крепкого мясного бульона, 100 г сливочного масла, 1/2 стакана молотых белых сухарей, соль по вкусу.

Рубец отварить в несоленой воде, нарезать на длинные тонкие куски в виде макарон (фляки). Уложить их в форму, смазанную маслом, добавить нарезанные корни петрушки и сельдерея, залить бульоном и поместить в турбопечь на 25—30 минут при температуре 160. Затем слить остатки бульона, фляки разровнять, сверху уложить кусочки сливочного масла, сухари и натертый сыр, все тщательно перемешать, сверху залить сметаной и поместить в печь еще на 30—35 минут при температуре 160. Готовые фляки посыпать майораном.

ФРИКАСЕ ИЗ ЦЫПЛЯТ

500 г крылышек цыплят, 2 столовые ложки сливочного масла, 3 чайные ложки муки, 1 луковица, 1 яичный желток, 1/2 стакана густых сливок, 1 стакан воды, молотый перец и соль по вкусу.

Мелко нарезанный лук смешать с мукой и слегка обжарить на сливочном масле, залить водой и перемешать. Крылышки разрезать по суставам на куски, залить приготовленным соусом, посолить, поперчить и поместить в турбопечь на 15 минут при температуре 160. Сливки взбить с яичными желтками. Крылышки вынуть из соуса, выложить на блюдо. Соус процедить, смешать со взбитыми сливками и полученной смесью залить крылышки цыплят.

«ХЛЕБ» ИЗ ИНДЕЙКИ И СВИНИНЫ

400 г фарша из мяса индейки, 400 г свиного фарша, 2 яйца, 6 столовых ложек лечо, 2 столовые ложки кетчупа, 1 долька чеснока, 3 столовые ложки зерен консервированной кукурузы, 3 столовые ложки зеленого горошка, 1 луковица, 100 г консервированных фруктов без сока (ананасы, персики и т.д.), 1/2 чайной ложки молотого перца, 1 чайная ложка сахара, 1/2 чайной ложки соли.

Лук мелко нарезать, чеснок растереть с солью. Смешать и тщательно растереть все составляющие, кроме консервированных фруктов. Форму для запекания смазать растительным маслом и на 3/4 высоты заполнить полученной массой. Мокрой ложкой сделать небольшие вмятины в верхнем слое и уложить в них кусочки фруктов. Запекать в турбопечи в течение 1 часа при температуре 180. Если блюдо приготавливается в двух формах, то время запекания следует уменьшить до 40 минут.

«ХЛЕБ» МЯСНОЙ С БЕКОНОМ

800 г постного говяжьего фарша, 300 г бекона, 2 яйца, 6 столовых ложек овсяных хлопьев, 150 г томатной пасты, 3 столовые ложки кисло-сладкого кетчупа, 1 столовая ложка соевого соуса, 3 столовые ложки мелко нарезанного лука, 2 дольки чеснока, 1 столовая ложка сахара, 1 чайная ложка молотого перца, 1 чайная ложка соли.

Все составляющие тщательно перемешать, предварительно растерев чеснок с солью. Смазать одну или две формы растительным маслом и заполнить приготовленной массой на 3/4 высоты. Поместить в турбопечь и запекать в течение 1 часа в умеренном режиме при температуре 180, если мясо запекается в одной форме. Если используются две формы, то время запекания составляет 40 минут.

ЧАНАХИ
(грузинская кухня)

500 г баранины, 750 г картофеля, 200 г помидоров, 300 г баклажанов, 200 г стручков зеленой фасоли, 1 луковица, зелень петрушки или кинзы, перец, соль по вкусу.

Баранину обмыть и нарезать небольшими кусками, положить в глиняный горшок. Туда же добавить мелко нарезанный лук, очищенный и нарезанный ломтиками картофель, нарезанные половинками помидоры, очищенные от прожилок и мелко нарезанные стручки фасоли, нарезанные кубиками баклажаны, зелень петрушки или кинзы. Все это посолить, поперчить и залить 2 стаканами воды. Тушить в турбопечи в течение 25 минут при температуре 200. Готовое блюдо подать в той же посуде, в которой его готовили.

ШЕЯ БАРАНЬЯ С КАРТОФЕЛЕМ И ГРИБАМИ

500 г бараньей шеи, 2 бараньи почки, 500 г картофеля, 2 луковицы, 100 г грибов, 0,5 л мясного бульона, 4 столовые ложки сливочного масла, перец, соль по вкусу.

Мясо с бараньей шеи нарезать кружками и удалить лишний жир. Картофель нарезать крупно, а лук — мелко. Грибы вымыть и, не снимая кожицы, разрезать на половинки. Почки разрезать вдоль, удалить протоки, очень хорошо вымыть. Все продукты уложить слоями в глубокий горшок с толстыми стенками и дном. Картофель следует положить сверху. Каждый слой посолить и поперчить, затем влить растопленное масло и бульон. Тушить в турбопечи в течение 35 минут при температуре 160.

ШНИЦЕЛЬ ПО-ТОСКАНСКИ

4 тонких ломтика телятины, 4 ломтика сырого окорока, 4 ломтика сыра, 400 г шпината, 1 долька чеснока, 1 чайная ложка горчицы, 2 столовые ложки сливочного масла, мускатный орех на кончике ножа, перец, соль по вкусу.

Шпинат очистить, дать стечь воде и приправить мелко нарезанным чесноком, солью и перцем. Посуду из огнеупорного стекла смазать маслом и распределить в ней 4 порции шпината. В середине каждой порции сделать углубление и вложить по кусочку сливочного масла. Посолить, поперчить, добавить немного мускатного ореха. Телячьи шницели посолить, намазать горчицей, каждый шницель выложить на порцию шпината. Подготовленное блюдо на высокой подставке поместить в турбопечь. Запекать в течение 8 минут при температуре 200. После этого открыть крышку, на шницели положить по ломтику окорока и сыра и запекать еще 3—5 минут при температуре 200. Отдельно подать жареный картофель, картофельное пюре или рис.

ШНИЦЕЛЬ ТЕЛЯЧИЙ С ОКОРОКОМ И СЫРОМ

5 тонких ломтиков телятины, 3 дольки чеснока, 3 чайные ложки сливочного масла, 5 ломтиков сырого окорока, 5 ломтиков сыра, 1 чайная ложка горчицы, 2 столовые ложки растительного масла, перец, соль по вкусу.

Телячьи шницели приправить мелко нарезанным чесноком, поперчить, посолить, намазать горчицей, затем на шницели положить по ломтику окорока и сыра. На сковороду положить сливочное масло, выложить на нее шницели. Поставить в турбопечь на 10 минут при температуре 160. В качестве гарнира подать жареный картофель, картофельное пюре или рассыпчатый рис.

ЯЗЫК ГОВЯЖИЙ ПО-КАВКАЗСКИ

1 кг отварного говяжьего языка, 3 луковицы, 300 г отваренных грибов, 1 стакан очищенных грецких орехов, 3 дольки чеснока, 250 г сметаны, 2 столовые ложки сливочного масла, 1 столовая ложка нарезанной зелени петрушки, перец, соль по вкусу.

Язык нарезать крупными кубиками, положить в кастрюлю, добавить грибы и поджаренный до золотистого цвета лук, нарезанный кольцами. Орехи и чеснок истолочь в однородную массу так, чтобы из орехов выступило масло, смешать эту массу со сметаной, посолить, поперчить и залить этим соусом язык, поджаренный лук и грибы. Тушить в турбопечи в течение 8 минут при температуре 220. Готовое блюдо посыпать петрушкой. Подать горячим.

ЯЗЫК ПО-ФРАНЦУЗСКИ

1 говяжий язык, 1/2 корня петрушки, 1/2 корня сельдерея, 1 маленькая луковица, 2 чайные ложки сахара, 1 стакан муки, 1 столовая ложка сливочного масла, 1/2 стакана белого вина, цедра 1/2 лимона, 2 столовые ложки изюма, 10—12 зерен миндаля, 1/2 чайной ложки соли.

Язык положить в кастрюлю, залить соленой водой, накрыть крышкой и поместить в турбопечь на 35—40 минут при температуре 160. С готового языка снять кожу, нарезать его ломтиками толщиной 1 см. На слабом огне в подходящей форме растопить сахар с 1 столовой ложкой воды, добавить масло и муку, все тщательно перемешать. Сверху положить куски языка, посыпать их изюмом, дробленым миндалем и крупно натертой цедрой лимона, залить бульоном от сваренного языка так, чтобы жидкость слегка покрывала мясо. Готовить в турбопечи в течение 3—5 минут при температуре 180. Подать холодным.

БЛЮДА ИЗ РЫБЫ И МОРЕПРОДУКТОВ

ЗАПЕКАНКА ИЗ КРЕВЕТОК И КРАБОВОГО МЯСА

200 г мяса крабов, 200 г очищенных креветок, 2—3 крупных пера зеленого лука, 2 чайные ложки лимонного сока, 1 яйцо, 1/3 стакана пива, 1/3 стакана растительного масла, 1/3 стакана сладкого соуса чили, 2/3 стакана блинной муки, соль по вкусу.

Мелко нарезанные лук, мясо, крабы и креветки смешать с лимонным соком и яйцами, посолить. Добавить муку, влить пиво, все тщательно перемешать до получения однородной массы. На дно формы налить растительное масло, выложить приготовленную смесь. Запекать на верхней решетке в турбопечи в течение 10—12 минут при температуре 160. Готовую запеканку подать горячей, залив соусом чили.

ЗАПЕКАНКА ИЗ МОРЕПРОДУКТОВ С РИСОМ

250 г копченого лосося, 100 г мороженых креветок, 2 маленьких кальмара, 3/4 стакана риса, 2 лавровых листа, 1 столовая ложка сливочного масла, 3 столовые ложки сливок, 1 1/2 стакана воды, 2 столовые ложки мелко нарезанного зеленого лука, молотый кардамон на кончике ножа, зелень и перец по вкусу.

Креветки отварить, почистить. Кальмары отварить в кипящей воде, очистить от кожицы и нарезать кольцами. Рис положить в кастрюлю, залить 1 стаканом кипящей воды, добавить лавровый лист, перец, кардамон, зелень, накрыть крышкой и отварить до полного выкипания воды. Затем рис хорошенько перемешать, выложить в форму, смазанную растительным маслом, сверху разложить рыбу, нарезанную на небольшие куски, нарезанный кольцами кальмар и креветки, сверху положить небольшие кусочки масла. Долить 1/2 стакана воды и поместить в турбопечь на 8—10 минут при температуре 180. Готовую рыбу вилкой раскрошить на мелкие кусочки, влить сливки, все перемешать и сразу же подать на стол.

ЗАПЕКАНКА ИЗ РЫБЫ И РИСА

600 г рыбного филе, 1 стакан риса, 3 столовые ложки сливочного или растительного масла, 100 г сметаны, 2 столовые ложки томатной пасты, 1 яйцо, 2 столовые ложки молока, 2 столовые ложки мелко нарезанной зелени петрушки, соль по вкусу.

Рис промыть, сварить в большом количестве воды, откинуть на сито, дать стечь воде. В смазанную жиром форму положить слой риса, слой измельченного рыбного филе, полить смесью сметаны и томатной пасты, в которую добавлены соль, перец и зелень петрушки. Сверху положить кусочки масла, полить смесью взбитого яйца и молока. Запекать в турбопечи в течение 10 минут при температуре 220. Подать с салатом из свежих огурцов.

ЗАПЕКАНКА ИЗ РЫБЫ И ШПИНАТА

500 г рыбного филе, 4 столовые ложки сливочного масла, 500 г шпината, 2 столовые ложки муки, 2 яичных желтка, 2 столовые ложки растительного масла, 1 стакан молока, 2 столовые ложки натертого сыра, 2 стакана отварного риса, 1 столовая ложка мелко нарезанной зелени петрушки, соль по вкусу.

Шпинат нарезать, тушить с небольшим количеством воды и сливочным маслом, спассеровать муку, развести подогретым молоком до консистенции густого соуса, посолить. В теплый соус влить яичные желтки, тщательно перемешать. В смазанную маслом форму положить рис, на него рыбу, затем пюре из шпината, залить приготовленным соусом, посыпать сыром, сверху разложить кусочки сливочного масла. Запекать в турбопечи в течение 10 минут при температуре 200. Подать с растопленным маслом.

ЗУБАТКА С ОВОЩАМИ

1 кг зубатки, 2 маленьких цуккини, 1 кубик рыбного бульона, 2 морковки, 4 пера зеленого лука, 1/4 часть корня сельдерея, 1 столовая ложка нарезанной петрушки, 1 столовая ложка лимонного сока, 1/2 стакана воды, 1/2 стакана сухого белого вина, 2 столовые ложки сливочного масла, молотый перец, соль по вкусу.

Рыбу вымыть, обсушить, нарезать на куски весом по 150—200 г, сбрызнуть лимонным соком. Все овощи нарезать тонкой соломкой. Развести в воде кубик рыбного бульона, добавить вино, приправы и масло. Все тщательно перемешать, затем добавить овощи и 1—2 минуты потушить на слабом огне, постоянно помешивая. Полученную массу выложить в форму, рыбу поперчить и посолить, уложить на овощи. Посуду накрыть и поместить в турбопечь. Готовить 5 минут при температуре 200, затем уменьшить температуру до 160 и тушить еще 8—10 минут. Рыбу выложить на блюдо. Овощи разложить вокруг рыбы и посыпать петрушкой.

КАРП В КРАСНОМ ВИНЕ

1 кг карпа (1—2 рыбы), 1 корень сельдерея, 1 соленый огурец, 1/2 стакана огуречного рассола, 1/2 стакана красного вина, 1 стакан уксуса, 2—3 веточки петрушки, 1 лавровый лист, щепотка мускатного ореха.

Карпа выпотрошить, вынуть жабры и, не очищая от чешуи, залить кипящим уксусом. Затем рыбу вынуть из уксуса, не разрезая, уложить в кастрюлю на слой мелко нарезанных кореньев и соленого огурца. Залить смесью рассола и вина, добавить специи, накрыть крышкой и тушить в турбопечи в течение 12—15 минут при температуре 180.

КАРП ПО-МАТРОССКИ

1 кг карпа (1—2 рыбы), 100 г сала, 1 луковица, 1 корень петрушки, 1 корень сельдерея, 1 морковка, 10 небольших шампиньонов, 5—6 горошин черного перца, 1—2 головки гвоздики, 1 кубик рыбного бульона, 1/2 стакана воды, 1/4 стакана красного вина, 1 чайная ложка муки, 1/4 чайной ложки соли.

Рыбу очистить, не разрезая на куски, удалить жабры. На дно формы выложить нарезанные коренья и тонкие ломтики сала, сверху положить рыбу, обложить ее шампиньонами, залить смесью вина и бульона. Добавить специи и поместить в турбопечь на 15—20 минут при температуре 180. Готовую рыбу выложить на блюдо, украсить шампиньонами. Соус слить, процедить, заправить мукой и довести до кипения при непрерывном помешивании. Приготовленным соусом залить рыбу.

ЛОСОСЬ С ШАМПИНЬОНАМИ

750 г лосося, 200 г шампиньонов, 1/2 стакана белого сухого вина, 3 столовые ложки кетчупа, 1 чайная ложка муки, 2 столовые ложки растительного масла, 1 кубик рыбного бульона, растворенный в 1 стакане воды.

Подготовленную рыбу нарезать кусками. Грибы очистить, промыть и нарезать. Все вместе сложить в кастрюлю, посолить, поперчить и полить вином, добавить рыбный бульон, смешанный с кетчупом, и растительное масло. Кастрюлю накрыть крышкой и поместить в турбопечь на 10—12 минут при температуре 200. Затем рыбу вынуть из соуса, в оставшейся жидкости размешать муку, соус прогреть на плите на слабом огне до загустения. Рыбу выложить на блюдо, полить приготовленным соусом.

ОСЕТРИНА В ОГУРЕЧНОМ РАССОЛЕ

800 г осетрины, 2 столовые ложки огуречного рассола, 5 луковиц, 10 горошин душистого перца, 2 лавровых листа, 2 головки гвоздики, по щепотке кардамона и натертого мускатного ореха.

Осетрину нарезать на куски, положить в сковородку, залить рассолом, добавить пряности и поместить в турбопечь на 15 минут при температуре 180. Готовую осетрину остудить, не извлекая из бульона. Затем уложить куски осетрины на блюдо, залить процеженным бульоном и поставить в холодильник для застывания.

ОСЕТРИНА С КАРТОФЕЛЕМ

500 г осетрины, 4—5 картофелин, 1 луковица, по 1 столовой ложке натертого корня петрушки и сельдерея, по 2 веточки петрушки и укропа, 2—3 листика розмарина, 5—6 горошин перца, 1 лавровый лист,

1 чайная ложка муки, 1 столовая ложка сливочного масла, 2 стакана воды, соль по вкусу.

Осетрину (целым куском) поместить в небольшую кастрюлю, не нарезая, добавить зелень, приправы, влить воду. Кастрюлю под крышкой на 5—7 минут поместить в турбопечь при температуре 180. Картофель очистить, нарезать кубиками, добавить к рыбе, подержать в печи еще 8—10 минут при температуре 160. Муку обжарить в масле, залить бульоном, слитым с готовой осетрины. Рыбу нарезать на куски, выложить на блюдо, обложить картофелем и полить соусом.

ПАЛТУС В ВИННОМ СОУСЕ

1 кг очищенного палтуса, 2 стакана красного столового вина, 2 стакана кипяченой воды, 2 луковицы, 1 стакан очищенных грецких орехов, 3 дольки чеснока, 3 веточки петрушки, 2 веточки кинзы, 1 лавровый лист, 6—8 головок гвоздики, мускатный орех на кончике ножа, соль по вкусу.

Рыбу нарезать кусками по 100—150 г, уложить на дно кастрюли в один слой, посыпать нарезанным кольцами луком, нарезанной зеленью петрушки, добавить пряности и посолить. Затем залить вином и водой, накрыть крышкой и поместить в турбопечь на 8—10 минут при температуре 220, потом варить еще 3—4 минуты при температуре 160. Готовую рыбу выложить на блюдо, бульон процедить и поставить в печь на 3—4 минуты при температуре 220. Грецкие орехи растереть с чесноком, добавить в бульон и 3—5 минут подержать в тепле. Рыбу залить приготовленным соусом и посыпать зеленью кинзы.

ПАЛТУС ПО-ЯПОНСКИ

1 кг палтуса. Для маринада: 1/4 столовой ложки соевого соуса, 1/4 столовой ложки коричневого сахара, 1 столовая ложка винного уксуса, 1/4 стакана вишневого ликера, 1 столовая ложка сахара, 1/4 стакана рисовой водки саке.

Рыбу очистить, нарезать кусочками по 40—50 г, на 1—2 часа поместить в приготовленный маринад. Затем вынуть из маринада, обсушить и готовить в турбопечи на верхней решетке в течение 8 минут при температуре 240.

ПИРОГ С ИКРОЙ

750 г свежей икры трески или щуки, 2 яйца, 3 столовые ложки мелко нарезанной зелени петрушки или укропа, 2 ломтика белого хлеба или 5 столовых ложек молотых сухарей, 1 столовая ложка шпротного паштета, 2 чайные ложки сока лимона, 1 стакан картофельного пюре, 2 столовые ложки маргарина, перец, соль по вкусу.

Икру опустить в кипящую воду и варить 10 минут. Затем смешать с яйцами, зеленью, молотыми сухарями (или размоченными в молоке и размятыми ломтиками белого хлеба), соком лимона и шпротным паштетом. Приправить перцем и солью, выложить в смазанную жиром форму. Сверху положить слой картофельного пюре, на него — кусочки маргарина. Форму на высокой подставке поместить в турбопечь. Выпекать в течение 15 минут при температуре 180. Подать с салатом из свежих овощей.

ПИЦЦА «ДАРЫ МОРЯ»

Для теста: 1 1/2 стакана муки, 2 чайные ложки сухих дрожжей, 1/3 стакана теплой воды, 1 чайная ложка сахара, 1 столовая ложка сливочного масла, 1 яйцо. Для начинки: 100 г мяса крабов (без сока), 100 г очищенных вареных креветок, банка (75 г) консервированных устриц или мидий (без жидкости), 100 г мягкого сыра (типа сулугуни), 3 столовые ложки кетчупа, несколько веточек петрушки.

Замесить тесто. Для этого дрожжи и сахар развести теплой водой, дождаться появления пузырьков. Смешать с маслом, яйцом и мукой, тщательно вымешивать на столе около 5 минут, раскатать в кружок диаметром около 30 см. Форму смазать маслом, разложить тесто, приподняв края. Тесто смазать кетчупом, затем выложить последовательно слои мяса крабов, креветок и устриц. Посыпать тертым сыром и мелко нарезанными листьями петрушки. Выпекать в турбопечи на высокой подставке в течение 12 минут при температуре 220.

ПОПЬЕРЖИ ИЗ СУДАКА

1 кг филе судака, 100 г консервированных креветок, 100 г белого хлеба, 2 столовые ложки молока, 100 г шампиньонов, 1 луковица, 2—3 веточки петрушки, 1 кубик рыбного бульона, 1/2 стакана воды, 1/3 стакана белого вина, 1 столовая ложка сливочного масла, 1 чайная ложка муки, перец и соль по вкусу.

Шампиньоны, лук и петрушку мелко нарезать, смешать с разведенным в 2 столовых ложках воды бульонным кубиком, вскипятить на слабом огне. Посолить, поперчить, добавить размоченный в молоке хлеб, все тщательно перемешать. Из филе вырезать 6—7 продолговатых кусков, оставшуюся рыбу мелко порубить и добавить в приготовленный фарш. На каждый кусок филе выложить немного фарша, свернуть филе трубочкой, перевязать ниткой и уложить в один слой в форму. Трубочки с фаршем (попьержи) залить оставшейся водой и вином. Готовить под крышкой в течение 12—15 минут при температуре 180. Готовые попьержи выложить на блюдо. Муку растереть с маслом на слабом огне, залить соусом, оставшимся от рыбы, перемешать, процедить через сито. Получившимся соусом залить попьержи, каждый из которых сверху украсить креветками.

ПУДИНГ ИЗ КРАБОВ

130 г крабов, 1/2 стакана крахмала, 1 стакан молока, 1 ломтик белого хлеба, 2 яйца, 1 помидор, 1 чайная ложка сливочного масла, 1 чайная ложка молотых сухарей, 1 чайная ложка томатной пасты, перец, майоран, соль по вкусу.

Крахмал заварить в молоке, остудить, добавить белый хлеб, размоченный в молоке и протертый через сито, смешать с желтками и солью. Мясо крабов и нарезанные ломтиками помидоры потушить в масле, добавив специи, и смешать с основной массой. Влить взбитые белки, посолить, приправить специями, выложить в форму, смазанную маслом и посыпанную сухарями. Выпекать в турбопечи в течение 7—8 минут при температуре 180. Готовый пудинг украсить кусочками крабов и ломтиками помидоров. Отдельно подать рис или салат из свежих овощей.

РЫБА В СУФЛЕ ИЗ СЫРА

900 г филе камбалы, кефали, палтуса или другой жирной рыбы, 100 г сливочного масла, 6 яиц, 120 г твердого сыра, перец, соль по вкусу.

Филе свернуть трубочками, обвязать нитками, уложить на сковородку в растопленное сливочное масло, посолить, поперчить. Поставить в турбопечь на 4—5 минут при температуре 180. Яйца взбить, смешать с натертым сыром, смесь вылить на рыбу и снова поставить в печь на 8—10 минут при температуре 220.

РЫБА, ЗАПЕЧЕННАЯ ПО-ВОСТОЧНОМУ

1 кг жирной рыбы (скумбрии, кефали, камбалы, палтуса), 100 г зеленого лука, 1/2 чайной ложки порошка имбиря, 2 стакана десертного вина, 1/2 стакана воды, 1—2 дольки чеснока, 1/2 чайной ложки соли.

Лук мелко нарезать, чеснок растереть с солью, добавить остальные приправы, дать постоять в течение 15—20 минут. Тщательно с обеих сторон обмазать каждый кусок рыбы (или отдельную рыбку целиком), завернуть в фольгу, оставить сверху небольшую щель для выхода пара. Уложить рыбу в плоскую форму, на дно турбопечи налить 1/2 стакана воды. Запекать при температуре 180 в течение 10—20 минут в зависимости от размеров рыбы.

РЫБА, ЗАПЕЧЕННАЯ С ЯБЛОКАМИ

1 кг рыбы, 400 г яблок, 3 столовые ложки сливочного или растительного масла, 2 яйца, 1 стакан молока, 1 чайная ложка муки, 2 столовые ложки мелко нарезанной петрушки и укропа, соль по вкусу.

Очищенную рыбу припустить с жиром. Форму смазать маслом, положить в нее слоями кусочки рыбы, дольки очищенных яблок. Залить взбитыми яйцами, молоком с разведенной в нем мукой. Сверху положить кусочки масла. Запекать в турбопечи в течение 10 минут при температуре 200. Подать, посыпав зеленью. Отдельно подать рассыпчатый рис.

РЫБА НА ПАРУ

1 кг скумбрии (кефали, камбалы или другой жирной рыбы), 2 столовые ложки лимонного сока, 1/2 стакана воды, по 1 столовой ложке мелко нарезанной зелени укропа, петрушки, эстрагона, 1/4 чайной ложки молотого перца, 1/2 чайной ложки соли.

Рыбу посолить, поперчить, посыпать зеленью, сбрызнуть лимонным соком, завернуть в фольгу, плотно защипав края, чтобы сок из рыбы не вытекал. На дно турбопечи налить 1/2 стакана воды. В посуду для запекания положить рыбу, завернутую в фольгу, поместить в турбопечь. Запекать в течение 10 минут при температуре 180.

РЫБА ПО-ГРЕЧЕСКИ

1 кг кефали или форели, 1 луковица, 2—3 пера лука-порея, 2 помидора, 3—4 дольки чеснока, мякоть 1 лимона, 1/4 стакана растительного масла, 1/2 стакана белого вина, 1 стакан воды, 1 лавровый лист, 1/4 чайной ложки шафрана, 3—4 веточки петрушки, 1/4 чайной ложки молотого перца, 1/2 чайной ложки соли.

У рыбы отрезать голову, хвост и плавники, залить их водой и в течение 10 минут при температуре 160 сварить в турбопечи рыбный бульон. Мелко нарезать лук, лук-порей и помидоры, чеснок растереть с солью и мякотью лимона, все тщательно перемешать и выложить на дно смазанной маслом формы. Сверху в один слой разложить рыбу, нарезанную на кусочки весом 100—200 г, добавить специи, пару веточек петрушки, влить масло, вино и сваренный рыбный бульон, предварительно процеженный через сито. Поместить в турбопечь на 10—12 минут при температуре 200. Готовую рыбу выложить на блюдо, посыпать мелко нарезанной петрушкой и залить процеженным отваром.

РЫБА ПО-КАПРИЙСКИ

1 кг рыбного филе, 1/2 чайной ложки молотого перца, 3 столовые ложки мелко нарезанного зеленого лука, 3 столовые ложки лимонного сока, 2 дольки чеснока, 2 столовые ложки оливкового масла, 1 чайная ложка соли.

Чеснок растереть с солью, смешать все приправы, дать им постоять 10—15 минут. Филе разрезать на куски, уложить в посуду для запекания, дно которой предварительно смазано оливковым маслом (если используется замороженное филе, то размораживать его не следует). Каждый кусок рыбного филе смазать подготовленной смесью. Запекать в турбопечи в течение 6—8 минут при температуре 160.

РЫБА, ТУШЕННАЯ С ГРИБАМИ

500 г трески или наваги, 100 г шампиньонов, 1/2 стакана белого вина, 1 луковица, 80 г сливочного масла, 1 чайная ложка натертого шоколада, 1 столовая ложка муки, перец, корица, молотая гвоздика и соль по вкусу.

Лук мелко нарезать и обжарить в масле. Добавить муку и пережарить вместе с луком. Затем влить 1 стакан воды и тщательно перемешать, чтобы не было комочков. Добавить вино и шоколад, гвоздику, корицу, соль и перец. Огнеупорную плоскую посуду смазать маслом, положить в нее разделанную на порционные куски рыбу, залить полученным соусом и тушить в турбопечи в течение 3 минут при температуре 160. Грибы очистить, мелко порезать и добавить в посуду с рыбой. Тушить еще 10 минут при температуре 200. Отдельно подать рассыпчатый рис.

ТЕЛЬНОЕ ИЗ РЫБЫ

1 кг рыбного филе, 1 луковица, 7—8 маленьких шампиньонов, 1 яйцо, 100 г белого хлеба без корки, 1/2 стакана сливок, 1/2 стакана панировочных сухарей, 1/2 стакана растительного масла, 1/4 чайной ложки соли.

Шампиньоны отварить в турбопечи в течение 3—4 минут при температуре 200. Рыбное филе пропустить через мясорубку вместе с луковицей. Мякиш белого хлеба замочить в сливках. Рыбный фарш смешать с размоченным мякишем, посолить, поперчить, взбить в миксере до получения однородной массы. Затем разделить ее на 7—8 частей, из каждой сделать плоскую лепешку, на которую положить шампиньон. Лепешки свернуть в виде котлет, обмакнуть во взбитое яйцо, обвалять в сухарях и в один слой уложить в форму с разогретым растительным маслом. Форму поместить в турбопечь на 7—8 минут при температуре 220, перевернув тельное через 3—4 минуты.

ТЕМБАЛЬ

300 г лапши, 2 яичных желтка, 2 столовые ложки сливочного масла, 150 г ветчины, 50 г копченого лосося, 100 г вареных креветок, 50 г сыра, 1 столовая ложка растительного масла, щепотка мускатного ореха, перец и соль по вкусу.

Лапшу отварить, промыть холодной водой, смешать со сливочным маслом, яичными желтками и натертым сыром. Форму смазать растительным маслом, выложить в нее тонкий слой лапши, затем слой нарезанной ветчины, вновь слой лапши, затем слой тонко нарезанных ломтиков лосося и креветок. Сверху выложить оставшуюся лапшу, посыпать мускатным орехом. Поместить в турбопечь на верхнюю решетку, готовить в течение 10—15 минут при температуре 180.

ТЕФТЕЛЬКИ ИЗ ТРЕСКИ

600 г трески, 600 г картофеля, 1—2 яйца, 1 столовая ложка сливочного масла, 3 столовые ложки муки, 1/2 стакана воды, перец, соль по вкусу.

Отваренную треску очистить от кожи, удалить кости и размять (можно пропустить через мясорубку). Затем смешать с вареным картофелем или картофельным пюре, добавить яйца и растопленное сливочное масло, приправить солью и перцем по вкусу, сформовать из полученной массы шарики. Обвалять их в муке, уложить в смазанную растительным маслом посуду, добавить 1/2 стакана воды. Готовить в турбопечи в течение 7—8 минут при температуре 180.

УГОРЬ С ЗЕЛЕНЬЮ

750 г угря, 50 г сливочного масла, по 1 столовой ложке мелко нарезанного укропа, щавеля, зеленого лука, петрушки, шалфея и эстрагона, 1 луковица, 1 стакан белого вина, 1 лавровый лист, 3 желтка, 1 лимон, 1/4 чайной ложки тмина, 1 чайная ложка крахмала, 4 столовые ложки сливок, перец, соль по вкусу.

Угря хорошо очистить, удалить кожу, разрезать рыбу на части. Натертый репчатый лук смешать с прочей зеленью, добавив по вкусу лимонный сок, затем добавить куски подготовленного угря, приправить солью, перцем, тмином, лавровым листом и влить вино. Запекать в турбопечи в течение 8 минут при температуре 180. Приготовить соус. Для этого хорошо перемешать желтки, сливки и крахмал, добавить оставшийся лимонный сок, все взбить венчиком. Открыв крышку, залить угря соусом и тушить еще 1 минуту при температуре 160. Готовое блюдо посыпать зеленью петрушки, украсить ломтиками лимона, подать в холодном виде.

УСТРИЦЫ ПО-МАЛЬТИЙСКИ

20—25 свежих или замороженных устриц или мидий, 2 столовые ложки лимонного сока, 1 столовая ложка сливочного масла, 1/2 чайной ложки чесночного порошка, 2 столовые ложки мелко нарезанного лука, 1/2 чайной ложки молотого перца, соль по вкусу.

Моллюски уложить на дно формы для запекания, предварительно смазанной маслом. Смешать все приправы и чайной ложкой разложить полученную массу на каждый моллюск. Запекать в турбопечи при температуре 160 в течение 8 минут. Если моллюски очень крупные, то запекать их следует 10 минут.

ФОРЕЛЬ, ФАРШИРОВАННАЯ ЧЕРНОСЛИВОМ

2 форели весом примерно 500 г, 50 г чернослива, 4 яйца, 200 г петрушки, 2 дольки чеснока, 2 лимона, 1/2 стакана растительного масла, 1 чайная ложка уксуса, перец, соль по вкусу.

Рыбу очистить, промыть и наполнить предварительно размоченным черносливом, 100 г нарезанной петрушки и 1 мелко нарубленную дольку чеснока потушить в небольшом количестве растительного масла, затем добавить рыбу, оставшееся масло, уксус, посолить и поперчить. Сковороду с рыбой поместить на высокую подставку. Жарить в турбопечи в течение 8—10 минут при температуре 200, затем рыбу переложить на подогретое блюдо. Яйца взбить, осторожно смешать с мелко нарезанными чесноком (1 долька) и петрушкой, влить сок лимона. Полученную смесь, осторожно помешивая, вылить на сковороду, где жарилась рыба. На 5 минут поместить в турбопечь при температуре 160. Загустевшую яичницу выложить на рыбу, украшенную ломтиками лимона. Подать к столу с белым хлебом.

ЩУКА, ТУШЕННАЯ С ХРЕНОМ

1 кг щуки, 1 корень хрена, 1 стакан сметаны, 1 стакан воды, 2 столовые ложки сливочного масла, перец и соль по вкусу.

Хрен почистить, натереть на крупной терке, залить стаканом кипятка, сразу же слив воду. Щуку нарезать ломтиками толщиной 2—3 см, в один слой уложить в смазанную маслом форму, сверху выложить хрен, поперчить, посолить и залить сметаной. Тушить в турбопечи в течение 20 минут при температуре 180.

БЛЮДА ИЗ ОВОЩЕЙ И ГРИБОВ

БАКЛАЖАНЫ ПО-АДЖАРСКИ

1 кг баклажанов, 4 столовые ложки оливкового масла, 1/2 стакана белого сухого вина, 2 луковицы, 4 дольки чеснока, 8 помидоров, 50 г оливок без косточек, 2 головки гвоздики, 10 зерен миндаля, 1 лавровый лист, по веточке тимьяна и майорана, мускатный орех на кончике ножа, перец и соль по вкусу.

Баклажаны нарезать кружками толщиной 1 см, посыпать солью и оставить на 20 минут, затем промыть и обсушить. Половину мелко нарезанного лука и чеснока положить в форму, смазанную маслом. Уложить в нее баклажаны, добавить нарезанные кружочками помидоры и оливки, посыпать дробленым миндалем. Сверху овощи посыпать оставшимся луком и чесноком вместе с листиками майорана и тимьяна. Поперчить, сбрызнуть маслом и вином, добавить пряности. Форму накрыть крышкой и поместить в турбопечь. Тушить в течение 20—25 минут при температуре 200.

БАКЛАЖАНЫ ПО-МАРОККАНСКИ

1,5 кг баклажанов, 200 г сливочного масла, 1 морковка, 2 корня сельдерея, 3 помидора, 3 луковицы, 6 долек чеснока, по 1 столовой ложке мелко нарезанной зелени укропа, кинзы, петрушки, соль по вкусу.

Баклажаны разрезать вдоль, ложкой вынуть мякоть так, чтобы остались нетронутыми стенки толщиной не более 0,5 см. Посолить и оставить на 15—20 минут. В это время натереть на терке корень сельдерея и морковь, нарезать тонкими кольцами лук, мелко нарезать чеснок и мякоть баклажанов. Овощи смешать с растопленным сливочным маслом, поместить в турбопечь на 3—4 минуты при температуре 180. Баклажаны уложить на сковороду, заполнить полученной массой, покрыть нарезанными ломтиками помидоров. Готовить в турбопечи в течение 10—12 минут при температуре 200.

БАКЛАЖАНЫ «СМИРНА»

1 крупный длинный баклажан, 1/2 стакана чечевицы, 1/4 стакана блинной муки, 2 яйца, 1/2 стакана пива, 2 чайные ложки лимонного сока, 2/3 стакана оливкового масла,1/4 чайной ложки молотого черного перца, 1 чайная ложка соли. Для соуса: 1 стакан йогурта, 1 луковица, 2—3 листика свежей мяты, 1—2 веточки кинзы, 1 веточка укропа, 1/2 чайной ложки соли.

Приготовить соус. Для этого зелень и лук мелко нарезать, смешать с йогуртом, посолить, поставить на холод. Баклажан нарезать на 15—20 кружков толщиной 0,5 см, посолить с обеих сторон, оставить на 20 минут. Затем обмыть холодной водой и тщательно обсушить салфеткой. Каждый кусочек обвалять в мелко размолотой чечевице, смешанной с перцем. Из яиц, пива, лимонного сока и муки с добавлением оставшейся чечевицы замесить тесто. Оливковое масло налить на дно формы, кусочки баклажана обмануть в тесто и уложить в форму в один слой. Поместить в турбопечь на верхнюю решетку. Готовить 10 минут при температуре 180. Теплые баклажаны выложить на блюдо, соус взбить миксером, залить им баклажаны и немедленно подать на стол.

ДРАЧЕНА КАРТОФЕЛЬНАЯ С ГРИБНЫМ СОУСОМ

600 г картофеля, 4 столовые ложки сливочного масла, 3 яйца, 4 столовые ложки пшеничной муки, 5—6 сушеных грибов, 2/3 стакана воды, 1 луковица, 1 столовая ложка растительного масла, перец и соль по вкусу.

Отваренный охлажденный картофель растереть с одной столовой ложкой муки и тремя яйцами, поперчить и посолить. Полученную массу поместить в смазанную растительным маслом форму, запекать в турбопечи в течение 8—10 минут при температуре 180. Приготовить грибной соус. Для этого грибы замочить на несколько часов в холодной воде, промыть и отварить до готовности. Затем грибы вынуть, а в отвар добавить муку, пассерованную на сливочном масле, и варить до полуготовности. Отвар процедить, вновь довести до кипения, добавить соль по вкусу и пассерованный лук с грибами и варить 10—15 минут. Готовую драчену нарезать на куски и полить грибным соусом или подать его отдельно.

ЗАПЕКАНКА ИЗ БЕЛОЙ ФАСОЛИ

1 стакан белой фасоли, 200 г ветчины или шпика, 2 яйца, 3 столовые ложки овсяных хлопьев, 100 г зеленого лука, по 1 столовой ложке мелко нарезанной зелени майорана, петрушки, 1 столовая ложка растительного масла, тмин, перец и соль по вкусу.

Фасоль замочить в теплой воде, в той же воде отварить, процедить и в миксере размельчить вместе с овсяными хлопьями. Добавить яйцо, измельченные специи, зелень, мелко нарезанные ветчину и лук. Приготовленную массу выложить в смазанную растительным маслом форму. Запекать в турбопечи в течение 15—20 минут при температуре 190.

ЗАПЕКАНКА ИЗ СТРУЧКОВОЙ ФАСОЛИ

1 кг свежих недозревших стручков фасоли, 1/2 столовой ложки растительного масла, 4 луковицы, 3 помидора, 3 сладких перца, 2 дольки чеснока, 8 яиц, 1 стакан кефира или простокваши, 2—3 веточки петрушки, 1—2 веточки сельдерея, соль по вкусу.

Фасоль залить водой, поставить в турбопечь на 10 минут при температуре 160. В это время смешать мелко нарезанные лук и чеснок, тонкими полосками нарезанный перец, залить все растительным маслом и посолить. Вынуть из печи фасоль, слить воду и держать в тепле. Овощи поместить в турбопечь на 4 минуты при температуре 220. Затем в поджаренные овощи добавить фасоль и яйца, взбитые с кефиром. Посолить, поперчить, посыпать зеленью и запекать в турбопечи в течение 6—7 минут при температуре 180.

ЗАПЕКАНКА ОВОЩНАЯ ПО-ИСПАНСКИ

4 яйца, 100 г консервированных шампиньонов, 1/2 стакана крошек белого хлеба, 1 сладкий зеленый перец, 1 сладкий красный перец, 1 крупная картофелина, 1 луковица, 2—3 пера зеленого лука, по 1 веточке петрушки, розмарина и сельдерея, 1 столовая ложка сливочного масла, 2 столовые ложки оливкового масла, соль по вкусу.

Овощи мелко нашинковать соломкой. Репчатый лук и картофель в течение 1—2 минут обжарить в смеси сливочного и 1 столовой ложки оливкового масла. Грибы нарезать тонкими дольками, зелень мелко порубить, яйца взбить вместе с крошками белого хлеба. Все подготовленные продукты тщательно перемешать и выложить в форму, смазанную маслом. Запекать в турбопечи в течение 10—12 минут при температуре 180.

ЗАПЕКАНКА ПО-ЛЕЙПЦИГСКИ

200 г гороха, 250 г моркови, 150 г капусты кольраби, 150 г спаржи, 150 г цветной капусты, 150 г сморчков, 2 столовые ложки сливочного масла, 1 столовая ложка муки, соль по вкусу.

Горох сполоснуть, морковь почистить, маленькую оставить целиком, большую разрезать на 4 части, соломкой или кружочками. Вымытую и очищенную кольраби нарезать кубиками или соломкой, спаржу — равными кусочками. Тщательно очищенную и промытую в соленой воде цветную капусту разделить на кочешки. Сморчки почистить и тщательно промыть, чтобы удалить песок. Горох, морковь, кольраби, спаржу, цветную капусту и сморчки перемешать, посолить, посыпать мукой, выложить в посуду, смазанную маслом, и поместить в турбопечь. Запекать в течение 20 минут при температуре 220.

ЗАПЕКАНКА С ГРИБАМИ

400 г грибов, 400 г белого хлеба, 0,5 л молока, 4 столовые ложки сливочного масла, 4 яйца, 1 луковица, 1 столовая ложка мелко нарезанной зелени петрушки.

Черствый белый хлеб нарезать кусками и залить молоком. Когда хлеб размокнет, перемешать до получения однородной массы. На масле поджарить мелко нарезанные грибы, лук, добавить размокший белый хлеб. Все вымешивать, прогревая на огне, до тех пор, пока масса не начнет отставать от стенок посуды, затем охладить. В охлажденную массу добавить яичные желтки, соль, зелень петрушки и, наконец, взбитые белки. Массу поместить в смазанную маслом форму, запекать в турбопечи в течение 10 минут при температуре 200. Подать с растопленным маслом и салатом из свежих овощей.

КАРТОФЕЛЬ, ЗАПЕЧЕННЫЙ С ПЕРЦЕМ

8—12 картофелин среднего размера, 1/4 стакана растительного масла, чесночная соль и красный молотый перец по вкусу.

Картофель почистить, помыть и обсушить. Каждую картофелину разрезать вдоль на 4—5 частей (не до конца), тщательно смазать все поверхности растительным маслом, посолить и поперчить. Подготовленный картофель поместить в турбопечь на нижнюю решетку. Запекать в течение 25 минут при температуре 240.

КАРТОФЕЛЬ «ЛИТЛ БОЙЗ»

1 кг молодого картофеля размером не более 2 см в диаметре, 1/4 стакана растительного масла, по 1 столовой ложке мелко нарезанного укропа и петрушки, 1/2 чайной ложки чесночной соли.

Картофель, не очищая, тщательно вымыть. Высушить салфеткой, высыпать в плоскую форму в один слой, перетереть с растительным маслом и 1/4 чайной ложки чесночной соли. Форму с картофелем на 15—20 минут поместить в турбопечь при температуре 240. Горячий картофель посыпать оставшейся солью и зеленью.

МАМАЛЫГА ИЗ КОНСЕРВИРОВАННОЙ КУКУРУЗЫ

800 г консервированной кукурузы, 2 яйца, 1/2 стакана манной крупы, 1 столовая ложка мелко нарезанной зелени петрушки, 1 столовая ложка растительного масла, мускатный орех на кончике ножа, соль по вкусу.

Кукурузные зерна протереть, добавить взбитое яйцо, мускатный орех, мелко нарезанную зелень, манную крупу, соль. Подготовленную массу выложить в смазанную растительным маслом форму. Готовить в турбопечи в течение 15—20 минут при температуре 190. Подать с растопленным маслом или сметаной, посыпав сахаром и корицей.

ОВОЩИ ПО-ДАТСКИ

4 морковки, 200 г лука-порея, 300 г савойской капусты, 5 картофелин, 4 луковицы, 1/2 столовой ложки растительного масла, 300 г шпика или жирного окорока, соль, перец, свежий тмин по вкусу.

В глубокую сковороду налить растительное масло, выложить нарезанную длинными полосками морковь, нарезанный кубиками лук-порей, нарезанный кубиками картофель, разделенную на мелкие части капусту. Сковороду с овощами поместить на высокую подставку и готовить в турбопечи в течение 4—5 минут при температуре 200. Достать из печи, перемешать, посолить, добавить специи, сверху уложить ломтики шпика или окорока таким образом, чтобы они покрыли овощи. Поместить в турбопечь на 6—8 минут при температуре 220.

ОВОЩИ ПО-МОЛДАВСКИ

1 луковица, 1 морковка, 1 цуккини, 1 ломоть тыквы (весом примерно 400 г), 1 банка консервированной кукурузы (без сока), 2—3 дольки чеснока, 1 сладкий красный перец, по 1 веточке петрушки, укропа, кинзы и мяты, 2 чайные ложки сладкого кетчупа, 100 г острого сыра, 4 яйца, 2 столовые ложки растительного масла, 1/4 чайной ложки молотого перца, 1/4 чайной ложки соли.

Лук, морковь, цуккини и перец очистить и очень тонко нашинковать. Чеснок растереть с солью, зелень мелко нарезать. Все овощи смешать, посолить и поперчить, выложить в смазанную растительным маслом форму и поместить в турбопечь на 15—20 минут при температуре 200. К этому времени взбить в миксере яйца с натертым сыром и кетчупом, приготовленной смесью залить овощи и подержать в печи еще 7—8 минут при температуре 160.

ОВОЩНОЕ АССОРТИ

1 небольшая головка цветной капусты (200—300 г), 200 г белой фасоли, 200 г капусты брокколи, 1 красный сладкий перец, 3 морковки, 10 грецких орехов, 2 столовые ложки сливочного масла, 2 столовые ложки растительного масла, 3 стакана воды, 2 столовые ложки красного десертного вина, соль и перец по вкусу.

Фасоль замочить на ночь в 3 стаканах воды. Цветную капусту и брокколи разделить на соцветия, положить вместе с фасолью в кастрюлю. Перец и морковь нарезать на тонкие ломтики, добавить к капусте с фасолью и поставить в турбопечь на 15—17 минут при температуре 180. Приготовить ореховый соус. Для этого сливочное и растительное масло смешать в небольшой миске, разогреть на плите, влить вино, положить измельченные орехи, посолить и поперчить. Все хорошо перемешать и подогреть в течение 1 минуты, помешивая. С овощей слить лишнюю жидкость, полить ореховым соусом и сразу же подать на стол.

ОМЛЕТ-ПИЦЦА

5 яиц, 1/4 стакана молока, 1/2 стакана натертого сыра, 2 столовые ложки оливкового масла, 1 луковица, 1/2 стручка сладкого красного перца, 6 маслин без косточек, 1 столовая ложка мелко нарезанного укропа, перец и соль по вкусу.

Яйца взбить с молоком и сыром. Перец, лук и маслины мелко нарезать, посолить и поперчить. Овощи смешать с яичной массой. Форму выстлать фольгой, смазать маслом, заполнить приготовленной смесью. Запекать в турбопечи на нижней решетке в течение 15—18 минут при температуре 160.

ОМЛЕТ «РУДДИ»

4 яйца, 1 чайная ложка муки, 2 столовые ложки молока, 2 средних помидора, 5—6 перьев зеленого лука, 1 чайная ложка растительного масла, 1/4 чайной ложки соли.

Помидоры ошпарить, очистить от кожицы и зерен, мелко нарезать. Лук нарезать кусочками длиной 1—2 см. Яйца взбить, добавить муку, разведенную в молоке, еще раз взбить, посолить. Форму для омлета (желательно из огнеупорного стекла) хорошо смазать растительным маслом. Овощи перемешать с яичной массой, вылить в форму. Запекать в турбопечи на нижней решетке в течение 15—18 минут при температуре 160.

ОМЛЕТ С ГРИБАМИ

4 яйца, 100 г маринованных грибов, 1 чайная ложка муки, 2 столовые ложки натертого сыра, 2 столовые ложки растительного масла, 1/4 стакана молока, 1/2 кубика грибного бульона.

Грибы мелко нарезать, смешать с мукой. Яйца взбить с сыром и 1 столовой ложкой растительного масла, добавить 1/2 кубика грибного бульона, разведенного в молоке, еще раз взбить все вместе. Форму выстлать фольгой, смазать 1 столовой ложкой растительного масла. Яичную массу смешать с грибами, вылить в форму. Запекать в турбопечи на нижней решетке в течение 15—17 минут при температуре 160.

ОМЛЕТ С ЦУККИНИ

5 яиц, 2 средних цуккини, 2 столовые ложки растительного масла, 2 столовые ложки сливочного масла, 2 столовые ложки сливок, 1 долька чеснока, 2 столовые ложки натертого сыра, по 1/4 чайной ложки перца и соли.

Цуккини очистить, нашинковать ломтиками толщиной 1,5—2 мм, обжарить на плите в смеси растительного и сливочного масла. Добавить чеснок, растертый с солью. Все тщательно перемешать, выложить в форму для омлета. Яйцо взбить со сливками, сыром и перцем. Полученной смесью залить цуккини, перемешать. Форму поместить в турбопечь на нижнюю решетку. Готовить в печи 15 минут при температуре 160.

ПЕРЕЦ, ФАРШИРОВАННЫЙ КАПУСТОЙ С ГРИБАМИ

6 сладких перцев, 6 помидоров, 300 г свежих грибов или 8—10 сухих, 500 г свежей капусты, 2 луковицы, 3 чайные ложки растительного масла, 3/4 стакана сметаны, 125 г натертого сыра, 2 столовые ложки мелко нарезанного зеленого лука, перец, соль по вкусу.

Перец разрезать поперек, удалить сердцевину, вымыть. Бланшировать в подсоленной воде 2—3 минуты, обсушить. Помидоры обдать кипятком, снять кожицу, нарезать кубиками. Грибы нарезать кружочками, капусту и лук нашинковать и слегка обжарить в масле, добавить помидоры, смешать с половиной указанного количества сыра. По вкусу заправить солью и перцем. Полученной массой нафаршировать половинки перца, уложить в смазанную маслом форму и посыпать оставшимся сыром. Тушить в турбопечи в течение 15 минут при температуре 200. Готовое блюдо посыпать нарезанным зеленым луком.

ПЕРЕЦ, ФАРШИРОВАННЫЙ РИСОМ И РЫБОЙ

8 стручков сладкого перца, 1 банка сардин в масле, 2 стакана вареного риса, 1 сваренное вкрутую яйцо, 1 столовая ложка мелко нарезанной петрушки, 2 столовые ложки растительного масла, перец, соль по вкусу.

Стручки сладкого перца промыть и очистить от семян. Сардины, каждую рыбку в отдельности, разделить пополам, смешать с отварным рассыпчатым рисом, маслом из банки и рубленым яйцом. Приправить солью и перцем, добавить петрушку. Полученной массой наполнить стручки перца. В кастрюлю налить немного воды и опустить в нее перец. Тушить в турбопечи в течение 10 минут при температуре 160. Подать в горячем виде с белым хлебом.

ПИРОГ С ПОРЕЕМ

800 г порея, 1/2 стакана сливок, 1/3 стакана муки, 4 яйца, 1 яичный желток, 1/3 чайной ложки разрыхляющего порошка, 2 столовые ложки сливочного масла, 1 столовая ложка растительного масла, соль по вкусу.

Порей очистить, тщательно промыть. Нарезать зеленые листья полосками длиной 5 см. Спассеровать порей со сливочным маслом, остудить. Для приготовления теста 4 яйца взбить венчиком, добавить муку и сливки, а в конце — порошок и соль. Приготовленной массой из порея начинить пирог, смазать его яичным желтком и поместить в смазанную растительным маслом форму. Выпекать в турбопечи в течение 7—8 минут при температуре 160.

ПИРОЖКИ КАРТОФЕЛЬНЫЕ С КАПУСТОЙ

600 г картофеля, 4 столовые ложки манной крупы, 1 яйцо, 300 г капусты, 1—2 яйца, 1 яичный желток, 1 столовая ложка сливочного масла, 1 столовая ложка растительного масла, соль по вкусу.

Картофель отварить и протереть горячим. Добавить манную крупу, яйцо, посолить и тщательно перемешать. Из этой массы приготовить лепешки, на середину каждой из них положить фарш. Для приготовления фарша капусту нарезать, ошпарить кипятком, откинуть на сито и охладить. Прожарить на сливочном масле, помешивая, чтобы капуста не пригорела, затем добавить рубленые вареные яйца, посолить и перемешать. Края лепешек защипать, сформировать пирожки, смазать их яичным желтком. Уложить в смазанную растительным маслом форму, готовить в турбопечи в течение 12—15 минут при температуре 200.

ПИРОЖКИ КАРТОФЕЛЬНЫЕ С КВАШЕНОЙ КАПУСТОЙ

600 г картофеля, 4 столовые ложки манной крупы, 1 яйцо, 1 яичный желток, 1 столовая ложка растительного масла. Для начинки: 500 г квашеной капусты, 1 луковица, 2 столовые ложки растительного масла, соль и перец по вкусу.

Картофель отварить и протереть горячим. Добавить манную крупу, яйцо, посолить и тщательно перемешать. Тесто раскатать в виде лепешек круглой формы, на каждую положить начинку, края защипать, смазать яичным желтком и уложить в смазанную растительным маслом форму. Выпекать в турбопечи в течение 10—12 минут при температуре 200. Для приготовления начинки капусту, если она очень кислая, промыть, ошпарить кипятком, мелко нарубить, добавить масло и тушить под крышкой, затем смешать с поджаренным мелко нарубленным луком, добавить соль и перец. Приготовленной массой начинить пирожки.

ПИЦЦА ВЕГЕТАРИАНСКАЯ

Для теста: 1 1/2 стакана муки, 2 чайные ложки сухих дрожжей, 1/3 стакана теплой воды, 2 столовые ложки сливочного масла, 1 чайная ложка сахара, 1 яйцо, 1/2 столовой ложки растительного масла. Для начинки: 100 г капусты брокколи, 1 морковка, 5—6 побегов спаржи (можно консервированных), 2 средних цуккини, 130 г консервированных зерен кукурузы, 1/2 стакана нарезанных стручков зеленой фасоли (можно консервированных), 2 помидора, 140 г острого сыра (типа чеддер), 4 столовые ложки кетчупа, 2 столовые ложки майонеза.

Приготовить тесто. Для этого дрожжи и сахар развести теплой водой, дождаться появления пузырьков. Смешать с маслом, яйцом и мукой, тщательно вымешивать на столе около 5 минут, раскатать в кружок диаметром около 30 см. Форму смазать маслом, разложить тесто, приподняв края. Тесто смазать кетчупом. Морковь и спаржу нарезать соломкой, с помидоров снять кожицу и нарезать их тонкими кружочками. Цуккини очистить и нарезать кружочками или тонкими полосками, брокколи разобрать на мелкие соцветия. Все сырые овощи залить кипятком и оставить на 2 минуты. Затем воду слить, овощи промыть очень холодной водой и тщательно обсушить салфеткой. На тесто вначале выложить брокколи, морковь, спаржу и цуккини, затем посыпать кукурузными зернами, выложить стручки фасоли и помидоры. Смазать майонезом и посыпать натертым сыром. Выпекать в турбопечи на низкой подставке в течение 15 минут при температуре 200.

ПОМИДОРЫ С НАЧИНКОЙ ИЗ ОВЕЧЬЕГО СЫРА

500 г крепких помидоров, 4 столовые ложки сливочного масла, 2—3 луковицы, 200 г брынзы, 1 яйцо, 3—4 столовые ложки мелко нарезанной зелени петрушки, 1/2 стакана йогурта или сметаны, перец, соль по вкусу.

С помидоров срезать верхушки, удалить мякоть с семенами и, перевернув помидоры, дать им немного обсохнуть. Из мякоти помидоров, половины указанного количества сливочного масла и мелко нашинкованного лука приготовить томатный соус и протереть его сквозь сито. Брынзу раздавить вилкой, смешать со взбитым яйцом, перцем и 1 столовой ложкой петрушки. Этой массой наполнить помидоры, сверху положить небольшие кусочки оставшегося сливочного масла и залить томатным соусом, приготовленным ранее, посолить. Тушить в турбопечи в течение 10—15 минут при температуре 180. Перед подачей соус смешать с йогуртом или сметаной, а помидоры посыпать петрушкой. Отдельно подать кашу из кукурузы.

ПУДИНГ ИЗ РЕВЕНЯ

400 г ревеня, 200 г сахара, 6 яиц, 1/2 стакана молотых сухарей, 1 чайная ложка сливочного масла, ванилин или корица по вкусу.

Очищенный, нарезанный кусочками ревень варить, помешивая, постепенно добавить половину нормы сахара и специи. Массу охладить, добавить яичные желтки и сухари. Яичные белки взбить, всыпать остальной сахар. Белки ввести в массу ревеня, все вылить в смазанную маслом и обсыпанную сухарями форму. Выпекать в турбопечи в течение 8 минут при температуре 200. Подать с молоком или ванильным соусом.

ПУДИНГ ИЗ РЕВЕНЯ С РИСОМ

300 г ревеня, 200 г риса, 150 г сахара, 3 стакана молока, 4 яйца, 2 столовые ложки сливочного масла.

Промытый ревень нарезать и посыпать сахаром. Когда появится сок, тушить в нем ревень, не допуская полного разваривания. Из риса на молоке сварить густую кашу, вмешать в нее яичные желтки, сахар, затем взбитые в пену белки. В смазанную маслом форму положить слой каши, наверх слой ревеня. Сверху положить кусочки масла. Запекать в турбопечи в течение 5 минут при температуре 220. Подать с ванильным соусом.

ПУДИНГ ИЗ ТЫКВЫ С ТВОРОГОМ

500 г тыквы, 500 г творога, 100 г масла или маргарина, 4 яйца, 1 столовая ложка натертой цедры лимона, 1/2 чайной ложки корицы, 1/2 стакана сахара, 4 столовые ложки молотых сухарей.

Очищенную тыкву нарезать произвольными кусками, обжарить в масле, положить в смазанную маслом форму, чередуя слои тыквы со слоями творога. Творог подготовить следующим образом: масло, оставшееся после обжаривания тыквы, сахар, яичные желтки и специи растереть, добавить сухой мелкозернистый творог, 2 столовые ложки молотых сухарей, взбитые с сахаром яичные белки. Сверху посыпать сухарями и выпекать в турбопечи в течение 10 минут при температуре 220.

ПУДИНГ ИЗ ФАСОЛИ

200 г белой фасоли, 3 яйца, 3 столовые ложки сахара, 100 г масла, 2 столовые ложки молотых сладких сухарей или манной крупы, 1 столовая ложка толченых орехов, мускатный орех или цедра лимона по вкусу.

Фасоль замочить на ночь, сварить, процедить, взбить в однородную массу с помощью миксера или провернуть через мясорубку. Отделить белки от желтков. Размягченное масло смешать с сахаром, добавить яичные желтки, перемешать с фасолью, манной крупой или сухарями, натертой цедрой или мускатным орехом, взбитыми белками и толчеными орехами. Форму смазать маслом, выложить в нее приготовленную массу. Запекать в турбопечи в течение 30 минут при температуре 160. Готовый пудинг подать горячим или холодным с фруктовым или ягодным соком.

ПУДИНГ С ГРИБАМИ

500 г шампиньонов, 1/2 батона, 1 стакан молока, 4 яйца, 2 столовые ложки мелко нарезанной петрушки, 2 столовые ложки сливочного масла, мускатный орех на кончике ножа.

Белый хлеб нарезать, залить молоком. Размоченный хлеб отжать и размять в однородную массу, добавить яичные желтки, растопленное масло, измельченные поджаренные грибы, натертый мускатный орех, петрушку. В последнюю очередь ввести взбитые в густую пену яичные белки. Полученную массу выложить в смазанную жиром форму, сбрызнуть маслом, поместить в турбопечь. Запекать в течение 10 минут при температуре 200. Подать с растопленным маслом или соусом из петрушки и салатом из свежих овощей.

ЦИКОРИЙ ПО-БРЮССЕЛЬСКИ

400 г цикория, 1—2 столовые ложки сливочного масла, 3—4 столовые ложки сливок, 2 яблока, 2 столовые ложки лимонного сока, 2—3 столовые ложки натертого сыра, сахар, соль по вкусу.

Промытый и очищенный цикорий положить в смазанную маслом форму, сбрызнуть соком лимона так, чтобы цикорий не потемнел. Посолить и сверху уложить нарезанные дольками яблоки. Добавить сахар, полить сливками. Обильно посыпать сыром, сверху положить несколько кусочков масла. Запекать в турбопечи в течение 10 минут при температуре 180.

ЦИКОРИЙ ПО-ФЛАМАНДСКИ

500 г цикория, 500 г яблок, 250 г отварного мяса, 1 столовая ложка изюма, 1 стакан белого вина, 1 столовая ложка меда, 1 столовая ложка сливочного масла.

Яблоки очистить, нарезать дольками, смешать с изюмом и сложить в смазанную маслом форму. Нарезанный дольками цикорий выложить вторым слоем, полить вином, сверху положить ломтики отварного мяса. Все сбрызнуть медом и поместить в турбопечь. Запекать в течение 10 минут при температуре 180.

ЦУККИНИ «ПЕЗАРО»

2 цуккини, 5—6 помидоров, 1 морковка, 1 сладкий перец, 5—6 грецких орехов, 1 кубик мясного бульона, 2 красные луковицы, 4 дольки чеснока, 2 столовые ложки оливкового масла, 1 чайная ложка сахара, 1/2 стакана воды, 1 чайная ложка нарезанной зелени майорана, молотый черный перец и соль по вкусу.

Помидоры залить кипящей водой на 10—12 секунд, затем снять с них кожицу и нарезать четвертушками, удалить семена. В большую плоскую посуду налить оливковое масло. Добавить нарезанные лук и чеснок и слегка обжарить на плите. Цуккини нарезать тонкими кружочками, добавить к луку вместе с нарезанным перцем и подготовленными помидорами, перемешать, залить бульоном, посолить, поперчить, посыпать майораном. Готовить в турбопечи в течение 20—25 минут при температуре 180. Грецкие орехи очистить, растолочь с сахаром, добавить в готовое блюдо и перемешать.

ШПИНАТ В КАРТОФЕЛЬНОМ «ГНЕЗДЕ»

1 кг шпината, 1 кг отварного картофеля, 3 яйца, 1 столовая ложка муки, 5 столовых ложек сливочного масла, 1 столовая ложка измельченных орехов, 1 ломтик размоченного белого хлеба, 2 столовые ложки мелко нарезанной зелени петрушки, 1 столовая ложка молотых сухарей, соль по вкусу.

Отварной картофель натереть, 1 яйцо и муку тщательно перемешать в однородную массу, посолить, выложить на дно формы, смазанной маслом. По краям формы в тесте сделать желобок. Хорошо промытый шпинат нарезать, смешать с остальными продуктами, положить в желобок, посыпать сухарями, сбрызнуть маслом. Запекать в турбопечи в течение 10 минут при температуре 180.

ИЗДЕЛИЯ ИЗ ТЕСТА И ДЕСЕРТ

ДЕСЕРТ ИЗ ЧЕРЕШНИ

500 г черешни, 3 яйца, 100 г сахарной пудры, 2 столовые ложки муки, 125 г взбитых сливок, 100 г вишневого или абрикосового сока, 250 г молока, соль по вкусу.

Черешню без косточек положить в смазанную жиром форму. Яйца взбить, добавить оставшиеся составляющие, перемешать. Полученной массой покрыть черешню. Запекать в турбопечи в течение 15—20 минут при температуре 160.

ЗАПЕКАНКА ИЗ БЕЛОГО ХЛЕБА С ЯБЛОКАМИ

300 г белого хлеба, 400 г яблок, 1 стакан молока, 4 яйца, 100 г сахара, 1 пакетик ванильного сахара, 2 столовые ложки изюма, 2 столовые ложки сливочного масла, соль по вкусу.

С хлеба срезать корку, нарезать его тонкими ломтиками. Яйца взбить, добавить молоко, половину нормы сахара, посолить. Яблоки почистить, нарезать дольками, засыпать сахаром. В смазанную маслом форму положить слой хлеба, намоченного в смеси молока и яиц, слой яблок и изюма. Наполнив форму, залить ее оставшейся жидкостью, сверху положить кусочки масла, запекать в турбопечи в течение 15—20 минут при температуре 180. Подать с фруктовым соком.

ЗАПЕКАНКА ИЗ ОВСЯНЫХ ХЛОПЬЕВ

150 г овсяных хлопьев, 0,5 л молока, 100 г сливочного масла или маргарина, 100 г сахара, 3 столовые ложки какао, 3 яйца, 2 столовые ложки измельченных орехов или тыквенных семечек, 1 пакетик ванильного сахара.

В кипящее молоко всыпать овсяные хлопья. Масло, сахар, яичные желтки взбить, добавить какао, измельченные орехи или семечки. В последнюю очередь добавить кашу из овсяных хлопьев. Яичные белки взбить в густую пену, осторожно влить в подготовленную массу, все выложить в смазанную маслом форму и поместить в турбопечь. Запекать в течение 15 минут при температуре 180. Подать с фруктовым или ягодным соком.

ЗАПЕКАНКА ИЗ ЯБЛОК И ОВСЯНЫХ ХЛОПЬЕВ

400 г яблок, 200 г овсяных хлопьев, 150 г сахара, 100 г сливочного масла, 2 яйца, 0,5 л молока, 1 пакетик ванильного сахара, 2 столовые ложки молотых сухарей.

Овсяные хлопья вместе с сахаром обжарить в масле. Яблоки натереть на крупной терке. В смазанную маслом и посыпанную сухарями форму положить слой овсяных хлопьев, слой яблок, все залить смесью взбитого яйца, молока и ванилина, сверху положить кусочки масла. Запекать в турбопечи в течение 15 минут при температуре 180. Подать с холодным молоком или фруктовым соком.

ЗАПЕКАНКА С ПЕТРУШКОЙ

1/3 стакана муки, 2 столовые ложки сливочного масла, 1/2 стакана воды, 3 яйца, 200 г сыра, 1/3 стакана мелко нарезанной петрушки, 1 столовая ложка растительного масла, перец и соль по вкусу.

Масло расплавить в горячей воде, всыпать муку, посолить и поперчить. Все тщательно перемешать до получения однородной массы, подогреть на слабом огне до загустения. Приготовленную массу взбить с яйцами в миксере в течение 1—1,5 минуты, добавить мелко натертый сыр и петрушку, еще раз слегка взбить. Форму смазать растительным маслом, выложить массу для запекания. Готовить на верхней решетке в турбопечи в течение 12—15 минут при температуре 160.

ЗАПЕКАНКА ТВОРОЖНАЯ С РЕВЕНЕМ

400 г черствого белого хлеба, 100 г сливочного масла, 400 г творога, 400 г ревеня, 200 г сахара, 4 яйца, 4 столовые ложки молока, 1 чайная ложка натертой лимонной цедры или ванилин по вкусу.

Ревень нарезать, засыпать 100 г сахара, дать постоять. С хлеба снять корочку, мякоть нарезать кубиками или ломтиками, обжарить в масле. Творог смешать с остальным сахаром и специями. В смазанную маслом форму положить слой хлеба, слой творожной массы, слой ревеня, залить смесью взбитого яйца и молока. Запекать в турбопечи в течение 15 минут при температуре 160. Подать с сиропом от ревеня.

КАША ЯЧНЕВАЯ С ТЫКВОЙ

200 г ячневой крупы или пшена, 400 г тыквы, 1 л молока, 2 столовые ложки сливочного масла, сахар, соль по вкусу.

Ячневую крупу промыть, пшено ошпарить. В кипящее молоко добавить масло, крупу, сахар, настроганную стружкой тыкву, посолить. Запекать в турбопечи в течение 10 минут при температуре 220. Горячую кашу подать с маслом и молоком, остывшую — с фруктовым соком.

КЕКС ЯБЛОЧНЫЙ

2 стакана мелко нарезанных яблок без кожуры, 1 1/2 стакана муки, 125 г сливочного масла, 2 яйца, 1 стакан сахара, 1/2 чайной ложки соды, 1/2 чайной ложки пекарского порошка, 1 чайная ложка корицы, 1/4 чайной ложки мускатного ореха, 1/4 стакана изюма, 3/4 стакана измельченных грецких орехов, 1/2 чайной ложки лимонного сока, 1 столовая ложка растительного масла.

Яблоки очистить от кожуры, мелко нарезать, сбрызнуть лимонным соком, чтобы не потемнели. Сбить в миксере масло, яйца и сахар до получения однородной массы. Добавить разрыхлитель, муку, специи, орехи, изюм, в самом конце добавить яблоки. Осторожно перемешать, выложить в смазанную растительным маслом форму (лучше всего в виде кольца, чтобы кекс одинаково хорошо пропекся по краям и в середине). Поместить в турбопечь на 20 минут при температуре 200.

ОМЛЕТ С ИНЖИРОМ

2 яйца, 12 штук инжира, 2 стакана молока, 8 столовых ложек муки, 2 столовые ложки изюма, 4 столовые ложки измельченного миндаля, 2 столовые ложки растительного масла, мускатный орех на кончике ножа, сахар, корица и соль по вкусу.

Замесить тесто из муки, яиц и молока, добавить мускатный орех, посолить и оставить на 30 минут. Инжир мелко нарезать и вместе с миндалем и изюмом добавить в тесто, все осторожно перемешать. Запекать в турбопечи в течение 5—7 минут при температуре 200. Готовый омлет посыпать сахаром и корицей.

ПИРОГ ОТКРЫТЫЙ С РЕВЕНЕМ

700 г дрожжевого теста, 500 г ревеня, 1 яйцо, 200 г сметаны, 100 г сахара, 1 чайная ложка сливочного масла, цедра лимона или корица по вкусу.

Ревень нарезать, посыпать сахаром, закрыть крышкой и дать настояться. Тесто раскатать в пласт толщиной в палец, выложить на противень, смазанный маслом, края загнуть наверх. Яйцо взбить, перемешать с образовавшимся от ревеня сиропом, добавить специи и густую сметану. Ревень равномерно распределить по поверхности теста, залить подготовленной смесью. Выпекать в турбопечи в течение 25 минут при температуре 160. Готовый пирог остудить, разрезать на кусочки, посыпать сахарной пудрой.

ПИРОГ С ЧЕРНИКОЙ

Для теста: 350 г муки, 2 чайные ложки разрыхлителя, 150 г маргарина, 4—5 столовых ложек воды, соль по вкусу. Для начинки: 500 г черники, 2 столовые ложки муки, 1 стакан сахара, 2 столовые ложки сливочного масла.

Муку, соль и разрыхлитель смешать с маргарином, постепенно добавляя по одной ложке воду, и замесить крутое тесто (месить до тех пор, пока тесто не начнет отделяться от стенок посуды). Быстро раскатать тесто, смазанную маслом форму на 3/4 наполнить тестом, по поверхности теста разложить ягоды черники, слегка посыпав их мукой. Сверху все посыпать сахаром и положить небольшие кусочки сливочного масла. Накрыть оставшимся тестом. Выпекать в турбопечи в течение 15 минут при температуре 180.

ПИРОГ ЯБЛОЧНЫЙ

300 г тонко нарезанных яблок без кожуры, 1 1/2 стакана муки, 100 г маргарина, 3 яйца, 1 столовая ложка сахара, 1/2 чайной ложки соды, 1 чайная ложка корицы, мускатный орех на кончике ножа, 1/2 чайной ложки разрыхлителя для теста, 2 столовые ложки изюма, 5 столовых ложек измельченных грецких орехов.

Замесить тесто, в самом конце добавив орехи с изюмом, а в последнюю очередь — яблоки. Выложить в смазанную растительным маслом форму слоем толщиной 2 см. Выпекать в турбопечи в течение 20 минут при температуре 160.

ПИРОЖКИ ДРОЖЖЕВЫЕ С МАЛИНОЙ

Для теста: 3 стакана муки, 150 г сливочного маргарина, 1 чайная ложка сухих дрожжей, 1 стакан молока, 1 столовая ложка сахара, 1/4 чайной ложки соли. Для начинки: 200 г свежих ягод малины, 1 стакан сахара, 2 столовые ложки муки.

Дрожжи развести в теплом молоке с сахаром. Маргарин растопить, остудить до 40°C, смешать с молоком и мукой, посолить. Тщательно вымесить тесто, дать ему подняться. Готовое тесто нарезать на порционные куски. Раскатать в виде лепешек, на каждую положить начинку, края защипать, придать изделию форму лодочки. Для приготовления начинки ягоды перебрать, вымыть, положить сахар, нагреть, добавить муку и проварить. Полученной массой начинить пирожки и жарить их в турбопечи в течение 15 минут при температуре 180.

ПИРОЖКИ ДРОЖЖЕВЫЕ С ТВОРОГОМ

Для теста: 3 стакана муки, 150 г сливочного маргарина, 1 чайная ложка сухих дрожжей, 1 стакан молока, 1 столовая ложка сахара, 1/4 чайной ложки соли. Для начинки: 300 г свежего творога, 1 яйцо, 1/2 стакана сахара, 2 столовые ложки сливочного масла, соль по вкусу.

Дрожжи развести в теплом молоке с сахаром. Маргарин растопить, остудить до 40°C, смешать с молоком и мукой, посолить. Тщательно вымесить тесто, дать ему подняться. Готовое тесто нарезать на порционные куски. Раскатать в виде лепешек, на каждую положить начинку, края защипать, придать изделию форму лодочки. Для приготовления начинки творог растереть с маслом, сахаром и яйцом, добавить немного соли. В творог можно добавить ванилин, изюм, цукаты (мелко нарезанные). Жарить в турбопечи в течение 15 минут при температуре 180.

ПИРОЖКИ ДРОЖЖЕВЫЕ С ЯБЛОКАМИ

Для теста: 3 стакана муки, 150 г сливочного маргарина, 1 чайная ложка сухих дрожжей, 1 стакан молока, 1 столовая ложка сахара, 1/4 чайной ложки соли. Для начинки: 500 г яблок, 1 стакан сахара, 1 чайная ложка корицы.

Дрожжи развести в теплом молоке с сахаром. Маргарин растопить, остудить до 40°C, смешать с молоком и мукой, посолить. Тщательно вымесить тесто, дать ему подняться. Готовое тесто нарезать на порционные куски. Раскатать в виде лепешек, на каждую положить начинку, края защипать, придать изделию форму лодочки. Для приготовления начинки спелые яблоки, преимущественно кисло-сладких и кислых сортов, очистить от кожицы и семечек, нарезать дольками, пересыпать сахаром и корицей, дать постоять 15—20 минут. Начинить полученной массой пирожки и жарить их в турбопечи в течение 15 минут при температуре 180.

ПИРОЖНОЕ «КОКОС»

250 г мякоти кокосовых орехов, 3 стакана молока, 1 столовая ложка крахмала, 1 столовая ложка сахара, 1/2 пакетика ванильного сахара, 2 яйца, 1 столовая ложка коньяка, 2 столовые ложки изюма, 1/2 чайной ложки корицы.

Крахмал развести в 1/2 стакана холодного молока. Остальное молоко вскипятить, добавить в него разведенный крахмал и, постоянно помешивая, довести до кипения. Затем добавить натертую на крупной терке мякоть кокосовых орехов, изюм, сахар и ванильный сахар, а также взбитые с коньяком яйца. Готовую смесь разложить по формочкам, сверху посыпать корицей. Запекать в турбопечи в течение 5 минут при температуре 200.

ПИРОЖНЫЕ «РОМБИКИ»

1 стакан муки, 100 г сливочного масла или маргарина, 2 яйца, 3 столовые ложки сахарной пудры, 3/4 стакана сахара, 1 чайная ложка натертой цедры лимона, 3 столовые ложки лимонного сока, 1 чайная ложка разрыхлителя для теста.

Масло и сахарную пудру растереть в пышную массу, добавить половину муки и хорошенько взбить. Выложить смесь в смазанную маслом форму слоем толщиной в 1,5 см. Выпекать в турбопечи в течение 10 минут при температуре 180. Оставшуюся муку смешать с разрыхлителем. Яйца взбить с сахаром добела. Продолжая взбивать, осторожно влить лимонный сок, добавить цедру лимона, муку с разрыхлителем. Полученную смесь выложить на испеченный корж и продолжать выпекать еще 15 минут при той же температуре. Готовый пирог посыпать сахарной пудрой и холодным нарезать на ромбы.

«СЛИВА С ОРЕХОМ»

300 г слив, 200 г муки, 150 г маргарина, 50 г сахара, 2 яичных желтка, 1 пакетик ванильного сахара, 3 столовые ложки молотых сладких сухарей, орехи, кусковой сахар и сахарная пудра.

Маргарин растереть с сахаром, добавить яичные желтки, специи, муку, замесить однородное тесто, раскатать, положить на смазанный жиром противень, края загнуть кверху. Раскатанное тесто посыпать сухарями. Сливы разрезать, вынуть косточки и вместо них положить в каждую орех или кусочек сахара. Подготовленные таким образом сливы плотными рядами выложить на раскатанное тесто. Выпекать в турбопечи в течение 20 минут при температуре 160. Когда блюдо немного остынет, посыпать сахарной пудрой. При подаче разрезать на пирожные.

ПИЦЦА ДЕСЕРТНАЯ

Для теста: 1 1/2 стакана муки, 2 чайные ложки сухих дрожжей, 2 чайные ложки сахара, 1/3 стакана теплого молока, 1 столовая ложка сливочного масла, 1 яйцо. Для начинки: 1/2 стакана изюма, 2 столовые ложки коньяка, 3 столовые ложки сливочного масла, 1 чайная ложка корицы, 2 столовые ложки сиропа от варенья, 2 крупных яблока.

Приготовить тесто. Для этого дрожжи и сахар развести теплым молоком, дождаться появления пузырьков. Смешать с маслом, яйцом и мукой, тщательно вымешивать на столе около 5 минут, раскатать в кружок диаметром около 30 см. Форму смазать сливочным маслом, разложить тесто, приподняв края. Для приготовления начинки изюм залить коньяком. В маленькой посуде смешать 2 столовые ложки сливочного масла, корицу и сироп от варенья. Поставить в турбопечь на 2—3 минуты при температуре 160. На тесто выложить изюм, сверху положить очищенные и мелко нарезанные яблоки и полить сиропом. Ободок пиццы смазать маслом. Выпекать в турбопечи в течение 10—12 минут при температуре 200.

ПИЦЦА ЧЕРНИЧНО-БАНАНОВАЯ

Для теста: 1 стакан муки, 1/2 стакана молока, 1 столовая ложка сливочного масла, 1 чайная ложка сухих дрожжей. Для начинки: 3/4 стакана черники, 2 банана, 1/2 стакана очищенных грецких орехов, 2 чайные ложки топленого молока, 150 г сырковой массы, 2 чайные ложки сахара.

Муку тщательно растереть с маслом. Дрожжи развести теплым молоком, влить в смесь муки и масла, месить до тех пор, пока тесто не станет гладким и однородным. Тесто раскатать в круг диаметром около 30 см, уложить в смазанную маслом форму, слегка приподняв края. Ровным слоем выложить сырковую массу, сверху положить нарезанные кружками бананы, засыпать черникой. Края теста смазать маслом.Чернику и бананы посыпать измельченными орехами и сахаром. Выпекать в турбопечи в течение 10—12 минут при температуре 200. Подать в горячем виде.

ПУДИНГ БАНАНОВЫЙ

4 банана, 6 столовых ложек сливочного масла, 5 столовых ложек сахара, 2 яйца, 1 столовая ложка лимонного сока, 2 стакана ананасового сока, 1 стакан панировочных сухарей.

Желтки растереть с маслом и сахаром. Бананы очистить, раздавить вилкой и, добавив лимонный сок, взбить в миксере с ранее растертыми желтками. Непрерывно помешивая, добавить сок ананаса и панировочные сухари. Взбить белки с сахаром и осторожно добавить в общую массу. Поместить в форму, смазанную маслом, и запекать в турбопечи в течение 10—15 минут при температуре 160. Подать в горячем или холодном виде с красным вином.

ПУДИНГ БРУСНИЧНЫЙ

400 г брусники, 100 г сахара, 100 г сливочного масла, 6 яиц, 1/2 чайной ложки корицы, 300 г бисквита или молотых сухарей, 1 столовая ложка сливочного масла.

Отделить яичные желтки от белков. Масло растереть с сахаром и яичными желтками, добавить корицу, затем измельченный бисквит или сухари, бруснику и ввести белки, хорошо взбитые с сахаром. В смазанную

маслом и посыпанную сухарями форму положить приготовленную массу и поместить в турбопечь. Запекать в течение 10 минут при температуре 200. Подать с молоком.

ПУДИНГ ИЗ ВИШНИ

1 стакан вишни без косточек, 50 г масла, 4 яйца, 1 стакан молотых сладких сухарей, 100 г сахара.

Взбить масло, сахар и яичные желтки, добавить сухари, вишни без косточек, осторожно вмешать взбитые в густую пену белки. Полученной массой наполнить смазанную жиром форму и запекать в турбопечи в течение 10 минут при температуре 200. Подать с молоком.

ПУДИНГ ИЗ КАКАО С СУХАРЯМИ

1 стакан молотых белых сухарей, 3 столовые ложки какао, 2 столовые ложки сливочного масла, 2 яйца, 1/2 стакана молока, 1 столовая ложка рома, 2 столовые ложки муки, сода на кончике ножа.

Сухари залить молоком, дать набухнуть. Масло растереть с сахаром в пену, добавив яичные желтки. Во взбитую массу добавить какао, муку, соду, ром и набухшие сухари, ввести яичные белки, взбитые в очень густую пену. В смазанную маслом форму, посыпанную сухарями, положить подготовленную массу. Выпекать в турбопечи в течение 20 минут при температуре 160. Подать с молоком или ванильным соусом.

ПУДИНГ ИЗ ЧЕРНОГО ХЛЕБА С ЯГОДАМИ

3 стакана крошек черного хлеба, 200 г масла, 200 г сахара, 3 яйца, 1 столовая ложка натертой цедры лимона или апельсина, 1/2 чайной ложки корицы, 2 головки гвоздики, 100 г ревеня, 100 г крыжовника или вишни без косточек, 200 г сливок.

Масло растереть с сахаром, добавить одно за другим яйца, измельченные специи и крошки черного хлеба. Полученную массу разделить на две равные части. Одну часть выложить в смазанную маслом форму, сверху положить крыжовник в сахаре или вишню без косточек, нарезанный кусочками ревень и прикрыть остальной массой. Выпекать в турбопечи в течение 20 минут при температуре 160. Готовый пудинг гарнировать взбитыми сливками и фруктами. Подать с холодным молоком.

ПУДИНГ НА СМЕТАНЕ

200 г густой сметаны, 4 столовые ложки муки, 4 яйца, 100 г сахара, 1 чайная ложка сливочного масла, 1 столовая ложка натертой лимонной цедры.

Жирную сметану смешать с мукой, сахаром и, постоянно помешивая, проварить, затем охладить, добавить яичные желтки, лимонную цедру и ввести взбитые белки. Полученную массу положить в смазанную маслом форму и выпекать в турбопечи в течение 5—7 минут при температуре 220. Подать со сладким соусом или соком.

ПУДИНГ ОРЕХОВЫЙ

150 г измельченных орехов, 3 яйца, 300 г белого хлеба, 1 стакан моло-ка, 100 г масла, 3/4 стакана сахара.

Черствый белый хлеб без корочки замочить в молоке. Перемешать яичные желтки, растопленное масло, сахар (можно добавить щепотку ванилина), орехи и набухший белый хлеб. Белки взбить в густую пену, осторожно ввести в подготовленную массу. Выложить смесь в смазанную жиром форму и запекать в турбопечи в течение 10 минут при температуре 200. Подать со сладким соусом.

ПУДИНГ СЛИВОВЫЙ

500 г чернослива, 150 г масла, 200 г сахара, 6 яиц, 1 столовая ложка какао, 1/4 чайной ложки корицы, 300 г бисквита или сухарей, 1/2 стакана вишневой наливки, 2 столовые ложки молотых сухарей, мускатный орех на кончике ножа.

Масло и половину порции сахара растереть, добавляя по одному желтку, смешать с какао, корицей и мускатным орехом. Бисквит или сухари залить вишневой настойкой и, когда они размокнут, добавить в желтковую массу. Затем добавить промытый и измельченный чернослив. Белки взбить, добавить к ним остальной сахар и вмешать в приготовленную массу. В смазанную маслом и посыпанную сухарями форму поместить готовую массу и, сбрызнув маслом, запекать в турбопечи в течение 35 минут при температуре 160. Подать горячим или теплым с молоком или сладким соусом.

ПУДИНГ СЛИВОЧНЫЙ С ОРЕХАМИ

1 стакан муки, 100 г масла, 1 стакан сливок, 500 г сахарной пудры, 100 г очищенных орехов или миндаля, 8 яиц, 1 пакетик ванильного сахара.

В кастрюле растопить масло, замесить муку и прогреть, затем, помешивая, постепенно добавить сливки. Прогревать массу на слабом огне до тех пор, пока она не начнет отделяться от краев кастрюли и собираться в ком. Охладить тесто, добавить в него яичные желтки, 100 г сахарной пудры, ванилин, измельченные орехи или миндаль. Взбить белки с остальной сахарной пудрой, 1/4 полученной массы яичных белков поместить в холодильник, остальную часть осторожно ввести в тесто. Положить тесто в смазанную маслом форму и выпекать в турбопечи в течение 10 минут при температуре 220. На слабом огне взбить оставшиеся белки с сахарной пудрой до загустения и украсить ими готовый пудинг.

ПУДИНГ ТВОРОЖНЫЙ

500 г творога, 2—3 яйца, 4 столовые ложки сливочного масла, 2—3 столовые ложки манной крупы или картофельного крахмала, 1 столовая ложка изюма, 1 столовая ложка очищенных орехов, 1 столовая ложка сметаны, 1 чайная ложка натертой лимонной цедры.

Масло, сахар, яичные желтки, специи смешать с творогом, промытым изюмом, орехами, мукой или крахмалом. В последнюю очередь ввести белки, взбитые в густую пену. Положить массу в смазанную жиром форму, смазать сметаной, разложить по поверхности кусочки масла и поместить на высокой подставке в турбопечь. Запекать в течение 10 минут при температуре 180. Подать горячим или холодным со сладким соусом.

ПУДИНГ ШОКОЛАДНЫЙ

100 г шоколада или 40 г какао, 1 стакан молока, 100 г сахара, 100 г муки, 100 г сливочного масла, 5 яиц, 1 пакетик ванильного сахара.

Половину нормы молока вскипятить с сахаром, добавить натертый шоколад или какао. Остальное молоко смешать с мукой, добавить в горячий шоколад вместе с маслом. В остывшую массу добавить яичные желтки, перемешать, влить взбитые в густую пену белки. Полученную массу поместить в форму и выпекать в турбопечи в течение 10 минут при температуре 200. Подать с молоком.

ПУДИНГ ШОКОЛАДНЫЙ ПО-АНГЛИЙСКИ

3 столовые ложки какао, 50 г муки, 1—2 столовые ложки сливок, 60 г сахара, 1/2 стакана молока, 1 стакан панировочных сухарей, 2 столовые ложки сливочного масла, 2 яйца, 1 столовая ложка коньяка, 2 столовые ложки натертого миндаля, 1/2 чайной ложки соды.

Какао смешать с панировочными сухарями, добавить молоко или сливки, размачивать 10 минут. Масло смешать с сахаром и хорошо растереть, добавить желток, муку и соду, а затем размоченные панировочные сухари с какао, миндаль и коньяк. Отдельно взбить белки с сахаром и добавить в тесто. Приготовленное тесто выложить в форму, смазанную маслом. Форму поставить в посуду с водой таким образом, чтобы вода была вровень с поверхностью пудинга. Все поместить в турбопечь на 25 минут при температуре 160.

ПУДИНГ ЯБЛОЧНЫЙ

500 г яблок, 50 г муки, 150 г сахара, 4 столовые ложки сливочного масла, 100 г молока, 4 яйца, 100 г сливок, 2 столовые ложки измельченных орехов, 1/2 чайной ложки корицы.

Яблоки очистить, нарезать, удалить сердцевину, засыпать сахаром. Растопить в кастрюле масло, спассеровать в нем муку, развести молоком так, чтобы образовался белый густой соус, добавить орехи, яичные желтки, отдельно взбитые белки и сливки. В смазанную маслом форму положить засахаренные яблоки, залить подготовленной массой, поместить в турбопечь. Запекать в течение 10 минут при температуре 200. Готовый пудинг посыпать смесью сахара с корицей. Подать с молоком.

ТОРТ АНГЛИЙСКИЙ К ЧАЮ

125 г сливочного масла, 125 г сахара, 2 столовые ложки крахмала, 1 стакан пшеничной муки, 3 яйца, 60 г миндаля, 75 г засахаренных вишен, 2 столовые ложки изюма, 2 столовые ложки мелко нарезанных цукатов, 2 столовые ложки рома, 1/2 чайной ложки цедры лимона, 1/2 пакетика ванильного сахара, 1/2 чайной ложки соды, соль по вкусу.

Масло, сахар, цедру лимона и ванильный сахар взбить, добавить картофельную муку, пшеничную муку, соду и яйца, посолить. Миндаль очистить, растереть и добавить с вымытым и обсушенным изюмом и цукатами в тесто. Вишни нарезать, посыпать мукой и добавить в тесто вместе с ромом. Полученную массу выложить в форму, смазанную маслом. Выпекать в турбопечи в течение 35 минут при температуре 160.

ТОРТ ДРЕЗДЕНСКИЙ

Для теста: 1 1/2 стакана муки, 100 г сливочного масла, 1 яйцо, 1/2 чайной ложки сухих дрожжей, соль по вкусу. Для глазури: 100 г сливочного масла, 100 г сахара, 2 столовые ложки муки, 2 яйца, 0,5 л молока, 3—4 столовые ложки лимонного сока, цедра 1/2 лимона, 1 столовая ложка рома, 4—5 зерен горького миндаля.

Тесто быстро замесить и поставить на полчаса в холодное место. Затем раскатать и выложить в форму для торта, сильно приподняв края. Выпекать в турбопечи в течение 10 минут при температуре 160. Приготовить глазурь. Для этого масло смешать с сахаром, добавить яйца, а в конце — муку. Приправить соком лимона и цедрой, добавить ром и горький миндаль, посолить. В подготовленную смесь добавить подогретое (но не кипяченое) молоко и все тщательно взбить в миксере в течение 2—3 минут до получения достаточно густой массы, которую немедленно вылить на торт. Все поместить на высокую подставку в турбопечь и выпекать в течение 10 минут при температуре 160. Поверхность торта должна запечься и зарумяниться.

ТОРТ ФРУКТОВЫЙ «СИДНЕЙ»

450 г различных фруктов, 2 стакана муки, 150 г сливочного масла, 1 стакан воды, 1 стакан сахара, 2 яйца, 1/2 чайной ложки натертой цедры лимона, 1 пакетик ванильного сахара, 1/2 чайной ложки соды, 1 чайная ложка сухих дрожжей.

Промытые подготовленные фрукты, масло, сахар и приправы положить в кастрюлю, залить 1 стаканом воды и поварить в течение 10 минут. Остудить и добавить пищевую соду и взбитые яйца, затем всыпать муку, смешанную с разведенными дрожжами, все хорошо перемешать. Форму для торта выстлать промасленной пергаментной бумагой, выложить на нее приготовленную массу и выпекать в турбопечи в течение 20 минут при температуре 180. Торт нарезать на второй или даже на третий день.

ТОРТ ШОКОЛАДНЫЙ «БУМЕРАНГ»

1 стакан муки, 2 чайные ложки сухих дрожжей, 125 г сливочного масла, 2 столовые ложки измельченной мякоти кокосовых орехов, 2 столовые ложки какао, 200 г сахара, 2 яйца, 3 столовые ложки молока, 1/2 пакетика ванильного сахара, соль по вкусу.

Масло, кокосовые орехи, какао, сахар и ванильный сахар хорошо перемешать. Не прекращая помешивать, добавить яйца, затем добавить муку, сухие дрожжи, соль, а в последнюю очередь постепенно влить молоко. Форму смазать маслом, выложить в нее тесто и выпекать в турбопечи в течение 20 минут при температуре 160. Остывший торт смазать шоколадным кремом.

ТОРТ ЭЛЬЗАССКИЙ

Для теста: 200 г муки, 80 г сливочного масла, 80 г сахара, 1 яйцо, 1 чайная ложка соды. Для начинки: 100 г сахара, 100 г сливочного масла, 2—3 яйца, 80 г очищенного молотого миндаля, 1 столовая ложка мелко нарезанных цукатов, 60 г муки, 1 чайная ложка соды. Для глазури: 100 г сахарной пудры, 1 столовая ложка вишневой наливки, 1—2 столовые ложки воды.

Быстро замесить тесто и поставить на 30 минут в холодильник. Масло, сахар и желтки взбить, добавить миндаль, цукаты, соду, муку, все хорошо перемешать. В конце добавить взбитый с сахаром яичный белок. Тесто раскатать, выложить в смазанную маслом форму, приподняв края, сверху положить начинку. Выпекать в турбопечи в течение 20 минут при температуре 200. Сахарную пудру развести вишневой наливкой (можно водой) и полученный сироп вылить на еще теплый торт.

ШАРЛОТКА ЯБЛОЧНАЯ

500 г яблок, 600 г белого хлеба, 2—3 яйца, 1 1/2 стакана молока, 1/2 стакана сахара, 1/2 чайной ложки корицы, 2 чайные ложки сахарной пудры, 1 чайная ложка лимонного сока, 2 столовые ложки растопленного сливочного масла, 1 чайная ложка маргарина.

Хлеб нарезать тонкими ломтиками. Яйца взбить с молоком и сахаром. Яблоки очистить, нарезать тонкими ломтиками, сбрызнуть лимонным соком. Форму смазать маргарином, половину ломтиков хлеба выложить в один ряд, залить половиной яичной смеси, сверху ровным слоем разложить яблоки, посыпать сахарной пудрой и корицей, накрыть оставшимся хлебом, залить остатками яичной смеси. Готовить в турбопечи на верхней решетке в течение 20 минут при температуре 160.

ЯБЛОКИ, ЗАПЕЧЕННЫЕ С КУРАГОЙ

4 больших яблока, 2 столовые ложки сахара, 8 сушеных абрикосов без косточек (курага), 4 грецких ореха, 1 столовая ложка сливочного масла, ванилин или корица по вкусу.

Курагу замочить на 2—3 часа, обсушить, провернуть через мясорубку вместе с очищенными орехами. Яблоки вымыть, осторожно вынуть середину, наполнить их смесью сахара, измельченных орехов и кураги. Положить яблоки на блюдо, сверху положить кусочки масла и запекать в турбопечи в течение 10—12 минут при температуре 200.

ЯБЛОКИ, ЗАПЕЧЕННЫЕ С ТВОРОГОМ

4 больших яблока, 200 г творога, 1 чайная ложка сахара, 1 чайная ложка изюма, 1 чайная ложка измельченных орехов, 1/2 чайной ложки корицы, 1 столовая ложка манной крупы.

Яблоки разрезать пополам, осторожно вынуть сердцевину, формуя яблоки в виде блюдечек. Творог смешать с яйцом, сахаром, изюмом, орехами, ванилином или корицей, манкой. Подготовленной массой начинить яблоки, поместить их в смазанную маслом форму, запекать в турбопечи в течение 10 минут при температуре 200. Подать с молоком или сливками.

ЯБЛОКИ С ЧЕРНОСЛИВОМ

8 яблок, 200 г чернослива без косточек, 2 столовые ложки сливочного масла, 100 г орехов фундук, 1/2 чайной ложки корицы.

В яблоках вырезать сердцевину, углубления заполнить смесью измельченного чернослива, корицы и дробленых орехов. Подготовленные яблоки выложить на блюдо, смазанное маслом. Запекать в турбопечи в течение 10—12 минут при температуре 200.

ФРИТЮРНИЦА

Большинство кухонь народов мира в процессе приготовления пищи используют жаренье во фритюре, т.е. в большом количестве кипящего жира. Жаренные во фритюре продукты приобретают румяную хрустящую корочку, сохраняя при этом сочную, нежную консистенцию. Однако очень существенным недостатком такого способа приготовления пищи является то, что процесс жаренья сопровождается дымом и чадом, к тому же большое количество жира оказывается непригодным к дальнейшему употреблению. Современный кухонный прибор, называемый фритюрницей, позволяет готовить лакомые блюда без сопутствующих неприятных явлений. Конструкция фритюрниц позволяет жарить любые продукты таким образом,что в помещении не чувствуется запаха, а используемый жир (фритюр), пропускаемый через специальные встроенные фильтры, может быть использован многократно.

Приведенные в книге рецепты дают возможность существенно разнообразить меню, а строгое соблюдение указаний по приготовлению того или иного блюда и следование режимам работы фритюрницы позволяют даже не очень искушенной хозяйке побаловать своих домашних чем-то необычным.

Температура дана в градусах Цельсия.

БЛЮДА ИЗ МЯСА И ПТИЦЫ

БИФШТЕКС В ТЕСТЕ

400 г мягкой говядины, 1/2 стакана воды, соль и перец по вкусу. Для т е с т а: 2 столовые ложки муки, 1 яйцо, 1/3 стакана молока. Для г а р н и р а: 750 г жареного картофеля, 250 г малосольных огурцов, 150 г зеленого лука, 2 столовые ложки нарезанной зелени петрушки.

Мякоть говядины дважды пропустить через мясорубку, добавить соль, перец, воду, вымесить и разделать в виде биточков. Затем опустить в кляр (жидкое тесто), жарить во фритюрнице 6—7 минут при температуре 160. Подать с картофелем, огурцами, луком, связанным в «снопы». Украсить зеленью петрушки.

БИФШТЕКС ИЗ МЯСА И СЕЛЬДИ С СОУСОМ ИЗ ИЗЮМА

100 г говядины, 100 г нежирной свинины, 100 г телятины, 2 холодные вареные картофелины, 40 г хорошо вымоченной сельди, 1 луковица, 1 яйцо, 1 чайная ложка соли, 1/2 чайной ложки перца, 3 столовые ложки молока. Для соуса: 3 столовые ложки масла, 1 столовая ложка муки, 2 чайные ложки изюма, 1 стакан мясного бульона, 1/2 столовой ложки уксуса, 1 чайная ложка сахара, соль, перец по вкусу.

Мясо вместе с картофелем и сельдью дважды пропустить через мясорубку. Смешать с мелко нарубленным и обжаренным луком, яйцом и небольшим количеством молока, добавить специи по вкусу. Сформовать бифштексы и жарить их во фритюрнице 8—9 минут при температуре 180. Приготовить соус. Для этого в небольшую кастрюлю положить сахар, поставить на огонь и приготовить карамель, добавить уксус и бульон. В полученный соус добавить изюм, все прокипятить. Муку обжарить на сковороде в 1 столовой ложке масла, добавить бульон с изюмом. Перед подачей на стол добавить в соус оставшуюся часть масла.

БИФШТЕКС «САДКО»

300 г мягкой говядины, 300 г мягкой свинины, 1/2 стакана сливок 20%-ной жирности, 1 столовая ложка муки, 1 чайная ложка сливочного масла, 1/4 стакана молока, 1 яйцо, 750 г жареного картофеля, 150 г малосольных огурцов, 150 г помидоров, 150 г зеленого горошка, 2 столовые ложки нарезанной зелени, соль и перец по вкусу.

Мякоть говядины и свинины пропустить через мясорубку, ввести взбитые сливки, посолить и поперчить. Сформовать бифштексы толщиной 2,5—3 см. Обмакнуть в смесь из муки, сливочного масла, соли, яйца и молока. Жарить во фритюрнице 4—5 минут при температуре 150. Подать бифштекс, полив сливочным маслом, с жареным картофелем, огурцами (свежими помидорами), зеленым горошком, прогретым в собственном соку, и зеленью.

БИФШТЕКС С РУБЛЕНОЙ СВЕКЛОЙ

500 г мелко нарезанной говядины, 100 г отварного картофеля, нарезанного мелкими кубиками, 100 г маринованной свеклы, 2 столовые ложки натертого репчатого лука, 2 столовые ложки каперсов, 2 яйца, соль, красный перец, горчица по вкусу.

Все продукты перемешать, сформовать из полученного фарша бифштексы толщиной в 1,5 см. Бифштексы жарить во фритюрнице при температуре 180 в течение 9—10 минут. Подать с жареным картофелем.

ВАРАКИ САМСА
(узбекская кухня)

1 кг муки, 2 стакана воды, 2 чайные ложки соли, 150 г топленого масла. Для фарша: 500 г мягкой говядины или баранины, 250 г лука, по 1 чайной ложке красного и черного перца, 2 столовые ложки топленого масла.

В теплой воде растворить соль, всыпать муку, замесить крутое тесто, скатать его в шар, дать полежать под салфеткой несколько минут, затем тонко раскатать (до 0,5 мм), смазать маслом и, накрутив на скалку, разрезать вдоль скалки. Получатся широкие полоски в несколько слоев. Из таких слоеных полосок нарезать прямоугольники размером 6—8 см, середину каждого раскатать маленькой скалкой. Положить фарш. Для приготовления фарша мясо с луком пропустить через мясорубку, заправить солью, красным и черным перцем по вкусу и поджарить на сковородке в небольшом количестве масла. Прямоугольник сложить пополам и защипать чуть глубже краев таким образом, чтобы края самсы остались расслоенными наподобие тетрадных листов. Жарить во фритюрнице в течение 4—5 минут при температуре 160.

ВЕТЧИНА В «РУБАШКЕ»

400 г мясного рулета, 50 г картофельных чипсов, 2 яйца, 2 столовые ложки муки, 3—4 столовые ложки сливочного масла.

Чипсы хорошо раздробить. Рулет нарезать мелкими квадратиками. Яйца взбить в глубокой тарелке. Муку высыпать в другую тарелку, а чипсы — в третью. Сливочное масло растопить на сковородке. Кусочки рулета быстро обвалять последовательно в муке, яйце и чипсах. Жарить во фритюрнице 5—7 минут при температуре 180. Подать вместе с огурцами или зеленым салатом.

ГРУДИНКА БАРАНЬЯ ПО-ВЕНСКИ

800 г грудинки, 2 яйца, 4 столовые ложки молотых сухарей, 2 столовые ложки муки, соль и перец по вкусу.

Грудинку промыть, залить кипящей подсоленной водой, варить под крышкой до готовности. Готовое мясо вынуть из бульона, удалить все кости и более толстые хрящи. Уложить прямоугольником на блюде. Прижать кухонной доской с грузом и оставить до полного охлаждения. Охлажденную грудинку нарезать ровными прямоугольными кусками, посолить, поперчить, обвалять в муке, разболтанных яйцах и толченых сухарях. Прижать панировку рукой, обровнять края. Жарить во фритюрнице в течение 4—5 минут при температуре 180. Отдельно подать томатный или горчичный соус, картофель фри и салат из свежих овощей.

ГРУДИНКА ТЕЛЯЧЬЯ ПО-ВЕНСКИ

800 г телячьей грудинки, 2 яйца, 1 столовая ложка муки, 3 столовые ложки толченых сухарей, 1 лимон, 3 столовые ложки мелко нарезанной петрушки, соль, перец по вкусу.

Грудинку промыть, залить кипящей подсоленной водой, варить под крышкой до готовности. Готовое мясо вынуть из бульона, удалить все кости и более толстые хрящи. Уложить прямоугольником на блюде. Прижать кухонной доской с грузом и оставить до полного охлаждения. Охлажденную грудинку нарезать ровными прямоугольными кусками, посолить, поперчить, обвалять в муке, разболтанных яйцах и толченых сухарях. Прижать панировку рукой, обровнять края. Жарить во фритюрнице в течение 4—5 минут при температуре 180. Уложить на продолговатом блюде, украсить зеленью петрушки и ломтиками лимона. Подать с картофелем в любом виде и салатом из сырых овощей.

ИШЛЕКЛИ
(туркменская кухня)

300 г баранины, 300 г лука, 2 стакана муки, 1 яйцо, 1 столовая ложка сливочного масла, 1/2 стакана воды, соль, перец по вкусу.

Мякоть баранины вместе с луком дважды пропустить через мясорубку, посолить, поперчить, влить немного вȯды, хорошо перемешать. Из муки, яйца, воды, соли и сливочного масла замесить крутое тесто, тонко раскатать, разрезать на квадраты размером 15х15 см. На середину каждого положить фарш, свернуть треугольником, края плотно защипать. Жарить во фритюрнице в течение 7—8 минут при температуре 170.

КЛЕЦКИ ИЗ ВЕТЧИНЫ С ЯЙЦОМ

400 г ветчины, 4 яйца, 1 чайная ложка муки, 2 столовые ложки панировочных сухарей.

Ветчину мелко порубить, яйца взбить, смешать с мукой и панировочными сухарями. Из этой массы приготовить клецки величиной с голубиное яйцо и жарить во фритюрнице в течение 3—4 минут при температуре 180. Отдельно подать рис и зеленый салат.

КЛЕЦКИ КУРИНЫЕ

250 г куриного мяса, 5—6 столовых ложек растительного масла, 5 столовых ложек муки, 1 столовая ложка мелко нарубленного репчатого лука, 250 г молока, 50 г ветчины, 2 яйца, 1 столовая ложка панировочных сухарей, мускатный орех, перец, соль по вкусу.

Лук слегка обжарить в хорошо разогретом растительном масле, добавить ветчину, затем муку и осторожно подлить молоко, непрерывно помешивая подливку, чтобы в соусе не образовались комочки. Куриное мясо мелко порубить и добавить в кастрюлю. Все тушить на очень слабом огне, приправить по вкусу солью, перцем и мускатным орехом. Затем дать массе остыть, сформовать из нее небольшие шарики, обвалять их в яйце и сухарях и поместить во фритюрницу на 4—6 минут при температуре 160.

КОЛБАСА В ТЕСТЕ ПО-КУРГАНСКИ

850 г вареной колбасы, 1 яйцо, 2 столовые ложки муки, 1 лимон, 2 столовые ложки мелко нарезанной зелени, 250 г лукового соуса с горчицей, соль и перец по вкусу.

Колбасу (молочную, докторскую) нарезать брусками толщиной 1 см, длиной 6—8 см. Обмакнуть в кляр (смесь яйца с мукой) и по одному брусочку опустить во фритюрницу. Жарить в течение 2—3 минут при температуре 180. Готовую колбасу уложить в виде кольца на круглом блюде, украсить ломтиками лимона и зеленью. Отдельно подать луковый соус с горчицей.

КОТЛЕТЫ «ВАРГАШИНСКИЕ»

250 г мягкой говядины, 250 г квашеной капусты, 25 г репчатого лука, 1 столовая ложка муки, 6 яиц, 2 столовые ложки панировочных сухарей, 750 г картофельного пюре, 1 столовая ложка нарезанной зелени, 250 г томатного соуса, соль и перец по вкусу.

В фарш из говядины добавить мелко нарезанные и спассерованные квашеную капусту, репчатый лук, ввести 5 сырых яиц, соль и перец. Сформовать котлеты, обмакнуть их в смесь муки с яйцом, жарить во фритюрнице при температуре 180 в течение 7—8 минут. Подать с картофельным пюре и зеленью. Отдельно подать томатный соус.

КОТЛЕТЫ «ЗАУРАЛЬСКИЕ»

700 г мягкой говядины, 1/3 стакана молока, 1 яйцо, 150 г жареных грибов, 50 г пассерованного лука, 1 яйцо, 1 столовая ложка муки, 200 г картофеля, 750 г репчатого лука и 1 яйцо для лука фри, 750 г жареного картофеля, 250 г огурцов, 250 г помидоров, 1 столовая ложка нарезанной зелени, соль и перец по вкусу.

Говядину очистить от пленок и сухожилий, дважды пропустить через мясорубку, заправить молоком, солью, перцем и яйцом. Из этого нежного фарша сформовать лепешки, на которые уложить фарш из жареных грибов, пассерованного лука. Придать лепешкам вид морковки (5 штук), смочить в смеси муки с яйцом, затем обвалять в сыром картофеле, нарезанном мелкими кубиками (0,5x0,5 см), снова смочить в смеси муки с яйцом и обвалять в сыром картофеле. Котлеты жарить во фритюрнице в течение 7—9 минут при температуре 160. Подать с луком фри, жареным картофелем, зеленью, огурцами и помидорами. Вместо грибов можно положить фарш из густого картофельного пюре с пассерованным луком. На гарнир подать тушеную капусту.

КОТЛЕТЫ «НОВИНКА»

600 г мягкой говядины, 1/3 стакана молока, 1 яйцо, 225 г сливочного масла, 1 столовая ложка муки, 150 г лука, 125 г белого хлеба, 1 столовая ложка нарезанной зелени, 750 г жареного картофеля, 125 г зеленого горошка, 125 г соленых огурцов, 150 г крутонов, 2 столовые ложки панировочных сухарей, соль, перец по вкусу.

Говядину очистить от пленок и сухожилий, два раза пропустить через мясорубку, заправить молоком, перцем, солью и яйцом и сформовать 5 лепешек. На них уложить кусочки сливочного масла, придать форму колбасок, обвалять в панировочных сухарях и жарить во фритюрнице в течение 7—9 минут при температуре 160. Подать котлеты на крутонах (ломтиках хлеба) с картофелем, луком фри, с зеленью, зеленым горошком и огурцами.

КОТЛЕТЫ ТЕЛЯЧЬИ А-ЛЯ ГУНДЕЛЬ
(венгерская кухня)

4 телячьи котлеты (каждая весом по 120 г), 70 г шампиньонов или других грибов, обжаренных в масле, 125 г шпината, 2 столовые ложки натертого сыра, 1 яйцо, 1 столовая ложка панировочных сухарей, соль. Для соуса бешамель: 1 1/2 столовой ложки масла, 1 столовая ложка муки, 1—2 столовые ложки мелко нарубленной свинины, немного молока, соль по вкусу.

Котлеты обвалять в панировочных сухарях и жарить во фритюрнице в течение 4—5 минут при температуре 180. Затем приготовить сковороду, выложить ее дно листьями ошпаренного шпината и уложить на них котлеты. На котлеты выложить слой грибов и все залить соусом бешамель, а сверху посыпать натертым сыром. Для приготовления соуса бешамель масло растопить, смешать с мукой и нарубленной свининой, поджарить, не подрумянивая, развести молоком, посолить, довести до кипения, размешать с желтками.

КОТЛЕТЫ, ФАРШИРОВАННЫЕ ПЕЧЕНКОЙ

1 кг свинины, 200 г печенки, 2 яйца, 2—3 луковицы, 1 ломтик черствого белого хлеба, 3 столовые ложки панировочных сухарей, перец, соль по вкусу.

Мясо пропустить через мясорубку вместе с луком и белым хлебом, намоченным в молоке и отжатым. Добавить желтки, соль, взбитые белки, перемешать. Из фарша сформовать котлеты, в середину каждой положить

2—3 кусочка печенки с луком, придать форму рулетика, мокрой рукой загладить рубец. Обвалять котлеты в панировочных сухарях, жарить во фритюрнице в течение 5—7 минут при температуре 180. К котлетам подать жареный картофель с чесночным соусом. Для приготовления начинки печенку обдать кипятком, залить молоком на 2 часа. Затем нарезать на кусочки и обжарить с нарезанным полукольцами луком до полуготовности (5—7 минут). Посолить после жаренья.

КОТЛЕТА «ЮБИЛЕЙНАЯ»

600 г мягкой говядины, 5 долек чеснока, 125 г сливочного масла, 3 яйца, 75 г панировочных сухарей, 750 г жареного картофеля, 1 столовая ложка зелени петрушки, соль и перец по вкусу.

Мясо нарезать на куски, отбить, посолить, поперчить, натереть чесноком, на середину положить немного сливочного масла. Котлете придать форму морковки, обмакнуть в смесь яиц, молока и муки, обвалять в сухарях и поместить во фритюрницу на 10—12 минут при температуре 180. Подать с жаренным во фритюрнице картофелем, полив сливочным маслом и посыпав зеленью.

КУТАБЫ
(азербайджанская кухня)

400 г баранины, 2 луковицы, 2 стакана пшеничной муки, 60 г зерен граната, 2 столовые ложки нарубленной зелени, 1/4 чайной ложки корицы, перец и соль по вкусу.

Муку просеять, замесить тесто с добавлением соли и воды, раскатать его до толщины 1 мм и вырезать кружочки размером с пирожковую тарелку. Из мякоти баранины приготовить фарш, добавив лук и зерна граната. Фарш разложить на кружочки теста и завернуть их в форме полумесяца. Жарить во фритюрнице 4—6 минут при температуре 170.

МЯСО, ЖАРЕННОЕ ПО-ВЕНГЕРСКИ

4 ломтика мяса (каждый весом 180 г), 3 столовые ложки жира, 1 луковица, 1 стакан красного вина, 150 г вареных грибов, 1 столовая ложка томатной пасты или 1—2 помидора, 2 столовые ложки муки, 2 столовые ложки растительного масла для жаренья, красный перец на кончике ножа, перец, соль по вкусу.

Мясо слегка отбить, посолить, поперчить, обвалять в муке, жарить во фритюре при температуре 180 в течение 8—10 минут. На масле обжарить мелко нарубленный лук. Снять с огня, добавить красный перец, томатную пасту или разрезанные на дольки свежие помидоры. Залить вином и поставить на несколько минут на огонь потушить. Мясо переложить в

77

кастрюлю, вылить на него приготовленный соус, чтобы он покрыл мясо. Добавить нарубленные грибы, которые предварительно должны быть обжарены. К мясу подать жареный картофель.

НОЖКИ ТЕЛЯЧЬИ В ТЕСТЕ

4 телячьи ножки, 200 г муки, 2 яйца, 1 стакан воды, 2 столовые ложки растительного масла, 1 лавровый лист, перец и соль по вкусу.

Очищенные ножки ошпарить кипятком, разрезать вдоль, отварить. Горячее мясо отделить от костей, положить на доску, прижать сверху другой доской с небольшим грузом и оставить до полного охлаждения. Приготовить тесто. Для этого муку разболтать с желтками, растительным маслом и водой, перемешать со взбитыми в пену белками, посолить. Каждый кусок мяса с помощью вилки обмакнуть в тесто и поместить в разогретую фритюрницу. Жарить в течение 8—10 минут при температуре 180. Подать с острым горячим горчичным соусом или с сырыми овощами.

ОТБИВНЫЕ ИЗ СВИНИНЫ ПО-ИСПАНСКИ

4 свиные отбивные, 1/2 стакана панировочных сухарей, 1 долька чеснока, 2 столовые ложки мелко нарубленной зелени петрушки, 1 столовая ложка растительного масла, соль, перец по вкусу.

Из панировочных сухарей, рубленого чеснока, рубленой зелени петрушки, соли, перца и растительного масла приготовить однородную массу и с помощью ложки втереть ее в свиные отбивные. Подготовленные отбивные жарить во фритюрнице в течение 6—8 минут при температуре 180. Подать на подогретом блюде с тушенными в масле стручками сладкого перца.

ПУЧЕРО ПО-ИСПАНСКИ

500 г нежирной говядины, 250 г окорока, 125 г зеленого горошка или белой фасоли, 100 г чесночной колбасы, 250 г моркови, 1 луковица, 1 лавровый лист, 5—6 горошин черного перца, соль по вкусу. Для клецок: 40 г шпика, 50 г окорока, 2 яйца, мясной бульон, 1 столовая ложка мелко нарубленной зелени петрушки, чеснок по вкусу, панировочные сухари.

Замоченный с ночи зеленый горошек, говядину и окорок залить водой и сварить до полуготовности. Затем добавить колбасу, нарезанную кубиками морковь, мелко нарезанный лук, лавровый лист, перец и варить до готовности. Окорок, приготовленный для клецок, шпик, чеснок и зелень петрушки мелко нарубить, добавить взбитые яйца, немного мясного бульона и панировочные сухари, замесить массу и сформовать из нее клецки. Клецки жарить во фритюрнице в течение 4—5 минут при температуре 180. Перед подачей на стол опустить клецки в готовый суп.

РУЛЕТ ИЗ ВЕТЧИНЫ С СЫРОМ

2 тонких ломтика окорока, 2 ломтика сыра.

На ломтик ветчины положить ломтик сыра, скатать в рулет и перевязать. Жарить во фритюрнице 1—2 минуты при температуре 150. Подать с гренками, картофельным пюре или овощами. Рассчитано на две порции.

РУЛЕТЫ ИЗ КОПЧЕНОЙ СВИНИНЫ

500 г сырого копченого мяса, 2 яйца, 1 луковица, 1 стакан молотых сухарей или густой каши, соль по вкусу.

Мясо с луком пропустить через мясорубку, добавить кашу или сухари, 1 целое яйцо и 1 желток, при необходимости — немного молока или сливок. На сухари положить мясную массу, сформовать длинную колбаску, разрезать ее на порции. Каждую порцию смочить во взбитом белке, запанировать в сухарях и поместить во фритюрницу. Жарить в течение 4—5 минут при температуре 180. Подать с отварным картофелем и салатом из свежих овощей.

СВИНИНА В КИСЛО-СЛАДКОМ СОУСЕ

500 г постной свинины, 250 г пикулей, 2 дольки чеснока, 2—3 столовые ложки уксуса, 2—3 столовые ложки суповой зелени, 1 чайная ложка крахмала, 3 столовые ложки муки, 2 яйца, 1 чайная ложка соли, 1/2 чайной ложки перца, 4 столовые ложки воды, 2 столовые ложки растительного масла.

Мясо нарезать кусками. Из муки, воды, яиц, соли и перца замесить не слишком жидкое тесто. Куски мяса обмакнуть в тесто и быстро опустить во фритюрницу. Жарить 5—7 минут при температуре 180. Во фритюрницу не следует одновременно класть большое количество кусков мяса. После жаренья дать им обсохнуть. Для приготовления соуса нужно взять 2 столовые ложки растительного масла, разогреть его в сковороде, добавить толченый чеснок, слегка обжарить и снять с огня. Затем добавить уксус, сахар, суповую зелень, разведенный крахмал, измельченные пикули, перец. Вскипятить соус и полить им куски мяса. Подать свинину с рисом или макаронными изделиями.

СВИНИНА ФРИ

5 свиных ножек, 2 морковки, 1 луковица, 1 яйцо, 5 столовых ложек пшеничной муки, 3—4 лавровых листа, 2 столовые ложки нарезанной петрушки, несколько горошин черного перца, 2 столовые ложки панировочных сухарей, соль по вкусу.

Обработанные ножки положить в кастрюлю с холодной водой (на 1 кг ножек 2 л воды), добавить лук, морковь, петрушку, лавровый лист, перец, соль и варить до готовности. У сваренных ножек отделить кости, а мясо уложить под доску, на которую положить груз весом 3—5 кг, поставить на холод на 1—2 часа. Спрессованное мясо нарезать на порции, посолить, поперчить, запанировать в сухарях и жарить во фритюрнице 4—5 минут при температуре 180. Подать с тушеной капустой, картофельным пюре. Отдельно подать томатный соус или кетчуп.

СОСИСКИ (САРДЕЛЬКИ) В ТЕСТЕ

500 г сарделек, 1 стакан муки, 2 яйца, 2 столовые ложки сметаны, 1 стакан молока (кефира), сахар, зелень петрушки, соль по вкусу.

Желтки растереть со сметаной, всыпать соль, сахар, вымешать с просеянной мукой, развести молоком или кефиром до необходимой консистенции, перемешать со взбитыми белками. С сосисок снять оболочку, нарезать на кусочки, обмакнуть в тесто (оно должно быть густым), жарить во фритюрнице 4—5 минут при температуре 160. Выложить куски на блюдо, украсить веточками петрушки и подать горячим.

СХТОРАЦ
(армянская кухня)

500 г баранины, 2 картофелины, 4 дольки чеснока, 2 столовые ложки муки, 1 яйцо, соль, красный и черный перец по вкусу. Для подливки: 1 стакан бульона, 2 луковицы, 1 столовая ложка муки, 3 столовые ложки томатной пасты, 2 столовые ложки сливочного масла, 1 чайная ложка виноградного уксуса, 2 столовые ложки мелко нарезанных петрушки и базилика, соль и перец по вкусу.

Мякоть баранины вместе с сырым картофелем, чесноком дважды пропустить через мясорубку, добавить соль, черный и красный перец, взбитое яйцо, перемешать. Сделать из фарша шарики яйцевидной формы, обвалять в муке. Жарить во фритюрнице в течение 7—9 минут при температуре 190. Для приготовления подливки муку поджарить, развести бульоном, добавить обжаренный с томатом-пюре мелко нарезанный лук, пряную зелень, соль, перец, уксус, все прокипятить. Готовый схторац залить подливкой.

ТЕФТЕЛИ ИЗ ГОВЯДИНЫ

400 г говядины, 50 г риса, 1 яйцо, 1/2 стакана молока, 3 столовые ложки панировочных сухарей, 150 г картофеля, 750 репчатого лука, 1 столовая ложка муки, 1 столовая ложка нарезанной зелени, 2 столовые ложки сливочного масла, соль и перец по вкусу.

Говядину очистить от пленок и сухожилий, дважды пропустить через мясорубку, добавить отварной рис, рубленое вареное яйцо, молоко, соль и перец. Из полученной массы сформовать тефтели, дважды обвалять их в панировочных сухарях. Жарить во фритюрнице 9—10 минут при температуре 180. Подать с жареным картофелем, луком фри и зеленью, полив тефтели сливочным маслом.

ТЕФТЕЛИ МЯСНЫЕ

250 г мелко нарезанной телятины или свинины, 250 г мясного фарша, 2 столовые ложки панировочных сухарей, 1 столовая ложка натертого репчатого лука, 2 отварные картофелины, пропущенные через мясорубку, 1 чайная ложка крахмала, 1 стакан молока, 1 1/2 чайной ложки соли, 1/2 чайной ложки перца.

Все продукты хорошо смешать, дать постоять 10—20 минут. Сформовать фрикадельки величиной с грецкий орех, жарить во фритюрнице 9—10 минут (телятина) или 6—8 минут (свинина) при температуре 180. Подать можно как в холодном, так и в горячем виде. Подливку для горячих тефтелей приготовить из 1 стакана сметаны, добавив немного горчицы, сахара, соли и перца по вкусу.

ЦЫПЛЯТА, ЖАРЕННЫЕ ПО-ИСПАНСКИ

2 цыпленка, 2 луковицы, 1 лимон, 2 дольки чеснока, 300 г помидоров, 2 столовые ложки мелко нарубленного зеленого лука, 2 столовые ложки нарубленной зелени петрушки, 1 маленький острый перчик, 2 столовые ложки маргарина, 1/2 столовой ложки соли, черный молотый перец по вкусу, крахмал или пшеничная мука.

Подготовить цыплят, разделить каждого на 8 частей и оставить в маринаде на 2 часа. Маринад приготовить из сока лимона, мелко нарубленного репчатого лука, черного молотого перца и растертого с солью чеснока. Затем жарить цыплят во фритюрнице в течение 12—15 минут при температуре 180. Выложить мясо на сковороду, добавить очищенные от кожи, размятые или нарезанные ломтиками помидоры, зеленый лук и петрушку и тушить до тех пор, пока сок не выкипит наполовину. Затем добавить маргарин и стручок острого перца. Слегка обжарить. Загустить соус с помощью крахмала или муки. Отдельно подать зеленый салат или отваренный рассыпчатый рис.

ШНИЦЕЛЬ ОТБИВНОЙ ИЗ ОКОРОКА

4 ломтика сырокопченого окорока толщиной 0,5—1 см, 1 яйцо, немного молока, 2 столовые ложки панировочных сухарей.

Если окорок очень соленый, вымочить его в молоке в течение 3—6 часов, затем сильно отбить молоточком, обвалять в сухарях и жарить во фритюрнице в течение 3—4 минут при температуре 180. К шницелю подать фасоль и яблочный уксус.

ЧЕБУРЕКИ

400 г баранины, 3 стакана муки, 1 яйцо, 3/4 стакана воды, 50 г риса, 100 г бараньего сала, 3 столовые ложки мелко нарезанной зелени петрушки, соль и перец по вкусу.

Мякоть баранины и баранье (желательно курдючное) сало вместе с репчатым луком пропустить через мясорубку или мелко изрубить ножом. В измельченное мясо добавить соль, перец, мелко нарезанную зелень петрушки и, перемешивая эту массу лопаточкой, влить в нее 2—3 столовые ложки холодной воды. Перемешать фарш с отварным холодным рисом. Из пшеничной муки, воды и яиц с добавлением соли замесить пресное крутое тесто. Раскатав тесто до толщины 1 мм, вырезать из него кружки величиной с небольшое чайное блюдце. На половину каждого кружка положить фарш из баранины, накрыть другой его половинкой и соединить края, предварительно смазав их взбитым сырым яйцом. Жарить во фритюрнице в течение 6—8 минут при температуре 180.

ШПИКАЧКИ
(чешская кухня)

300 г сарделек, 50 г свиного сала, гарнир.

Сардельки надрезать с двух концов в виде креста и жарить на свином сале во фритюрнице 2—3 минуты при температуре 180. Подать с картофелем фри и тушеной капустой.

ЯЙЦА С ВЕТЧИНОЙ ПО-ШОТЛАНДСКИ

5 яиц, 150 г ветчины, 3 анчоуса, полтора ломтика натертого черствого белого хлеба, 1/4 чайной ложки черного перца.

Анчоусы очень мелко порубить, ветчину пропустить через мясорубку, добавить сухари, перец и яйцо. Остальные четыре яйца сварить вкрутую, очистить, обвалять в подготовленной массе и опустить во фритюрницу на 4—6 минут при температуре 160. Затем каждое яйцо разрезать пополам и подать на поджаренном ломтике хлеба.

БЛЮДА ИЗ РЫБЫ И МОРЕПРОДУКТОВ

КАМБАЛА, ПАЛТУС ФРИ, ПАНИРОВАННЫЕ В МУКЕ

500 г рыбы, 2 столовые ложки муки, 1/3 стакана молока, 1 столовая ложка сливочного масла, 1/2 лимона, зелень петрушки, соль, перец по вкусу.

Замоченные в молоке порционные куски рыбы посыпать солью и перцем, запанировать в муке и поместить в разогретую фритюрницу. Жарить 4—6 минут при температуре 160. Готовую рыбу украсить лимоном и зеленью петрушки.

КАМБАЛА, ПАЛТУС ФРИ,
ПАНИРОВАННЫЕ В СУХАРЯХ

*500 г рыбы, 2 столовые ложки муки, 2 яйца, 3 столовые ложки моло-
тых сухарей, 200 г майонеза, 1/2 лимона, соль, перец по вкусу.*

Подготовленные порционные куски рыбы посыпать солью и перцем,
запанировать в муке, смочить в яйце, снова запанировать в сухарях. Жарить во фритюрнице в течение 4—6 минут при температуре 160. Готовую
рыбу украсить ломтиками лимона. Подать с жареным картофелем и соусом из майонеза с корнишонами.

КАРАСИ, ЖАРЕННЫЕ ВО ФРИТЮРЕ

*1 кг карасей, 2 столовые ложки муки, 2 яйца, 3 столовые ложки тол-
ченых сухарей, соль по вкусу, зелень, лимон, хрен.*

Карасей разделать, обмыть, срезать головы и хвосты, посолить. Запанировать в муке, взболтанных яйцах, сухарях. Прижать панировку руками. Жарить во фритюрнице в течение 4—6 минут при температуре 160.
Готовых карасей уложить наискось на блюде, украсить зеленью, натертым хреном или дольками лимона. Отдельно подать картофель и салат из
сырых овощей.

КОТЛЕТЫ РЫБНЫЕ

*800 г филе свежемороженой рыбы, 100 г сливочного масла, 2 яйца,
1/2 стакана топленого масла, 2 столовые ложки муки, 280 г хлеба,
5 столовых ложек панировочных сухарей, зелень, лимон.*

Филе рыбы без кожи и костей слегка отбить. На середину рыбы положить сливочное масло с рубленой зеленью и лимоном, все это завернуть
в виде колбаски, смочить в яйце, обвалять в панировочных сухарях. Жарить во фритюрнице в течение 4—6 минут при температуре 170. Подать
на кусочках хлеба, обжаренного в жире, с жареным картофелем, маринованными фруктами и лимоном.

КОТЛЕТЫ «СПУТНИК»

*250 г судака, щуки, сома или морского окуня, 300 г свинины, 2 столо-
вые ложки сливочного масла, 1 столовая ложка муки, 2 яйца, 150 г белого хлеба, 1 столовая ложка сливочного маргарина, 2 столовые
ложки молотых сухарей, перец, соль по вкусу.*

Филе рыбы разрезать на 4 куска, слегка отбить. Так же приготовить
свинину. На отбитый кусочек мяса положить кусочек рыбы, сверху —
сливочное масло, посолить, поперчить, свернуть в виде овальной котле-

83

ты. Каждую котлету скрепить деревянной палочкой, запанировать в муке, смочить в яйце и вновь запанировать в сухарях. Жарить во фритюрнице в течение 9—10 минут при температуре 180.

КРАБЫ ПО-СИАМСКИ

1 консервная банка крабов, 1 маленькая луковица, 1 яйцо, 2 столовые ложки уксуса, 1 столовая ложка растительного масла, молотый имбирь на кончике ножа, 2 столовые ложки муки, 2 столовые ложки молока, перец и соль по вкусу. Для ш а н х а й с к о г о с о у с а: 1 столовая ложка томатной пасты, 3 луковицы средней величины, 1 долька чеснока, 1 чайная ложка мелко нарубленного имбиря, соль, перец.

Мясо крабов сполоснуть теплой водой, смешать с мелко нарубленным луком, по вкусу добавить соль, перец, уксус, растительное масло и порошок имбиря. Поставить на час для маринования. Из муки, молока и яйца приготовить не очень жидкое тесто и также оставить на час. Лук мелко нарезать, смешать с мелко нарубленным имбирем, добавить дольку чеснока и потушить. Как только лук станет мягким, удалить чеснок, добавить томатной пасты и смешать, хорошо посолив и поперчив. Кусочки маринованного мяса крабов слегка обсушить, обмакнуть в приготовленное тесто и опустить во фритюрницу на 4—6 минут при температуре 160. Подать тотчас с рассыпчатым рисом. Отдельно подать соус.

КРОКЕТЫ РЫБНЫЕ

600 г рыбного филе, 1 ломтик черствого белого хлеба, 4 столовые ложки молока, 2 яйца, 2 столовые ложки натертого сыра, молотые сухари, перец, соль по вкусу.

Белый хлеб залить молоком. Если у филе темная толстая кожа, снять ее, а филе пропустить через мясорубку вместе с отжатым замоченным хлебом. Добавить к массе яичные желтки, натертый сыр, перец и соль. Яичные белки взбить. Из приготовленной массы сформовать небольшие круглые шарики, смочить в белке, запанировать в сухарях. Жарить во фритюрнице в течение 5—7 минут при температуре 190. Подать с тушеными овощами, салатом и соусом.

ЛИНЬ, ЖАРЕННЫЙ ВО ФРИТЮРЕ

800 г линя, 1 лимон или уксус, 2 столовые ложки муки, 1 яйцо, 4 столовые ложки молотых сухарей, зелень, соль по вкусу.

Филе линя разделить на порции, сбрызнуть уксусом или лимонным соком. Оставить на час-полтора. Посолить, запанировать в муке, взболтанном яйце, сухарях. Жарить во фритюрнице в течение 4—6 минут при температуре 160. Выложить на блюдо, украсить зеленью и ломтиками лимона. Отдельно подать картофель и салат из краснокочанной капусты или салат из сырых овощей.

ЛОСОСИНА, ЖАРЕННАЯ В ТЕСТЕ

500 г филе лосося или другой рыбы, 1 стакан муки, 1 яйцо, 100 г светлого пива, 1/2 лимона, соль по вкусу.

Рыбу сполоснуть, нарезать полосками, посолить, сбрызнуть соком лимона. Из муки, яйца, пива и соли приготовить тесто и поставить его на час. Куски рыбы обвалять в муке, обмакнуть каждый кусок в подготовленное тесто и опустить в разогретое масло. Жарить во фритюрнице 4—6 минут при температуре 160.

НАВАГА ФРИ, ПАНИРОВАННАЯ В СУХАРЯХ

500 г рыбы, 2 столовые ложки муки, 3 столовые ложки молотых сухарей, 2 яйца, 1/2 лимона, перец, соль по вкусу.

Запанировать рыбу в муке, яйце и сухарях и поместить в разогретую фритюрницу. Жарить в течение 5—6 минут при температуре 160. Подать с жареным картофелем и кусочками лимона.

ОКУНИ, ЖАРЕННЫЕ ВО ФРИТЮРЕ

1 кг окуней, 2 столовые ложки муки, 2 яйца, 3 столовые ложки толченых сухарей, зелень, хрен, лимон, соль по вкусу.

Окуней разделать, обмыть, срезать головы и хвосты, посолить. С окуня трудно сходит чешуя, поэтому рыбу перед очисткой следует обварить кипятком или же чистить очень острым ножом. Запанировать в муке, взболтанных яйцах, сухарях. Прижать панировку руками. Жарить во фритюрнице в течение 4—6 минут при температуре 160. Готовых окуней уложить наискось на блюде, украсить зеленью, натертым хреном или дольками лимона. Отдельно подать картофель и салат из сырых овощей.

ОСЕТРИНА ФРИ

300 г рыбы, 2 столовые ложки муки, 1 лимон, перец, соль по вкусу.

Рыбу вымыть, нарезать брусочками размером 1,5 х 8 см. Перед жареньем рыбу можно замочить в подсоленном молоке. После этого посыпать перцем, запанировать в муке и сразу же опустить во фритюрницу. Жарить в течение 4—6 минут при температуре 150. При подаче на стол положить на рыбу ломтики лимона, а сбоку — жареный картофель. Вместо лимона можно подать огурцы или помидоры. Так же можно приготовить судака, треску, щуку, сома, налима, навагу.

ОСЬМИНОГИ В ТЕСТЕ

8 молодых осьминогов (можно мороженых), 2 яйца, 2 стакана молока, 3 столовые ложки муки, 1 веточка петрушки, 2 веточки розмарина, 8 зеленых оливок, 2 столовые ложки лимонного сока, 1 стакан белого

85

сухого вина, 1/2 стакана оливкового масла, 3 головки гвоздики, 2—3 горошинки душистого перца, 1/2 чайной ложки молотого черного перца, 1/2 чайной ложки соли.

Приготовить маринад. Для этого смешать вино, оливковое масло, лимонный сок и пряности, посолить. Вымытых и разделанных на небольшие куски осьминогов опустить в маринад и оставить в холодильнике на 2—3 часа (мороженых осьминогов предварительно разморозить). Для приготовления теста смешать яйцо и муку, добавить мелко нарезанную зелень, тщательно перемешать и дать постоять 10—15 минут, затем снова перемешать. Осьминогов вынуть из маринада, обсушить салфеткой, обмакнуть в тесто. Жарить во фритюрнице в течение 4—5 минут при температуре 160.

РУЛЕТЫ ИЗ РЫБНОГО ФИЛЕ

800 г рыбного филе, 150 г шпика, 2 столовые ложки муки, 2 столовые ложки молотых сухарей, перец, соль по вкусу.

Филе свежей или мороженой рыбы натереть солью, перцем, переложить тоненькими ломтиками шпика, свернуть рулетиками и заколоть деревянными шпильками. Обвалять подготовленные рулеты во взбитом яйце, запанировать в муке, еще раз обвалять в яйце и затем запанировать в сухарях. Жарить во фритюрнице в течение 4—6 минут при температуре 160. Подать с тушеными овощами.

РЫБА В ТЕСТЕ ПО-ЛАТЫШСКИ

750 г рыбы, 2 стакана муки, 1 столовая ложка растительного масла, 3 яичных белка, соль по вкусу. Для маринада: 1/2 стакана лимонного сока, 1 столовая ложка растительного масла, перец, соль по вкусу.

Филе рыбы нарезать небольшими кусками, сбрызнуть маринадом и оставить на 1—2 часа. Для приготовления маринада в растительное масло добавить лимонный сок, 3 яичных белка, соль по вкусу. Из воды, муки, растительного масла и соли приготовить тесто, ввести в него взбитые белки. Кусочки рыбы обмакнуть в тесто и жарить во фритюрнице в течение 4—6 минут при температуре 160.

РЫБА ПО-ИНДОНЕЗИЙСКИ

200 г риса, 400 г рыбного филе, 1/2 стакана мяса очищенных крабов или раков, 1/2 стакана куриного бульона, 2—3 луковицы, 1 небольшой лимон, 3 столовые ложки сливок, 1 банан, 2 столовые ложки муки.

Рис отварить в подсоленной воде; половинку луковицы нарезать кубиками и обжарить до светло-золотистого цвета. Добавить немного куриного бульона. Рис облить холодной водой, дать воде стечь, смешать с соусом, посолить и разогреть. Рыбное филе разделить на десять частей, сбрызнуть соком лимона, отставить в сторону на полчаса, затем куски подготовленной рыбы посолить, обмакнуть в сливки и обвалять в муке. Жарить во фритюрнице в течение 4—6 минут при температуре 160. Рис украсить половинками жареных бананов и кольцами лука, а к рыбе подать кетчуп.

САЛАКА, ЖАРЕННАЯ В ТЕСТЕ

500 г рыбы, 2 столовые ложки растительного масла, 2/3 стакана муки, 1/2 лимона, 2 яйца, 1/3 стакана молока, 3 столовые ложки мелко нарезанной петрушки, соль, перец по вкусу.

Филе салаки посолить и оставить на 10—15 минут. Затем сбрызнуть лимонным соком, полить растительным маслом, посыпать молотым перцем и петрушкой, уложить рядами в неокисляющуюся посуду и выдержать на холоде не менее 30 минут. Перед жареньем филе рыбы свернуть каждое в отдельности в виде спирали, начиная с хвоста, кожей внутрь и скрепить деревянными шпильками. Подготовленное филе опустить в тесто и жарить во фритюрнице в течение 4—6 минут при температуре 160. Для приготовления теста в молоко положить соль, сахар, всыпать муку, влить растительное масло и размешать так, чтобы получилось довольно густое тесто, в которое добавить взбитые в густую пену яичные белки, аккуратно, без резких движений перемешивая массу снизу вверх. Подать рыбу немедленно после жаренья, вынув шпильки. Отдельно подать томатный соус или майонез.

СЕЛЬДЬ, ЗАПЕЧЕННАЯ В ТЕСТЕ

1 кг некрупной свежей сельди, 3—4 столовые ложки муки, 1 яйцо, 1/2 стакана молока или воды, соль по вкусу.

Сельдь очистить, удалить внутренности и обсушить. Слегка посолить и разрезать вдоль. Из муки, воды или молока, яиц, посолив все, замесить жидкое тесто. Половинки сельди обмакнуть в тесто и сейчас же поместить во фритюрницу с разогретым маслом. Жарить 4—6 минут при температуре 160.

СЕЛЬДЬ МЕРЛАН, ЖАРЕННАЯ ВО ФРИТЮРЕ

1 кг сельди (свежей), 1 лимон или уксус, 2 яйца, 3 столовые ложки толченых сухарей, 2 столовые ложки муки, зелень петрушки, соль по вкусу.

Сельдь очистить, разделать, промыть, разделить вдоль позвоночника на две части, очистить от костей, сбрызнуть уксусом, оставить на час. Обсушить, посолить, запанировать в муке, взболтанных яйцах, сухарях, прижать панировку руками. Жарить во фритюрнице в течение 4—6 минут при температуре 160. Сельдь можно жарить целиком без головы и хвоста. Украсить зеленью петрушки. Подать с картофелем и салатом из сырых овощей.

СЕЛЬДЬ СОЛЕНАЯ, ЖАРЕННАЯ В ТЕСТЕ

700 г соленой сельди, 2 яйца, 2 чайные ложки растительного масла, 1 стакан муки, 5—6 чайных ложек сметаны, соль по вкусу.

Соленую сельдь вымочить в молоке в течение 5—6 часов. Филе очистить от костей и кожи, свернуть трубочкой. Приготовить тесто. Для этого желтки растереть с растительным маслом, сметаной, половиной взятого количества муки. Смешать со взбитыми белками и остальной мукой, слегка посолить. Тесто должно быть густым. Сельдь с помощью вилки обмакнуть в тесто и поместить в разогретую фритюрницу. Жарить в течение 6—7 минут при температуре 160.

СОМ, ЖАРЕННЫЙ ВО ФРИТЮРЕ

800 г сома, 2 столовые ложки муки, 1 яйцо, 3 столовые ложки толченых сухарей, зелень, морковь, хрен, соль по вкусу.

Рыбу разделать, промыть, отделить филе, сняв кожу, нарезать порциями, посолить. Запанировать в муке, яйце и сухарях, панировку прижать рукой. Жарить во фритюрнице в течение 4—6 минут при температуре 160. Положить на блюдо, украсить зеленью, морковью, нарезанной фигурками, тертым хреном. Отдельно подать картофель, салат из сырых овощей.

СУДАК, ЖАРЕННЫЙ В ТЕСТЕ

700 г судака, 2 яйца, 2/3 стакана муки, 1 стакан сметаны, щепотка разрыхляющего порошка, соль по вкусу, морковь, огурец.

Рыбу разделать на порционные куски шириной 2 см. Приготовить тесто. Для этого яйца венчиком взбить в пышную массу, добавляя понемногу сметану и муку. Посолить, добавить щепотку разрыхляющего порошка, перемешать. Рыбу посолить, взяв каждый кусок вилкой, обмакнуть его в тесто (оно должно быть густым), поместить в разогретую фритюрницу. Жарить в течение 6—7 минут при температуре 160. Поджаренные куски положить на блюдо, украсить морковью, нарезанной фигурками, ломтиками огурца. Отдельно подать соус с корнишонами, томатный соус.

СУДАК ФРИ, ПАНИРОВАННЫЙ В СУХАРЯХ

500 г рыбы, 2 яйца, 4 столовые ложки муки, 1 лимон, 2 столовые ложки молотых сухарей, соль по вкусу.

Рыбу нарезать в виде ромбов, запанировать в муке, смочить в яйце, снова запанировать в сухарях. Жарить во фритюрнице в течение 6—7 минут при температуре 160. При подаче на стол на кусочки рыбы положить ломтики лимона. В качестве гарнира подать жареный картофель или жареную зелень петрушки. Отдельно подать томатный или горчичный соус или майонез с корнишонами.

ТЕФТЕЛИ РЫБНЫЕ

500 г рыбного филе, 2 луковицы, 1 яйцо, 100 г сухого белого хлеба, 1/2 стакана молока, 2 столовые ложки сливочного масла, 2 столовые ложки муки, перец и соль по вкусу.

Мякоть рыбы вместе с луком и размоченным в молоке черствым хлебом пропустить через мясорубку, добавить соль и перец, взбитое яйцо, размягченное сливочное масло, все хорошо перемешать. Из полученной массы сформовать небольшие тефтели, обвалять их в муке и жарить во фритюрнице в течение 3—4 минут при температуре 160.

УГОРЬ, ЖАРЕННЫЙ ВО ФРИТЮРЕ

1 кг угря, 2 столовые ложки муки, 1 яйцо, 3 столовые ложки молотых сухарей, зелень, 1 лимон, соль по вкусу.

С угря снять кожу, разделать, промыть в нескольких водах. Разделить на куски длиной 6—8 см, посолить, запанировать в муке, взболтанных яйцах и сухарях. Жарить во фритюрнице в течение 4—6 минут при температуре 150. Положить на блюдо, украсить зеленью и дольками лимона. Отдельно подать соус с корнишонами, каперсами или острый соус.

ФИЛЕ ТРЕСКИ, ЖАРЕННОЕ ВО ФРИТЮРЕ

600—700 г трески, 2 столовые ложки муки, 3 столовые ложки толченых сухарей, 1 яйцо, соль по вкусу.

Филе разделить на порции, посолить, обвалять в муке, смешанной со взболтанными яйцами, затем обвалять в толченых сухарях. Жарить во фритюрнице в течение 4—6 минут при температуре 160. Выложить на блюдо, украсить зеленью. Подать с картофелем, с салатом из сырых овощей.

ФОРЕЛЬ, ЖАРЕННАЯ ПО-АРМЯНСКИ

600 г форели, 2 столовые ложки сливочного масла, 4 яйца, 1 яичница-глазунья, 1—2 столовые ложки мелко нарубленной зелени (эстрагон, петрушка), соль, перец по вкусу.

Форель почистить и вымыть, затем каждую рыбу распластать, срезать спинные плавники, разрезать на куски. Подготовленную таким образом рыбу жарить во фритюрнице при температуре 160 в течение 4—6 минут в зависимости от размера подготовленных кусков рыбы. Яйца взбить, посолить и добавить перец по вкусу. Зажаренную во фритюрнице рыбу выложить на сковороду и полить этой смесью, после чего поставить в духовку на 3—5 минут. Рыбу посыпать зеленью, украсить сверху яичницей-глазуньей и подать на сковороде.

ХАМСА, ЖАРЕННАЯ ВО ФРИТЮРЕ

500 г рыбы, 2 столовые ложки муки, 2 столовые ложки растительного масла, соль по вкусу.

Рыбу перебрать, вымыть в холодной воде, обсушить, затем посолить и запанировать в муке. Жарить во фритюрнице в течение 4—5 минут при температуре 160. Подать сразу после жаренья с жареным картофелем или с гарниром из отварной фасоли в томатном соусе. К рыбе можно подать квашеные или маринованные овощи (свеклу, капусту, огурцы, помидоры). Так же можно приготовить кильку, тюльку, снетки.

ЧЕБУРЕКИ ПО-КАСПИЙСКИ

500 г филе судака или другой свежей рыбы, 2—3 луковицы, 2 стакана пшеничной муки, 1/2 стакана рыбного бульона или воды, соль, перец по вкусу.

Рыбное филе вместе с луком пропустить через мясорубку, добавить соль, черный молотый перец, немного рыбного бульона или воды, все перемешать. Из муки, воды и соли замесить тесто, разделать его на кусочки по 40 г каждый, раскатать тонким кружком. На середину положить рыбный фарш, защипать чебурек в виде полумесяца. Жарить во фритюрнице в течение 4—6 минут при температуре 150.

ШАРИКИ РЫБНЫЕ

500 г трески, 600 г картофеля, 1—2 яйца, 1 столовая ложка сливочного масла, 3 столовые ложки муки, перец, соль по вкусу.

Отваренную треску очистить от кожи, удалить кости и размять (можно пропустить через мясорубку). Затем смешать с вареным картофелем или картофельным пюре, добавить яйца и растопленное сливочное масло, приправить солью и перцем по вкусу, сформовать из полученной массы шарики. Обвалять их в муке и жарить во фритюрнице в течение 5—6 минут при температуре 190. К шарикам из трески подать томатный соус или соус из хрена.

БЛЮДА ИЗ ТВОРОГА И СЫРА

БУБЛИКИ ИЗ ТВОРОЖНОГО ТЕСТА

500 г творога, 250 г маргарина, 500 г муки, 150 г сахара, 1 яйцо, 1 чайная ложка соды, ванилин.

К просеянной муке с содой добавить творог, протертый через сито, натертый на крупной терке маргарин, сахар, желток и вымесить до образования однородной массы. Если тесто получилось слишком густым, влить 1—2 столовые ложки кефира или сметаны, перемешать. Затем раскатать тесто в пласт толщиной 1—1,5 см, стаканом вырезать лепешки, меньшим стаканом вырезать в них отверстия, чтобы образовались бублики. Жарить во фритюрнице в течение 5—7 минут при температуре 160. Готовые бублики положить в тарелку, посыпать сахарной пудрой и ванилином.

ГАЛУШКИ ПО-ЧЕШСКИ

1 батон, 150 г сыра, 1—2 яйца, 1 стакан молока, соль по вкусу.

Черствый батон нарезать кубиками, залить смесью из молока и яиц на 10—15 минут, чтобы молоко впиталось, затем посолить, смешать с сыром, натертым на мелкой терке. Если масса получилась жидкой, добавить муку или молотые сухари. Мокрыми руками сформовать галушки, жарить во фритюрнице в течение 2—3 минут при температуре 160. Подать горячими с томатным соусом или салатом.

КОЛБАСКИ ИЗ ТВОРОГА

500 г творога, 150 г овсяной муки, 80 г меда, 2 яйца, 35 г муки, 100 г сметаны или 500 г топленого молока.

Творог смешать с яйцом, овсяной мукой, медом. Полученную массу раскатать на столе в виде колбаски, нарезать на кусочки, обвалять в муке. Жарить во фритюрнице в течение 3—4 минут при температуре 170. Подать, полив сметаной. Если к блюду подают топленое молоко, сметаной не поливают.

КРОКЕТЫ ИЗ СЫРА

3 кусочка плавленого сыра, 2 столовые ложки маргарина, 50 г белого хлеба, 3 столовые ложки крахмала, 1 яичный желток, 2 столовые ложки молотых сухарей, мускатный орех на кончике ножа, соль по вкусу.

Плавленый сыр смешать со взбитым до пены маргарином, добавить размоченный и отжатый хлеб, желток и пряности. Массу разделить на кусочки с помощью ложки, обвалять в молотых сухарях и вытянуть кусочки в длину. Жарить во фритюрнице в течение 1—2 минут при температуре 150.

ПОНЧИКИ СЫРНЫЕ НА БЕЛКАХ

4 белка сырых яиц, 200 г сыра, 2 столовые ложки муки, 1/2 чайной ложки соды, зелень петрушки, соль по вкусу.

91

Белки взбить в густую пену, затем, продолжая взбивать, добавить сыр, натертый на мелкой терке, и смешанную с содой муку, все перемешать в густую пышную массу. Из теста сформовать небольшие шарики величиной с орех, обвалять в муке, жарить во фритюрнице в течение 2—3 минут при температуре 150. Подать, посыпав зеленью петрушки.

ШАРИКИ ИЗ СЫРА

4 яичных белка, 200 г тертого сыра, 1 столовая ложка муки, 4 столовые ложки мелко нарезанной зелени петрушки, соль, перец по вкусу.

Белки посолить по вкусу и взбить, осторожно добавить натертый сыр. Полученную довольно густую массу можно поперчить. Сформовать небольшие шарики, обвалять их в муке и жарить в течение 1—2 минут при температуре 150. Вынув из фритюрницы, обсушить и подать на подогретом подносе или блюде, посыпав зеленью петрушки.

ШНИЦЕЛЬ ИЗ СЫРА

4 ломтика сыра толщиной 1 см, 1 яйцо, 1 столовая ложка панировочных сухарей, 2 столовые ложки мелко нарезанного зеленого лука, 1—2 помидора.

Ломтики сыра обвалять в яйце и панировочных сухарях и жарить во фритюрнице 2—3 минуты при температуре 190. Посыпать мелко нарезанным зеленым луком, украсить ломтиками помидоров и подать со шпинатом и картофелем.

БЛЮДА ИЗ ОВОЩЕЙ

БАКЛАЖАНЫ ЖАРЕНЫЕ

800 г баклажанов, 2 столовые ложки муки, 3 столовые ложки толченых сухарей, 2 яйца, соль по вкусу.

Свежие молодые баклажаны вымыть, очистить, нарезать ломтиками. Запанировать в муке, яйцах, толченых сухарях. Жарить во фритюрнице в течение 6—8 минут при температуре 170. Подать к мясу с томатным соусом.

ГРУШИ ЗЕМЛЯНЫЕ В ТЕСТЕ

800 г земляных груш, 1/2 стакана сметаны, 3/4 стакана муки, 2 яйца, 1/3 чайной ложки разрыхляющего порошка, соль по вкусу.

Земляные груши сварить в подсоленной воде, очистить. Приготовить тесто. Для этого яйца взбить венчиком, добавляя попеременно муку, сметану, а в конце — порошок и соль. Сваренные земляные груши разрезать вдоль пополам, с помощью вилки по очереди погрузить в тесто, затем сразу же поместить в разогретую фритюрницу. Жарить в течение 4—6 минут при температуре 170.

ЗРАЗЫ КАРТОФЕЛЬНЫЕ

1 кг картофеля, 300 г говядины, 2 луковицы, перец и соль по вкусу.

Половину картофеля очистить и натереть. Оставшийся картофель отварить в кожуре, очистить, пропустить через мясорубку, смешать с сырым тертым картофелем, посолить. Говядину отварить, пропустить через мясорубку, смешать с поджаренным луком, добавить перец и соль. Из картофельной массы сформовать лепешки, положить на каждую приготовленный фарш, завернуть лепешку, придав зразам овальную форму. Жарить во фритюрнице 5—7 минут при температуре 190.

ЗРАЗЫ КАРТОФЕЛЬНЫЕ С ЛУКОМ

450 г картофеля, 2 луковицы, 2 столовые ложки сливочного маргарина, 5 яиц, 2 столовые ложки молотых сухарей, 2 столовые ложки мелко нарезанной зелени укропа или петрушки, соль по вкусу.

Очищенный и отваренный картофель слегка обсушить, пропустить через мясорубку (или протереть), добавить 2 яйца и хорошо перемешать. Сформовать круглые лепешки. На середину каждой положить фарш. Края лепешек завернуть, придавая изделию форму прямоугольника. Запанировать в молотых сухарях и жарить во фритюрнице в течение 7—9 минут при температуре 190. Для приготовления фарша репчатый лук нарезать, спассеровать с маргарином, смешать с мелко нарезанными крутыми яйцами, укропом или зеленью петрушки, посолить, тщательно перемешать. Отдельно подать сметану.

ЗРАЗЫ КАРТОФЕЛЬНЫЕ С МЯСОМ

1,2 кг картофеля, 200 г говядины, 100 г шпика, 2 луковицы, соль по вкусу.

Половину нормы картофеля очистить и натереть на терке, другую половину отварить в кожуре, очистить и протереть. Все перемешать и разделать на лепешки. Приготовить фарш. Для этого говядину отварить, пропустить через мясорубку, смешать с поджаренным со шпиком луком. Начинить фаршем лепешки, придавая им овальную форму. Жарить во фритюрнице в течение 7—9 минут при температуре 190. Подать в горячем виде.

93

ЗРАЗЫ КАРТОФЕЛЬНЫЕ С РЫБОЙ

800 г картофеля, 500 г рыбы, 1 луковица, 2 яйца, 3 столовые ложки муки, 3 столовые ложки сметаны, соль, перец по вкусу.

Филе рыбы вместе с луком пропустить через мясорубку. В полученный фарш добавить яйцо, соль, перец и хорошо вымесить. Отваренный в кожуре и очищенный картофель пропустить через мясорубку, добавить яйцо, муку и соль и хорошо перемешать. Из полученной массы сформовать лепешки, на середину каждой из них положить рыбный фарш, завернуть, придав форму полумесяца, обвалять в муке. Жарить во фритюрнице в течение 7—9 минут при температуре 190. Подать горячими, полив сметаной.

ЗРАЗЫ КАРТОФЕЛЬНЫЕ С ЯЙЦАМИ

900 г картофеля, 3 яйца, 3 луковицы, 3—4 столовые ложки панировочных сухарей, соль по вкусу.

Отваренный картофель протереть, добавить 1 яйцо, соль, перемешать. Из картофельной массы сформовать круглые лепешки, на их середину положить фарш. Края лепешки завернуть, придать ей овальную форму, запанировать в сухарях. Жарить во фритюрнице 8—10 минут при температуре 180. Для фарша отварить 2 яйца, мелко их нарезать, перемешать с поджаренным луком, затем снова поджарить. При подаче на стол зразы можно полить сметаной.

КАПУСТА ЦВЕТНАЯ В ТЕСТЕ

800 г цветной капусты, 1/2 стакана сметаны, 2/3 стакана муки, 2 яйца, 1/3 чайной ложки разрыхляющего порошка, соль и сахар по вкусу.

Отварить цветную капусту, охладить, разделить на части. Для приготовления теста яйца взбить венчиком, добавляя попеременно муку, сметану, а в конце — разрыхляющий порошок и соль. С помощью вилки погрузить кусочки цветной капусты в тесто, поместить в разогретую фритюрницу. Жарить в течение 4—6 минут при температуре 170. Подать с томатным соусом и укропом.

КАРТОФЕЛЬ, ЖАРЕННЫЙ В КЛЯРЕ

1 кг картофеля, 4 столовые ложки муки, 1 яйцо, 3/4 стакана молока, 1 столовая ложка натертого сыра, соль по вкусу.

Очищенный сырой картофель нарезать соломкой, опустить в кляр (жидкое тесто) и перемешать. Затем картофель переложить в разогретую фритюрницу и жарить в течение 8—10 минут при температуре 190. Для приготовления кляра просеять пшеничную муку, смешать с яйцом и натертым сыром, развести молоком, чтобы получилось жидкое тесто.

КЛЕЦКИ БОБОВЫЕ

250 г бобов, 3 стакана воды, 3 ломтика черствого белого хлеба, 1 луковица, 1 яйцо, по 1 столовой ложке нарезанной зелени базилика, майорана, чебреца, 2 столовые ложки молотых сухарей, соль и перец по вкусу.

Подготовленные бобы сварить в воде, отбросить на дуршлаг и пропустить через мясорубку. Добавить размоченную и отжатую булку, мелко нарезанные лук, яйцо, зелень, перец и соль. Из полученной массы сделать плоские клецки, обвалять их в молотых сухарях. Жарить во фритюрнице в течение 6—7 минут при температуре 170.

КЛЕЦКИ ОВОЩНЫЕ

250 г любых тушеных овощей, 65 г овсяных хлопьев, 5 столовых ложек воды, 1 яйцо, 1 луковица, 3 столовые ложки панировочных сухарей, черный или красный молотый перец и соль по вкусу.

Овощи пропустить через мясорубку, добавить размоченные в воде овсяные хлопья, яйцо и мелко нарезанный лук, заправить пряностями. Из полученной массы вылепить плоские клецки, обвалять их в сухарях и жарить во фритюрнице в течение 4—6 минут при температуре 170.

КОЛБАСКИ ФАСОЛЕВЫЕ

300 г белой фасоли, 1 яйцо, 3 столовые ложки овсяных хлопьев, по 1 столовой ложке зелени майорана и петрушки, тмин, перец и соль по вкусу.

Фасоль замочить в теплой воде, в той же воде отварить, процедить и в миксере размельчить вместе с овсяными хлопьями. Добавить в массу яйцо, измельченные специи, мелко нарезанную зелень, сформовать колбаски величиной с сардельку, запанировать в сухарях. Жарить во фритюрнице 9—10 минут при температуре 190. Подать с салатом из квашеной капусты, шкварками.

КОТЛЕТЫ ИЗ КОНСЕРВИРОВАННОЙ КУКУРУЗЫ

800 г консервированной кукурузы, 2 яйца, 1/2 стакана манной крупы, 1 столовая ложка мелко нарезанной зелени петрушки, мускатный орех на кончике ножа, соль по вкусу.

Кукурузные зерна протереть, добавить взбитое яйцо, мускатный орех, мелко нарезанную зелень, манную крупу, соль. Из подготовленной массы сформовать котлеты, запанировать в сухарях и жарить во фритюрнице в течение 6—8 минут при температуре 170. Подать с растопленным маслом или сметаной, посыпав сахаром и корицей.

КОТЛЕТЫ КАРТОФЕЛЬНЫЕ С ТЫКВОЙ

800 г картофеля, 400 г оранжевой тыквы, 2 столовые ложки растительного масла, 2 яйца, 2 столовые ложки муки, 4 столовые ложки толченых сухарей, соль по вкусу.

Картофель отварить, остудить, пропустить через мясорубку. Растительное масло растереть с желтками, размешать с картофелем, добавить взбитые в пену белки и натертую на крупной терке тыкву, посолить. Сформовать небольшие котлеты, обвалять в толченых сухарях. Жарить в течение 5—7 минут при температуре 190. Подать со сметаной или с салатом из сырых овощей.

КРОКЕТЫ ИЗ КАРТОФЕЛЯ С ВЕТЧИНОЙ

500 г картофеля, 100 г ветчины, 2 столовые ложки сметаны, 1 яйцо, 2 столовые ложки панировочных сухарей, 1 столовая ложка муки, соль по вкусу.

Очищенный картофель отварить, пропустить через мясорубку, смешать со сметаной и мукой, чтобы получилось густое тесто. Добавить соль, мелко нарезанную ветчину. Из полученной массы скатать валик, разрезать его на одинаковые кусочки, сформовать небольшие крокеты, обвалять их в муке, затем в яйце и сухарях. Жарить во фритюрнице в течение 7—9 минут при температуре 190. Подать с гарниром из шпината или тушеной моркови.

КРОКЕТЫ ИЗ КУКУРУЗЫ

200 г кукурузы, 1 столовая ложка сливочного или топленого масла, 1/2 стакана молока, 4 столовые ложки муки, 1 яйцо, 2 столовые ложки мелко нарезанной зелени петрушки, 2 столовые ложки молотых сухарей, соль по вкусу.

Согреть консервированную кукурузу в банке на водяной бане и тщательно слить жидкость через дуршлаг. Положить кукурузу в посуду с топленым или сливочным маслом и, помешивая, подсушить ее на огне. Приготовить густой молочный соус. Для этого муку растереть с молоком, развести в небольшом количестве горячего молока, добавить остальное молоко, проварить и процедить. Смешать кукурузу с горячим густым молочным соусом и сырыми яичными желтками, посолить. Когда масса охладится (примерно до 40—50°С), разделать ее на шарики весом приблизительно 15—20 г, обсыпать шарики пшеничной мукой, смочить во взби-

том с небольшим количеством соли яичном белке, запанировать в молотых сухарях. Жарить во фритюрнице в течение 6—8 минут при температуре 170. Подать, украсив зеленью петрушки. Отдельно подать холодную сметану или томатный соус.

КРОКЕТЫ ИЗ СЕЛЬДЕРЕЯ

2 корня сельдерея, 2 стакана вареного риса, 2 столовые ложки масла, 3 яйца, бульон, 1 столовая ложка растительного или сливочного масла, 2 столовые ложки молотых сухарей, молотый перец, соль.

Коренья сельдерея очистить, натереть на терке и потушить в небольшом количестве бульона с маслом. Яйца взбить, смешать с вареным рисом, добавить соль, перец и тушеный сельдерей (без жидкости). Сформовать небольшие круглые или продолговатые крокеты, смочить в яйце, запанировать в сухарях. Жарить во фритюрнице 5—7 минут при температуре 190.

КРОКЕТЫ КАРТОФЕЛЬНЫЕ

1 кг картофеля, 2 яйца, 1/2 стакана молока, 2 столовые ложки муки, 2 столовые ложки панировочных сухарей, зелень, соль, перец по вкусу.

Отваренный картофель обсушить и горячим протереть. Добавить молоко, желтки, муку, соль, перец и тщательно все перемешать. Из полученной массы скатать валик диаметром 3 см, нарезать его в виде столбиков, запанировать в сухарях. Жарить во фритюрнице в течение 8—10 минут при температуре 180. Уложить в один ряд на блюдо, украсить листиками зеленого салата или веточками петрушки. Подать с томатным соусом.

КРОКЕТЫ КАРТОФЕЛЬНЫЕ «ОСОБЫЕ»

1 кг картофеля, 2 яйца, 2 луковицы, 1 стакан натертого сыра, 2 столовые ложки нарезанной зелени петрушки, перец.

Картофель вымыть и отварить в мундире, затем очистить от кожуры и пропустить через мясорубку. Добавить яйца, зелень петрушки, натертый сыр, мелко нашинкованный лук, поперчить и посолить. Полученную массу тщательно перемешать, разделать на шарики (крокеты) и запанировать их в муке. Жарить во фритюрнице 4—6 минут при температуре 160. Готовые крокеты подать с тушеной морковью или горошком.

КРОКЕТЫ КАРТОФЕЛЬНЫЕ ПО-РУМЫНСКИ

500 г картофеля, 3 столовые ложки сливочного масла, 2 яйца, 4 столовые ложки муки, 3/4 стакана сметаны, соль по вкусу.

Отваренный в кожуре картофель очистить, натереть на мелкой терке, тщательно размешать с растертым в пену сливочным маслом, добавить яйца, муку и соль. Вымесить густое тесто, скатать из него валик, разрезать его на одинаковые кусочки, сформовать небольшие удлиненные крокеты. Жарить во фритюрнице в течение 8—10 минут при температуре 180. При подаче на стол крокеты полить сметаной.

КРОКЕТЫ КАРТОФЕЛЬНЫЕ С ГРИБНЫМ СОУСОМ

600 г картофеля, 3 яйца, 4 столовые ложки пшеничной муки, 10 г сушеных грибов, 2/3 стакана воды, 1 чайная ложка маргарина, 1 луковица, 3 столовые ложки молотых сухарей, соль по вкусу.

Отваренный охлажденный картофель растереть с одной столовой ложкой муки и тремя желтками. Из полученной массы сформовать 10—12 шариков и запанировать их в муке, смочить в белке и запанировать в сухарях. Жарить во фритюрнице в течение 7—9 минут при температуре 190. Приготовить грибной соус. Для этого грибы замочить на несколько часов в холодной воде, промыть и варить до готовности. Затем грибы вынуть, а в отвар добавить пассерованную на маргарине муку (2 столовые ложки) и варить до полуготовности. Отвар процедить, вновь довести до кипения, добавить соль по вкусу и пассерованный лук с грибами и варить 10—15 минут. При подаче полить крокеты грибным соусом или подать его отдельно.

КРОКЕТЫ КАРТОФЕЛЬНЫЕ С МЯСОМ

1,2 кг картофеля, 2 яйца, 3 чайные ложки муки, 300 г свинины, 2 луковицы, 1 столовая ложка топленого сала, 4 столовые ложки панировочных сухарей, перец, соль по вкусу.

Сырой картофель натереть на мелкой терке, отжать, добавить яйцо, посолить и перемешать. Приготовить фарш. Для этого сырую свинину пропустить через мясорубку, добавить соль, перец, поджаренный на топленом сале лук. Из картофельной массы скатать небольшие шарики, нафаршировать их свининой с луком и запанировать в муке. Крокеты смочить в яйце, запанировать в сухарях. Жарить во фритюрнице в течение 10—12 минут при температуре 190.

КУКУРУЗА, ЖАРЕННАЯ В ТЕСТЕ

5 початков кукурузы, 2/3 стакана муки, 3 столовые ложки растительного масла, 1/2 стакана молока, 3 яйца, соль по вкусу.

Сваренные в подсоленной воде початки кукурузы молочной зрелости очистить от листьев, обмакнуть в жидкое пресное тесто (кляр) и поместить во фритюрницу. Для кляра яичные желтки растереть с растительным маслом, добавить молоко, в котором предварительно растворить соль.

Всыпать просеянную муку, хорошо размешать, а затем ввести крепко взбитые белки и еще раз слегка перемешать. Жарить в течение 6—8 минут при температуре 170. Подать сразу после жаренья. Отдельно подать салат из помидоров.

ЛЕПЕШКИ КАРТОФЕЛЬНЫЕ

250 г картофеля, 1 стакан муки, зеленый лук.

Картофель отварить, размять или пропустить через мясорубку, добавить муку, 1 стакан воды и крупно нарезанный зеленый лук по вкусу. Все перемешать. Из пюре приготовить лепешки и жарить во фритюрнице в течение 5—6 минут при температуре 190.

ЛУК В ТЕСТЕ

400—500 г крупного лука, 1/2 стакана сметаны, 2/3 стакана муки, 2 яйца, щепотка разрыхляющего порошка, соль по вкусу.

Сметану разболтать с яйцами и мукой, добавить разрыхляющий порошок, посолить, размешать. Тесто должно быть достаточно густым. Каждую луковицу очистить, нарезать кружочками потолще. Макая в тесто, кружки лука помещать по очереди в разогретую фритюрницу. Жарить в течение 6—8 минут при температуре 170. Подать к мясу или с томатным соусом.

ПАЛОЧКИ КАРТОФЕЛЬНЫЕ С СЫРОМ

1 кг картофеля, 1 столовая ложка натертого сыра, соль по вкусу.

Сырой очищенный картофель полностью залить холодной водой, на медленном огне довести воду до кипения и варить, не допуская бурного кипения, 10 минут. Затем нарезать картофель в виде длинных палочек толщиной 4 мм, обсыпать их тертым сыром, высушить и посолить. Жарить во фритюрнице в течение 7—9 минут при температуре 190. Подать к пиву.

ПАЛЬЧИКИ КАРТОФЕЛЬНЫЕ

1 кг картофеля, 1 яйцо, 5 столовых ложек сливочного масла, 2 столовые ложки картофельного крахмала, 1 столовая ложка мелко нарезанной петрушки, соль по вкусу.

Очищенный картофель отварить и протереть, добавить в него яйцо, крахмал и немного нарезанной петрушки, все хорошо перемешать. Из полученной массы сформовать валик толщиной 1 см, разрезать его на части длиной 10 см. Жарить во фритюрнице в течение 8—10 минут при температуре 180. При подаче полить растопленным маслом и посыпать зеленью петрушки.

ПАМПУШКИ КАРТОФЕЛЬНЫЕ

1,2 кг картофеля, 1/2 стакана муки, 1 яйцо, соль по вкусу.

Отваренный в кожуре картофель охладить и очистить, пропустить через мясорубку, добавить соль, яйцо, немного муки и вымешать до крутой консистенции. Подготовленную массу выложить на стол или деревянную доску, посыпанную мукой, и раскатать в слой толщиной 2 см. Тесто нарезать ромбиками и жарить в течение 7—9 минут при температуре 190. Пампушки можно подать с маслом, сметаной или сметанным соусом.

ПИРОЖКИ КАРТОФЕЛЬНЫЕ С САРДЕЛЬКАМИ

1 кг картофеля, 2 яйца, 2 столовые ложки маргарина, 2—3 столовые ложки муки, 1 столовая ложка крахмала, 4—5 сарделек, 2 столовые ложки молотых сухарей, соль по вкусу.

В картофельное пюре положить яйца, маргарин, всыпать муку, крахмал, соль и замесить тесто. Из картофельной массы сформовать шарики, затем размять их, чтобы получились лепешки. На каждую лепешку положить ломтик сардельки без оболочки, разрезанный в длину, завернуть в рулет, обвалять в молотых сухарях. Жарить во фритюрнице в течение 5—7 минут при температуре 170. Подать горячими с томатным соусом и салатом из моркови и огурцов.

ПОНЧИКИ ИЗ ВАРЕНОГО КАРТОФЕЛЯ

800 г картофеля, 1 чайная ложка масла, 80—100 г муки, 2 яйца, 2 столовые ложки сметаны, 10 г дрожжей, соль и перец по вкусу.

Сваренный в кожуре картофель очистить, протереть сквозь сито, охладить. Добавить дрожжи, размешанные со сметаной, яйца, соль и перец, 2—3 столовые ложки муки и тщательно растереть. Быстро (так как картофельная масса благодаря дрожжам быстро растет и пончики во время жаренья распадаются) сформовать шарики величиной с грецкий орех или палочки. Поместить в разогретую фритюрницу, жарить в течение 4—5 минут при температуре 190. Подать с острым соусом или к мясу.

ПОНЧИКИ ИЗ ВАРЕНОГО КАРТОФЕЛЯ С НАЧИНКОЙ ИЗ БРЫНЗЫ
(румынская кухня)

500 г картофеля, 1/2 стакана сметаны или молока, 2 яйца, 25 г дрожжей, 1 1/2 стакана муки, 1 чайная ложка сахара, 3 столовые ложки брынзы, соль по вкусу.

Сваренный в кожуре картофель очистить, натереть на терке, смешать с разведенными в подслащенном молоке или сметане дрожжами, мукой, солью, яйцами. Вымешивать до тех пор, пока тесто не будет отставать от рук. Оставить в теплом месте на час, после чего раскатать в пласт толщиной в палец, нарезать стаканом кружочки. На них положить размельченную брынзу, покрыть сверху другим кружком, края защипать. Пончики жарить во фритюрнице в течение 7—9 минут при температуре 190. Готовые пончики посыпать натертой брынзой.

ПОНЧИКИ ИЗ КАРТОФЕЛЯ БЕЗ ДРОЖЖЕЙ

800 г картофеля, 2 яйца, 1 стакан муки, 1 столовая ложка маргарина, ванильный сахар, соль по вкусу.

Сваренный в кожуре картофель очистить и пропустить через мясорубку. В кастрюлю влить 1 стакан воды, добавить маргарин, соль, поставить на огонь. Когда вода закипит, всыпать муку и размешивать ее на огне в течение 3—4 минут, после чего охладить и добавить картофельное пюре, яйцо. Размешать все до однородной консистенции. Взять по одной ложке этой массы и поместить в разогретую фритюрницу. Жарить в течение 7—9 минут при температуре 190. Готовые пончики посыпать ванильным сахаром.

ПОНЧИКИ КАРТОФЕЛЬНЫЕ НА ДРОЖЖАХ

1 кг картофеля, 2 стакана муки, 1 стакан молока, 2 яйца, 50 г дрожжей, 1 столовая ложка картофельного крахмала, 2 столовые ложки маргарина, соль по вкусу.

Очищенный картофель вымыть, натереть на мелкой терке, добавить дрожжи, разведенные в теплом молоке, желтки, растертые с размягченным маргарином, муку, крахмал, соль. Замесить крутое тесто. Накрыть посуду с тестом полотенцем и поставить в теплое место для расстойки. Как только оно поднимется, металлической ложкой отделять кусочки теста величиной с орех и жарить во фритюрнице в течение 5—7 минут при температуре 190. Подать горячими. Отдельно подать сметану.

ПОНЧИКИ КАРТОФЕЛЬНЫЕ С КАПУСТОЙ

600 г картофеля, 4 столовые ложки манной крупы, 1 яйцо, 300 г капусты, 1—2 яйца для фарша, 1 столовая ложка сливочного масла, соль по вкусу.

Картофель отварить и горячим протереть. Добавить манную крупу, яйцо, посолить и тщательно перемешать. Из этой массы приготовить лепешки, на середину каждой из них положить фарш. Края лепешек защипать, скатать их в виде шариков и жарить во фритюрнице в течение 7—9 минут при температуре 190. Для фарша капусту нарезать, ошпарить кипятком, откинуть на сито и охладить. Прожарить на сливочном масле, помешивая, чтобы капуста не пригорела, затем добавить рубленые вареные яйца, посолить и перемешать.

ПОНЧИКИ КАРТОФЕЛЬНЫЕ С МОРКОВЬЮ

600 г картофеля, 4 столовые ложки манной крупы, 2 яйца, 4 морковки, 1 столовая ложка сливочного масла, 2 чайные ложки сахара.

Картофель отварить и горячим протереть. Добавить манную крупу, одно яйцо, соль и тщательно перемешать. Из этой массы сформовать лепешки, на середину каждой положить фарш. Края лепешек защипать, скатать в виде шариков и жарить во фритюрнице в течение 7—9 минут при температуре 190. Для приготовления фарша морковь нарезать мелкими ломтиками, положить в кастрюлю, добавить сливочное масло, сахар и тушить на слабом огне. Готовую морковь порубить, добавить рубленое вареное яйцо, посолить и перемешать.

ПОНЧИКИ СЛАДКИЕ ИЗ КАРТОФЕЛЯ

500 г картофеля, 1 яйцо, 1 столовая ложка сахара, 20 г дрожжей, 1 столовая ложка молока, 1 1/2 стакана муки, ванильный сахар, соль по вкусу.

Сваренный в кожуре картофель очистить и пропустить через мясорубку. Добавить соль, яйцо, масло, ванильный сахар, муку и тщательно перемешать. Дрожжи развести в подслащенном молоке, смешать со столовой ложкой муки и оставить для подъема, после чего смешать с подготовленной картофельной массой. Приготовить крутое тесто и поставить для подъема на один час. На поверхности, смазанной маслом, раскатать пласт толщиной 1 см, нарезать стаканом кружочки и жарить во фритюрнице в течение 7—9 минут при температуре 190. Готовые пончики посыпать ванильным сахаром.

ПОРЕЙ В ТЕСТЕ

800 г порея, 1/2 стакана сметаны, 1/3 стакана муки, 2 яйца, 1/3 чайной ложки разрыхляющего порошка, соль по вкусу.

Порей очистить, тщательно промыть. Подрезать зеленые листья так, чтобы порей был длиной в 15 см. Сварить в подсоленной воде и охладить. Для приготовления теста яйца взбить венчиком, добавляя попеременно муку, сметану, а в конце — порошок и соль. Порей надеть на вилку, погрузить в тесто, поместить в разогретую фритюрницу. Жарить в течение 4—6 минут при температуре 170. Отдельно подать томатный соус.

ПЫШКИ ИЗ СУШЕНЫХ ГРИБОВ

100 г сушеных грибов, 100 г белого хлеба, 1/4 стакана сметаны, 2 столовые ложки сливочного масла, 2 яйца, 2 желтка, 2 луковицы, 2 столовые ложки растительного масла, 4 столовые ложки молотых сухарей, соль по вкусу.

Предварительно замоченные сушеные грибы сварить, мелко нарубить, добавить замоченный в грибном бульоне белый хлеб, сметану, сливочное масло, яйца, печеный репчатый лук. Все тщательно растереть, дать фаршу набухнуть. Затем сформовать пышки в виде маленьких шариков, обвалять их в желтке, смешанном с растительным маслом, затем запанировать в молотых сухарях. Жарить во фритюрнице в течение 5—6 минут при температуре 150. Подать, полив сливочным маслом, как самостоятельное блюдо или вместо пирожков к грибному, картофельному супу или борщу.

СОШНИ КАРТОФЕЛЬНЫЕ С ТВОРОГОМ

10 картофелин, 5 столовых ложек муки, 1 яйцо, 150 г сливочного масла, соль по вкусу. Для фарша: 200 г творога, 1 яйцо.

Отваренный в кожуре картофель очистить, истолочь, добавить муку, яйцо, соль, хорошо перемешать и разделать в виде лепешек. На середину каждой лепешки положить фарш из творога, смешанного с сырым яйцом, завернуть края. Сошни запанировать в муке и зажарить во фритюрнице в течение 2—3 минут при температуре 150.

«СТРУЖКА КАРТОФЕЛЬНАЯ»

400 г картофеля, соль по вкусу.

Крупный картофель очистить и обровнять так, чтобы получился клубень цилиндрической формы высотой 2—3 см. С подготовленного таким образом клубня ровно срезать длинную полоску, свернув ее в виде стружки. Жарить во фритюрнице в течение 7—9 минут при температуре 190. Готовый картофель посолить по вкусу. Картофель можно подать как самостоятельное блюдо или в качестве гарнира.

ТЕФТЕЛИ КАРТОФЕЛЬНЫЕ С ПОВИДЛОМ

500 г печеного картофеля, 2—3 столовые ложки муки, 25 г сливочного масла или 1 столовая ложка растительного масла, 1 яйцо, 2 столовые ложки повидла, сахарная пудра, соль по вкусу.

Печеный картофель очистить, в холодном виде пропустить через мясорубку, размешать со взбитым яйцом, сливочным или растительным маслом, солью. Из полученного теста на посыпанном мукой столе сформовать валик, нарезать его кусками, посередине которых сделать углубления, положить в них повидло и сформовать тефтели. Жарить во фритюрнице в течение 7—9 минут при температуре 190. Подать горячими, посыпав сахарной пудрой.

ФРИКАДЕЛЬКИ КАРТОФЕЛЬНЫЕ В СМЕТАНЕ

800 г картофеля, 1 яйцо, 2 столовые ложки сметаны, перец, соль по вкусу.

Очищенный и промытый картофель натереть на терке и залить холодной водой. Через 2—4 часа картофель откинуть на сито, промыть проточной водой и отжать, добавить воду (примерно столько же, сколько было сока), взбитое яйцо, соль, перец, все тщательно перемешать. Из полученной массы приготовить фрикадельки (шарики). Жарить в течение 7—9 минут при температуре 190. Готовые фрикадельки залить сметаной.

ФРИКАДЕЛЬКИ КАРТОФЕЛЬНЫЕ С ОРЕХАМИ

1 кг картофеля, 2 луковицы, 2 яйца, 3 столовые ложки очищенных грецких орехов, 3—4 дольки чеснока, 3 столовые ложки панировочных сухарей, 3 столовые ложки мелко нарезанной зелени укропа или петрушки, соль по вкусу.

Очищенный картофель отварить на пару или в малом количестве подсоленной воды. Горячий картофель протереть, добавить сырые яйца, поджаренный лук, толченые ядра грецких орехов, чеснок, соль. Все тщательно перемешать. Из полученной массы сформовать небольшие шарики, обвалять в панировочных сухарях. Жарить во фритюрнице в течение 7—9 минут при температуре 190. При подаче фрикадельки полить маслом, посыпать мелко нарубленной зеленью.

ХВОРОСТ КАРТОФЕЛЬНЫЙ

6—7 картофелин, 3 стакана муки, 2 яйца, соль по вкусу.

Очищенный и сваренный картофель пропустить через мясорубку, смешать с мукой, яичными желтками и взбитыми белками. Полученную массу тонко раскатать, нарезать ромбами, в середине которых сделать надрез. Жарить во фритюрнице в течение 2—3 минут при температуре 150.

ШАРИКИ КАРТОФЕЛЬНЫЕ

800 г картофеля, 50 г черствого белого хлеба, 1 стакан молока, 50 г дрожжей, 2 яйца, 1/4 чайной ложки ванилина, сахар, соль по вкусу.

Хлеб залить горячим молоком и, когда он намокнет, размешать массу и прогреть. Очищенный картофель натереть на терке, отжать лишнюю жидкость, в картофельную массу добавить хлеб, разведенные дрожжи, сахар, соль, взбитые яйца. Тесто хорошо вымесить, сверху посыпать мукой и поставить в теплое место для брожения. Из теста при помощи ложки сформовать шарики. Жарить во фритюрнице в течение 7—9 минут при температуре 190.

ШАРИКИ КАРТОФЕЛЬНЫЕ ЗАВАРНЫЕ

700 г картофеля, 1/2 стакана муки, 3 столовые ложки сливочного масла (для теста), 4 яйца, 1/2 стакана воды, 1 стакан сметаны, соль по вкусу.

Приготовить заварное тесто. Для этого в кастрюлю с водой положить масло, соль, вскипятить, всыпать просеянную муку, проварить в течение 1—2 минут, помешивая лопаточкой. Тесто охладить и, постепенно помешивая, добавить яйца. Протертый вареный картофель перемешать с заварным тестом. Полученную массу по одной чайной ложке опускать в разогретую фритюрницу. Жарить в течение 7—9 минут при температуре 190. Подать как отдельное блюдо со сметаной или как гренки к бульонам и супам-пюре.

ШАРИКИ КАРТОФЕЛЬНЫЕ С ТРЕСКОЙ

600 г картофеля, 500 г трески, 2 яйца, 2 столовые ложки сливочного масла, 2 столовые ложки муки, перец и соль по вкусу.

Очищенный картофель отварить и протереть. Треску отварить, очистить от кожи, удалить кости, пропустить через мясорубку и смешать с картофелем. Добавить яйца, растопленное сливочное масло, перец и сформовать из полученной массы шарики. Шарики обвалять в муке. Жарить во фритюрнице в течение 7—9 минут при температуре 190. Отдельно подать соус из хрена или томатный соус.

«ЯБЛОКИ» ИЗ КАРТОФЕЛЯ

4 картофелины, 4 головки гвоздики, 1 чайная ложка красного молотого перца.

Отварить картофелины (по возможности одинаковой величины), очистить и жарить во фритюрнице в течение 5—7 минут при температуре 190. Осторожно вынуть, в каждую картофелину воткнуть одну головку гвоздики, каждую картофелину слегка посыпать красным перцем. Это прекрасный гарнир для мяса, зажаренного в гриле.

ИЗДЕЛИЯ ИЗ ТЕСТА И ДЕСЕРТ

БУБЛИКИ

500 г муки, 100 г маргарина, 2 желтка сырых яиц, 1 столовая ложка сахара, 50 г дрожжей, 1/2 стакана сметаны, сахарная пудра, ванилин, лимонная цедра по вкусу.

Маргарин порубить с просеянной мукой, добавить дрожжи, растертые со сметаной, сахар, желтки, лимонную цедру и замесить крутое тесто.

Раскатать его в пласт толщиной 5 мм, стаканом вырезать кружки, в них рюмкой вырезать отверстия. Жарить во фритюрнице в течение 4—6 минут при температуре 160. Жареные бублики выложить на блюдо, посыпать сахарной пудрой с ванилином.

ВЕРГУНЫ ПРОСТЫЕ

3 стакана муки, 1/2 стакана сметаны, 3 желтка, 1 столовая ложка сахара, 2 столовые ложки рома или коньяка.

Желтки растереть с сахаром, добавить сметану, ром. Понемногу всыпая в массу муку, замесить крутое тесто. Раскатать его в пласт толщиной 2—3 мм, нарезать полосками шириной 2,5 см и длиной 10—12 см. Полоски сложить пополам, переплести в косицу, а концы соединить. Тесто можно нарезать полосками произвольной формы. Жарить во фритюрнице в течение 1—2 минут при температуре 150.

ВЕРГУНЫ ВОЛЫНСКИЕ

2 стакана муки, 5 яиц, 2 1/2 столовой ложки растительного масла, 2 столовые ложки сахара.

Яйца смешать с растительным маслом, всыпать муку и вымешивать тесто не менее получаса, иначе его трудно будет раскатать. Сформовать вергуны (см. в рецепте «Вергуны простые») и жарить их во фритюрнице в течение 1—2 минут при температуре 150.

ВЕРГУНЫ КИЕВСКИЕ

2 1/2 стакана муки, 3 яйца, 3 столовые ложки сахара, 100 г сливочного масла, 3 столовые ложки молока, 1/2 столовой ложки рома, 12 зерен горького миндаля.

Яйца взбить вместе с сахаром, влить растопленное масло, ром, молоко, положить натертый миндаль, хорошо перемешать. Добавляя понемногу муку, замесить крутое тесто, сформовать вергуны (см. в рецепте «Вергуны простые»). Жарить во фритюрнице в течение 1—2 минут при температуре 150.

ВЕРГУНЫ КОНОТОПСКИЕ

1 1/2 стакана муки, 2 яйца, 1 столовая ложка сахара, 1/2 стакана молока, 1/2 лимона.

Яйца растереть с сахаром, добавить молоко, растертую цедру и сок половины лимона, всыпать муку, замесить тесто. Накрыть его салфеткой и оставить на 10 минут для набухания. Сформовать вергуны (см. в рецепте «Вергуны простые») и жарить их во фритюрнице в течение 1—2 минут при температуре 150.

ВЕРГУНЫ ЛЬВОВСКИЕ

2 стакана муки, 4 желтка, 100 г сливочного масла, по 1 столовой ложке сахара, уксуса, рома или спирта, сахарная пудра.

Желтки, масло, сахар, ром, уксус смешать, всыпать муку и замесать тесто. Сформовать вергуны (см. в рецепте «Вергуны простые»), жарить во фритюрнице в течение 1—2 минут при температуре 150. Готовые вергуны посыпать сахарной пудрой. К ним можно подать разогретый мед.

ВЕРГУНЫ СУББОТИВСКИЕ

4 стакана муки, 3 яйца, 15 желтков, 1 столовая ложка сметаны, 1/2 стакана сахара, 2 столовые ложки рома.

Муку высыпать горкой на доску, сделать в ней углубление, влить туда сметану, ром, положить сахар, желтки, яйца и замесить тесто. Сформовать вергуны (см. в рецепте «Вергуны простые») и жарить их во фритюрнице 1—2 минуты при температуре 150.

КРОКЕТЫ ИЗ РИСА

250 г риса, 0,5 л молока, 2 яйца, 4 столовые ложки сливочного масла, 2 столовые ложки молотых сухарей, сахар, 1/4 чайной ложки ванилина, соль по вкусу, сахарная пудра.

Промытый рис сварить в небольшом количестве воды, затем добавить молоко и на слабом огне дать рису набухнуть. В густую рисовую кашу положить масло, яичные желтки и ванилин. Из охлажденной массы сформовать круглые шарики или продолговатые колбаски, смочить их во взбитых белках, запанировать в сухарях. Жарить во фритюрнице в течение 5—7 минут при температуре 190. Готовые крокеты посыпать сахарной пудрой. Подать с ягодным или фруктовым соком либо соусом.

МЯКИНИЦЫ ПО-МОЛДАВСКИ

1 стакан муки, 1/2 стакана теплой воды, 1 чайная ложка сахара, 50 г свежих дрожжей, 1 стакан сахарной пудры, 2 столовые ложки корицы, соль по вкусу.

В воде развести дрожжи, сахар и соль. Дать слегка подняться пене, всыпать муку, замесить тесто. Поставить на 0,5 часа в теплое место, чтобы оно 2—3 раза поднялось. Тесто раскатать в пласт толщиной 1,5—2 см, вырезать кружки диаметром 5—6 см. 3—4 минуты жарить во фритюрнице при температуре 160. Горячие мякиницы посыпать смесью сахарной пудры и корицы.

ПИРОЖКИ С КВАШЕНОЙ КАПУСТОЙ

750 г муки, 1 1/2 стакана холодной воды, 50 г сливочного масла или маргарина, 1 яйцо, 1 чайная ложка соли, 25 г дрожжей. Д л я н а - ч и н к и: 1—1,25 кг квашеной капусты, 2—3 луковицы, 3—4 столовые ложки растительного масла, соль и перец по вкусу.

Приготовить безопарное тесто на воде. Для этого растертое сливочное масло смешать с солью, яйцом, водой и дрожжами, замесить тесто, поставить в теплое место. Как только тесто подойдет, нарезать его на порционные куски. Раскатать в виде лепешек круглой формы, на каждую положить начинку, края защипать, придать изделию форму лодочки, уложить швом вниз на посыпанную мукой доску для расстойки. Когда пирожки подойдут, жарить их во фритюрнице в течение 4—5 минут при температуре 160. Капусту, если она очень кислая, промыть, ошпарить кипятком, мелко нарубить, добавить масло и тушить под крышкой, затем смешать с пожаренным мелко нарубленным луком, добавить соль и перец. Начинить пирожки и жарить их во фритюрнице в течение 4—5 минут при температуре 160.

ПИРОЖКИ С КУРЯТИНОЙ

800 г пшеничной муки, 1/4 стакана теплой воды, 1 1/4 стакана теплого молока, 2 столовые ложки сливочного масла или маргарина, 1 яйцо, 1 чайная ложка сахара, 1 чайная ложка соли, 25—30 г дрожжей. Д л я н а ч и н к и: 1 курица, 100 г сливочного масла, 2—3 яйца, 1—2 луковицы, соль по вкусу.

Приготовить безопарное тесто на молоке. Для этого в теплой воде развести дрожжи, сахар, 1 чайную ложку муки, дать постоять 15 минут. Затем влить молоко, вбить яйцо, добавить растертое масло, соль, сахар и, постепенно досыпая муку, замесить тесто, поставить его в теплое место, чтобы подошло. Вымесить вторично (тесто должно отставать от рук), дать подойти, нарезать на небольшие куски, каждый раскатать в виде лепешки круглой формы, положить начинку, соединить и защипать края, придать изделию форму лодочки. Уложить швом вниз на посыпанную мукой доску для расстойки. Когда пирожки подойдут, жарить их во фритюрнице в течение 4—5 минут при температуре 160. Для приготовления начинки курицу отварить до полуготовности, мясо снять, нарезать тонкими пластинками. Потроха отварить до готовности, мелко изрубить, слегка поджарить на масле с луком, перемешать с рублеными вареными яйцами, посолить по вкусу. Начинить пирожки, при этом массу из яиц, лука и потрохов положить вниз, сверху покрыть ее пластинками куриного мяса. Жарить во фритюрнице 4—5 минут при температуре 160.

ПИРОЖКИ С ЛИВЕРОМ

1 кг безопарного теста на молоке (см. в рецепте «Пирожки с курятиной»), 1 кг ливера, 100—150 г сливочного масла, 3 яйца, 2—3 луковицы, зелень, соль и перец по вкусу.

Одинаковые по весу части сердца, печенки, легкого отварить, изрубить, пережарить с луком, добавить соль, перец, зелень петрушки, укроп, рубленые вареные яйца, все перемешать. Начинить полученной массой пирожки, жарить во фритюрнице в течение 4—5 минут при температуре 160.

ПИРОЖКИ С ЛУКОМ

2 стакана пшеничной муки, 1/2 стакана воды, 250 г зеленого лука, 1 стакан мелко нарезанной зелени петрушки и укропа, 2 столовые ложки топленого масла, соль и перец по вкусу.

Из муки, воды и соли замесить крутое тесто, раскатать в пласт толщиной 2 мм, вырезать кружки размером с чайное блюдце. Положить на каждый кружок фарш, состоящий из мелко нарубленного зеленого лука, зелени петрушки и укропа, смешанных с черным молотым перцем, солью и заправленных топленым маслом. Кружки завернуть в виде полумесяца, края защипать. Жарить во фритюрнице в течение 4—5 минут при температуре 150.

ПИРОЖКИ С МОРКОВЬЮ

1 кг безопарного теста на воде (см. в рецепте «Пирожки с квашеной капустой»), 1—1,5 кг моркови, 3—4 яйца, 100—150 г сливочного масла, 1—2 чайные ложки сахара, соль по вкусу.

Морковь очистить, мелко нарезать, положить в плоскую кастрюлю, добавить масло, соль, сахар и тушить до готовности. Готовую морковь изрубить, посолить, добавить сахар, смешать с рублеными вареными яйцами. Начинить пирожки и жарить их во фритюрнице в течение 4—5 минут при температуре 160.

ПИРОЖКИ С МЯСОМ

1 кг безопарного теста на молоке (см. в рецепте «Пирожки с курятиной»), 800 г говядины или нежирной свинины, 100—150 г сливочного масла, 3 яйца, 3 луковицы, соль и перец по вкусу.

Для начинки нарезать мясо кусочками по 40—50 г, поджарить на масле с большим количеством лука, добавить воду или бульон и потушить, затем мелко порубить, добавить соль, перец, крутые рубленые яйца, влить 1—2 столовые ложки крепкого бульона, если фарш недостаточно сочный. Начинить полученной массой пирожки, жарить во фритюрнице в течение 4—5 минут при температуре 160.

ПИРОЖКИ С ПЕЧЕНКОЙ И ГРЕЧНЕВОЙ КАШЕЙ

1 кг безопарного теста на молоке (см. в рецепте «Пирожки с курятиной»), 300 г печенки, 1 стакан гречневой крупы, 150 г сливочного масла, 2 луковицы, соль и перец по вкусу.

Печенку очистить от пленок и желчных протоков, нарезать небольшими ломтиками, обжарить вместе с нарезанным луком. Затем печенку мелко изрубить, посолить, посыпать перцем, смешать с рассыпчатой гречневой кашей, если фарш сухой, влить немного бульона. Начинить полученной массой пирожки, жарить во фритюрнице в течение 4—5 минут при температуре 160.

ПИРОЖКИ С РЫБОЙ

1 кг безопарного теста на воде (см. в рецепте «Пироги с квашеной капустой»), 500 г рыбного филе, 50—100 г сливочного масла, 2 луковицы, укроп, соль, перец по вкусу.

Филе рыбы нарезать небольшими кусочками, посолить, посыпать перцем, поджарить на масле, добавить поджаренный лук, укроп, все перемешать. Начинить пирожки и жарить во фритюрнице 4—5 минут при температуре 160.

ПИРОЖКИ С СОЛЕНЫМИ ГРИБАМИ

1 кг безопарного теста на молоке (см. в рецепте «Пирожки с курятиной»), 1 кг соленых грибов, 2 луковицы, 2—3 столовые ложки растительного масла, перец по вкусу.

Соленые грибы промыть, отжать, мелко порубить. На сковороде обжарить лук, положить рубленые грибы и обжарить все вместе, добавить немного перца. Начинить пирожки и жарить их во фритюрнице в течение 4—5 минут при температуре 160.

ПИРОЖКИ С СУХИМИ ГРИБАМИ И РИСОМ

1 кг безопарного теста на молоке (см. в рецепте «Пирожки с курятиной»), 50 г сушеных грибов, 1 стакан риса, 2 луковицы, 100—150 г сливочного масла, соль, перец по вкусу.

Сухие грибы сварить, мелко изрубить, смешать с обжаренным мелко нарезанным луком и обжаривать все вместе еще 2—3 минуты, добавить вареный рис, соль и перец. Полученной массой начинить пирожки. Жарить во фритюрнице 4—5 минут при температуре 160.

ПИРОЖКИ С ТВОРОГОМ

750 г муки, 1 стакан молока, 2 яйца, 2 столовые ложки сливочного масла, 1/4 стакана воды, 50 г дрожжей, 1 чайная ложка соли, 1 столовая ложка сахара. Для начинки: 500 г свежего творога, 1 яйцо, 1/2 стакана сахара, 2 столовые ложки сливочного масла, соль по вкусу.

Приготовить опарное тесто. Для этого дрожжи и 2—3 чайные ложки муки развести водой, оставить на ночь. Утром влить в опару молоко, растопленное масло, добавить яйца, сахар, соль, всыпать муку и замесить тесто (вымешивать его не менее 30 минут). Тесто переложить в полотняный мешок или салфетку с таким расчетом, чтобы оно поместилось после увеличения объема вдвое, и погрузить в большую кастрюлю или ведро с холодной водой. Когда тесто всплывет, умять его и нарезать на порционные куски. Раскатать в виде лепешек, на каждую положить начинку, края защипать, придать изделию форму лодочки. Жарить во фритюрнице в течение 4—5 минут при температуре 160. Для приготовления начинки творог растереть с маслом, сахаром и яйцом, добавить немного соли. В творог можно положить ванилин, изюм, цукаты (мелко нарезанные).

ПИРОЖКИ С ЯБЛОКАМИ

1 кг опарного теста, 1 кг яблок (см. в рецепте «Пирожки с творогом»), 1 стакан сахара, 1 чайная ложка корицы.

Спелые яблоки, преимущественно кисло-сладких и кислых сортов, очистить от кожицы и семечек, нарезать дольками, пересыпать сахаром и корицей, дать постоять 15—20 минут. Начинить полученной массой пирожки и жарить их во фритюрнице в течение 4—5 минут при температуре 160.

ПИРОЖКИ С ЯГОДАМИ
(МАЛИНОЙ, КЛУБНИКОЙ, ЧЕРНИКОЙ)

1 кг опарного теста (см. в рецепте «Пирожки с творогом»), 1 кг свежих ягод, 1 стакан сахара, 2 столовые ложки муки.

Ягоды перебрать, вымыть, положить сахар, нагреть, добавить муку и проварить. Полученной массой начинить пирожки и жарить их во фритюрнице в течение 4—5 минут при температуре 160.

ПИРОЖКИ СО СВЕЖЕЙ КАПУСТОЙ

1 кг безопарного теста на воде (см. в рецепте «Пирожки с квашеной капустой»), 1,5—2 кг капусты, 3—4 яйца, 100—150 г сливочного масла, 1 чайная ложка сахара, соль.

Для начинки нарубить капусту, если она горчит — ошпарить, положить тонким слоем в плоскую кастрюлю или сковородку с растопленным маслом, жарить 10—15 минут, помешивая, чтобы капуста не пригорела, затем добавить рубленые вареные яйца, сахар и соль по вкусу. Полученной массой начинить пирожки и жарить их во фритюрнице в течение 4—5 минут при температуре 160.

ПИРОЖКИ СО СВЕЖИМИ ГРИБАМИ

1 кг безопарного теста на молоке (см. в рецепте «Пирожки с курятиной»), 1 кг грибов, 100 г сливочного масла, 1—2 луковицы, 1/4 стакана сметаны, зелень, соль, перец по вкусу.

Свежие крупно нарезанные грибы потушить без воды на масле, затем добавить сметану, поджаренный лук, соль, перец, потушить еще 12—15 минут, смешать с мелко нарезанной зеленью петрушки, охладить. Начинить полученной массой пирожки и жарить во фритюрнице в течение 4—5 минут при температуре 160.

ПОНЧИКИ КАРТОФЕЛЬНЫЕ С ЧЕРНОСЛИВОМ

500 г картофеля, 200 г чернослива, 1 стакан муки, 1 яйцо для теста и 1 яйцо для смазки, сахар, соль по вкусу.

Картофель отварить, пропустить через мясорубку, добавить яйцо, муку, сахар и соль, все тщательно перемешать. Чернослив распарить и нарезать на мелкие кусочки. Из картофельной массы сделать лепешки, положить в центр каждой из них немного чернослива и слепить пончики круглой формы. Пончики обмакнуть во взбитое яйцо, обвалять в сухарях и жарить во фритюрнице 4—6 минут при температуре 160. Горячие пончики подать со сметаной, холодные — посыпать сахарной пудрой.

ПОНЧИКИ МОСКОВСКИЕ

1 1/2 стакана муки, 1 столовая ложка сахара, 1 столовая ложка сливочного масла, 1 яйцо, 1/2 стакана молока, 1/2 чайной ложки соды, 1 чайная ложка корицы, 1 стакан сахарной пудры.

Смешать сахар, масло, яйцо и молоко, взбить в миксере до получения однородной массы. Муку смешать с содой и корицей, всыпать в приготовленную смесь, замесить тесто. Раскатать в пласт толщиной в 0,5 см, большим стаканом вырезать сердцевину так, чтобы получились кольца. Жарить во фритюрнице в течение 2—3 минут при температуре 180. Готовые пончики посыпать сахарной пудрой.

ПОНЧИКИ «РУМЯНЕЦ»

1 стакан муки, 1 крупная морковка, 2 столовые ложки меда, 1 столовая ложка сливочного масла, 1 яйцо, 2 столовые ложки масла, 1 чайная ложка корицы, 1 чайная ложка соды, 1 чайная ложка уксуса, 1 столовая ложка десертного вина.

Морковь натереть на мелкой терке и слегка припустить на сливочном масле, смешать с медом и остудить. В смесь добавить яйцо, молоко, корицу, вино, гашенную в уксусе соду и взбивать в миксере в течение 1—2 минут. В полученную массу добавить муку и вымесить тесто, раскатать его в слой толщиной 1 см, вырезать кружки диаметром в 4—5 см. Жарить во фритюрнице в течение 2—3 минут при температуре 170.

ПОНЧИКИ С АБРИКОСАМИ

1 стакан муки, 1 яйцо, 1 столовая ложка сахара, 1/2 стакана 10%-ных сливок, 1 столовая ложка коньяка, 1/2 чайной ложки соды, 1 пакетик ванильного сахара, 1/2 чайной ложки сахарной пудры, 500 г свежих абрикосов.

Из абрикосов вынуть косточки, каждый разрезать на 4 части, посыпать ванильным сахаром. Смешать сахар и сливки, влить коньяк и взбить миксером в густую пену. Муку смешать с корицей и сахаром, добавить взбитую смесь. Замесить тесто, раскатать его в слой толщиной 2—3 мм. Вырезать из теста кружки диаметром около 5 см. На один из них положить кусочек абрикоса, накрыть другим кружком из теста, края плотно защипать. Жарить во фритюрнице в течение 3—4 минут при температуре 170.

ПОНЧИКИ С ВАРЕНЬЕМ

1 кг муки, 100 г дрожжей, 1/2 стакана сахара, 2 стакана молока, 7 желтков, 1 яйцо, 5—6 столовых ложек растительного масла, 100 г сливочного масла, 75 г спирта, 100 г сахарной пудры, 400 г мармелада или густого варенья, лимонный сок и цедра 1 лимона, 1/4 чайной ложки ванилина, соль по вкусу.

Приготовить опару из дрожжей, растертых с 1 столовой ложкой сахара, 200 г муки и молока. Она должна быть густая, как сметана. Поставить опару в теплое место, чтобы подошла. Яйцо и желтки растереть с сахаром, добавить муку и, подошедшую опару, ваниль, лимонный сок и цедру, оставшееся молоко, спирт и соль по вкусу. Тесто вымешивать до тех пор, пока на его поверхности не появятся пузырьки воздуха. Вливать понемногу жир, еще немного вымесить. Поставить тесто в теплое место на 10—15 минут, чтобы оно подошло. Как только тесто начнет подниматься, сразу же приступить к разделке пончиков. Из кусочков теста (примерно по 40 г каждый) сделать небольшие кружочки, на середину положить по 1/2 чайной ложки мармелада или другой начинки. Защипать края, скатать шарики. Жарить во фритюрнице 5—6 минут при температуре 160. Готовые пончики обсушить на бумаге, уложить в ряд на плоском широком блюде, горячими посыпать сахарной пудрой с ванилью. Охлажденные пончики можно класть друг на друга.

ПОНЧИКИ ЯБЛОЧНЫЕ

1 1/2 стакана муки, 2 столовые ложки меда, 1 крупное яблоко, 2 яичных белка, 1/2 стакана 20%-ных сливок, 1/2 чайной ложки соды, 1 чайная ложка корицы.

Яблоко очистить от кожуры, натереть на крупной терке, посыпать корицей, добавить 1 столовую ложку муки. Сливки с медом подогреть, помешивая, до полного растворения меда, добавить яблоки, все тщательно перемешать и остудить. Белки взбить в густую пену, осторожно смешать с мукой и яблочной смесью. Добавить соду. Из теста вылепить шарики размером с грецкий орех и 2—3 минуты жарить их во фритюрнице при температуре 170.

ПУХКЕНИКИ
(украинская кухня)

1 1/2 стакана муки, 1 1/2 стакана воды, 50 г сливочного масла, 1/4 стакана сахара, 6 яиц, 100 г варенья или повидла, 2 чайные ложки ванильного сахара.

В кипящую воду положить масло, всыпать муку, сахар и быстро размешать (в течение 1—2 минут), стараясь, чтобы тесто не прилипало к краям кастрюли. Тесто охладить до температуры 60—70°С. Непрерывно помешивая, добавить один за другим желтки, затем ввести взбитые белки. Кусочки заварного теста ложкой опустить в разогретую фритюрницу. Жарить 1—2 минуты при температуре 150. Готовые пухкеники посыпать ванильным сахаром, подать горячими с вареньем или повидлом.

ПУХКЕНИКИ С ВАРЕНЬЕМ
(украинская кухня)

1 1/4 стакана муки, 1 стакан воды, 100 г сливочного масла, 1 столовая ложка сахара, 3 яйца, 1 1/3 стакана варенья.

В кипящую воду положить масло, сахар, всыпать муку, размешать, чтобы не было комочков, и кипятить еще 4 минуты. Тесто немного охладить и, непрерывно размешивая, ввести одно за другим яйца. После полного охлаждения тесто загустеет. Сформовать из него пухкеники (круглые закрытые пирожки) с начинкой из варенья, дать им подойти и жарить во фритюрнице в течение 1—2 минут при температуре 150.

ПЫШКИ ЛИМОННЫЕ

1 стакан муки, 2 яйца, 2 столовые ложки сахара, 4 столовые ложки молока, 2 столовые ложки лимонного сока, 1 чайная ложка соды, цедра 1 лимона.

Соду погасить лимонным соком, добавить сахар, яйца, смесь растереть добела. Влить молоко, добавить натертую цедру, муку, все хорошенько вымесить. Из теста вылепить шарики размером с грецкий орех. Жарить во фритюрнице в течение 2—3 минут при температуре 170.

ПЫШКИ ПО-АМЕРИКАНСКИ

250 г муки, 2 чайные ложки маргарина, 1 стакан сахара, 1 яйцо, 2 неполные чайные ложки искусственных дрожжей, 1/2 чайной ложки натертого мускатного ореха, 1/2 стакана молока, 1 чайная ложка корицы, соль по вкусу.

Маргарин смешать с половиной указанного количества сахара, добавить яйцо, муку, дрожжи, соль по вкусу и мускатный орех. Постепенно вливая молоко, замесить тесто. Месить до тех пор, пока оно не начнет отставать от доски, после чего раскатать его в пласт толщиной в палец. Из теста вырезать блюдцем большие круги и в середине каждого круга стаканом вырезать дырку. Жарить во фритюрнице в течение 4—5 минут при температуре 150. Готовые пышки выложить на пергаментную бумагу и сверху посыпать остатками сахара, смешанного с корицей.

ПЫШКИ С МАКАРОНАМИ

200 г макарон, 1 стакан молока, 1 яйцо, 2 столовые ложки муки.

Молоко, яйцо и муку взбить. Сваренные и охлажденные макароны добавить в тесто, тщательно перемешать. Ложкой выложить в разогретую фритюрницу. Жарить в течение 2—3 минут при температуре 150.

«РОЗЫ КАРНАВАЛЬНЫЕ»

250 г муки, 2 желтка, 2 яйца, 1 чайная ложка сахара, 1 чайная ложка сливочного масла, 1 чайная ложка разрыхляющего порошка, 1 столовая ложка рома или спирта, 100 г сахарной пудры, 1 стакан воды, ваниль, соль по вкусу.

Изрубить масло в просеянной муке, добавить сахар, порошок, яйца, желтки, щепотку соли, ром или спирт, замесить тесто. Оно должно быть однородным. Раскатать тесто частями сравнительно тонким пластом. Вырезать 3—4 кружочка разных размеров. Диаметр первого (самого большого) кружка должен равняться 7 см, диаметр каждого последующего кружка должен быть на 1 см меньше предыдущего. Каждый кружок надрезать в пяти местах по окружности. Середину каждого кружка смазать белком, а затем сложить по 3—4 кружка так, чтобы самый большой был внизу, а самый маленький — наверху. Придавить серединку, чтобы кружки хорошо склеились. С «роз» смести муку, жарить во фритюрнице в течение 3— 5 минут при температуре 160. Обсушить на папиросной бумаге, переложить на тарелку, посыпать сахарной пудрой с ванилью. Подать на круглом стеклянном блюде.

СЛИВЫ В ТЕСТЕ

25 спелых слив, 10 орехов, 1 стакан муки, 1/2 стакана молока, 1 яйцо, 1 столовая ложка сметаны, сода, 1 чайная ложка сахара, сахарная пудра, соль по вкусу.

У помытых слив осторожно удалить косточки, вместо них вложить по половинке ореха, обмакнуть сливы в тесто. Для приготовления теста желток растереть с сахаром и сметаной, влить молоко, всыпать просеянную муку с содой и замесить тесто (оно должно быть густым). Жарить во фритюрнице в течение 4—5 минут при температуре 160. Выложить сливы на блюдо, посыпать сахарной пудрой с ванилином.

ХВОРОСТ

2 1/2 стакана муки, 3 желтка, 1 столовая ложка сахара, 2 столовые ложки коньяка, 1 столовая ложка сметаны, 1/4 чайной ложки соли, 1/2 стакана молока.

Молоко, сметану, яичные желтки, коньяк, сахар и соль хорошо перемешать и, постепенно всыпая муку, замесить крутое тесто. Тонко его раскатать, нарезать полосками шириной 3 см и длиной 15 см. Посередине каждой сделать надрез в длину и продеть в него один конец полоски. Жарить во фритюрнице в течение 4—6 минут при температуре 160. Готовый хворост обсушить, выложить на блюдо, посыпать сахарной пудрой с ванилином.

ХВОРОСТ КРАСНЫЙ

5 яиц, 2 столовые ложки водки, 1 1/2—2 стакана муки, 2 столовые ложки свекольного сока, щепотка соды, соль по вкусу.

Яйца размешать, влить водку, добавить муку и соду, посолить и замесить крутое тесто. Влить свекольный сок и тщательно вымесить. Тесто разрезать на небольшие кусочки, каждый из которых раскатать в тонкий, как бумага, пласт. Затем разрезать на полоски шириной 3 см. Взяв по 2—3 полоски, надрезать края, переплести и соединить концы. Подготовленное тесто опустить во фритюрницу и жарить 1—2 минуты при температуре 160.

ХВОРОСТ ОРАНЖЕВЫЙ

5 яиц, 2 столовые ложки водки, 1 1/2—2 стакана муки, 2 столовые ложки морковного сока, щепотка соды, соль по вкусу.

Яйца размешать, влить водку, добавить муку и соду, посолить и замесить крутое тесто. Влить морковный сок и тщательно вымесить. Тесто разрезать на небольшие кусочки, каждый из которых раскатать в тонкий, как бумага, пласт. Затем разрезать на полоски шириной 3 см. Взяв по 2—3 полоски, надрезать края, переплести и соединить концы. Подготовленное тесто опустить во фритюрницу и жарить 1—2 минуты при температуре 160.

ЧАК-ЧАК
(узбекская кухня)

1 кг муки, 10 яиц, 1/2 чайной ложки соли, 1 столовая ложка водки или коньяка, 1 кг меда, 1 стакан сахара, 1 кг топленого масла.

Яйца взбить, влить 1 столовую ложку водки или коньяка, посолить и, постепенно добавляя муку, замесить тесто, дать ему полежать под салфеткой. Раскатать пласт толщиной не более 2 мм, разрезать на полоски шириной 2—3 см, нарезать лапшу и жарить во фритюрнице в течение 1—2 минут при температуре 150. Жареную лапшу разложить так, чтобы она остыла. Мед растопить, добавить в него сахарный песок и размешивать до тех пор, пока сахар не растворится, затем положить лапшу, хорошо перемешать. Полученную массу переложить в глубокое блюдо, смазанное маслом, и спрессовать руками (ладони предварительно смочить холодной водой, чтобы к ним не прилипала лапша). После того как чак-чак полностью остынет, нарезать его кусочками.

ШАРИКИ АНАНАСОВЫЕ

2 яйца, 120 г муки, 2 столовые ложки нарезанных ломтиками ананасов, 3 столовые ложки молока, сахарная пудра.

Муку просеять, взбить яйца, добавить соль и молоко, замесить крутое тесто. Добавить ломтики ананасов, все смешать. С помощью чайной ложки опустить во фритюрницу небольшие шарики из подготовленной смеси, жарить 1—2 минуты при температуре 150. Перед подачей на стол посыпать сахарной пудрой.

ЯБЛОКИ В СУХАРЯХ

6 крупных яблок, 2 яйца, 2 столовые ложки сметаны, 2 столовые ложки муки, молотые сухари, сахарная пудра, ванилин.

Очищенные яблоки нарезать кружочками, удалить сердцевину, обмакнуть в муку, затем во взбитые со сметаной яйца, обвалять в сухарях. Жарить во фритюрнице в течение 4—5 минут при температуре 160. Готовые яблоки посыпать сахарной пудрой с ванилином.

ЯБЛОКИ В ТЕСТЕ

400 г свежих яблок, 1 стакан муки, 2 яйца, 1/2 стакана молока, 1 столовая ложка сахара, 2 столовые ложки 35%-ных сливок, сахарная пудра, корица, соль по вкусу.

Яичные белки смешать с сахаром, солью, частью молока, всыпать муку, замесить однородное тесто, в конце влить оставшееся молоко. Поставить на 25—30 минут для набухания. Яблоки очистить от кожуры и сердцевины, нарезать кружочками толщиной в 1 см, пересыпать сахаром. В тесто ввести взбитые сливки, перемешать. Наколотый на вилку кружок яблока обмакнуть в тесто и опустить в разогретую фритюрницу. Жарить в течение 5—6 минут при температуре 170. Готовые яблоки в тесте посыпать сахарной пудрой и корицей, подать горячими.

РОСТЕР

Всевозможные по конструкции ростеры в последние годы стали одним из наиболее широко используемых электроприборов для быстрого приготовления несложных блюд. Однако возможности этого простого в применении устройства, как правило, используются не в полной мере. Приведенные в книге рецепты подходят для ростеров всех типов, включая так называемые роклетницы, то есть круглые ростеры с набором небольших формочек-сковородок (кокотниц). В наиболее простых по конструкции ростерах обычно задаются три температурных режима: умеренно слабый нагрев (одна точка или кружок на панели прибора), умеренный нагрев (соответственно две точки или два кружочка) и горячий нагрев (3 точки или три кружка на панели прибора). Этим режимам соответствуют температуры 160—170, 170—190 и 200—210 градусов Цельсия.

Время приготовления блюда может отличаться от указанного в рецептах на 0,5—1 минуту, поскольку продукты, приготавливаемые в более вместительных и мощных ростерах, меньше подвержены влиянию окружающего холодного воздуха. Любители хрустящих корочек и хорошо прожаренных блюд могут слегка увеличить время приготовления блюда в ростере, однако режимы нагревания необходимо выдерживать точно, поскольку для каждого вида продуктов существует оптимальная температура тепловой обработки.

В приведенных рецептах температура дана в градусах Цельсия.

ИЗДЕЛИЯ С МЯСОМ И ПТИЦЕЙ

БЕНЕДИКТИНКИ С ВЕТЧИНОЙ И СЫРОМ

2 круглые булочки, 50 г ветчины, 4 яйца, 1 столовая ложка молока, 1 столовая ложка нарезанного зеленого лука, 2 столовые ложки сливочного масла, 3 столовые ложки натертого сыра, зелень кинзы.

Яйца тщательно взбить с молоком и луком, добавить 30 г масла и, помешивая, загустить на слабом огне 2—3 минуты, затем остудить. Разрезать булочки пополам по горизонтали, подрумянить с обеих сторон в ростере (по 1—2 минуты каждую) при температуре 190. Намазать оставшимся маслом, положить мелко нарубленную ветчину, затем покрыть яичной смесью и посыпать сыром. Запекать в ростере 1—2 минуты при температуре 190. Украсить зеленью кинзы.

БУЛОЧКИ ПО-ИТАЛЬЯНСКИ

4 круглые булочки, 8 ломтиков салями, 6 столовых ложек мелко нарезанных маринованных овощей, 3 столовые ложки мякоти помидора (без сока), 1 красная луковица, 1 столовая ложка зелени базилика или кинзы, 2 столовые ложки черных маслин, 150 г мягкого сыра (типа сулугуни или адыгейского).

Каждую булочку разрезать по горизонтали на три слоя. Между слоями равномерно положить салями, маринованные овощи, мякоть помидоров, измельченный лук, зелень, маслины и сыр. Все завернуть в фольгу и поместить в холодильник на 2—3 часа, затем 1 час выдержать при комнатной температуре. Запекать в ростере в течение 15 минут при температуре 180.

БУЛОЧКИ ПО-САХАЛИНСКИ

4 простые белые булочки, 150 г свиного фарша, 50 г свежего сала, 100 г кислой капусты, перец, соль по вкусу.

Сало мелко нарезать, на слабом огне поджарить до золотистого цвета. Добавить фарш, жарить до тех пор, пока выкипит вся жидкость, посолить. Добавить капусту и тушить до ее готовности. Полученную массу слегка остудить, поперчить. У булочек срезать верхушки, извлечь мякиш, пустоты заполнить приготовленной начинкой и поставить пропитаться в теплое место на 30—40 минут. Запекать в ростере в течение 6—8 минут при температуре 160.

БУЛОЧКИ С КОЛБАСОЙ И ГРИБАМИ

6 маленьких булочек, 300 г колбасы, 2—3 сушеных гриба, 2 луковицы, 100 г сливочного масла, 100 г сыра, зелень петрушки, перец, соль по вкусу.

С булочек срезать верхушки, вынуть мякиш, смазать маслом. Мелко нарезанный лук обжарить в жире, не подрумянивая, добавить отварные нарезанные грибы, поджарить. Посолить, посыпать перцем, перемешать с мелко нарезанной колбасой, замоченным в молоке и слегка отжатым мякишем. Положить в булочки, посыпать тертым сыром, поместить в ростер на 6—8 минут при температуре 180. Подать горячими, украсить веточками петрушки.

БУЛОЧКИ С МЯСОМ И ГРИБАМИ

10 маленьких булочек (несладких), 20 г сливочного масла, 300 г печеной телятины (свинины или баранины), 100 г шампиньонов, 4—6 столовых ложек сметаны, 20 г жира, 1 столовая ложка муки, 30 г лука, 3—4 столовые ложки воды, 1 яичный желток, перец, соль по вкусу.

119

Шампиньоны и лук изрубить, добавить жир, 3—4 столовые ложки воды и тушить 20 минут. Печеное мясо нарезать мелкими кубиками. Сметану, муку, грибы и мясо тщательно смешать, посолить, поперчить, загустить желтком. С булочек срезать верхушки, ложкой удалить мякоть, наполнить образовавшиеся углубления начинкой, накрыть верхушками, запекать в ростере в течение 6—8 минут при температуре 180. Булочки также можно заполнить начинкой из мозгов, паштета, мясных или рыбных консервов.

БУЛОЧКИ С НАЧИНКОЙ ИЗ ВЕТЧИНЫ

4 круглые или продолговатые черствые булочки, 4 небольших крепких помидора, 100 г ветчины или рыбных консервов, 100 г сыра, 100 г сливочного масла, соль по вкусу.

С черствых булочек стереть на терке верхнюю корочку, отрезать «шапочку», вынуть мякиш и внутренние стенки смазать маслом. Из помидоров вынуть серединки, помидоры наполнить мелко нарезанной ветчиной (или рыбными консервами), вложить их в булочки. Булочки положить на противень, каждую прикрыть ломтиком сыра и кусочком масла. Запекать в ростере в течение 8—10 минут при температуре 180. Готовые булочки подать к бульону.

БУТЕРБРОДЫ «БОЛОНЬЯ»

4 толстых ломтя белого хлеба, 250 г говяжьего фарша, 400 г консервированных томатов, 1 столовая ложка оливкового масла, 1 луковица, 1 столовая ложка натертого корня петрушки, 3 дольки чеснока, 2 столовые ложки томатной пасты, 2 столовые ложки белого вина, 2 столовые ложки измельченных листьев базилика, 1/2 чайной ложки красного перца, 3 столовые ложки натертого сыра, черный перец и соль по вкусу.

В разогретом масле на умеренном огне обжарить лук в течение 4—5 минут, добавить чеснок, растертый с солью, и корень петрушки, тушить еще 2 минуты, затем добавить фарш и жарить все вместе 5 минут, вилкой размельчая комочки фарша. Затем добавить остальные составляющие, кроме сыра, и тушить около получаса до тех пор, пока не выкипит вся жидкость. Полученной массой намазать ломти хлеба, сверху посыпать натертым сыром и запекать в ростере в течение 4—5 минут при температуре 190.

БУТЕРБРОДЫ С ГРУДИНКОЙ И СЫРОМ

8 ломтиков белого хлеба, 300 г копченой грудинки, 200 г сыра, 1 столовая ложка горчицы, красный перец.

Тонкие ломтики хлеба намазать горчицей, затем положить на них ломтики отварной грудинки, сверху — ломтики сыра и поместить в ростер на 2—3 минуты при температуре 200. Подать горячими, посыпав красным молотым перцем.

БУТЕРБРОДЫ С ЖАРЕНОЙ ТЕЛЯТИНОЙ

4 ломтика белого хлеба, 200 г телятины, 10 столовых ложек крошек белого хлеба, 8 столовых ложек острого кетчупа, 120 г мягкого сыра (типа сулугуни), растительное масло, молотый перец по вкусу.

Телятину нарезать ломтиками. Каждый ломтик обмакнуть в яйцо, обвалять в крошках белого хлеба и обжарить на растительном масле с обеих сторон — по 2—3 минуты каждую. Ломтики хлеба подрумянить в ростере с обеих сторон в течение 1—2 минут при температуре 180. Хлеб намазать маслом, сверху положить телятину, полить кетчупом и накрыть ломтиком сыра. Запекать в ростере в течение 3—4 минут при температуре 200. Готовые бутерброды посыпать перцем.

БУТЕРБРОДЫ С КОЛБАСОЙ

4 ломтика белого хлеба, 100 г сливочного масла, 200 г колбасы, 50 г сыра, 1 соленый огурец, 1/2 чайной ложки горчицы.

Масло растереть с горчицей, смазать ломтики батона, положить на них кубики колбасы, кружочки огурца, посыпать натертым на мелкой терке сыром. Поместить в ростер, запекать 5 минут при температуре 160. Подать горячими с салатом из квашеной капусты и яблок.

БУТЕРБРОДЫ С КОПЧЕНОЙ КУРИЦЕЙ

4 сдобные булочки, 1 авокадо, 150 г копченой курицы (или индейки), 2 столовые ложки клюквы, 1 столовая ложка сахара, 1 чайная ложка муки, 125 г сыра, зелень укропа и петрушки.

Булочки разрезать пополам по горизонтали и подрумянить в ростере (по 1 минуте с каждой стороны) при температуре 200. Авокадо размять и намазать им половинки булочек, сверху положить куриное мясо. Из клюквы выдавить сок, смешать его с сахаром и мукой, получившейся массой покрыть мясо. Сверху положить по ломтику сыра. Запекать в ростере в течение 3—4 минут при температуре 210.

БУТЕРБРОДЫ С КОРЕЙКОЙ

6 ломтиков хлеба, 300 г копченой корейки, 200 г сливочного масла, 1 чайная ложка горчицы, 200 г сыра.

121

Ломтики хлеба смазать маслом, покрыть тонкими ломтиками корейки, смазанной горчицей, прикрыть ломтиками сыра. Поместить в ростер, запекать в течение 4—5 минут при температуре 190. Подать горячими.

БУТЕРБРОДЫ С КОТЛЕТАМИ И СЫРОМ

8 ломтиков белого хлеба, котлеты, приготовленные накануне, 2—3 луковицы, 100 г маргарина, 100 г твердого сыра, 1 чайная ложка горчицы.

Ломтики белого хлеба намазать маргарином, котлеты разрезать пополам, смазать горчицей, положить срезом на хлеб, а сверху — кольца обжаренного на маргарине лука. Посыпать сыром, натертым на мелкой терке, поместить в ростер. Запекать в течение 4—5 минут при температуре 180. К бутербродам подать салат из яблок и моркови.

БУТЕРБРОДЫ С МОЗГАМИ И СЕЛЬДЕРЕЕМ

8—10 ломтиков пшеничного батона, 20 г маргарина, 1 кг говяжьих мозговых костей, 200 г сельдерея, 50 г натертого твердого сыра, соль по вкусу.

Кости вымыть, залить кипятком и варить до тех пор, пока костный мозг не станет мягким. Сельдерей очистить, вымыть и сварить, поместив его в кастрюлю в конце варки костей. Из пшеничного батона, очищенного от корки, вырезать 8—10 ломтиков толщиной 1 см. Сельдерей нарезать, положить на ломтики хлеба, посыпать сыром и запекать в ростере 2—3 минуты при температуре 180. Костный мозг вынуть из костей, выложить на бутерброды, посолить. После этого бутерброды еще раз поместить на 1—2 минуты в ростер при температуре 200. Подать горячими.

БУТЕРБРОДЫ С САЛЯМИ

2 круглые булочки, 50 г салями, 4 яйца, 1 столовая ложка молока, 2 столовые ложки нарезанного зеленого лука, 1 столовая ложка сливочного масла, 3 столовые ложки натертого сыра, зелень кинзы.

Яйца тщательно взбить с молоком и луком, добавить 30 г масла и, помешивая, загустить на слабом огне в течение 2—3 минут, затем остудить. Разрезать булочки пополам по горизонтали, подрумянить с обеих сторон в ростере (по 1—2 минуты каждую) при температуре 190. Намазать оставшимся маслом, положить ломтики салями, затем покрыть яичной смесью и посыпать сыром. Запекать в ростере в течение 1—2 минут при температуре 190. Украсить зеленью кинзы.

БУТЕРБРОДЫ С САЛЯМИ И СЫРОМ

4 продолговатых ломтика белого хлеба, 2 чайные ложки сливочного масла, 50 г салями, 50 г консервированных грибов, 2 чайные ложки нарезанной зелени петрушки, 4 ломтика твердого сыра (по 50 г).

Подрумянить ломтики хлеба с одной стороны (в течение 1 минуты) до золотистого цвета, намазать их маслом. Салями нарезать тонкой соломкой, положить на хлеб, сверху посыпать мелко нарезанными грибами, посыпать зеленью петрушки, сверху положить по ломтику сыра и запекать в ростере 3—4 минуты при температуре 210.

БУТЕРБРОДЫ С СОСИСКАМИ И ГОРЧИЧНЫМ СОУСОМ

12 ломтиков пшеничного батона, 6 сосисок, 2 столовые ложки сливочного масла, 30—40 г горчицы, 1 луковица, 2 чайные ложки маргарина, 2 столовые ложки муки, 300 г мясного бульона, сахар, лимонная кислота, соль по вкусу.

С пшеничного батона срезать корку и нарезать его ломтиками толщиной 1 см. С сосисок снять оболочку. Ломтики хлеба намазать маслом, на каждый положить половину сосиски, разрезанной вдоль на две части. Покрыть густым горчичным соусом, запекать в ростере в течение 4—5 минут при температуре 180. Для приготовления соуса лук нарезать тонкими ломтиками, стушить с маргарином, протереть через сито. Добавить слегка подрумяненную муку, смешать, развести бульоном, приправить по вкусу горчицей, солью, лимонной кислотой, сахаром и вскипятить. Соус должен быть густым. Подать в горячем виде на блюде, украшенном зеленью.

БУТЕРБРОДЫ С ТЕЛЯЧЬИМИ ПОЧКАМИ

250 г телячьих почек (2 штуки), 8 ломтиков хлеба, 1 столовая ложка маргарина, 2 чайные ложки муки, 30 г натертого твердого сыра, 1 столовая ложка нарезанной зелени петрушки, соль по вкусу.

Телячьи почки замочить на 1 час в холодной воде, тщательно промыть, обсушить и нарезать косыми ломтиками (4 штуки). Посыпать мукой, слегка посолить и поджарить на сильном огне так, чтобы сверху они подрумянились. Из пшеничного батона вырезать 8 ломтиков толщиной в 1 см, уложить на них почки, посыпать сыром и поместить в ростер. Запекать в течение 10—12 минут при температуре 180. Подать горячими, посыпав измельченной зеленью петрушки.

БУТЕРБРОДЫ С ФИЛЕЕМ И СЫРОМ

20 ломтиков хлеба, 20 ломтиков швейцарского сыра, 10 ломтиков сырокопченого свиного филея, 2 столовые ложки сливочного масла.

Длинный батон очистить от корки, нарезать ломтиками толщиной 1 см. Каждый ломтик намазать тонким слоем масла и покрыть ломтиками сыра. Между ломтиками, покрытыми сыром, положить ломтик филея. Таким образом получается толстый бутерброд с сыром и филеем внутри.

123

Края бутерброда выровнять и перевязать его крепкой белой ниткой. Поместить в ростер на 6—8 минут при температуре 180. Подать как горячую закуску, удалив нитки.

БУТЕРБРОДЫ С ЦЫПЛЕНКОМ И АВОКАДО

4 толстых ломтика белого хлеба, 130 г консервированной кукурузы, 200 г мяса копченого цыпленка, 1/2 авокадо, 2 луковицы, 5 столовых ложек натертого сыра чеддер, красный перец по вкусу.

Подрумянить хлеб с двух сторон в ростере при температуре 200 (по 1 минуте каждую сторону). Измельчить кукурузу, нарезать авокадо на тонкие ломтики, отдельно мелко нарезать лук. Ломтики хлеба намазать измельченной кукурузой, сверху положить мясо, затем авокадо. Посыпать луком и сыром, поперчить по вкусу. Запекать в ростере в течение 2 минут при температуре 210.

ВЕТЧИНА В ФОРМОЧКАХ

400 г тушеной ветчины, 8 столовых ложек томатной пасты, 8 столовых ложек молотых сухарей, 4 яйца, 4 столовые ложки сметаны, 4 ломтика сыра, 2 столовые ложки мелко нарезанной зелени петрушки, 2 столовые ложки сливочного масла, соль по вкусу.

Ветчину нарезать брусочками, смешать с яичными желтками, сметаной, зеленью, сухарями, томатной пастой, посолить. Ввести в смесь взбитые в густую пену яичные белки. Полученную массу выложить в 4 смазанные маслом формочки, переложить ломтиками сыра, полить сметаной или растопленным маслом. Выпекать в ростере в течение 10—15 минут при температуре 180. Подать в формочках, поставив их на мелкие тарелки. Отдельно подать салат из свежих овощей.

ГРЕНКИ С ВЕТЧИНОЙ

12 ломтиков хлеба (1/3 батона), 200 г ветчины, 40 г твердого сыра, 3—4 столовые ложки сметаны.

Батон очистить от корки, нарезать ломтиками толщиной 1 см, быстро подрумянить в ростере. Ветчину мелко нарубить, смешать с натертым на мелкой терке сыром (20 г) и сметаной. Полученной массой намазать гренки, посыпав сверху оставшимся сыром. Запекать в ростере в течение 2—3 минут при температуре 200.

ГРЕНКИ С МОЗГАМИ

12 ломтиков черствого хлеба, 1 столовая ложка маргарина, 300 г мозгов, 30 г лука, 2—3 ложки сметаны, 30 г твердого сыра, 1 яйцо, 1 столовая ложка уксуса, соль по вкусу.

С черствого пшеничного батона срезать корку и нарезать ломтиками толщиной 1 см. Мозги вымочить в воде 10—15 минут, очистить от пленок, залить 1 стаканом горячей воды, добавив уксус, посолить и варить 5—8 минут, процедить. Лук очистить, нарезать мелкими кубиками, обжарить в маргарине до золотистого цвета, добавить мозги, нарезанные кубиками, разболтанное яйцо и сметану. Все тщательно вымешать и слегка поджарить. На гренки положить толстым слоем массу из мозгов, посыпать натертым сыром, поместить в ростер на 6—8 минут при температуре 180. Подать как горячую закуску на блюде, украшенном зеленью.

ГРЕНКИ ПО-РОТТЕРДАМСКИ

4 ломтика пшеничного хлеба, 1 столовая ложка сливочного масла, 1 столовая ложка готовой горчицы, 100 г ветчины, 4 ломтика твердого сыра, 2 помидора, 4 пера зеленого лука, по 4 веточки петрушки и укропа, красный перец по вкусу.

Хлеб 1—2 минуты подсушить в ростере при температуре 180. Ломтики хлеба намазать маслом и горчицей, на каждый положить по кусочку ветчины, сыра и половинке помидора. Поместить в ростер на 2—3 минуты при температуре 180. Готовые гренки сверху посыпать мелко нарезанной зеленью.

ГРЕНКИ С ПЕЧЕНКОЙ

12 ломтиков черствого хлеба, 250 г печенки (телячьей или свиной), 100 г копченой или вареной грудинки, 2 столовые ложки маргарина, 30 г твердого сыра, соль и перец по вкусу.

Печенку нарезать тонкими ломтиками. Грудинку также нарезать тонкими ломтиками, подрумянить на сковороде, добавить очищенный и нарезанный кружками лук и печенку, влить 3—4 столовые ложки воды и тушить 10—15 минут. Все размельчить ножом до получения однородной массы, приправить солью и перцем. Гренки покрыть сверху толстым слоем массы из печенки, обильно посыпать натертым сыром. Запекать в ростере в течение 7—8 минут при температуре 180. Подать как закуску на блюде, украшенном зеленью.

ГРЕНКИ С СОСИСКАМИ И СОУСОМ ИЗ ХРЕНА

12 ломтиков хлеба (1/3 батона), 6 сосисок, 150 г хрена, 1 столовая ложка маргарина, 1 столовая ложка муки, 3—4 столовые ложки сметаны, 1 желток, 1 стакан воды, лимонная кислота, сахар, соль по вкусу.

Приготовить соус. Для этого хрен очистить, сполоснуть и натереть на мелкой терке. Из маргарина и муки приготовить заправку, добавить половину натертого хрена, поджарить, развести водой, вскипятить, соединить со сметаной и желтком, добавить остаток хрена и приправить по вкусу солью, сахаром, лимонной кислотой или соком лимона. Соус должен быть густым. Батон очистить от корки, нарезать ломтиками толщиной 1 см, быстро подрумянить в ростере. Сосиски подогреть (не кипятить), очистить от оболочки, нарезать поперек на половинки. Каждую половинку разрезать вдоль на две части, каждую из которых положить срезанной стороной на ломтик хлеба, сверху смазать толстым слоем соуса из хрена. Поместить в ростер на 4—5 минут при температуре 190. Подать горячими как закуску на блюде, украшенном зеленью.

ГРЕНКИ С ЦЫПЛЕНКОМ И СПАРЖЕЙ

4 ломтика белого хлеба, 1/2 отварного цыпленка, 2 столовые ложки сливочного масла, 350 г спаржи, 125 г пикантного сыра.

Ломтики хлеба поджарить с обеих сторон (по 1 минуте) до золотистого цвета, одну сторону смазать маслом. Мелко покрошить мясо цыпленка и поровну разделить его на 4 части. Разложить мясо на гренки, сверху положить побеги спаржи, при необходимости их измельчив. Накрыть спаржу ломтиками сыра и запекать в ростере в течение 5 минут при температуре 200.

КОЛБАСКИ С СЫРОМ И ШПИКОМ

4 охотничьи (или другие пригодные для жаренья) колбаски, 4 ломтика плавленого сыра, 4 ломтика шпика, горчица по вкусу.

Колбаски разрезать вдоль пополам, место разреза смазать горчицей, положить на горчицу ломтик плавленого сыра, прижать другой колбаской и завернуть в ломтик шпика, закрепив деревянной шпилькой. Запекать в ростере 4—5 минут при температуре 180 (или 2—3 минуты при 200). Подать с салатом из свежих овощей и картофелем.

КРУТОНЫ «ГНЕЗДЫШКО»

4 ломтика пшеничного хлеба, 2 столовые ложки сливочного масла, 100 г ливерной колбасы, 1 столовая ложка панировочных сухарей, 4 яйца, 4 столовые ложки кетчупа.

Ломтики хлеба намазать сливочным маслом, ливерной колбасой, посыпать тонким слоем панировочных сухарей. Яичный белок отделить от желтка, добавить соль и несколько капель кетчупа, затем взбить в миксере в густую пену. На каждый ломтик хлеба осторожно выложить желток и с помощью кондитерского мешка вокруг желтка выпустить взбитый яичный белок, образуя кольцо. Запекать в ростере до готовности яйца при температуре 180.

ПИТА С ВЕТЧИНОЙ И АНАНАСАМИ

2 небольших хлебца питы, 100 г ветчины, 3 столовые ложки нарезанного кусочками (свежего или консервированного) ананаса, 2 столовые ложки острого кетчупа, 150 г мягкого сыра (типа сулугуни).

Разогреть питу в ростере (по 1 минуте с каждой стороны) при температуре 200. Намазать кетчупом, сверху уложить вперемежку ломтики ветчины, нарезанный кубиками сыр и кусочки ананаса. Запекать в ростере в течение 3—4 минут при температуре 180.

ПИТА С КОПЧЕНОЙ КУРИЦЕЙ

2 небольших хлебца питы, 300 г мяса копченой курицы, 2 столовые ложки растительного масла, 1 сладкий красный перец, 1 кислое яблоко, 1 долька чеснока, 1 столовая ложка мелко нарезанного эстрагона (тархуна), 3 столовые ложки белого вина.

Перец запекать в ростере в течение 3—4 минут при температуре 180, снять кожицу, удалить внутренности, размять вилкой. Яблоко очистить, нарезать дольками, 5—7 минут потушить с вином на слабом огне. Смешать размятый перец, яблоко, растертый с солью чеснок, растительное масло, все растереть и прогреть на слабом огне в течение 2—3 минут. Полученной массой намазать питу, сверху уложить мясо, нарезанное полосками, и утопить его в пасту, посыпать эстрагоном. Запекать в ростере в течение 3 минут при температуре 200.

ПИТА С КУРИЦЕЙ

6 небольших хлебцев питы, 400 г отварного куриного мяса, 2 красные луковицы, 400 г мелких консервированных початков кукурузы, 2 чайные ложки растительного масла, 2 чайные ложки соевого соуса, 2 столовые ложки арахисового масла, 2 столовые ложки кокосового молочка, 1 долька чеснока, зелень базилика, 1/4 чайной ложки кардамона, 1/4 чайной ложки порошка «чили», 1/2 чайной ложки сахара.

Приготовить соус сотэ. Для этого 1 луковицу мелко нарезать и 2 минуты жарить на слабом огне в разогретом растительном масле, добавить кардамон, порошок «чили», растертый чеснок, все подержать на огне 1 минуту, непрерывно помешивая. Затем добавить сахар, соевый соус, арахисовое масло, кокосовое молочко и подержать на слабом огне еще 1 минуту. Все хорошенько перемешать и остудить. Мясо нарезать тонкими ломтиками. Питу намазать соусом сотэ (использовать треть полученной массы), положить на нее кусочки мяса. В оставшийся соус добавить мелко нарезанный красный лук (1 луковицу), кукурузные початки и положить полученную смесь на мясо. Питу поместить в ростер и запекать в течение 10—15 минут при температуре 210. Готовое блюдо украсить базиликом.

ПИТА С СОСИСКАМИ ПО-ИТАЛЬЯНСКИ

4 небольших хлебца питы, 6 сосисок, 2 столовые ложки оливкового масла, 4 столовые ложки бульона, 1 чайная ложка муки, 1 луковица, 1 долька чеснока, 1 столовая ложка натертого корня сельдерея, 2 столовые ложки натертой моркови, 1 столовая ложка нарезанного базилика, 300 г помидоров, 100 г натертого сыра, красный молотый перец и соль по вкусу.

Все овощи (кроме помидоров и базилика) тушить на умеренном огне в течение 10 минут, затем добавить нарезанные помидоры и базилик, размешанную в бульоне муку, все вместе тушить еще 30 минут на очень слабом огне. Горячую массу протереть через сито, намазать ею питу. Сверху положить отваренные и нарезанные кусочками сосиски, посыпать тертым сыром. Запекать в ростере в течение 4 минут при температуре 200.

ПИТА С ТЕЛЯТИНОЙ

4 небольших хлебца питы, 250 г отварной телятины, 120 г йогурта или простокваши, 3 чайные ложки порошка горчицы, 2 столовые ложки майонеза, 4 столовые ложки густой сметаны или 30%-ных сливок, по 1 столовой ложке нарезанной зелени петрушки и укропа, перец и соль по вкусу.

Йогурт, горчицу, майонез, соль и перец тщательно перемешать, добавить очень мелко нарезанную телятину и полученной массой намазать питу. Сливки или сметану взбить, аккуратно положить сверху и посыпать зеленью. Запекать в ростере в течение 2—3 минут при температуре 210.

ПИТА «ЧИЧЕРОНЕ»

2 небольших хлебца питы, 200 г мяса жареной птицы, 3 столовые ложки оливкового масла, 1 красная луковица, по 2 столовые ложки нарезанной зелени кинзы и петрушки, 1 чайная ложка семян кунжута (сезама), 1 долька чеснока, 2 столовые ложки лимонного сока, 100 г 30%-ных сливок, молотый перец и соль по вкусу.

Все составляющие (кроме мяса и кунжута) смешать и варить на очень слабом огне в течение 20—30 минут, непрерывно помешивая. Добавить мелко нарезанное мясо и дать смеси остыть. Полученной массой намазать питу, сверху посыпать кунжутом и запекать в ростере в течение 4—5 минут при температуре 180.

ПИТА С ЯЗЫКОМ

4 небольших хлебца питы, 250 г отварного языка, 120 г йогурта или простокваши, 3 чайные ложки порошка горчицы, 2 столовые ложки майонеза, 4 столовые ложки густой сметаны или 30%-ных сливок, по 1 столовой ложке нарезанной зелени петрушки и укропа, перец и соль по вкусу.

Йогурт, горчицу, майонез, соль и перец тщательно перемешать, добавить очень мелко нарезанный язык и полученной массой намазать питу. Сливки или сметану взбить, аккуратно положить сверху и посыпать зеленью. Запекать в ростере в течение 2—3 минут при температуре 210.

РОГАЛИКИ С ГОВЯДИНОЙ И ОВОЩАМИ

2 пшеничных рогалика (или 2 простые белые булочки), 2 чайные ложки горчицы, 3 столовые ложки мелко нарезанных маринованных огурчиков, 1 помидор, 4 тонких ломтика копченой говядины (по 125 г), 4 столовые ложки тертого сыра.

Рогалики разрезать пополам по горизонтали, поджарить в ростере с обеих сторон (по 1—2 минуты) до золотистого цвета. Смазать каждую половинку смесью горчицы и огурчиков, сверху положить кружок помидора и ломтик говядины, посыпать тертым сыром и запекать в ростере в течение 2 минут при температуре 210.

СОСИСКИ ПИКАНТНЫЕ НА РЖАНОМ ХЛЕБЕ

4 куска ржаного хлеба, 4 свиные сосиски (или сардельки), 1 столовая ложка растительного масла, 3 дольки чеснока, 1 красная луковица, 1 сладкий стручковый перец, 1 столовая ложка томатной пасты, 400 г консервированных томатов, 1 столовая ложка острого кетчупа, 1 столовая ложка винного уксуса или сухого вина, 1 столовая ложка измельченного базилика, 1 столовая ложка мелко нарезанной петрушки, 1 столовая ложка зелени укропа, 6 столовых ложек раскрошенного мягкого сыра (типа адыгейского или сулугуни).

Чеснок мелко нарезать и в течение 2 минут жарить в масле вместе с петрушкой, добавить сосиски и слегка их обжарить. Сосиски вынуть и остудить, а в масло добавить нарезанные кружочками лук и сладкий перец, тушить еще 4 минуты. Размешивая, добавить томатную пасту, после чего добавить в смесь мелко нарезанные консервированные томаты, кетчуп, базилик и тмин, все довести до кипения. Нарезать сосиски наискосок ломтиками толщиной 1 см, опустить их в соус и тушить на слабом огне примерно 25 минут, пока вся жидкость не выкипит. Хлеб подрумянить в ростере с обеих сторон (по 1 минуте) при температуре 190. Приготовленную массу с сосисками выложить на хлеб, посыпать сверху сыром и запекать в ростере в течение 2 минут при температуре 190.

ИЗДЕЛИЯ С РЫБОЙ И МОРЕПРОДУКТАМИ

БУЛОЧКИ С КОПЧЕНОЙ РЫБОЙ И СПАРЖЕЙ

2 круглые булочки, 100 г копченой рыбы, 350 г консервированной спаржи, 100 г плавленого сыра, 1—2 столовые ложки готового хрена, 2 столовые ложки сметаны, 1 лимон.

Тщательно размешать сыр, хрен и сметану. Разрезать булочки пополам по горизонтали и подрумянить в ростере с обеих сторон (по 1 минуте каждую сторону) при температуре 190. Намазать каждую половинку приготовленной смесью и подержать в ростере еще 2—3 минуты. Затем сверху положить рыбу, ломтики лимона и спаржу и подать на стол.

БУЛОЧКИ С КОПЧЕНЫМ ЛОСОСЕМ

4 круглые булочки, 100 г копченого лосося, 80 г мягкого сыра (типа адыгейского), 2 столовые ложки мелко нарезанного зеленого лука, 1 чайная ложка натертой цедры лимона, 1 чайная ложка нарезанного укропа, 1 долька чеснока, соль по вкусу.

Булочки разрезать пополам по горизонтали и слегка подрумянить в ростере в течение 1 минуты при температуре 180. Смешать сыр, зеленый лук, чеснок, растертый с солью, укроп и лимонную цедру, все тщательно растереть. Полученной массой намазать 4 половинки булочек, сверху положить кусочки лосося, накрыть оставшимися 4 половинками. Запекать в ростере 5 минут при температуре 180.

БУТЕРБРОДЫ КОВБОЙСКИЕ

2 хлебца питы, 1 филе копченой скумбрии или селедки, 1 столовая ложка мелко нарезанных маринованных огурчиков, 400 г консервированных помидоров, 2 столовые ложки оливкового масла, 1 луковица, 1 сладкий зеленый перец, 3 дольки чеснока, 1 столовая ложка мелко натертого корня петрушки, 1/2 чайной ложки острого кетчупа, 2 яйца, 6 столовых ложек тертого сыра, 1 столовая ложка каперсов, перец и соль по вкусу.

Нарезанные кружочками лук и сладкий перец тушить в масле в течение 4—5 минут, добавить мелко нарезанный чеснок, петрушку и тушить еще 2—3 минуты, добавить помидоры и кетчуп, все довести до кипения и, убавив огонь, тушить 6 минут. Сделав в смеси 2 ямки с помощью ложки, осторожно вылить в каждую из них по 1 яйцу и подержать их на огне до тех пор, пока белок не свернется. Аккуратно переложить половину смеси с яйцом на хлебец питы, остальное — на другой. Сверху посыпать сыром и перцем, при желании посолить, украсить ломтиками филе, каперсами и огурчиками. Запекать в ростере в течение 2—2,5 минуты при температуре 180.

БУТЕРБРОДЫ С КОПЧЕНОЙ РЫБОЙ

12 ломтиков хлеба, 1 столовая ложка маргарина, 250 г шпрот или копченой сельди либо 350 г копченой трески, 80 г томатной пасты, 40 г маргарина, 2 столовые ложки муки, 30 г лука, 1 стакан бульона, соль, сахар по вкусу.

Батон очистить от корки и нарезать ломтиками толщиной 1 см. Рыбу очистить от костей и положить кусками на ломтики хлеба. Сверху полить густым томатным соусом, запекать в ростере в течение 4—5 минут при температуре 180. Для приготовления соуса очистить лук, нарезать его мелкими кубиками и тушить в жире, добавив слегка подрумяненную муку. Вымешать, развести бульоном. Добавить томатной пасты, вскипятить, приправить по вкусу солью и сахаром. Соус должен быть густым. Подать на блюде, украшенном зеленью, как горячую закуску.

БУТЕРБРОДЫ
С РЫБОЙ В ТОМАТНОМ СОУСЕ

4 ломтика белого хлеба, 1 банка рыбных консервов в томатном соусе, 4 чайные ложки майонеза, 50 г твердого сыра.

Рыбу из консервной банки размять вилкой, соус слить. Добавить майонез и тертый сыр, все тщательно перемешать. Полученной пастой намазать ломтики хлеба и на 4—5 минут поместить в ростер при температуре 180.

БУТЕРБРОДЫ С СЕЛЬДЬЮ

20 ломтиков пшеничного хлеба, 2 сельди (около 300 г), 30 г черствого хлеба, 2 столовые ложки толченых сухарей, 1 желток, 4—5 столовых ложек сметаны, 1 стакан молока, 30—40 г твердого сыра.

Сельдь вымочить в течение суток, очистить, отделить филе. Черствый хлеб намочить в молоке (1/2 стакана), отжать. Сельдь и хлеб пропустить через мясорубку так, чтобы получилась однородная масса. Добавить желток, сметану, толченые сухари и тщательно растереть — масса должна быть густой. Ломтики пшеничного хлеба слегка сбрызнуть молоком. Каждые два ломтика хлеба намазать массой из селедки, сложить вместе, сверху положить слой массы и обильно посыпать тертым сыром. Поместить в ростер, запекать в течение 5 минут при температуре 180. Горячие бутерброды положить на круглое блюдо и подать на стол, украсив зеленью петрушки.

БУТЕРБРОДЫ
С СЕЛЬДЬЮ И ПОМИДОРАМИ

10 ломтиков черствого хлеба, 60 г твердого сыра, 10 толстых кружков свежих помидоров, 100 г рубленой сельди, зелень петрушки.

С батона срезать корку и нарезать его ломтиками толщиной 1 см. Ломтики намазать тонким слоем из рубленой сельди, покрыть каждый кружком свежего помидора. Сверху посыпать тертым сыром. Поместить в ростер на 6—8 минут при температуре 180. Горячие бутерброды украсить зеленью петрушки.

БУТЕРБРОДЫ СО ШПРОТНЫМ ПАШТЕТОМ

1 тонкий батон, 1 столовая ложка шпротного паштета, 1 столовая ложка растительного масла, 2 дольки чеснока, 1 столовая ложка томатной пасты, 100 г мягкого сыра (типа адыгейского), зелень петрушки.

Батон нарезать на ломтики толщиной 1,5 см и 5 минут держать в ростере при температуре 180, чтобы они стали сухими и хрустящими. Смешать масло с мелко нарезанным чесноком и намазать ломтики хлеба с одной стороны, затем тонким слоем намазать смесь из шпротного паштета и томатной пасты, сверху положить тонкий ломтик сыра. Запекать в ростере еще 3 минуты до тех пор, пока сыр не расплавится. Украсить петрушкой.

ГРЕНКИ С КОПЧЕНОЙ РЫБОЙ

8 кусков черствого белого хлеба, 200 г копченой салаки или трески, 1 луковица, 1 яйцо, 1 столовая ложка густой сметаны, 1 столовая ложка сливочного масла, 2 столовые ложки мелко нарезанной петрушки.

Копченую рыбу очистить от костей, мелко порубить, добавить мелко нарезанный жареный лук, взбитое яйцо, сметану, мелко нарезанную зелень. С хлеба срезать корочку, нарезать его ломтями, подрумянить в ростере с одной стороны в течение 1 минуты при температуре 190. С другой стороны намазать тонким слоем масла, сверху рыбным фаршем и поместить в ростер. Запекать в ростере в течение 3—5 минут при температуре 180.

ГРЕНКИ С КРАБОВОЙ ПАСТОЙ

8 ломтиков белого хлеба, 200 г мяса крабов (или креветок), 2—3 листка щавеля, 2 дольки чеснока, 2 столовые ложки нарезанного зеленого лука, 1 чайная ложка зелени кинзы, 1/2 чайной ложки имбиря, 100 г сыра рокфор, зелень петрушки.

Зелень и приправы измельчить до состояния пасты, добавить мясо крабов и сыр, все тщательно перемешать. Ломтикам хлеба придать треугольную форму, подрумянить в ростере с одной стороны в течение 1 минуты при температуре 190. С другой стороны хлеб намазать крабовой пастой и поместить в ростер еще на 2—3 минуты. Украсить петрушкой.

ГРЕНКИ С МОЛОКАМИ И СЕЛЬДЬЮ

200 г белого хлеба, 80 г рыбных молок, 80 г сельди, 100 г майонеза с корнишонами, 3 желтка, 2 столовые ложки растительного масла, 1 чайная ложка горчицы, 20 маслин.

Желтки крутых яиц растереть с готовой горчицей и растительным маслом, добавить мелко нарубленные черные маслины и молоки свежей рыбы. Намазать полученной массой предварительно поджаренные ломтики белого хлеба, наверх положить ломтики филе сельди. Запекать в ростере в течение 3—5 минут при температуре 180. Отдельно подать майонез с корнишонами.

«ЛОДОЧКИ» С ТУНЦОМ

2 овальные булочки, 1 банка (185 г) консервированного тунца, 4 столовые ложки нарезанного зеленого лука, 9 столовых ложек натертого сыра чеддер, 2 столовые ложки сметаны, 2 столовые ложки майонеза, 1 столовая ложка мелко нарезанной зелени петрушки, 1/4 чайной ложки красного перца (паприки), 2 столовые ложки нарезанных зеленых оливок.

Все составляющие (кроме булочек, оливок и 3 столовых ложек натертого сыра) тщательно смешать. Срезать верхушки булочек, вынуть мякиш, оставляя по 1 см от краев и такой же толщины дно. Заполнить булочки приготовленной массой, сверху положить кусочки оливок, посыпать сыром. Запекать в ростере в течение 10—15 минут при температуре 210.

«ПАЛЬЧИКИ» С ЛОСОСЕМ

4 толстых ломтика белого хлеба, 200 г консервированного лосося, 2 столовые ложки натертого мягкого сыра (типа адыгейского), 2 столовые ложки натертого сыра чеддер, 2 столовые ложки острого кетчупа, 2 луковицы, 1 чайная ложка мелко нарезанной петрушки.

В течение 1 минуты хлеб подрумянить в ростере с одной стороны. Лосось, сыр, кетчуп, мелко нарезанный лук и петрушку тщательно перемешать до тех пор, пока масса не станет однородной. Намазать ею ломтики хлеба и разрезать каждый из них на 3 части («пальчики»). Запекать в ростере 3 минуты при температуре 200.

ПИТА «КРАБОВЫЙ ДЕЛИКАТЕС»

4 небольших хлебца питы, 1 банка консервированных крабов или 150 г вареного мяса крабов, 65 г вареных креветок или мяса криля, 1/2 стакана вермута, 1/2 стакана сливок, 1 чайная ложка муки, 1 луковица, 1 чайная ложка сливочного масла, 2 столовые ложки мелко нарезанной зелени укропа.

Лук мелко нарезать, обжарить в масле, влить вермут и на сильном огне выпарить смесь до половины начального объема, влить сливки и проварить до состояния густой сметаны. Муку смешать с растертыми креветками и укропом, добавить в соус, снять его с огня и тщательно перемешать. Полученной массой намазать питу, сверху положить кусочки крабов, слегка вдавливая их в пасту. Запекать в ростере в течение 2—3 минут при температуре 180.

ПИТА «МОРСКОЙ ПОЦЕЛУЙ»

4 небольших хлебца питы, 1 банка (200 г) консервированного тунца, 2 банки (по 125 г) консервированных мидий или устриц, 5 столовых ложек сливок, 1 столовая ложка измельченного майорана, 1 долька чеснока, молотый перец и соль по вкусу.

Мясо тунца (без сока) смешать со сливками, измельченным чесноком, зеленью, посолить и поперчить, затем тщательно перемешать в однородную массу. Полученной массой намазать питу, разровнять ножом и чайной ложкой сделать углубления на расстоянии 2 см друг от друга. В каждое углубление положить мидию или устрицу. Запекать в ростере в течение 3—4 минут при температуре 180.

ПИТА С КРЕВЕТКАМИ ПО-ГЕНУЭЗСКИ

4 небольших хлебца питы, 350 г мелких отваренных креветок, 3 столовые ложки оливкового масла, 4 столовые ложки очищенных кедровых орешков или фисташек, 2 столовые ложки мелко нарезанного базилика, 3 дольки чеснока, 100 г сыра, нарезанного ломтиками, 2 столовые ложки натертого сыра, соль по вкусу.

Орешки вместе с базиликом и измельченным чесноком в течение 3—4 минут обжарить на слабом огне до золотистого цвета. Снять с огня, посолить и растереть в однородную массу. Добавить натертый сыр, влить масло и все взбить до пастообразного состояния. Приготовленной массой намазать хлебцы, сверху положить креветки и накрыть ломтиками сыра. Запекать в ростере в течение 3—4 минут при температуре 190.

ПИТА С ЛОСОСЕМ И ОРЕХАМИ

2 небольших хлебца питы, 150 г копченого лосося, 2 столовые ложки дробленых орехов, 2 луковицы, 2 дольки чеснока, 3 вареных желтка, 3 столовые ложки бульона, 2 столовые ложки растительного масла, соль по вкусу.

Лук мелко нарезать, прожарить вместе с мукой в масле в течение 2 минут, добавить бульон и варить еще 7 минут на слабом огне. Добавить в снятую с огня смесь растертые желтки, толченый чеснок, орехи, посолить по вкусу. На питу положить ломтики лосося, сверху покрыть приготовленной массой. Запекать в ростере в течение 2—3 минут при температуре 200.

ПИТА С РЫБОЙ И ОЛИВКАМИ

2 небольших хлебца питы, 50 г копченой селедки или скумбрии, 2 столовые ложки нарезанных кружками зеленых оливок, 5 луковиц, 4 томата-пальчика, 2 столовые ложки растительного масла.

Лук нарезать тонкими кольцами, потушить в масле на очень слабом огне в течение 15—20 минут, чтобы получить однородную массу золотистого цвета. Остудить, добавить оливки и намазать полученной массой хлебцы. Томаты нарезать на кружки, положить поверх смеси, украсить тонкими ломтиками рыбного филе. Запекать в ростере в течение 5—6 минут при температуре 180.

ПИТА ЭКОНОМНАЯ

2 небольших хлебца питы, 1 банка рыбных консервов в томате, 100 г натертого сыра, 1 столовая ложка мелко нарезанного укропа.

Содержимое банки тщательно перемешать, полученной массой намазать питу, посыпать тертым сыром и укропом. Запекать в ростере в течение 3 минут при температуре 180. Готовую питу нарезать треугольниками.

ТАРТИНКИ
С КАЛЬМАРОМ, ВЕТЧИНОЙ И ОГУРЦАМИ

4 ломтика пшеничного хлеба, 80 г вареного кальмара, 100 г ветчины, 1 соленый огурец, 150 г майонеза, 4 веточки петрушки, молотый перец по вкусу.

Ломтики хлеба подсушить в ростере в течение 1 минуты. Вареный кальмар и ветчину нарезать соломкой. Соленый огурец очистить от кожицы и мелко нарезать. Все смешать с частью майонеза, посыпать молотым перцем и выложить на хлеб. Сверху залить оставшимся майонезом и поместить в ростер на 6—8 минут при температуре 200. Украсить мелко нарезанной зеленью петрушки.

ТАРТИНКИ
С КАЛЬМАРОМ И МОРСКОЙ КАПУСТОЙ

4 ломтика белого хлеба, 1 банка (160 г) консервированного кальмара без жидкости, 100 г салата из морской капусты, 1 крупная луковица, 2 столовые ложки растительного масла, 4 чайные ложки кетчупа, 50 г твердого сыра, 1 столовая ложка молотых сухарей.

Морскую капусту пропустить через мясорубку и обжарить на растительном масле, добавить отдельно поджаренный лук, молотые сухари, кусочки кальмара. Все залить кетчупом и уложить на ломтики подсушенного в ростере хлеба. Сверху посыпать натертым сыром и 5 минут запекать в ростере при температуре 180.

ТАРТИНКИ
С КАЛЬМАРОМ, ТВОРОГОМ И МОРКОВЬЮ

4 ломтика белого хлеба, 1 банка консервированных кальмаров (160 г) без жидкости, 100 г творога, 1/2 стакана сметаны, 1 морковка, 4 веточки петрушки, 2 столовые ложки растительного масла, 50 г твердого сыра, соль по вкусу.

Мясо кальмара нарезать на мелкие кусочки, смешать с припущенной морковью и творогом. Полученную массу пропустить через мясорубку. Добавить сметану, нарезанную зелень петрушки, посолить. Подсушенные в ростере ломтики хлеба намазать приготовленной смесью, сверху посыпать натертым сыром. Запекать в ростере в течение 5 минут при температуре 180.

ТАРТИНКИ
С ПАСТОЙ «ОКЕАН», СЫРОМ И ПИВОМ

4 ломтика белого хлеба, 100 г пасты «Океан», 80 г сыра, 1/2 стакана пива, 1 чайная ложка готовой горчицы, 1 столовая ложка нарезанной зелени петрушки, 1 чайная ложка нарезанной зелени укропа, красный перец по вкусу.

В кастрюле на слабом огне распустить натертый сыр, помешивая, добавить размороженную пасту «Океан», нарезанную зелень, пиво и горчицу. Ломтики хлеба поместить в ростер на 1—2 минуты при температуре 160. На подсушенный хлеб намазать приготовленную массу, сверху посыпать красным перцем и запекать в ростере в течение 2—3 минут при той же температуре.

ТАРТИНКИ СО СВЕЖЕЙ ИКРОЙ

4 ломтика хлеба, 250 г свежей икры, 1 крупная луковица, 1 яйцо, 2 столовые ложки майонеза, 1 столовая ложка сметаны, зелень, перец, соль по вкусу.

Икру свежей рыбы промыть, очистить от пленок, размять, добавить мелко нарезанный лук, сырое яйцо, перец, соль, майонез; все тщательно перемешать. Подготовленную массу выложить на предварительно подсушенные в ростере ломтики хлеба, сверху смазать сметаной и 4—5 минут запекать в ростере при температуре 180. Готовые тартинки посыпать мелко нарезанной зеленью.

ИЗДЕЛИЯ С ОВОЩАМИ И ГРИБАМИ

БУЛОЧКИ С НАЧИНКОЙ ИЗ ШПИНАТА

4 круглые или продолговатые черствые булочки, 200 г шпината, 50 г сливочного масла, 4 яйца, 50 г шпика, мускатный орех на кончике ножа, соль по вкусу.

С черствых булочек стереть на терке верхнюю корочку, отрезать «шапочку», вынуть мякиш, внутренние стенки смазать маслом. Шпинат потушить с маслом, добавить мускатный орех и соль. В середину каждой булочки положить по 1 столовой ложке массы шпината и осторожно влить по сырому яйцу. Вместо целого яйца можно влить взбитые яйца, сверху положить ломтик шпика. Запекать в ростере в течение 10—12 минут при температуре 160. Готовые булочки подать к бульону.

БУТЕРБРОДЫ ПО-ФРАНЦУЗСКИ

1 длинный батон хлеба, 150 г сливочного масла, 7 долек чеснока, 4 столовые ложки натертого сыра, красный молотый перец.

Размягчить масло, добавить измельченный чеснок. Нарезать хлеб по диагонали на толстые ломти почти до самого основания батона. Ломти батона обильно смазать сливочным маслом, растертым с чесноком. Посыпать солью, сыром и красным молотым перцем. Запекать в ростере в течение 2—3 минут при температуре 200. Подать к столу горячими.

БУТЕРБРОДЫ С БАКЛАЖАНАМИ

1 большой баклажан, 2 столовые ложки растительного масла, 50 г мягкого сыра (сулугуни, адыгейского и т.д.), 1 помидор, 8 листьев свежего базилика, 50 г натертого твердого сыра, 3 столовые ложки крошек белого хлеба, соль по вкусу.

Нарезать баклажан поперек на 8 кусков толщиной 1 см, разложить на доске в один ряд и густо посыпать солью. Оставить на 20 минут, после чего промыть холодной водой и обсушить салфеткой. Разогреть ростер до 210. Смазать противень растительным маслом, положить на него 4 куска баклажана и смазать их маслом, на каждый сверху положить размятый вилкой сыр, кружок помидора и листик базилика, затем накрыть еще одним ломтиком баклажана. Слегка смазать верх маслом, посыпать смесью тертого сыра и хлебных крошек. Запекать в течение 20 минут при температуре 210.

БУТЕРБРОДЫ С ГРИБАМИ

8 ломтиков белого хлеба, 4—5 сушеных грибов, 1 луковица, 50 г маргарина, 200 г сыра, перец, соль по вкусу.

Грибы промыть холодной водой, затем залить молоком и оставить на ночь. Лук мелко нарезать, обжарить на маргарине до золотистого цвета, добавить мелко нарезанные грибы, соль, перец, влить молоко, в котором размокли грибы, и тушить до готовности. На ломтики хлеба положить грибную массу, посыпать натертым на крупной терке сыром. Поместить в ростер, запекать в течение 7—8 минут при температуре 180. Подать горячими.

БУТЕРБРОДЫ С ГРИБАМИ И ЯЙЦОМ

8 ломтиков белого хлеба, 100 г сушеных грибов, 150 г маргарина, 100 г острого сыра, 2 яйца, сваренных вкрутую, 1 луковица, зелень, перец, соль по вкусу.

Грибы промыть холодной водой, залить кипяченым молоком на ночь. Мелко нарезанный лук обжарить на маргарине, добавить нарезанные грибы, потушить до готовности грибов, подливая молоко, посолить, поперчить. На ломтики батона положить грибы, посыпать рублеными яйцами и тертым сыром. Поместить в ростер, запекать в течение 3 минут при температуре 180. Подать горячими, посыпав нарезанной зеленью.

БУТЕРБРОДЫ С ГРИБНОЙ ПАСТОЙ

1 батон, 250 г грибов, 30 г сливочного масла, 4 столовые ложки нарезанного зеленого лука, 1/2 чайной ложки молотого кориандра, 1/2 чайной ложки молотого тмина, 1/4 чайной ложки красного перца, 1 столовая ложка порошка горчицы, 2 столовые ложки вишневого ликера, 3 столовые ложки сливок, 2 столовые ложки нарезанной зелени петрушки, 3 столовые ложки крупно натертого сыра.

Лук обжарить в масле на умеренном огне в течение 2—3 минут, добавить грибы, перец, кориандр, тмин и подержать на огне еще 6—8 минут. Горчицу смешать с ликером и, уменьшив огонь, влить в смесь. Через 2—3 минуты добавить сливки и протушить все еще 8—10 минут на самом малом огне. Снять с огня и дать слегка остыть. Батон нарезать ломтиками толщиной 1 см, в течение минуты подрумянить в ростере при температуре 180, затем намазать грибной пастой, посыпать петрушкой и сыром и еще 2—3 минуты подержать в ростере.

БУТЕРБРОДЫ С ШАМПИНЬОНАМИ

12 ломтиков белого хлеба, 50 г маргарина, 250 г шампиньонов, 50 г репчатого лука, 1 чайная ложка муки, 1 яйцо, 2—3 столовые ложки сметаны или сливок, 30 г твердого сыра, соль, перец по вкусу.

Батон очистить от корки, нарезать ломтиками толщиной 1 см. Каждый ломтик намазать тонким слоем маргарина (20 г). Шампиньоны очистить, вымыть, нарезать мелкими кружками. Лук очистить, нарезать мелкими кубиками (чтобы устранить острый запах лука, его можно ошпарить кипятком), положить в разогретый маргарин, поджарить до золотистого цвета, добавить шампиньоны, посолить, влить 3—4 столовые ложки воды и тушить 20 минут. Выпаренный соус долить водой. Шампиньоны снять с огня, посыпать мукой, добавить сметану или сливки, приправить по вкусу солью и перцем, влить разболтанное яйцо. Немного подогреть и вымешать. Массу из шампиньонов немного охладить, затем положить на ломтики хлеба, посыпав сверху натертым сыром. Запекать в ростере в течение 8—10 минут при температуре 180. Подать как горячую закуску.

Бутерброды можно приготовить иначе: на ломтик хлеба, покрытый массой из шампиньонов, положить яичницу-глазунью, сверху посыпать твердым натертым сыром и запечь в ростере.

БУТЕРБРОДЫ
СО СЛАДКИМ ПЕРЦЕМ И ЛУКОМ

4 ломтика белого хлеба, 2 луковицы, 4 крупных сладких перца, 1/2 лимона, 1 столовая ложка кетчупа, 1/2 чайной ложки красного молотого перца, 1 столовая ложка растительного масла, 4 ломтика сыра, 1/4 чайной ложки сахара, перец, соль по вкусу.

Лук и сладкий перец нарезать колечками и тушить в растительном масле, добавив небольшое количество воды, до мягкости. Затем приготовить маринад из сока лимона, кетчупа, сахара, соли, перца и оставить в нем тушеные лук и перец на ночь. Ломтики хлеба обжарить в ростере в слабом режиме (по одной минуте с каждой стороны). На хлеб положить извлеченные из маринада лук и перец, сверху положить по ломтику твердого сыра. Бутерброды запекать в ростере в течение 4—5 минут при температуре 200.

ГРЕНКИ ИЗ ЧЕРНОГО ХЛЕБА С ЧЕСНОКОМ

4 ломтика черного хлеба, 1 головка чеснока, соль по вкусу.

Черный хлеб натереть чесноком, поместить в ростер. Запекать в течение 1—2 минут при температуре 220.

ГРЕНКИ С РЕПЧАТЫМ ЛУКОМ

12 ломтиков черствого хлеба, 2 чайные ложки маргарина, 200 г репчатого лука, 50 г твердого сыра, 1 яйцо, 2—3 столовые ложки сметаны, соль и перец по вкусу.

Батон очистить от корки, нарезать ломтиками толщиной 1 см. Лук очистить, нарезать мелкими кубиками, острый запах лука устранить, ошпарив его кипятком. Лук поджарить на маргарине до золотистого цвета, подлить 2—3 столовые ложки воды и тушить 8—10 минут. Снять с огня, посыпать мукой, добавить сметану, 20 г твердого сыра, посолить, поперчить. Соединить с разболтанным яйцом, поставить на огонь и загустить (2—3 минуты), постоянно помешивая. Гренки покрыть сверху толстым слоем массы из лука. Посыпать сверху сыром. Поместить в ростер на 6—8 минут при температуре 190. Подать горячими, украсив зеленью.

ЗАПЕКАНКА
ИЗ ЦВЕТНОЙ КАПУСТЫ С СОСИСКАМИ

200 г цветной капусты, 400 г сосисок, 4 яйца, 100 г масла, 1 стакан молока, 3 столовые ложки муки, 2 столовые ложки молотых сухарей, соль по вкусу.

Из 2 ложек масла, муки и молока приготовить густой белый соус. В охлажденный соус ввести яичные желтки, отваренные розетки цветной капусты, затем взбитые в густую пену белки, посолить. Полученную массу положить в смазанную жиром и посыпанную сухарями форму, посыпать сухарями, сверху разложить кусочки масла. Запекать в ростере в течение 10—15 минут при температуре 180. Подать с отваренными и политыми растопленным маслом сосисками.

ЖУЛЬЕН ИЗ БЕЛЫХ ГРИБОВ

500 г свежих грибов, 1 стакан сметаны, 4 столовые ложки сливочного масла, 2 яйца, 1 столовая ложка муки, уксус, соль по вкусу.

Грибы промыть, нарезать соломкой, ошпарить кипятком с уксусом и обжарить в масле. Добавить пассерованную муку, все тщательно перемешать и выложить в формочки-кокотницы. Взбить яйца с солью, смешать их со сметаной, полученной смесью залить грибы. Запекать в ростере в течение 10—12 минут при температуре 180.

КРУТОНЫ ГРИБНЫЕ

4 толстых куска белого хлеба, 4 большие шляпки грибов, 1 долька чеснока, 2 чайные ложки сливочного масла, 1 авокадо, 6 столовых ложек натертого сыра чеддер, 1 чайная ложка нарезанной зелени петрушки.

Вымыть шляпки грибов и обсушить их салфеткой. Смешать масло с растертым чесноком и намазать этой смесью грибы. Сверху положить ломтики авокадо, затем сыр и петрушку. Из хлеба вырезать кружки по размеру шляпок грибов. Смазать поднос ростера растительным маслом, положить кружки хлеба, сверху — шляпки грибов. Запекать в течение 10 минут при температуре 180.

ПАЛОЧКИ СОЛЕНЫЕ ИЗ КАРТОФЕЛЯ

500 г картофеля, 100 г сливочного масла, 3 стакана муки, 100 г брынзы, 2 яйца, 1/2 чайной ложки соды, 2 чайные ложки тмина, соль по вкусу.

Очищенный картофель натереть на мелкой терке, добавить соль, натертую брынзу, желтки, масло, муку, соду, все тщательно растереть и приготовить тесто. Раскатать его в пласт толщиной 1 см. Ножом нарезать палочки длиной 8 см, каждую из них смазать белком, посыпать тмином и запекать в ростере в течение 10 минут при температуре 180. Подать к пиву.

ПИТА ПО-ГРЕЧЕСКИ

4 небольших хлебца питы, 500 г шпината, 50 г черных маслин, 4 столовые ложки кисло-сладкого кетчупа, 2 столовые ложки изюма, 2 столовые ложки очищенных кедровых орешков или фисташек, 200 г мягкого сыра (типа сулугуни) или брынзы.

У шпината отрезать стебли, зелень вымыть и потушить в небольшом количестве воды на очень слабом огне, затем растереть в однородную массу. Остудить, добавить разрезанные на четыре части маслины, из которых предварительно удалить косточки. Намазать питу кетчупом, сверху положить пюре из шпината с оливками, затем — изюм и орехи. Сверху посыпать раскрошенным сыром. Запекать в ростере в течение 10—15 минут при температуре 210.

ПИТА С ГРИБАМИ И КОРЕЙКОЙ

2 небольших хлебца питы, 250 г грибов, 75 г корейки, 4 столовые ложки красного вина, 1/2 стакана 30%-ных сливок, 1 чайная ложка сливочного масла, 2 луковицы, перец, соль по вкусу.

Грибы мелко нарезать, потушить с корейкой, нарезанной маленькими кусочками, в течение 5—7 минут. Добавить вино и сливки, посолить и поперчить, 15 минут тушить на слабом огне, постоянно помешивая, до тех пор, пока жидкость не выкипит. Лук нарезать кольцами и обжарить в сливочном масле с двух сторон по 1 минуте. Грибную массу намазать на питу, сверху уложить колечки лука. Запекать в ростере в течение 3 минут при температуре 180.

ХЛЕБ ЗЕРНОВОЙ С БОБАМИ И КУКУРУЗОЙ

2 батончика зернового хлеба, 2 чайные ложки растительного масла, 1 луковица, 1 помидор, 130 г консервированной кукурузы, 400 г консервированных бобов в томатном соусе, 4 столовые ложки натертого сыра чеддер.

Батончики зернового хлеба разрезать пополам, мякиш аккуратно вынуть, оставив стенки толщиной 1—1,5 см. На сковороде обжарить в растительном масле мелко нарезанный лук и ломтики помидора, добавить бобы и кукурузу, все хорошенько перемешать. Получившейся массой заполнить хлебные формочки, сверху посыпать тертым сыром. Запекать в ростере в течение 10—12 минут при температуре 180.

ИЗДЕЛИЯ ИЗ ТВОРОГА, СЫРА И ЯИЦ

БУТЕРБРОДЫ С ПАСТОЙ ИЗ СЫРА И ЖЕЛТКОВ

8 ломтиков белого хлеба, 100 г сливочного масла, 100 г сыра, 3 желтка сырых яиц, 2 столовые ложки сметаны, красный молотый перец, зелень петрушки.

Сыр натереть на мелкой терке, перемешать с желтками и сметаной, посолить. На ломтики белого хлеба положить приготовленную массу, поместить в ростер на 3—4 минуты при температуре 160—180. Перед подачей на стол посыпать перцем, нарезанной зеленью петрушки. Подать горячими.

БУТЕРБРОДЫ С СЫРНОЙ МАССОЙ

1 батон белого хлеба, 100 г сливочного масла, 3 желтка сырых яиц, 100 г острого сыра, 2 столовые ложки сметаны, красный молотый перец, зелень петрушки, соль по вкусу.

Желтки тщательно перемешать с натертым на мелкой терке сыром и сметаной, посолить. Хлеб нарезать тонкими ломтиками (толщиной 1 см), намазать маслом, затем приготовленной массой, поместить в ростер. Запекать в течение 2—3 минут при температуре 180. Перед подачей посыпать красным перцем и нарезанной зеленью. Подать горячими.

БУТЕРБРОДЫ С ТВОРОГОМ

8 ломтиков белого хлеба, 200 г творога, 1 яйцо, 1 чайная ложка тмина, 1 столовая ложка сметаны, 100 г сливочного масла (маргарина), соль по вкусу.

Творог смешать с яйцом и сметаной, добавить тмин, соль. Ломтики хлеба намазать сливочным маслом или маргарином, сверху положить творожную массу. Запекать в ростере в течение 4—5 минут при температуре 160.

БУТЕРБРОДЫ С ЯЙЦАМИ И СЫРОМ

8 ломтиков белого хлеба, 3 яйца, сваренных вкрутую, 100 г сыра, 1—2 столовые ложки сметаны, 1 чайная ложка горчицы, зеленый лук, листья салата, перец, соль по вкусу.

Яйца измельчить вилкой, перемешать с горчицей и сметаной, всыпать соль, перец. Приготовленную массу выложить на тонкие ломтики белого хлеба, посыпать натертым на мелкой терке сыром. Поместить в ростер на 2—3 минуты при температуре 180. Перед подачей посыпать бутерброды нарезанным луком, выложить на листья салата, разложить на блюде и подать горячими.

БУТЕРБРОДЫ ТВОРОЖНО-КОКОСОВЫЕ

4 ломтика белого хлеба, 100 г сладкой сырковой массы, 2 столовые ложки кокосовой стружки, 1—2 банана, 50 г плиточного шоколада, 1 яичный белок.

Сырковую массу смешать с кокосовой стружкой и яичным белком. Ломтики хлеба подсушить в ростере в течение 1 минуты при температуре 220. Бананы разрезать на кружочки толщиной 1 см. Хлеб намазать приготовленной массой, сверху уложить кружочки бананов,посыпать натертым шоколадом. Поместить в ростер на 4 минуты при температуре 160.

ГРЕНКИ С ОСТРОЙ СЫРНОЙ ПАСТОЙ

10 ломтиков хлеба, 50 г твердого сыра, 2 чайные ложки сливочного масла, 4—5 столовых ложек молока, соль, молотый красный перец.

Батон очистить от корки, нарезать ломтиками толщиной 1 см и сбрызнуть молоком. Сыр натереть, перемешать с растопленным маслом, намазать ломтики, сверху посыпать молотым красным перцем. Запекать в ростере в течение 2—3 минут при температуре 200. Гренки подать горячими к прозрачным супам или как закуску.

ГРЕНКИ С СЫРНЫМ СОУСОМ

8 ломтиков белого хлеба, 50 г сливочного масла. Д л я с о у с а: 100 г сыра, 1 столовая ложка сливочного масла, 1 столовая ложка муки, 1 стакан молока, 2 желтка сырых яиц, соль по вкусу.

Ломтики белого хлеба толщиной 2 см намазать густым соусом, поместить в ростер, запекать в течение 3—4 минут при температуре 160—180. Подать горячими. Для приготовления соуса муку обжарить на масле до золотистого цвета, влить молоко, растереть, чтобы не было комков; вскипятить и сразу снять с огня. Перемешать соус с сыром, натертым на мелкой терке, и желтками, посолить.

ГРЕНКИ С ЯЙЦАМИ И ПОМИДОРАМИ

5—6 гренок, 5—6 яиц, 5—6 толстых больших кружков сырых помидоров, 20 г маргарина, 30 г твердого сыра, соль, перец по вкусу.

Гренки подсушить без жира. Приготовить яичницу на сковороде. Кружки помидоров слегка обжарить, посолить. На гренки уложить кружки помидоров, на каждый кружок положить по одному яйцу (от яичницы), посолить, поперчить, посыпать натертым сыром. Запекать в ростере в течение 4—5 минут при температуре 180. Подать как горячую закуску.

ГРЕНКИ СО СЛИВОЧНОЙ МАССОЙ

4 ломтика черствого белого хлеба, 1 столовая ложка сливочного масла, 100 г сыра, 1 столовая ложка сметаны, 1 яйцо, 2 чайные ложки муки, зелень петрушки, тмин, соль по вкусу.

Черствый белый хлеб нарезать ломтями, срезать корку, ломти намазать маслом. Сыр натереть, смешать со взбитым яйцом, сметаной, солью, мукой и тмином или мелко нарезанной петрушкой. Покрыть полученной массой подготовленный хлеб. Запекать в ростере в течение 3—5 минут при температуре 200.

ОМЛЕТ С СЫРОМ

4 яйца, 200 г сыра, 4 столовые ложки сметаны, 2 столовые ложки муки, 2 столовые ложки сливочного масла.

Для омлета можно использовать различные сорта сыра. Натереть сыр на терке, добавить яичные желтки, сметану, муку, посолить. В массу осторожно ввести взбитые белки, положить ее в смазанные жиром порционные формочки и поместить в ростер. Запекать в течение 5—7 минут при температуре 180. Готовый омлет должен быть золотистого цвета, увеличиться в объеме вдвое. Подать сразу же с картофелем и растопленным маслом.

ОМЛЕТ СО ВЗБИТЫМИ СЛИВКАМИ

4 яйца, 3 столовые ложки сахара, 2 столовые ложки муки, 1/2 стакана сливок, 1 столовая ложка сливочного масла.

Растереть яичные желтки с сахаром, просеять в эту смесь муку и поочередно добавить отдельно взбитые сливки и белки. Полученной массой наполнить смазанную маслом форму и запекать в ростере в течение 7—10 минут при температуре 160. Подать с компотом из фруктов.

ОМЛЕТ СО ШПИНАТОМ

6 яиц, 500 г шпината, 50 г муки, 6 столовых ложек молока, 4 столовые ложки мелко нарезанной зелени укропа и петрушки, 2 чайные ложки масла, соль по вкусу.

Яичные желтки, муку и молоко смешать, посолить, добавить зелень, ввести в смесь взбитые яичные белки. Полученную массу выложить в форму, смазанную маслом, и запекать в ростере в течение 8—10 минут при температуре 180. Когда снизу омлет запечется, а верхняя сторона будет оставаться еще влажной, сверху положить тушенный в масле шпинат и сложить омлет пополам.

ПИТА С БРЫНЗОЙ

4 небольших хлебца питы, 200 г брынзы, 2 яйца, 4 пера зеленого лука, 1/2 чайной ложки сладкого красного молотого перца, 1 столовая ложка кетчупа.

Брынзу замочить в холодной воде на 6 часов. Достать из воды, обсушить, растереть в однородную массу с яйцами, перцем и кетчупом. Полученной массой намазать хлебцы, посыпать мелко нарезанным зеленым луком, кусочки лука слегка вдавить в сырную массу. Поместить в ростер на 6—7 минут при температуре 160.

ПИТА С ТВОРОГОМ

4 небольших хлебца питы, 200 г творога, 1 яйцо, 1 столовая ложка сливочного масла, 2 дольки чеснока, 1/4 чайной ложки соли, 4 веточки петрушки, 4 веточки укропа, 1 помидор, 4 зеленые оливки без косточек.

Творог смешать с яйцом и сливочным маслом. Чеснок растереть с солью и мелко нарезанной зеленью, добавить в творог, все тщательно перемешать. Полученной массой намазать хлебцы. Оливки разрезать кружочками на 4 части каждую. Уложить на творожную массу, слегка вдавить. Хлебцы поместить в ростер на 4—5 минут при температуре 180. Готовые изделия украсить ломтиками помидора.

ЯЙЦА, ЗАПЕЧЕННЫЕ В БУЛОЧКАХ

6 школьных булочек, 6 яиц, 100 г маргарина, 100 г твердого сыра, зеленый лук, соль по вкусу.

У булочек срезать верхушки, вынуть чайной ложкой мякиш, внутри смазать булочки маргарином. В каждую булочку осторожно влить яйцо, посолить, посыпать сыром, натертым на мелкой терке, поместить в ростер. Запекать в течение 4—5 минут при температуре 160. Перед подачей посыпать нарезанным зеленым луком.

ЯЙЦА ПО-ФЛОРЕНТИЙСКИ

500 г шпината, 8 яиц, 2 столовые ложки растительного масла, 1 луковица, 1 долька чеснока, 2 столовые ложки мелко нарезанной петрушки, 2 чайные ложки сливочного масла, 1 столовая ложка муки,

1 стакан молока, 200 г сыра, мускатный орех на кончике ножа, соль по вкусу.

Шпинат промыть, нарезать, потушить в растительном масле без воды, добавить пассерованный лук, растертый с солью чеснок и петрушку. Полученную массу выложить в смазанную маслом форму, сверху положить сваренные вкрутую, разрезанные пополам яйца, залить отдельно приготовленным белым соусом из молока, муки и сливочного масла. Все посыпать натертым сыром и мускатным орехом. Запекать в ростере в течение 10—12 минут при температуре 180.

ДЕСЕРТНЫЕ БЛЮДА

БУЛОЧКИ С ЯГОДАМИ

4 сдобные булочки, 4 столовые ложки свежих или замороженных ягод, 1 яйцо, 1/4 стакана сахара, 1/4 стакана муки.

С булочек срезать верхушки, сердцевину аккуратно вынуть, заполнить ягодами. Яйцо взбить с сахаром, добавить муку, осторожно перемешать. Полученной смесью залить ягоды. Булочки на 8—10 минут поместить в ростер при температуре 150.

БИСКВИТЫ С БАНАНАМИ И ШОКОЛАДОМ

4 толстых ломтика (1,5—2 см) бисквита, 2 банана, 30 г шоколада, 100 г сырковой массы.

Подрумянить кусочки бисквита в ростере в течение 1—1,5 минуты при температуре 190. Очищенные бананы разрезать по диагонали. Шоколад натереть на крупной терке. На ломтик бисквита намазать сырковую массу, сверху положить кусочек банана и посыпать шоколадом. Запекать в ростере в течение 3—5 минут, следя за тем, чтобы шоколад расплавился, а бананы достаточно прогрелись. Перед подачей на стол бисквиты можно украсить взбитыми сливками.

БИСКВИТЫ С БРУСНИКОЙ

4 кусочка бисквита размером 8×8 см, 1 яичный белок, 1/2 стакана сахара, 1/2 стакана моченой брусники без жидкости.

Белок с сахаром и брусникой взбить миксером до появления густой пены. Полученную массу быстро выложить ложкой на бисквиты, не разравнивая, и немедленно поместить в ростер при температуре 180. Через 3 минуты убавить режим до минимального и запекать еще 3—4 минуты.

БИСКВИТЫ С ЯБЛОКАМИ

4 кусочка бисквита толщиной 2 см, размером 8×8 см, 2 крупных кислых яблока, 2 столовые ложки вишневого ликера или вишневой наливки, 4 столовые ложки воды, 4 столовые ложки сахара, 1 чайная ложка корицы.

Бисквиты смочить смесью воды и ликера. Яблоки очистить от кожи и семян, разрезать пополам. Каждую половинку уложить в центр бисквита, посыпать сахаром и корицей. Поместить в ростер на 5—7 минут при температуре 160. Если яблоки за это время не испеклись, увеличить температуру до 200 и подержать их в ростере еще 1—2 минуты.

БРИОШИ АБРИКОСОВЫЕ

4 толстых ломтика сдобной булки, 2 столовые ложки мелко нарезанной кураги, 150 г мягкого плавленого сыра, 2 столовые ложки раздробленных зерен миндаля, 1 чайная ложка корицы.

Ломтики булки подрумянить в ростере с обеих сторон (по 1 минуте каждую), затем намазать сыром, посыпать смесью кураги и корицы, украсить миндалем. Запекать в ростере в течение 30—40 минут при температуре 190.

БУТЕРБРОДЫ КОРИЧНЫЕ

4 ломтика белого хлеба, 1/2 чайной ложки корицы, 1 столовая ложка сливочного масла, 100 г творога, 1 яйцо, 4 столовые ложки сахара.

Каждый ломтик хлеба намазать очень тонким слоем сливочного масла, посыпать 1/2 столовой ложки сахара, разровнять, поместить в ростер на 1—1,5 минуты при температуре 220. Творог, яичный белок, 1 столовую ложку сахара перетереть в однородную массу. Намазать на хлеб, смазать желтком, посыпать оставшимся сахаром и корицей. Поместить в ростер на 3—4 минуты при температуре 180.

БУТЕРБРОДЫ С ОРЕХАМИ

8 ломтиков белого хлеба, 100 г сливочного масла, 150 г орехов, 1/2 чайной ложки красного молотого перца.

Размягченное сливочное масло растереть с перцем и раздробленными орехами. Тонкие ломтики белого хлеба намазать приготовленной пастой, посыпать сверху дроблеными орехами. Поместить в ростер, запекать в течение 2—3 минут при температуре 190. Подать горячими, выложив на блюдо.

ОМЛЕТ С ОРЕХАМИ И ИЗЮМОМ

2 яйца, 1/4 стакана молока, 2 столовые ложки муки, 2 столовые ложки очищенных орехов, 2 столовые ложки изюма, 1/2 столовой ложки сливочного масла, мускатный орех на кончике ножа, сахар и соль по вкусу.

Яйца взбить, развести молоком, добавить частями муку, не допуская появления комочков, посолить, добавить промытый изюм и измельченные орехи, сахар и мускатный орех. Полученную массу выложить в смазанную маслом формочку. Запекать в ростере в течение 8—10 минут при температуре 180.

ОМЛЕТ С ЧЕРНОЙ СМОРОДИНОЙ

500 г черной смородины, 150 г сахара, 8 яиц, 8 чайных ложек картофельного крахмала, 4 столовые ложки сливочного масла, 1/4 чайной ложки ванилина, сахарная пудра.

Промытые и обсушенные ягоды засыпать сахаром с ванилином, в закрытой посуде настаивать в течение 1 часа. Желтки растереть с 2 столовыми ложками сахара. Отдельно взбить белки, добавив немного соли. Взбитые в густую пену белки вместе с просеянным крахмалом ввести в растертые яичные желтки. Всю полученную массу разделить на 4 порции и поместить в смазанные маслом формы. Запекать в ростере в течение 5—7 минут при температуре 180. Готовые омлеты выложить на тарелки, смазать приготовленной черной смородиной, сложить вдвое, посыпать сахарной пудрой. Подать с молоком.

ОМЛЕТ С ЯБЛОЧНЫМ ПЮРЕ

4 яйца, 2 столовые ложки муки, 2 столовые ложки сахарной пудры, 1 стакан яблочного пюре, ванилин по вкусу.

Яичные желтки отделить от белков, белки взбить в густую пену, добавить яичные желтки, смешанную с мукой сахарную пудру. Полученную массу выложить в смазанную жиром и посыпанную мукой форму. Запекать в ростере в течение 10 минут при температуре 180. Готовый омлет должен быть светло-желтого цвета. Подать с яблочным пюре в качестве гарнира.

ПИТА С ОРЕХАМИ И БАЗИЛИКОМ

4 небольших хлебца питы, 1/4 стакана очищенных грецких или кедровых орехов, 1/3 стакана оливкового масла, 2 дольки чеснока, 2 столовые ложки натертого сыра, 1 яйцо, 100 г базилика, 4 листика свежего салата, 2 маленьких побега спаржи (консервированной).

Яйцо вместе с орехами, оливковым маслом, сыром, чесноком и нарезанным базиликом взбивать в миксере в течение 1—2 минут. Листья салата разрезать на 4 части каждый, уложить на хлебцы, сверху покрыть приготовленной массой, украсить спаржей. Поместить в ростер на 4 минуты при температуре 180.

ЯБЛОКИ МЕДОВЫЕ

4 крупных яблока, 1 чайная ложка изюма, 1 чайная ложка очищенных орехов, 1 чайная ложка сахара, 1 чайная ложка меда, 1 стакан яблочного сока, 2 столовые ложки сливочного масла, корица по вкусу.

Яблоки очистить, вырезать сердцевину, заполнить смесью изюма, орехов, меда, посыпать корицей, положить в форму, смазанную маслом. Полить каждое яблоко яблочным соком, положить на него кусочек масла, поместить в ростер. Запекать в течение 8—19 минут при температуре 180. Запеченные яблоки подать в сиропе, оставшемся в форме после запекания.

ЯБЛОКИ ПЕЧЕНЫЕ

4 больших яблока, 1 яйцо, 2 столовые ложки молотых сладких сухарей.

Яблоки очистить, смочить во взбитом яйце, запанировать в сухарях. Запекать в ростере в течение 10—12 минут при температуре 180.

ЯБЛОКИ ПЕЧЕНЫЕ ФАРШИРОВАННЫЕ

4 больших яблока, 2 столовые ложки сахара, 1 столовая ложка изюма или мармелада, 1 столовая ложка очищенных орехов, ванилин или корица по вкусу.

Яблоки вымыть, осторожно вынуть середину, наполнить их смесью сахара, измельченных орехов, изюма или мармелада. Форму выстлать промасленной бумагой или фольгой, положить на нее яблоки, сверху — кусочки масла и запекать в ростере в течение 10—12 минут при температуре 160.

ЯБЛОКИ, ФАРШИРОВАННЫЕ ДЖЕМОМ

8 яблок, 1 стакан густого джема, 8 чайных ложек сливочного масла, 8 чайных ложек натертого черствого хлеба или орехов, корица по вкусу.

В яблоках вырезать сердцевину, углубление заполнить сухарями, прожаренными в масле и смешанными с джемом и корицей. Подготовленные яблоки выложить на противень, покрытый фольгой, и поместить в ростер. Запекать в ростере в течение 10—12 минут при температуре 160.

ГРИЛЬ

Электрогриль — это современное устройство, во многом заменившее существующие у всех народов приспособления, с помощью которых пища готовится на горячих углях. При всем многообразии технологических решений во всех грилях (в том числе и в гриль-духовке) используется один и тот же принцип приготовления пищи посредством нагретого до высокой температуры воздуха, идущего от электронагревателя. Принципиальное отличие разных грилей друг от друга заключается лишь в том, что потребителям предлагаются собственно грили, то есть устройства, в которых продукты нагреваются одновременно со всех сторон (или сверху и снизу одновременно), и гриль-решетка, где нагревание происходит так же, как и в обычном мангале, то есть с одной стороны. В первом случае приготовление пищи не требует переворачивания продуктов в процессе жаренья, а во втором их прожаривание происходит то с одной, то с другой стороны. Безусловно, приготовление мяса или рыбы на настоящих углях придает пище особый аромат, однако электрогрили позволяют готовить пищу более полезную для здоровья, поскольку при жаренье или запекании на продуктах не осаждаются экологически вредные вещества, возникающие при тлении углей. Удобным также является запекание продуктов в фольге. При таком способе приготовления пищи в использованных продуктах сохраняются все соки, и в результате блюда получаются особенно нежными на вкус.

В приведенных рецептах температура дана в градусах Цельсия.

АБРИКОСЫ И ПЕРСИКИ
С КОРИЦЕЙ И БРУСНИЧНЫМ ВАРЕНЬЕМ

8 абрикосов, 4 персика, разделенных на половинки, 1 столовая ложка корицы, 1/2 стакана брусничного варенья.

Абрикосы и персики вымыть и обсушить, уложить на фольгу и поместить в гриль на 10—12 минут при температуре 160. Готовые фрукты выложить на блюдо, посыпать корицей и украсить брусничным вареньем. Отдельно подать миндальное или бисквитное печенье.

АНТРЕКОТ, ЖАРЕННЫЙ НА РЕШЕТКЕ

300 г говядины, 2 столовые ложки сливочного масла, перец, соль по вкусу.

Мясо разрезать на два куска, смазать сливочным маслом, посолить, поперчить. Жарить в гриле по 15—20 минут с каждой стороны при температуре 210. На гарнир подать отварной картофель, зеленый горошек или зеленый салат.

АНТРЕКОТ С ВИШНЕВЫМ СОУСОМ

4 антрекота весом по 150 г. Для маринада: 8 столовых ложек растительного масла, 1 веточка розмарина, 10 веточек майорана, 1 лимон, черный перец по вкусу. Для соуса: 200 г вишни без косточек, 3 столовые ложки сахара, 1 стакан красного вина, 1/2 стакана мясного бульона.

Для приготовления маринада зелень майорана и розмарина мелко нарезать, смешать с лимонным соком и растительным маслом, поперчить и тщательно перемешать. Антрекоты слегка отбить и на 2—2,5 часа опустить в приготовленный маринад. Для приготовления соуса сахар расплавить на сковородке, прогреть до светло-коричневого цвета, добавить вишни, вино, бульон и на слабом огне довести до загустения. Антрекоты достать из маринада и жарить в гриле в течение 3—4 минут с каждой стороны при температуре 180. Подать, полив соусом.

БАСТУРМА ИЗ ГОВЯДИНЫ

500 г говяжьей вырезки, 2 луковицы, 1 столовая ложка виноградного уксуса, 100 г зеленого лука, 200 г помидоров, 1/2 лимона, перец и соль по вкусу.

Говяжью вырезку нарезать кусками по 40—50 г, сложить в фарфоровую или эмалированную посуду, посолить, посыпать перцем, добавить уксус, мелко нарезанный репчатый лук и перемешать. Накрыв посуду крышкой, поставить в холодное место на 2—3 часа, чтобы филе промариновалось. Приготовленное филе нанизать на металлические шампуры и жарить в гриле в течение 25—30 минут при температуре 210. Куски готового филе (бастурму) снять с шампуров, уложить на подогретое блюдо и гарнировать помидорами, репчатым и зеленым луком, лимоном.

БАСТУРМА ПО-КАЗАХСКИ

600 г баранины, 150 г репчатого лука, 50 г уксуса, 10 г жира, 150 г помидоров, 50 г зеленого лука, перец, соль по вкусу.

Баранину нарезать в виде широкой ленты, разделить на 4 куска, слегка отбить, посолить и поперчить. Добавить нарезанный репчатый лук, залить уксусом и поставить в холодное место на 3—4 часа. На середину каждого куска маринованного мяса уложить нарезанные дольками свежие помидоры и лук, с которым мясо мариновалось. Мясо свернуть трубочкой в виде колбаски, нанизать на шампуры сначала целый помидор, затем мясо, снова целый помидор и т.д. Жарить в гриле в течение 25—30 минут при температуре 200, периодически смазывая жиром. Готовое мясо посыпать мелко нарезанным зеленым луком.

ВЫРЕЗКА ТЕЛЯЧЬЯ С РОЗМАРИНОМ

4 телячьи вырезки по 180 г, 2 веточки розмарина, 2 веточки майорана, 2 дольки чеснока, 1 луковица, 2 ягоды можжевельника, 1/2 стакана растительного масла.

Для приготовления маринада мелко нарезанные лук и зелень смешать с растертыми ягодами можжевельника и чесноком, добавить растительное масло и перемешать. Слегка отбитые куски мяса опустить в маринад и поставить на холод на 4—6 часов. Телячьи вырезки извлечь из маринада и жарить в гриле в течение 3—4 минут с каждой стороны при температуре 180.

ГОВЯДИНА В МЯТНОМ МАРИНАДЕ

4 куска говяжьей вырезки весом по 200 г, 2 пучка мяты перечной, 3/4 стакана растительного масла, 2 столовые ложки готовой горчицы, сок одного лимона.

Для приготовления маринада мяту мелко нарезать, добавить остальные составляющие, все перемешать. Мясо слегка отбить и опустить в маринад на 2—3 часа. Достать из маринада, посолить и жарить в гриле в течение 3—4 минут с каждой стороны при температуре 200.

ГОВЯДИНА, ЗАЖАРЕННАЯ В ГРИЛЕ

300 г говядины (вырезка), 1 столовая ложка сливочного масла, 200 г помидоров или огурцов, 2 луковицы, 3 столовые ложки нарезанного зеленого лука, 1/3 лимона, зелень петрушки, перец, соль по вкусу.

Мясо нарезать на порции. Куски его смазать растопленным сливочным маслом. Жарить в гриле по 15—20 минут с каждой стороны при температуре 210. После жаренья мясо сразу же посолить и поперчить. Готовое филе положить на блюдо, гарнировать помидорами, зеленым луком или нарезанным кольцами репчатым луком, веточками петрушки и ломтиками лимона.

ГОВЯДИНА НА ШАМПУРАХ

1,5 кг говяжьей вырезки, 1/2 лимона, помидоры, репчатый лук, зеленый лук, 2—3 ложки сливочного масла, перец, соль по вкусу.

Кусок говяжьей вырезки обмыть, обровнять, разрезать на 5 кусков (но не отбивать), посолить, поперчить, надеть на шампуры. Жарить в гриле в течение 45—50 минут при температуре 210, поворачивая, чтобы мясо прожарилось равномерно, и смазывая сливочным маслом. Готовое мясо уложить на блюдо и гарнировать помидорами, репчатым и зеленым луком, ломтиками лимона.

ГОВЯДИНА С ГОРЧИЦЕЙ

1 кг говядины (лопаточная часть), 1/2 стакана готовой горчицы, молотый перец, соль по вкусу.

Говядину нарезать тонкими (по 1 см) ломтями, посолить, поперчить, обмазать горчицей и на 1 час поместить в холодильник. Каждый кусок говядины обернуть фольгой и запекать в гриле по 4—5 минут с каждой стороны при температуре 200.

ГОВЯДИНА, ШПИГОВАННАЯ САЛОМ

500 г говядины, 50 г свиного сала, 2 столовые ложки сливочного масла, 200 г помидоров, 1 лимон, 2 луковицы, 100 г зеленого лука, зелень петрушки, соль по вкусу.

Целую вырезку нашпиговать свиным салом, нарезанным на маленькие кусочки, смазать растопленным сливочным маслом, скрепить толстыми нитками и жарить в гриле в течение 45—50 минут при температуре 210. Готовое мясо гарнировать жареным картофелем и сырыми овощами.

ГРУДИНКА СВИНАЯ В МЕДОВО-ТОМАТНОМ МАРИНАДЕ

1,5 кг свиной грудинки. Для маринада: 2 луковицы, 3 дольки чеснока, 1 столовая ложка готовой горчицы, 1 чайная ложка кайенского перца, 4 столовые ложки меда, 4 столовые ложки кетчупа, 5 столовых ложек растительного масла, 1 чайная ложка острого перца.

Для приготовления маринада мелко нарезать лук, растереть чеснок, добавить горчицу, кайенский перец, мед, кетчуп, растительное масло, острый перец, все тщательно перемешать. Мясо опустить в маринад на 8—10 часов, периодически поворачивая его. После маринования мясо завернуть в фольгу и запекать в гриле в течение 15—20 минут при температуре 160. Готовое мясо нарезать ломтиками. Отдельно подать салат из свежих овощей.

ГРУДКИ КУРИНЫЕ
В ИМБИРНОМ МАРИНАДЕ

4 куриные грудки, 2 луковицы, 3 дольки чеснока, 2 небольших баклажана, 2 столовые ложки кокосового молока, 1/2 столовой ложки лимонного сока, 2 столовые ложки измельченного имбиря, 1 чайная ложка карри, 4 столовые ложки оливкового масла, 4 веточки петрушки, соль по вкусу.

Приготовить маринад, для чего мелко нарезанный лук и растертый чеснок залить лимонным соком, добавить имбирь, карри, измельченную зелень петрушки, посолить и тщательно перемешать. Куриные грудки положить в приготовленный маринад и на 4—6 часов поставить в прохладное место. Вынув из маринада, уложить куриные грудки в гриль вместе с разрезанными вдоль и смазанными оливковым маслом баклажанами. Жарить по 5—6 минут с каждой стороны при температуре 200.

ГРУДКИ КУРИНЫЕ ГЛАЗИРОВАННЫЕ

10 куриных грудок, 4 маленькие луковицы, 3 дольки чеснока, 1 столовая ложка натертого корня имбиря, цедра 1 лимона, 1 столовая ложка сахара, 1 чайная ложка кардамона, 1 чайная ложка корицы, 3—4 ложки соевого соуса, 2 столовые ложки растительного масла, 4 столовые ложки сахарной пудры.

Для приготовления маринада мелко нарезанный лук, растертый чеснок и лимонную цедру смешать с сахаром, измельченным кардамоном и корицей, все тщательно перемешать. Влить соевый соус и растительное масло и еще раз перемешать. Приготовленной смесью залить куриные грудки и поставить на ночь в холодильник. Вынув куриные грудки из маринада, дать жидкости стечь и на фольге поместить мясо в гриль. Жарить в течение 5 минут с каждой стороны при температуре 200. За 2 минуты до окончания жаренья посыпать мясо с обеих сторон сахарной пудрой для образования глазури.

ГРУДКИ КУРИНЫЕ ПИКАНТНЫЕ

4 куриные грудки, 3 дольки чеснока, 1 чайная ложка кайенского перца, 2 столовые ложки измельченного имбиря, 1 чайная ложка паприки, 3—5 горошин черного перца, 1/2 стакана соевого соуса, 1/2 стакана ананасового сока, 3 столовые ложки карри.

Для приготовления маринада растереть очищенный чеснок, добавить кайенский перец, порошок имбиря, паприку, черный перец, карри, все тщательно перемешать. Влить ананасовый сок и соевый соус, тщательно вымешать. Куриные грудки опустить в маринад и 3—4 дня держать в холодильнике, ежедневно переворачивая и помешивая. Вынуть куриные грудки из маринада и обсушить. Запекать в гриле в течение 5—7 минут с каждой стороны при температуре 200. Подать с зеленым салатом.

ИНДЕЙКА С АБРИКОСАМИ

1 индейка, 1/2 стакана абрикосового варенья или джема, 1 чайная ложка молотого имбиря, 2 столовые ложки уксуса, 2 столовые ложки белого вина, 1 столовая ложка семян кунжута, 2 столовые ложки растительного масла.

Индейку разрезать на 8 кусков, промыть холодной водой и слегка отбить. Абрикосовый джем растереть с имбирем, влить вино и уксус, добавить растительное масло и семена кунжута. Все тщательно перемешать, в приготовленную массу опустить куски мяса и поместить на ночь в холодильник для пропитки. Вынув мясо из маринада, дать жидкости стечь, уложить его на алюминиевую фольгу и жарить в гриле в течение 3 минут с каждой стороны при температуре 210. В конце жаренья мясо еще раз обильно смазать маринадом.

КАМБАЛА, ЖАРЕННАЯ НА РЕШЕТКЕ

4 камбалы, 2 столовые ложки растительного масла, 2 помидора, 2 столовые ложки сливочного масла, 1 столовая ложка зелени петрушки, молотый перец, соль по вкусу.

Очищенную, промытую и высушенную рыбу натереть солью, перцем, сбрызнуть растительным маслом. Запекать в гриле по 6 минут с каждой стороны при температуре 190. Подать с отварным картофелем, сливочным маслом и салатом из свежих овощей.

КАРБОНАТ С ЧЕСНОКОМ

1 кг свиной вырезки, 1 долька чеснока, 3 столовые ложки майонеза, 1 чайная ложка перца, 1 чайная ложка соли.

Свиную вырезку нарезать кусками толщиной в 1 см, хорошо отбить, посолить и поперчить. Куски сложить в стопку и на 1 час поставить в холодное место. Чеснок нарезать тонкими пластинками. Каждый кусок мяса смазать майонезом, сверху положить ломтики чеснока. Запекать в гриле в течение 4—5 минут при температуре 200.

КАРП, ФАРШИРОВАННЫЙ ОРЕХАМИ

2 карпа, 2 луковицы, 200 г очищенных орехов, 2 столовые ложки молотых сухарей, 4 столовые ложки сливочного или растительного масла, 2 яйца, 2 столовые ложки мелко нарезанной зелени петрушки и укропа, молотый перец или мускатный орех на кончике ножа, соль по вкусу.

Карпа очистить от чешуи, отрезать голову и, не разрезая брюшка, вынуть внутренности. Рыбу хорошо промыть, полость живота вытереть чистой марлей, затем нафаршировать. Для фарша орехи слегка поджарить, измельчить. Мелко нарезанный лук обжарить в жире. Орехи, сухари, лук и вареные яйца перемешать, посолить, добавить мускатный орех или молотый перец, мелко нарезанную зелень. Фаршированную рыбу завернуть в фольгу и запекать в гриле в течение 20—25 минут при температуре 190. Подать с растопленным маслом, отварным картофелем и тушеными овощами.

КАРТОФЕЛЬ, ФАРШИРОВАННЫЙ ПЕЧЕНКОЙ

10 картофелин, 300 г говяжьей печенки, 2 столовые ложки сливочного масла, 1 луковица, 1 стакан сметаны, 1 чайная ложка муки, 2 столовые ложки растительного масла, молотый перец и соль по вкусу.

Лук мелко нарезать, смешать с мукой, обжарить в сливочном масле. Печенку отварить, мелко порубить, смешать с луком и сметаной, посолить. Из картофелин, разрезанных пополам, вынуть сердцевину, оставив стенки толщиной в 0,5 см, посолить снаружи и обмазать растительным маслом. Выемки заполнить приготовленным фаршем, половинки картофелин сложить и завернуть в фольгу. Запекать в гриле по 5 минут с каждой стороны при температуре 200.

КЕБАБ С ЧЕСНОЧНО-ЙОГУРТОВЫМ СОУСОМ

800 г бараньего окорока, 12 небольших луковиц, 2 стручка красного сладкого перца. Для маринада: 2 дольки чеснока, 1/2 стакана оливкового масла, сок 2 лимонов, 1/4 чайной ложки горчичного порошка, 1/4 чайной ложки тмина, 2 мускатных ореха, 1/4 чайной ложки кинзы, 1/4 чайной ложки кардамона, 1 чайная ложка имбирного порошка. Для соуса: 1/2 стакана йогурта, 2 дольки чеснока, 6 листочков мяты, черный перец, соль по вкусу.

Нежирную молодую баранину промыть, обсушить, нарезать небольшими кубиками (примерно по 30 г каждый). Приготовить маринад: растереть чеснок, натереть орехи, добавить лимонный сок, горчичный порошок, измельченные пряности, влить оливковое масло и все тщательно перемешать. Баранину положить в маринад и, периодически помешивая, на несколько часов поставить в прохладное место. Мясо вынуть из маринада, посолить и нанизать, чередуя с целыми луковицами и крупными кусками перца, на шампуры. Уложить в гриль и жарить по 5—7 минут с каждой стороны при температуре 180. Для приготовления соуса растереть чеснок, мелко нарезать мяту, перемешать все составляющие, приправить солью и перцем. Готовое мясо выложить на тарелки и подать с приготовленным соусом.

КЕФАЛЬ ПО-ТУРЕЦКИ

1 кг кефали, 1 лимон, 1 пучок мяты, 2—3 веточки кинзы, 3 веточки петрушки, 1/4 чайной ложки соли, 1/4 чайной ложки молотого перца, соль по вкусу.

Кефаль уложить на фольгу, обложить тонкими ломтиками лимона, посолить, поперчить. В разрезанное брюшко положить веточки зелени, рыбу плотно завернуть в фольгу. Запекать в гриле, поворачивая 1—2 раза, в течение 15—20 минут при температуре 180.

КИЙМА-КАБОБ
(узбекская кухня)

500 г говядины или баранины, 120 г репчатого лука, 1 столовая ложка уксуса, анис, семена кориандра, красный перец, соль — все по вкусу.

Подготовить мясо, добавить 60 г репчатого лука, специи, пропустить все это через мясорубку, посолить, добавить уксус, тщательно перемешать и оставить на 2—3 часа на холоде для маринования. Сформовать из полученной массы небольшие колбаски (кийма), надеть их на шампуры. Жарить в гриле в течение 30—35 минут при температуре 200. Подать с оставшимся мелко нарезанным луком.

КОСТИЦА ПО-МОЛДАВСКИ

250 г свиной корейки, 3 стакана бульона, 6 долек чеснока, по 1 чайной ложке мелко нарезанной зелени петрушки и укропа, перец, соль по вкусу.

Свиную корейку нарезать поперек волокон на куски вместе с реберной частью. Мясо слегка отбить, придать куску овальную форму, посыпать перцем и солью, жарить в гриле по 15—20 минут с каждой стороны при температуре 200. Готовое мясо полить соусом. Для приготовления соуса чеснок растереть с солью, влить бульон, добавить мелко нарезанную зелень петрушки и укропа, черный или красный перец. Подать с овощным гарниром.

КРОЛИК, ЗАПЕЧЕННЫЙ В ФОЛЬГЕ

1 кролик, 1 столовая ложка сметаны, 240 г копченой грудинки, 4 столовые ложки красного вина, 2 столовые ложки муки, 3 луковицы, по 1 веточке кинзы, укропа и базилика, молотый перец и соль по вкусу.

Тушку кролика разрубить на 8—10 частей, посолить, залить сметаной, все перемешать и на 6—8 часов поставить в холодильник. После чего вынуть мясо из сметаны и обвалять его в 1 столовой ложке муки. Лук нарезать тонкими ломтиками, залить красным вином, добавить мелко нарезанную зелень и перец. Приготовить куски фольги, на каждый из них поместить ломтик грудинки, на него выложить приготовленную смесь, сверху положить кусочек крольчатины. Все завернуть в фольгу и, не переворачивая, 10—12 минут запекать в гриле при температуре 180. Готовое мясо вынуть из фольги, соус слить в отдельную посуду. Мясо выложить на блюдо, соус заправить сметаной, смешанной с мукой, и на слабом огне довести до кипения, постоянно помешивая. Готовым соусом залить приготовленное мясо.

КУКУРУЗА, ЖАРЕННАЯ НА РЕШЕТКЕ

3—4 початка кукурузы, 30 г сливочного масла.

С початков кукузуры молочной спелости снять листья, початки положить на решетку и жарить в гриле в течение 10—15 минут при температуре 200. Зерна сверху должны слегка поджариться. Подать немедленно после жаренья на блюде, покрытом салфеткой. Отдельно подать кусочек сливочного масла.

КУРОПАТКА, ЖАРЕННАЯ НА РЕШЕТКЕ, С ШАМПИНЬОНАМИ

1 куропатка, 1 столовая ложка сливочного масла, 100 г шампиньонов, 1/4 стакана мясного бульона, 1/2 лимона, перец, соль по вкусу.

Куропатку разрезать вдоль спинки, надрезать суставы ножек, крылышек и грудную кость, слегка расплющить тяпкой, посолить и поперчить, смазать растопленным сливочным маслом и жарить в гриле по 20—30 минут с каждой стороны при температуре 200. Вместе с птицей на решетке зажарить шампиньоны. Готовую куропатку положить на блюдо, обложить головками шампиньонов, вокруг куропатки налить крепкий мясной бульон, смешанный с лимонным соком. Украсить зеленью.

КЫРНЭЦЕЙ
(молдавская кухня)

1 кг говядины, 170 г свинины, 25 см свиных тонких кишок, 10 долек чеснока, бульон, черный и красный молотый перец, по 1 столовой ложке мелко нарезанной зелени петрушки и укропа, соль по вкусу.

Свиное и говяжье мясо пропустить через мясорубку, заправить чесноком (5 долек), растертым с солью, добавить черный молотый перец, соль, немного бульона, все смешать. Приготовленной массой начинить свиные тонкие кишки, придать им форму колбасок, запекать в гриле в течение 25—30 минут при температуре 200. Готовые колбаски полить соусом. Для приготовления соуса 5 долек чеснока растереть с солью, добавить

158

мелко рубленную зелень петрушки и укропа, развести мясным бульоном. Добавить черный или красный молотый перец. Подать с гарниром из овощей.

ЛАНГЕТ В СУХАРЯХ, ЖАРЕННЫЙ НА РЕШЕТКЕ

300 г говядины, 2 яйца, 1 столовая ложка сливочного масла, 3 столовые ложки панировочных сухарей, соль по вкусу.

Мясо (вырезку) разрезать на 4 куска, слегка отбить, посолить и поперчить, смочить во взбитом яйце, запанировать в сухарях, сбрызнуть растопленным сливочным маслом и жарить в гриле по 15—20 минут с каждой стороны при температуре 210. Подать с любым овощным гарниром. Отдельно подать острый соус.

ЛАНГЕТ НАТУРАЛЬНЫЙ, ЖАРЕННЫЙ НА РЕШЕТКЕ

300 г говядины, 2 столовые ложки сливочного масла, соль, перец по вкусу.

Мясо (вырезку) разрезать на 4 куска, слегка отбить, посолить, поперчить, смазать растопленным сливочным маслом. Жарить в гриле по 15—20 минут с каждой стороны при температуре 210. В качестве гарнира подать лук, помидоры, зелень петрушки, ломтики лимона или любой овощной гарнир.

ЛОСОСИНА, ЗАЖАРЕННАЯ НА РЕШЕТКЕ

250 г рыбы, 1 столовая ложка сливочного масла, 1/2 лимона, 1 столовая ложка растительного масла, 1 столовая ложка нарезанной зелени петрушки, перец, соль по вкусу.

Рыбу разделать на порционные куски и замариновать. Для этого положить рыбу в посуду, посыпать солью, молотым перцем, добавить растительное масло, веточки петрушки, сок 1/2 лимона. Все перемешать и поставить на 25—30 минут в прохладное место, после чего порционные куски жарить в гриле по 3 минуты с каждой стороны при температуре 190. Готовую рыбу гарнировать картофелем фри и ломтиками лимона. Отдельно подать соус из майонеза с корнишонами или горчичный. Так же можно приготовить сига, нельму.

ЛОСОСЬ ПО-ШВЕДСКИ

1 кг свежего или мороженого лосося, 4 помидора, 2 луковицы, 4 столовые ложки сметаны, 1/4 чайной ложки черного перца, 2 лавровых листа, 1 чайная ложка сахара, 2 столовые ложки растительного масла, 1/2 стакана кипятка, соль по вкусу.

Рыбу разделить на 4 порции. За 15—20 минут до начала приготовления рыбы замариновать лук, тонко его нарезав и залив кипятком с растворенным в нем сахаром. Через 15—20 минут воду слить. Каждую порцию рыбы обвалять в муке и вместе с лавровым листом, нарезанными помидорами и луком завернуть в смазанную растительным маслом фольгу, предварительно посолив и поперчив. Запекать в гриле в течение 4—6 минут с каждой стороны при температуре 200.

ЛЮЛЯ-КЕБАБ

600 г говядины, 200 г говяжьего жира, 2 столовые ложки молока, 2 дольки чеснока, 50 г панировочных сухарей, 250 г маринованного лука, 50 г уксуса, 250 г помидоров, 250 г малосольных огурцов, 1 лимон, 1 столовая ложка нарезанной зелени петрушки и укропа.

Говядину очистить от пленок и сухожилий, добавить говяжий жир, пропустить через мясорубку. В фарш влить молоко, добавить мелко нарезанный чеснок, посолить, поперчить. Из полученной массы сформовать колбаски, обвалять их в сухарях и надеть на шампуры. Жарить в гриле в течение 25—30 минут при температуре 190. Подать с маринованным луком, помидорами, огурцами, лимоном, зеленью петрушки и укропа, уксусом.

МАКРЕЛЬ ПО-ИТАЛЬЯНСКИ

600 г филе макрели, 200 г спагетти, 2 столовые ложки кетчупа, 100 г сыра, 1 столовая ложка лимонного сока, 4 столовые ложки растительного масла, соль по вкусу.

Спагетти отварить до полуготовности, перемешать с растительным маслом, кетчупом и натертым сыром. Филе разделить на 4 порции, сбрызнуть лимонным соком, посолить. Приготовить 4 куска фольги, на каждый из них положить часть полученной смеси, затем порцию рыбы и покрыть слоем той же смеси, завернуть и запекать в гриле, не переворачивая, в течение 10—15 минут при температуре 160.

НОЖКИ КУРИНЫЕ ПО-МЕКСИКАНСКИ

4 куриные ножки, 4 чайные ложки порошка «чили», 3 столовые ложки растительного масла, 4 чайные ложки кетчупа, 4 чайные ложки муки, соль по вкусу.

Ножки обвалять в порошке «чили», посолить, помазать кетчупом и оставить на 1 час. После этого обвалять каждую ножку в муке, смазать растительным маслом и поместить в гриль. Запекать в течение 5—6 минут с каждой стороны при температуре 180.

ОКОРОЧКА КУРИНЫЕ, ЗАПЕЧЕННЫЕ В СОЛИ

6 куриных окорочков, 1,5 кг соли, перец по вкусу.

Приготовить 6 кусков фольги, на каждый из которых насыпать слой соли толщиной в 0,5 см, затем положить кусок мяса, поперчить. Сверху мясо засыпать таким же слоем соли, плотно завернуть в фольгу. Запекать в гриле в течение 20—25 минут при температуре 200, поворачивая каждые 5 минут. Фольгу развернуть, мясо очистить от соли. Подать с салатом из свежих овощей.

ОСЕТРИНА, ЗАЖАРЕННАЯ НА РЕШЕТКЕ

300 г рыбы, 2 столовые ложки сливочного масла, 2 столовые ложки крошек белого хлеба, 1/2 лимона, перец, соль по вкусу.

Рыбу вымыть, удалить влагу салфеткой, разделить на порционные куски, посыпать солью и перцем, смазать растопленным сливочным маслом, запанировать в крошках белого хлеба. Жарить в гриле по 2—3 минуты с каждой стороны при температуре 190. Готовую рыбу гарнировать жареным картофелем и лимоном. Отдельно подать горчичный или томатный соус.

ОТБИВНЫЕ СВИНЫЕ ПО-ИТАЛЬЯНСКИ

1 кг свиных отбивных, 1 стакан абрикосового или персикового сока, 2 столовые ложки лимонного сока, 1/2 чайной ложки соли, 2—3 головки гвоздики, 1 долька чеснока, растертого с солью, 1/2 чайной ложки черного молотого перца, 1/2 чайной ложки соли.

Приготовить маринад из указанных продуктов. Мясо положить в маринад не менее чем на сутки, поместить в холодильник, переворачивая куски через каждые 4—5 часов. Затем извлечь мясо из маринада и жарить в гриле по 6—7 минут с каждой стороны при температуре 220.

ПАЛТУС ЗАПЕЧЕННЫЙ

1 палтус весом примерно 1 кг, 1 лимон, 1/2 чайной ложки молотого перца, 2—3 головки гвоздики, 4 веточки укропа, 2 столовые ложки муки, 1/2 чайной ложки соли.

Очищенную и вымытую рыбу поперчить, обложить ломтиками лимона, посыпать мелко нарезанной зеленью и, завернув в фольгу, оставить на 1 час. Развернув, посыпать мукой, около спинного плавника воткнуть гвоздички, запекать на решетке в гриле в течение 7—8 минут с каждой стороны при температуре 180.

ПЕРЕПЕЛА,
ЖАРЕННЫЕ НА РЕШЕТКЕ

2 перепела, 100 г шампиньонов, 2 столовые ложки сливочного масла, 1/2 лимона, 1—2 чайные ложки сливок, зелень, перец, соль по вкусу.

Перепелов разрезать вдоль спины, удалить все косточки, тушки распластать, посолить и поперчить, смазать растопленным сливочным маслом. Жарить в гриле по 12—15 минут с каждой стороны при температуре 190. Приготовить пюре из шампиньонов. Для этого очищенные свежие шампиньоны хорошо вымыть, пропустить через мясорубку с частой решеткой. Разогреть на сковородке столовую ложку сливочного масла и положить грибы, добавить соль, перец и сок из 1/4 лимона. Жарить грибы до тех пор, пока они немного не подсохнут, после чего добавить немного сливок и прокипятить несколько минут. На блюдо положить пюре из шампиньонов, придав ему форму круга, поместить на него перепелов, а на них положить по ломтику лимона (без кожицы и зерен). Украсить блюдо зеленью.

ПЕРСИКИ ФАРШИРОВАННЫЕ

4 крупных персика. Для начинки: 1/2 стакана белого вина, 8 столовых ложек сахара, 8 столовых ложек десертного вина, 6 бисквитных печений, 2 столовые ложки измельченных апельсиновых цукатов, 2 столовые ложки изюма, 1 чайная ложка корицы.

Персики надрезать крестообразно и на 10 секунд опустить в кипящую воду. Быстро охладить, снять кожицу и разделить пополам, 4 половинки отложить, остальные нарезать на мелкие кубики. Для приготовления начинки вино сварить с сахаром до получения карамелизованного сиропа. Печенье измельчить и добавить в сироп вместе с нарезанными персиками, апельсиновыми цукатами, изюмом и корицей, все тщательно перемешать. Полученной массой наполнить половинки персиков, выложить их на фольгу и запечь в гриле в течение 2—3 минут при температуре 210.

ПЕЧЕНКА, ЗАЖАРЕННАЯ В ГРИЛЕ

400 г печенки, 6 долек чеснока, 3 столовые ложки сливочного масла, соль и черный перец по вкусу.

Печенку промыть, нарезать на кусочки, посыпать солью, черным перцем и жарить в гриле по 10 минут с каждой стороны при температуре 190. Сливочное масло растопить и смешать с толченым чесноком. Готовую печенку полить чесночным соусом. На гарнир подать маринованные фрукты, соленые огурцы, маслины.

ПТИЦА, ЗАПЕЧЕННАЯ В ФОЛЬГЕ

1 курица (утка, индейка или гусь), 2 столовые ложки растительного или сливочного масла, молотый перец, соль по вкусу.

Промытую и вытертую салфеткой птицу натереть изнутри солью и перцем, снаружи смазать жиром. Голени связать вместе ниткой, завернуть тушку птицы в фольгу. Запекать в гриле при температуре 210, для запекания 1 кг мяса достаточно 60 минут. Подать целиком с жареным картофелем и салатом из сырых овощей.

РАДШНИЧИ
(югославская кухня)

500 г телятины, 500 г свинины, 250 г репчатого лука, перец, соль по вкусу.

Нарезать мясо кубиками 3х3 см и нанизать их на шампуры, чередуя телятину и свинину, посолить и поперчить. Жарить в гриле в течение 25—30 минут при температуре 210. В качестве гарнира подать помидоры, начиненные свежим репчатым луком, и сладкий стручковый перец.

РЕБРЫШКИ БАРАНЬИ ПО-БАЛКАНСКИ

800 г баранины (корейка), 20—30 г растительного масла, соль, перец по вкусу.

Мясо обмыть, нарезать вдоль ребер на куски, оставляя в каждом реберную кость, слегка отбить, посолить, посыпать перцем, смазать растительным маслом, жарить в гриле по 15—20 минут с каждой стороны при температуре 200. Подать с картофельным пюре или картофелем фри, стручковой фасолью, брюссельской капустой или шпинатом. Отдельно подать луковый соус.

РЕБРЫШКИ СВИНЫЕ ПО-МАЛЬТИЙСКИ

1 кг свинины вместе с ребрышками (7—8 кусков), 2 столовые ложки кетчупа, 2 столовые ложки меда, 2 столовые ложки соевого соуса, 1 чайная ложка растертого чеснока, 1 стакан пива, перец и соль по вкусу.

Приготовить маринад из указанных продуктов. Мясо положить в маринад не менее чем на сутки, поместить в холодильник, переворачивая куски через каждые 4—5 часов. Затем извлечь мясо из маринада и жарить в гриле по 6—7 минут с каждой стороны при температуре 220.

РУБЦЫ, ЖАРЕННЫЕ НА РЕШЕТКЕ

700 г рубцов, 40 г оливкового масла, молотый черный перец, соль по вкусу.

Обработанные говяжьи рубцы отварить до готовности, нарезать ломтиками, посолить, посыпать черным перцем, сбрызнуть оливковым маслом. Жарить в гриле по 5—6 минут с каждой стороны при температуре 190.

РУЛЕТ ИЗ БЕКОНА И ИНДЕЙКИ

8 ломтиков бекона весом по 75 г, 500 г белого мяса индейки (грудки), 8 маслин, 1 яйцо, 8 перьев зеленого лука, 2 дольки чеснока, 30 г сыра, перец и соль по вкусу.

Из мяса индейки вырезать 8 продолговатых кусочков. Из маслин вынуть косточки, мелко порубить и выложить на кусочки индейки. Яйцо взбить с солью и перцем, добавить мелко нарезанный лук, натертый сыр, измельченный чеснок, все тщательно перемешать. Каждый кусок бекона помазать приготовленной смесью, сверху положить кусочек индейки с измельченными маслинами. Мясо свернуть в виде колбаски, обмотать хлопчатобумажной ниткой и на 1—2 часа поместить в холодильник. Жарить в гриле, поворачивая 3—4 раза, в течение 8—10 минут при температуре 200.

РУЛЕТИКИ ИЗ СВИНИНЫ

1 кг свиного филе, 200 г свиной печенки, 2 луковицы, 1 яйцо, 2 столовые ложки топленого масла, 1 морковка, 1/2 чайной ложки перца, 1 чайная ложка соли.

Филе разрезать на 8 частей, хорошо отбить, посолить и поперчить, сложить в стопку и на 1 час поставить в холодное место. Лук мелко нарезать, печенку отварить и пропустить через мясорубку, морковь натереть на мелкой терке. Все смешать и потушить в сливочном масле, затем остудить до комнатной температуры и смешать с яйцом. На каждый кусок мяса выложить начинку, свернуть его в виде рулетика, туго обмотать хлопчатобумажной ниткой и насадить на шампур. Жарить в гриле в течение 4—5 минут с каждой стороны при температуре 200.

РУЛЬКИ ТЕЛЯЧЬИ С КУРАГОЙ

2 телячьи рульки весом около 2 кг каждая. Для м а р и н а д а: 1 стакан красного вина, 2 луковицы, 1/4 стакана растительного масла, молотый перец, соль по вкусу. Для с о у с а: 200 г кураги, 1 1/2 стакана воды, 5 столовых ложек винного уксуса, 3 столовые ложки соевого соуса, 3 столовые ложки сливочного масла.

Для приготовления маринада к мелко нарезанному луку добавить все остальные составляющие, тщательно перемешать. Телячьи рульки в маринаде 2 дня выдержать в холодильнике, периодически переворачивая. Для приготовления соуса курагу измельчить, залить водой, добавить уксус и довести до кипения. 20 минут подержать на слабом огне, затем перетереть в миксере в пюре. Смешать с соевым соусом, поперчить и посолить, добавить растертое сливочное масло, все перемешать до получения однородной массы. Телячьи рульки достать из маринада и обжарить в гриле в течение 3—4 минут с каждой стороны при температуре 200. Затем, завернув каждую в фольгу, за 20 минут довести до готовности в гриле при температуре 180. Мясо отделить от костей и разложить на тарелки, полив приготовленным соусом.

САЛАКА, ЖАРЕННАЯ В ГРИЛЕ

300 г рыбы, 1 чайная ложка растительного масла, 1 чайная ложка сливочного масла, соль по вкусу.

Салаку очистить, удалить внутренности и жабры, не отделяя головы, затем промыть, обсушить салфеткой и смазать растительным маслом. Жарить в гриле по 3 минуты с каждой стороны при температуре 190. Готовую рыбу погрузить на несколько секунд в горячий раствор соли (120 г соли на 1 л воды). Подать с жареным картофелем, полить сливочным маслом.

СЕЛЬДЬ, ЗАПЕЧЕННАЯ В ГРИЛЕ

4 небольшие сельди, 4 чайные ложки сливочного масла.

Если сельдь очень соленая, то ее нужно предварительно вымочить. Отрезать у сельди голову, вынуть внутренности, промыть тушки и в каждую положить по кусочку масла. Подготовленную сельдь завернуть в фольгу таким образом, чтобы не осталось открытых уголков. Запекать в гриле в течение 20—25 минут при температуре 190. Подать со сметаной, нарезанным луком, отварным и жареным картофелем.

СВИНИНА ПО-СИНГАПУРСКИ

4 свиные отбивные весом по 160 г, 4 початка кукурузы, 2 столовые ложки оливкового масла. Для маринада: 2 дольки чеснока, 2 чайные ложки имбирного порошка, 1 стакан лимонного сока, 3/4 стакана подсолнечного масла, 5 чайных ложек карри, 4 столовые ложки меда, соль и перец по вкусу.

Чеснок растереть, смешать с имбирным порошком, добавить лимонный сок, подсолнечное масло, карри, мед, посолить и поперчить. Свиные отбивные на несколько часов опустить в приготовленный маринад, переворачивая их время от времени. Затем мясо вынуть из маринада и поместить в гриль вместе с кукурузными початками, предварительно смазанными оливковым маслом. Жарить по 3—4 минуты с каждой стороны при температуре 200.

СВИНИНА «ПРОВАНСАЛЬ»

1 кг свиной вырезки. Для маринада: 2 чайные ложки хмели-сунели, 1 чайная ложка «вегеты», 3 дольки чеснока, 4 чайные ложки молотого черного перца, 3 столовые ложки соевого масла.

Приготовить маринад, тщательно смешав все составляющие. Мясо разрезать на 8—10 порций, уложить в пакет из фольги, залить маринадом и 3—4 дня подержать в холодильнике. В течение этого времени несколько раз перевернуть пакет. Затем извлечь мясо из маринада, обсушить салфеткой и жарить в гриле в течение 3 минут с каждой стороны при температуре 200. Подать с отварным картофелем и свежими овощами.

СВИНИНА С БРУСНИКОЙ И ТЫКВОЙ

600 г свиной вырезки, 6 столовых ложек растительного масла, 1/4 тыквы, перец, соль по вкусу. Для соуса: 120 г брусники, 2 столовые ложки сахара, 1/2 стакана мясного бульона, 1/3 стакана сливок, черный перец, соль по вкусу.

Свинину смазать растительным маслом, приправить перцем и солью и обжарить в гриле в течение 2—3 минут с каждой стороны при температуре 210. Затем мясо завернуть в фольгу и жарить еще 15—20 минут при температуре 160. Приготовить соус: сахар расплавить на огне до светло-коричневого цвета, всыпать ягоды брусники, все тщательно перемешать. Затем влить горячий мясной бульон, сливки и загустить на слабом огне, постоянно помешивая. Приправить солью и перцем, перемешать до образования однородной массы. Тыкву нарезать ломтиками, смазать растительным маслом и зажарить в гриле. Готовую свинину нарезать ломтиками толщиной 1 см, уложить на тарелки вместе с ломтиками тыквы, полить соусом.

СЕДЛО БАРАНЬЕ С ЭСТРАГОНОМ

1,5 кг бараньей вырезки, соль и перец по вкусу. Для маринада: 2 пучка эстрагона, 1/2 стакана лимонного сока, 8 столовых ложек растительного масла, черный перец и соль по вкусу. Для соуса: 1 пучок эстрагона, 200 г сливочного масла, 2 столовые ложки винного уксуса, 8 столовых ложек белого вина, 1 луковица, 2 яичных желтка, 2 сто-

ловые ложки холодной воды, 1/3 стакана лимонного сока, кайенский перец, соль по вкусу.

Для приготовления маринада перемешать все составляющие. Мясо опустить в маринад на 2 часа. Затем извлечь баранину из маринада, обсушить салфеткой, свернуть в рулет и обвязать крепкой ниткой, приправить солью и перцем. Жарить в гриле сначала по 3 минуты с каждой стороны при температуре 210, затем завернуть мясо в фольгу и 20 минут жарить при температуре 160. Приготовить соус, для чего смешать уксус, вино, перец, мелко нарезанный лук и на 1/4 объема уварить на слабом огне, процедить через сито, добавить яичные желтки и воду и взбить до густой пены на водяной бане. Быстро помешивая, влить растопленное масло в полученный яичный крем и охладить. Сдобрить лимонным соком, посолить, добавить кайенский перец и мелко нарезанный эстрагон. Соус тщательно перемешать до получения однородной массы. Готовое мясо нарезать тонкими полосками. Отдельно подать приготовленный соус.

СУДАК, ЗАЖАРЕННЫЙ НА РЕШЕТКЕ

300 г рыбы, 2 чайные ложки сливочного масла, 4 столовые ложки крошек белого хлеба, 1/2 лимона, соль, перец по вкусу.

Филе судака с кожей разрезать на небольшие куски, посыпать солью и перцем, смочить растопленным сливочным маслом, запанировать в крошках белого хлеба, сбрызнуть маслом и жарить в гриле по 2—3 минуты с каждой стороны при температуре 190. На готовую рыбу положить ломтик лимона. Отдельно подать жареный картофель и соус из майонеза с корнишонами. Так же можно приготовить камбалу, палтус и другую рыбу.

СУДАК С ШАМПИНЬОНАМИ

1 кг судака, 2 столовые ложки сливочного маргарина, 2 столовые ложки муки, 2 столовые ложки лимонного сока, 100 г маринованных шампиньонов, 2—3 веточки петрушки, молотый черный перец, соль по вкусу.

Муку растереть с маргарином и лимонным соком, добавить мелко нарезанные шампиньоны, поперчить и посолить. Рыбу разрезать на 4 порции. Каждый кусок обмазать приготовленной смесью и завернуть в фольгу. Запекать в гриле в течение 7—8 минут с каждой стороны при температуре 200. Затем, не разворачивая фольгу, подержать 5—10 минут при комнатной температуре, после чего выложить на тарелки.

ТЕЛЯТИНА «ГИНТАРАС»
(литовская кухня)

200 г телятины, 1—2 дольки чеснока, 1 столовая ложка лимонного сока, 30 г сала, зелень петрушки, соль и перец по вкусу.

Телятину нарезать крупными кусками, слегка отбить, посыпать солью, перцем, измельченным чесноком, побрызгать лимонным соком и оставить на 4—6 часов. Затем на куски телятины положить нарезанное кусочками сало, телятину свернуть в виде рулета, нанизать на шампуры и запекать в гриле в течение 30—35 минут при температуре 210. Подать с холодным гарниром, украсив зеленью петрушки. Отдельно подать соус из майонеза с хреном.

ТЕЛЯТИНА, ЗАПЕЧЕННАЯ В СОЛИ

600 г телятины, 1 кг соли, перец по вкусу.

Мясо разрезать на 4 плоских куска. Приготовить 4 куска фольги, на каждый из которых насыпать слой соли толщиной 0,5 см, затем положить кусок мяса, поперчить. Сверху мясо засыпать таким же слоем соли, плотно завернуть в фольгу. Запекать в гриле в течение 15—20 минут при температуре 200, поворачивая каждые 5 минут. Фольгу развернуть, мясо очистить от соли. Подать с салатом из свежих овощей.

УГОРЬ, ЗАЖАРЕННЫЙ НА ВЕРТЕЛЕ

150 г рыбы, 10 г растительного или сливочного масла, 2 столовые ложки томатного соуса, 2 столовые ложки белого вина, 1 столовая ложка лимонного сока, 1 столовая ложка мелко нарезанной петрушки.

Снять с угря кожу, тщательно вымыть, удалить влагу салфеткой, разрезать рыбу на порционные куски, нанизать их на шампуры, смазать растительным или растопленным сливочным маслом. Жарить в гриле в течение 6—8 минут при температуре 190. Готовую рыбу посолить, снять с шампуров на блюдо, полить небольшим количеством красного соуса, остальной соус подать отдельно. Для приготовления красного соуса белое виноградное вино влить в томатный соус, нагреть до кипения, затем добавить лимонный сок и зелень петрушки. Рыбу гарнировать сырым нарезанным луком (репчатым или зеленым), огурцами, помидорами и веточками петрушки или зеленым салатом.

УГОРЬ, ЗАЖАРЕННЫЙ НА РЕШЕТКЕ

300 г рыбы, 1 столовая ложка сливочного масла, зелень петрушки, соль по вкусу.

Запекать лучше всего молодых угрей, не снимая с них кожи. Для этого тщательно соскоблить ножом с кожи слизь, протереть солью, вы-

168

мыть, разрезать брюшко, удалить внутренности и, снова вымыв, осушить рыбу салфеткой. Подготовленную рыбу посолить, смазать изнутри и снаружи сливочным маслом и жарить в гриле по 6 минут с каждой стороны при температуре 190, периодически смазывая поверхность тушек маслом. Готовую рыбу залить красным соусом с вином (см. рецепт «Угорь, зажаренный на вертеле»). Подать, посыпав зеленью петрушки. В качестве гарнира подать картофельное пюре.

УТКА С МЕДОМ

1 утка, 4 столовые ложки меда, перец, соль по вкусу.

Тщательно очищенную утку ошпарить кипятком, дать обсохнуть, изнутри натереть солью и перцем. В половине стакана горячей воды развести 1 столовую ложку меда. Медовым сиропом смазать утку, дать ей обсохнуть, еще раз смазать сиропом и поместить в гриль. Жарить в течение 60 минут при температуре 210, время от времени смазывая утку медовым сиропом. Почти готовую утку смазать разогретым неразведенным медом. Подать с отварным или жареным картофелем, фруктовым салатом.

ФИЛЕ РЫБЫ, ЗАПЕЧЕННОЕ В ФОЛЬГЕ

1 кг рыбного филе, 8 ломтиков хлеба, 4 столовые ложки масла, 1 лимон или уксус, 1 столовая ложка мелко нарезанной зелени, 2—3 дольки чеснока, кетчуп, 1 столовая ложка растительного масла, молотый перец, соль по вкусу.

Рыбное филе нарезать ломтиками толщиной 2 см, положить в фольгу, смазанную жиром, сбрызнуть лимонным соком или уксусом, посыпать солью, перцем, мелко нарезанной зеленью. Завернуть в фольгу и запекать в гриле в течение 10 минут при температуре 190. Готовую рыбу положить на блюдо, полить кетчупом. Подать с жареными ломтиками белого хлеба, перед обжариванием смазать его растительным маслом и натереть чесноком.

ФОРЕЛЬ, ЗАЖАРЕННАЯ В ГРИЛЕ

250 г форели, 1 столовая ложка сливочного масла, 1/2 лимона, 1 столовая ложка растительного масла, 1 столовая ложка нарезанной зелени петрушки, перец, соль по вкусу.

Рыбу разделать на порционные куски и замариновать. Для этого положить рыбу в посуду, посыпать солью, молотым перцем, добавить растительное масло, веточки петрушки, сок 1/2 лимона. Все перемешать и поставить на 25—30 минут в прохладное место, после чего порционные куски зажарить в гриле по 3 минуты с каждой стороны при температуре 190. Готовую форель гарнировать картофелем фри и ломтиками лимона. Отдельно подать соус из майонеза с корнишонами или горчичный.

ХЕК, ЗАПЕЧЕННЫЙ С ЛУКОМ-ПОРЕЕМ

4 небольших хека, 300 г лука-порея, 2 столовые ложки лимонного сока, 1 яичный желток, 2 столовые ложки сливочного масла, 3—4 веточки петрушки, молотый черный перец и соль по вкусу.

Приготовить 4 куска фольги, смазать сливочным маслом. Желтки растереть с лимонным соком, солью и перцем. Полученной смесью намазать рыбу, обвалять в мелко нарезанной зелени и каждую в отдельности завернуть в фольгу. Запекать в гриле в течение 8—10 минут с каждой стороны при температуре 180.

ЦУККИНИ, ФАРШИРОВАННЫЕ МЯСОМ

2 средних цуккини, 500 г свиного фарша, 1 луковица, 3 дольки чеснока, по 2 веточки петрушки, укропа и майорана, 1/2 чайной ложки молотого перца, соль по вкусу.

Цуккини очистить от кожуры, нарезать ломтями толщиной 2 см, вынуть сердцевину. Фарш смешать с мелко нарезанным луком, зеленью и истолченным чесноком, посолить и поперчить. На кусок фольги положить ломтики цуккини, выемки заполнить приготовленной массой, фаршированные цуккини плотно завернуть в фольгу. Запекать в гриле по 7—8 минут с каждой стороны при температуре 180.

ЦЫПЛЕНОК, ЖАРЕННЫЙ НА РЕШЕТКЕ

1 цыпленок, 2 столовые ложки сливочного масла, 2 столовые ложки панировочных сухарей, перец, соль по вкусу.

Подготовленного сырого цыпленка разрезать на порционные куски, придав им плоскую форму, посыпать солью и перцем, смазать растопленным сливочным маслом, запанировать в сухарях. Жарить в гриле по 15—20 минут с каждой стороны при температуре 200. При подаче гарнировать ломтиками лимона, украсить зеленью. Отдельно подать острый соус или маринованные фрукты.

ЦЫПЛЯТА ПО-МАДАГАСКАРСКИ

2 бройлерных цыпленка, 3 лимона, 1 стакан кокосового молока, 1/2 стакана йогурта, черный молотый перец, соль по вкусу.

Для приготовления маринада натертую цедру лимона и лимонный сок тщательно перемешать с кокосовым молоком и йогуртом, добавить соль и перец. Цыплят разрезать на половинки и на 12 часов поместить в приготовленный маринад. Держать в холодильнике, периодически переворачивая куски мяса. Вынув из маринада и обсушив, жарить в гриле по 5—7 минут с каждой стороны при температуре 200.

ЧЕВАПЧИЧИ
(югославская кухня)

500 г говядины, соль по вкусу, растительное масло.

Мясо дважды пропустить через мясорубку, посолить и хорошо вымешать (качество блюда во многом зависит от усердия повара). Сформовать плоские колбаски длиной 5 см и толщиной 2 см (примерно 30 штук), смазать их растительным маслом. Запекать в гриле в течение 20—25 минут при температуре 200. Подать со стручковым сладким перцем, нарезанным кольцами луком, ломтиками помидоров или с жареным картофелем.

ШАШЛЫК-БАСТУРМА
ИЗ БАРАНИНЫ ИЛИ СВИНИНЫ

500 г баранины, 2 луковицы, 100 г зеленого лука, 200 г помидоров, 1/2 лимона, 1 столовая ложка уксуса, 1 столовая ложка растительного масла, соль, перец по вкусу.

Баранину вымыть, нарезать небольшими кусками, сложить в посуду, посолить, посыпать молотым перцем, добавить мелко нарезанный репчатый лук, уксус или чайную ложку лимонного сока и перемешать. Посуду накрыть крышкой и на 2—3 часа поставить на холод. Перед жареньем замаринованные куски баранины надеть на металлические шампуры вперемежку с луком, нарезанным ломтиками. Жарить в гриле в течение 20—25 минут при температуре 200. Готовый шашлык снять с шампуров, положить на блюдо, полить маслом, гарнировать зеленым луком, помидорами, нарезанными дольками, и кусочками лимона. К шашлыку можно подать отварной рис и отдельно высушенный молотый барбарис или гранатовый сок. Таким же способом шашлык можно приготовить из свинины.

ШАШЛЫК ИЗ БАРАНИНЫ

700 г баранины, 200 г лука, 2 столовые ложки муки, 2—3 дольки чеснока, 100 г помидоров, 1/2 чайной ложки красного молотого перца, 2 столовые ложки рубленой зелени петрушки, уксус, душистый и черный перец, соль по вкусу.

Мясо нарезать продолговатыми небольшими кусочками (около 20 г каждый), слегка отбить, придав каждому кусочку форму кубика. Лук нарезать кружками или изрубить, мелко изрубить чеснок. Куски мяса посолить, посыпать чесноком, молотым черным и душистым перцем, сбрызнуть уксусом. Приготовленное таким образом мясо посыпать луком, сложить в миску, накрыть крышкой и оставить на 2—3 часа. Затем кусочки мяса, очищенные от лука, нанизать на шампуры, посыпать мукой и жарить в гриле в течение 25—30 минут при температуре 210. Подать на подогретом блюде, посыпав зеленью петрушки. Украсить ломтиками помидоров и мелко нарезанным луком, уложенным пирамидкой и посыпанным красным перцем. Отдельно подать картофель фри или же рис и зеленый салат.

ШАШЛЫК ИЗ БАРАНИНЫ ПО-ТУРЕЦКИ

600 г баранины, 150 г шпика, 200 г лука, 100 г помидоров, 2—3 дольки чеснока, 2 столовые ложки крупно нарезанной зелени петрушки, 300 г риса, 2 столовые ложки томатной пасты, 2 столовые ложки сливочного масла, уксус, душистый перец, черный перец, соль по вкусу.

Мясо нарезать на круглые ломтики диаметром около 4 см. Чеснок мелко изрубить, лук нарезать тонкими кружками. Мясо посолить, посыпать измельченным чесноком, молотым душистым и черным перцем, затем сбрызнуть уксусом. Приготовленное мясо уложить в миску слоями, переложив луком, накрыть крышкой и оставить на 2—3 часа. Приготовить рис. Для этого в кипящую воду (объем которой в два раза больше объема промытого риса) опустить рис, поджаренный на масле лук, томатную пасту; все посолить и перемешать. Варить на слабом огне, когда рис впитает всю жидкость, перемешать и запечь в гриле. Кусок шпика шириной около 4 см нарезать на тонкие ломтики. Помидоры нарезать кружочками. Ломтики баранины нанизать на шампуры вперемежку с ломтиками шпика, на каждый шампур надеть также 2—3 кружка помидора и лука. Жарить в гриле в течение 20—25 минут при температуре 210. На подогретое блюдо выложить слоем рис, на него положить шашлык, не снимая мясо с шампуров, посыпать крупно нарезанной зеленью петрушки. Отдельно подать картофель фри и зеленый салат.

ШАШЛЫК ИЗ ИНДЕЙКИ С ФРУКТАМИ

600 г филе индейки, 2 банана, 100 г ананаса (свежего или консервированного), 2 столовые ложки измельченных грецких орехов, 3 столовые ложки растительного масла, 1/2 стакана апельсинового сока, 1/4 чайной ложки корицы, 1/4 чайной ложки карри, соль по вкусу.

Индейку нарезать на кусочки весом примерно 30 г, посыпать орехами, специями, залить апельсиновым соком и растительным маслом, посолить, поперчить. Все тщательно перемешать и оставить на 3—4 часа. Кусочки мяса нанизать на шампуры, чередуя с кусочками ананаса и ломтиками банана. Запекать в гриле по 3—4 минуты с каждой стороны при температуре 200.

ШАШЛЫК ИЗ ОСЕТРИНЫ

1 кг осетрины, 1 чайная ложка сливочного масла, 400 г помидоров, 150 г репчатого лука, 150 г зеленого лука, 2 лимона, перец и соль по вкусу.

Рыбу, сняв с нее кожу и удалив хрящ, нарезать на кусочки по 40—50 г. Перемешать рыбу с натертым на терке репчатым луком, перцем и солью, нанизать на шампуры и жарить в гриле в течение 10 минут при температуре 190. На гарнир подать свежие помидоры (лучше обжаренные в гриле), репчатый лук, нарезанный кольцами, крупно нарезанный зеленый лук, ломтики лимона.

ШАШЛЫК ИЗ ПОЧЕК

350 г бараньих почек, 400 г помидоров, 1 столовая ложка винного уксуса, 50 г зеленого лука, перец, соль по вкусу.

Промытые почки нарезать кусочками весом 20—30 г, посыпать солью, перцем, нанизать на шампуры. Жарить в гриле в течение 20—25 минут при температуре 190. Готовый шашлык снять с шампуров, уложить на блюдо, полить уксусом, посыпать рубленым зеленым луком. Отдельно подать нарезанные помидоры.

ШАШЛЫК ИЗ РУБЛЕНОГО МЯСА ПО-УЗБЕКСКИ

1 кг баранины, 4 луковицы, 5 столовых ложек муки, 2 яйца, соль и перец по вкусу.

Баранину и лук два раза пропустить через мясорубку, добавить сырое яйцо, соль, перец и тщательно все перемешать. Сформовать колбаски по 10—20 г, нанизать их на плоские шампуры, посыпать мукой и запекать в гриле в течение 20—25 минут при температуре 200. Отдельно подать салат из кислого граната с луком.

ШАШЛЫК ИЗ ТЕЛЯЧЬЕЙ ПЕЧЕНКИ

600 г печенки, 100 г сала, 100 г лука, соль и перец по вкусу.

Печенку нарезать на ломтики длиной около 4 см и толщиной 0,5 см. Лук нарезать тонкими кружками, сало нарезать тонкими ломтиками. Кусочки печенки нанизать на шампуры вперемежку с ломтиками сала и кружками лука, посыпать перцем и посолить. Запекать в гриле в течение 15—20 минут при температуре 190. Подать, не снимая с шампуров, с рассыпчатым рисом, уложенным горкой на круглом блюде. К рису добавить подрумяненный лук и 50 г кетчупа или томатного соуса. Шашлык можно подать также с картофельным пюре и зеленым салатом.

ШАШЛЫК ПО-АЗЕРБАЙДЖАНСКИ

1400 г баранины, 250 г репчатого лука, 150 г зеленого лука, 4 столовые ложки мелко нарезанной зелени петрушки, перец, соль по вкусу.

Реберную часть корейки нарезать (с расчетом 5—6 кусочков на порцию) вместе с реберными косточками. Надеть кусочки на шампуры так, чтобы наружная часть корейки всюду была обращена в одну сторону. Жарить в гриле в течение 20—25 минут при температуре 200. Подать со слегка обжаренными помидорами. На гарнир подать лук, зелень петрушки, перец, соль.

ШАШЛЫК ПО-АРМЯНСКИ

1 кг баранины (корейки), 2 луковицы, 1 лимон, соль, перец по вкусу.

Баранью корейку разрубить на куски по 25—30 г, посолить, посыпать перцем, добавить сок лимона и лимонную цедру, мелко нашинкованный репчатый лук. Все перемешать и оставить в прохладном месте. Через 7—8 часов куски баранины нанизать на шампуры по 5—6 кусков на каждый и жарить в гриле в течение 20—25 минут при температуре 210. Подать на стол, не снимая с шампуров. В качестве приправы отдельно подать кетчуп, ткемали или гранатовый соус. Гарниром к шашлыку служат свежие помидоры, ломтики лимона, нарезанный кружочками репчатый лук, зеленый лук, кинза, тархун, а также обжаренные в гриле баклажаны, предварительно нашпигованные кусочками бараньего сала.

ШАШЛЫК ПО-БОЛГАРСКИ

500 г баранины или свинины, репчатый лук, 5 натертых долек чеснока, 10 натертых зернышек миндаля, 2 столовые ложки мягких хлебных крошек, 1/2 стакана растительного масла, 1 желток, 1/2 лимона, перец, соль по вкусу.

Небольшие кусочки мяса насадить на шампур вперемежку с колечками лука, сильно посолить, поперчить и жарить в гриле в течение 25—30 минут при температуре 200. К шашлыку подать чесночную пасту-соус. Для ее приготовления чеснок, миндаль и хлебные крошки растолочь, добавить желток и, помешивая, постепенно влить масло. Приправить солью и соком лимона. Поставить на холод.

ШАШЛЫК ПО-ГЕЛЕНДЖИКСКИ

750 г баранины, 150 г сливочного масла или бараньего жира, 500 г репчатого лука, 300 г зеленого лука, 500 г помидоров, 500 г свежих огурцов, 500 г баклажанов, 1 лимон, 250 г сухого вина, 500 г сладкого перца, 2 столовые ложки зелени петрушки и укропа, 250 г свеклы, черный молотый перец, душистый перец, лавровый лист, соль по вкусу.

Баранину (почечную часть или мякоть задней ноги) обмыть, подсушить на салфетке, нарезать небольшими кусочками по 30—40 г, положить в керамическую или фаянсовую посуду, посыпать сахаром, солью, черным молотым перцем, репчатым луком, нарезанным полукольцами, залить сухим вином, посыпать лавровым листом, душистым перцем. Все перемешать и оставить под гнетом в холодном месте на 15 минут. Перед жареньем маринованные куски баранины слегка отжать от сока, нанизать на шампуры вперемежку с луком (каждую луковицу разрезать на 4—6 частей). Жарить в гриле в течение 25—30 минут при температуре 210. Готовое мясо полить жиром. Сверху шашлыка положить маринованный репчатый лук, окрашенный соком свеклы, с добавлением перца, соли и небольшого количества сухого вина. Отдельно зажарить овощи. Для этого на шампур нанизать зеленый сладкий перец, помидоры, баклажаны, очищенный от шелухи лук. Жарить в гриле в течение 20—25 минут при температуре 190. Появившуюся на овощах поджаристую корочку удалить, положить их на тарелки и подать к шашлыку. Сверху посыпать зеленым луком, зеленью петрушки, подать к столу лимон, нарезанный кружочками и освобожденный от косточек. В качестве гарнира подать отварной, предварительно прожаренный рис.

ШАШЛЫК ПО-КАВКАЗСКИ

500 г нежной баранины, лук, нарезанный кольцами, 2 дольки чеснока, 200 г помидоров, 200 г шпика, 2 столовые ложки нарезанной зелени петрушки, 2 столовые ложки нарезанного зеленого лука, 1/2 стакана растительного масла, перец и соль по вкусу.

Мясо нарезать на куски длиной 2 см и толщиной 1 см, слегка отбить и ненадолго положить в маринад, приготовленный из растительного масла, лука, соли, перца и измельченного чеснока. Затем мясо насадить на шампуры, чередуя кусочки мяса, кольца лука, ломтики помидоров и шпика. Жарить в гриле в течение 25—30 минут при температуре 210. Готовый шашлык посыпать зеленью петрушки. В качестве гарнира подать рис или зеленый лук.

ШАШЛЫК ПО-КАРСКИ

1 кг баранины, 4 почки, 1 луковица, 200 г зеленого лука, 2 столовые ложки уксуса, 1 лимон, 3 столовые ложки мелко нарезанной петрушки, соль и перец по вкусу.

Почечную часть баранины вымыть, сделать надрезы, чтобы во время жаренья куски баранины не стягивало, и нарезать по 250 г. Почки также вымыть и разрезать пополам. Подготовленную баранину и почки сложить в посуду, посолить, посыпать перцем, мелко нарезанным репчатым луком и зеленью петрушки, сбрызнуть уксусом или соком лимона, оставить в таком виде на 2—3 часа для маринования. Перед жареньем каждый кусок баранины надеть на металлический шампур, добавив с обеих сторон каждого куска по половинке почки. Жарить в гриле в течение 25—30 минут при температуре 210. Готовый шашлык снять с шампура и подать целым куском вместе с почками, положив на тарелку кусочек лимона. Сверху шашлык посыпать зеленым луком и зеленью петрушки. Отдельно подать томатный соус.

ШАШЛЫК ПО-КУРГАНСКИ

600 г баранины или свинины, 250 г чесночного соуса, 250 г поджаренного картофеля, 1 лимон, 2 столовые ложки уксуса, 100 г репчатого лука, 50 г зеленого лука, перец, соль по вкусу.

Мясо нарезать кубиками, добавить уксус, репчатый лук, соль, перец, мариновать 6—8 часов, надеть на шампуры вперемежку с поджаренными до полуготовности кружочками картофеля. Жарить в гриле в течение 25—30 минут при температуре 200. Подать с зеленым луком, уложенным «снопиком», и лимоном. Отдельно подать чесночный соус.

ШАШЛЫК ПО-ОХОТНИЧЬИ

750 г баранины, 250 г грибов, 500 г зеленого перца, 100 г топленого масла, 1 чайная ложка соли, 1 чайная ложка сахара, перец по вкусу.

Мясо посыпать сахаром, солью, перцем. Грибы перебрать и промыть, крупные разрезать на 2—4 части. Нанизать на шампуры, чередуя сладкий перец, мясо и грибы. Приготовленный шашлык смазать маслом. Жарить в гриле 20—25 минут при температуре 200, следя за тем, чтобы грибы и перец не подгорели. Отдельно подать отварной рис и салат из свежих овощей.

ШАШЛЫК ПО-СЕВАНСКИ

800 г постной баранины, 100 г шпика, 4 луковицы, 2 дольки чеснока, 0,5 л кефира, соль по вкусу.

Мясо нарезать кубиками, добавить мелко нарезанные лук и чеснок, залить кефиром и оставить на 10 часов. Вынутое из кефира мясо обсушить, насадить на шампуры, перемежая тонкими ломтиками шпика. Жарить в гриле в течение 20—25 минут при температуре 210.

ШАШЛЫК ПО-СОКОЛЬСКИ

1,2 кг говяжьей вырезки, 300 г шпика, 400 г говяжьего отварного языка, 50 г сухого вина, 3 лимона, 3 столовые ложки мелко нарезанной зелени, 4 луковицы.

Мясо нарезать прямоугольными кусками длиной 12 см и толщиной 0,5 см, замариновать в течение 6 часов в вине с добавлением лимонного сока, зелени, репчатого лука, соли и перца. На куски говядины положить тонкие полоски свиного шпика и отварного языка, свернуть рулетиками, нанизать на шампуры. Жарить в гриле в течение 30—35 минут при температуре 200. Подать с ломтиками лимона, зеленью, маринованным репчатым луком. Отдельно подать соус из протертых помидоров, чеснока и хрена.

ШАШЛЫК ПО-ТАДЖИКСКИ

450 г баранины, 30 г курдючного сала, 100 г помидоров, 2 столовые ложки мелко нарезанного зеленого лука, 50 г сухого красного вина, 1/2 лимона, 2 столовые ложки нарезанной зелени, перец, соль по вкусу.

Мясо нарезать на куски по 40—50 г, смешать с мелко нарезанным зеленым луком и курдючным салом, нарезанным тонкими ломтиками. Все посолить, поперчить, полить сухим вином и поставить в прохладное место на 2—3 часа. Затем мясо нанизать на шампуры вперемежку с ломтиками курдючного сала и жарить в гриле при температуре 210 в течение 25—30 минут. При подаче мясо посыпать нарезанной зеленью, полить лимонным соком. Отдельно подать салат из свежих помидоров или салат из любых других свежих овощей.

ШАШЛЫК ПО-ТАШКЕНТСКИ

300 г баранины, 30 г курдючного сала, 150 г лука, 50 г зелени петрушки, 2 столовые ложки пшеничной муки, 1 чайная ложка аниса, 1 чайная ложка красного перца, 4 столовые ложки уксуса, соль по вкусу.

Баранину нарезать мелкими кусочками и вместе с нашинкованным луком залить маринадом из уксуса с добавлением аниса, перца и соли. Все перемешать и оставить на 3—4 часа в холодном месте. Затем мясо нанизать на шампуры, на конец каждого насадить кусок сала, посыпать мясо мукой. Жарить в гриле в течение 25—30 минут при температуре 200. В качестве гарнира подать нашинкованный лук и зелень петрушки.

ШАШЛЫК ПО-УЗБЕКСКИ

1 кг баранины или говядины, 100 г репчатого лука, 2 столовые ложки уксуса, соль, черный и красный перец по вкусу.

Говяжью или баранью вырезку разрезать на две части, отбить каждую с обеих сторон, нарезать полосками длиной 15 см и шириной 3 см, посолить, поперчить и уложить в глиняную посуду рядами, пересыпав тонко нашинкованным репчатым луком. Все полить уксусом, положить сверху пресс и оставить на 2 часа. Затем полоски мяса нанизать на шампуры и запекать в гриле в течение 25—30 минут при температуре 210. Отдельно подать салат из кислого граната с репчатым луком.

ШАШЛЫК «РАЗБОЙНИЧИЙ»

650 г говяжьей вырезки, 120 г копченого шпика, 9 ломтиков ржаного хлеба, перец, соль по вкусу.

Мясо разрезать на 6 кусков (по два куска на порцию), слегка отбить, посолить, поперчить. Копченый шпик разрезать на 6 ломтиков и вместе с мясом и ломтиками ржаного хлеба нанизать на шампуры в следующем порядке: ломтик хлеба, мясо, шпик и т.д. На концах шампура должен быть хлеб. Жарить в гриле в течение 40—45 минут при температуре 200. Отдельно подать зеленый сладкий перец.

ШАШЛЫК СТЕПНОЙ

600 г баранины, 300 г репчатого лука, 2 дольки чеснока, по 1 чайной ложке мелко нарезанной зелени петрушки, кинзы, укропа, соль и перец по вкусу.

Баранину нарезать кусочками длиной 10—15 см, положить на них фарш, завернуть, нанизать на шампуры и запекать в гриле в течение 25—30 минут при температуре 210. Для приготовления фарша тщательно перемешать мелко нарезанный чеснок, лук, зелень и специи. При подаче на стол посыпать зеленью.

ЯБЛОКИ ФАРШИРОВАННЫЕ

8 больших кислых яблок. Д л я н а ч и н к и: 150 г изюма, 4 столовые ложки измельченных грецких орехов, 120 г молотого миндаля, 1 чайная ложка корицы, 8 столовых ложек брусничного варенья, 3 столовые ложки сливочного масла, 2 столовые ложки ванильного сахара, 8 листочков мяты, сахарная пудра по вкусу.

Яблоки вымыть, вынуть сердцевину. Для приготовления начинки смешать распаренный изюм, орехи и миндаль. Добавить корицу, варенье, сливочное масло, ванильный сахар и еще раз вымешать. Полученной массой наполнить яблоки и 10 минут запекать их в гриле при температуре 180. Затем яблоки выложить на фольгу, слегка смоченную водой, и запекать еще 15 минут при температуре 160. Готовые остывшие яблоки положить на блюдо, украсить листиками мяты и посыпать сахарной пудрой.

ЯЗЫК, ЗАЖАРЕННЫЙ НА РЕШЕТКЕ

1 отварной язык (говяжий или свиной), 2 столовые ложки сливочного масла, горчица по вкусу.

Нарезать отварной язык ломтиками, смазать горчицей, сбрызнуть растопленным сливочным маслом и жарить в гриле по 3—5 минут с каждой стороны при температуре 200. Подать с отварным картофелем или тушеной капустой.

БЛИННИЦА

«Первый блин — комом» — эту нехитрую истину на собственном опыте хотя бы однажды проверила каждая хозяйка. Искусством печь блины или блинчики гордятся многие кулинары, но современная техника позволяет даже самой неопытной хозяйке избежать неприятностей при выпекании блинов.

Блинница устроена так, что тесто для блинов никогда не пристает к ее поверхности. Нагревание и поджаривание блинчиков происходит равномерно по всей ее поверхности. Кроме того, с помощью блинницы можно одновременно готовить несколько блинчиков, совершенно одинаковых по форме и размерам. Для их выпекания не требуется смазывать поверхность блинницы жиром, поэтому процесс приготовления блинов не сопровождается запахом горелого жира, чадом и разбрызгиванием масляных капель.

Безусловно, блинница приспособлена и для выпекания изделий на растительном масле. Поэтому любители жирных, калорийных блюд могут перед выпечкой в каждую выемку налить немного масла, прогреть его 30—60 секунд, а затем наливать тесто.

Расход продуктов, указанный в приведенных ниже рецептах, можно немного увеличить, если желательно испечь более толстые блинчики. В противном случае тесто можно размазать по большей поверхности, тогда блинчики будут более тонкими. Тем, кто любит очень поджаристые, хрустящие блины, рекомендуется увеличить время их выпекания.

Все рецепты рассчитаны приблизительно на 4—6 порций по 2—3 блинчика на каждую. При увеличении количества порций необходимо соответственно увеличить количество всех составляющих в рецепте, кроме специй. Но лучше всего каждую порцию теста приготовить отдельно, в соответствии с рецептом, поскольку длительное выстаивание теста может ухудшить вкусовые качества изделий.

БЛИНЧИКИ БАНАНОВЫЕ С ЛИМОНОМ

1/2 стакана блинной муки, 1/4 стакана овсяных хлопьев, 2 столовые ложки сахара, 1 яйцо, 1/3 стакана молока, 2 крупных банана, 1 столовая ложка лимонного сока, 2 столовые ложки растопленного сливочного масла. Для украшения: 1—2 банана, 1 чайная ложка корицы, 1 столовая ложка сахарной пудры, сок 2 лимонов.

Бананы размять и растереть с лимонным соком. Овсяные хлопья измельчить в миксере, добавить сахар, муку, молоко, растопленное сливоч-

179

ное масло. Полученную смесь взбивать в миксере в течение 3—4 минут. Добавить бананы и взбивать в миксере еще 3—4 минуты. Тесто 10 минут выдержать в посуде под крышкой. В каждую выемку блинницы положить по 2 столовые ложки теста. Выпекать по 1 минуте с каждой стороны. Каждый блинчик сбрызнуть лимонным соком, посыпать корицей и сахарной пудрой и украсить кружком банана.

БЛИНЧИКИ БИСКВИТНЫЕ

1 1/4 стакана муки, 5 столовых ложек сахара, 3 яйца, 1 стакан молока, 1/2 стакана воды, 1 чайная ложка сливочного масла.

Желтки растереть с сахаром, смешать с молоком и, понемногу вливая в муку, приготовить не очень густое тесто. Развести его водой. Осторожно вмешать в тесто взбитые белки и сразу же приступить к выпечке блинчиков. В каждую выемку блинницы, предварительно смазанную сливочным маслом, положить по 2 столовые ложки теста. Выпекать по 1 минуте с каждой стороны.

БЛИНЧИКИ-ВЕРЧИКИ

1/2 стакана муки, 1 столовая ложка сахара, 4 яйца, 1 столовая ложка размягченного сливочного масла. Для начинки: 200 г творога, 1 яйцо, 1 столовая ложка сахара. Для соуса: 4 столовые ложки сметаны, 3 столовые ложки сливочного масла.

Все составляющие теста смешать, смесь взбивать в миксере в течение 2—3 минут. Тесто 20 минут выдержать в посуде под крышкой. Затем в каждую выемку блинницы положить по 2 столовые ложки теста. Выпекать по 2—3 минуты с каждой стороны. Готовые блинчики держать в теплом месте под полотенцем. Для приготовления начинки творог протереть с яйцом и сахаром. Выпеченные блинчики начинить творогом, завернуть в виде рулета и положить на сковороду с подогретым сливочным маслом, накрыть крышкой и запекать в духовке в течение 20—30 минут.

БЛИНЧИКИ «ВЫБОР КЛЕОПАТРЫ»

1 стакан муки, 2 столовые ложки сахара, 1 стакан сливок, 2 яйца, 2 столовые ложки растительного масла, 1/2 чайной ложки разрыхлителя для теста, 1 пакетик ванильного сахара, 2 крупных сладких яблока, 1 стакан вишни без косточек, 5 столовых ложек воды.

Сахар, яйца, муку, сливки, растительное масло взбивать в миксере в течение 1—2 минут до получения однородной массы. Добавить пекарский порошок, дать постоять 10—15 минут под крышкой. Яблоки очистить и нарезать очень тонкими ломтиками, залить водой и поставить в микроволновую печь на 2—3 минуты при уровне мощности 7 или тушить на очень слабом огне в течение 4—5 минут. Яблоки не должны развариться. Затем яблоки осторожно вынуть шумовкой, а в оставшийся сок положить вишни, нагреть до кипения (но не кипятить!), дать остыть. Вынуть вишни шумовкой. Полученный сок влить в подготовленное тесто, осторожно размешать. Разогреть блинницу, в каждое углубление налить 1—2 столовые ложки теста. Выпекать в течение 1—2 минут, перевернуть, положить 2—3 ломтика яблок, 2—3 вишни, посыпать ванильным сахаром. Выложить на блюдо, сложить пополам, затем еще раз пополам, чтобы получились конвертики в виде четверти круга.

БЛИНЧИКИ ИЗ КАБАЧКОВ

300 г очищенных кабачков, 2 яйца, 1/2 стакана муки, 2 столовые ложки растительного масла, 2 столовые ложки кефира, 1 чайная ложка сахара, 1/4 чайной ложки разрыхлителя для теста.

Кабачки очистить, извлечь семена, измельчить в миксере или натереть на мелкой терке. Добавить все остальные продукты и взбивать в миксере еще 2—3 минуты, накрыть и оставить на 10 минут. Разогреть блинницу, в каждое углубление налить 2—3 столовые ложки теста и выпекать по 1—2 минуты с каждой стороны. Подать со сметаной.

БЛИНЧИКИ ИЗ ОВСЯНЫХ ХЛОПЬЕВ

2 1/2 стакана овсяных хлопьев, 3/4 стакана муки, 150 г сливочного масла, 1 стакан молока, 2 яйца, 1/4 стакана сахарной пудры, 2 столовые ложки растительного масла, 1/2 чайной ложки разрыхлителя для теста.

2 стакана хлопьев смешать с мукой и сахарной пудрой, раздробить в миксере в течение 10—20 секунд. Добавить яйца, молоко, 100 г масла и взбивать еще 10—20 секунд. Всыпать разрыхлитель и оставшиеся хлопья, накрыть и оставить на 10 минут. Разогреть блинницу, в каждое углубление выложить 2 столовые ложки теста. Выпекать по 2 минуты с каждой стороны. Горячие блинчики смазать растопленным сливочным маслом. Подать с медом или вареньем.

БЛИНЧИКИ ИЗ ТЫКВЫ

300 г очищенной мякоти тыквы, 1/2 стакана очищенных тыквенных семечек, 1/2 стакана муки, 3 яйца, 1 стакан молока, 1 столовая ложка сахара, 2 столовые ложки растительного масла, 1/2 чайной ложки разрыхлителя для теста, соль по вкусу.

Мякоть тыквы нарезать кусочками, посыпать сахаром, залить молоком и поставить в духовку на 20—25 минут при температуре 160 или в микроволновую печь на 10—12 минут при уровне мощности 5. Тушить до тех пор, пока тыква не станет мягкой. Остудить, не вынимая из молока, добавить яйца, растительное масло, соль, муку и взбивать в миксере в течение 1—2 минут до получения однородной массы. Добавить разрыхлитель, накрыть тесто и оставить его на 20 минут. Раздробить тыквенные семечки. Разогреть блинницу, в каждое углубление положить по 2 столовые ложки приготовленного теста, посыпать семечками. Через 1—2 минуты перевернуть и выпекать еще 4 минуты. Подать со сметаной.

БЛИНЧИКИ ИЗ ЦУККИНИ И МОРКОВИ

2 средних цуккини, 1 морковка, 3 столовые ложки муки, 1 долька чеснока, 50 г острого твердого сыра, 2 столовые ложки растительного масла, 2 веточки петрушки, молотый перец и соль по вкусу.

Цуккини очистить от кожуры и зерен, натереть на мелкой терке. Морковку также натереть на терке, смешать с цуккини, растолченным чесноком, мелко нарезанной зеленью петрушки и натертым сыром, поперчить и посолить. Добавить муку и растительное масло, все тщательно вымесить. Разогреть блинницу, в каждое углубление выложить по 2 столовые ложки теста. Жарить в течение 2—3 минут с каждой стороны. Подать со сметаной, натертым сыром или майонезом.

БЛИНЧИКИ КУКУРУЗНЫЕ

310 г (1 банка) консервированной кукурузы, 1/2 стакана муки, 2 яйца, 100 г бекона, 1/4 стакана молока, 2 столовые ложки натертого сыра, 1 луковица, 1 чайная ложка растительного масла, 1/2 чайной ложки разрыхлителя для теста, молотый перец, соль по вкусу.

Яйца, молоко, растительное масло взбить в миксере в течение 1—2 минут. Добавить измельченную кукурузу, натертый лук и сыр, посолить и поперчить. Все вместе взбивать еще 3—4 минуты. Бекон нарезать как можно мельче и добавить в тесто вместе с разрыхлителем. Тесто накрыть и оставить на 20 минут. Разогреть блинницу, в каждое углубление выложить по 2—3 столовые ложки приготовленного теста. Выпекать в течение 2—3 минут с каждой стороны. Подать со сметаной или натертым острым сыром.

БЛИНЧИКИ ОВСЯНЫЕ

1 стакан муки, 2 стакана овсяных хлопьев («Геркулеса»), 6 стаканов воды, 1 яйцо, 1 чайная ложка сахара, 1 луковица, 2 столовые ложки растительного масла, соль по вкусу.

Овсяные хлопья положить в кастрюлю, залить водой, дать закиснуть, после чего процедить, а мезгу промыть. На полученном овсяном молочке приготовить жидкое тесто, добавить овсяную или пшеничную муку, яйцо, сахар и соль. В каждую выемку блинницы налить по 2 столовые ложки теста. Выпекать по 1 минуте с каждой стороны. Готовые блинчики переложить пассерованным луком и прогреть в слабо нагретой духовке примерно 5 минут.

БЛИНЧИКИ ПИКАНТНЫЕ С ОТРУБЯМИ

Для теста: 3/4 стакана муки, 1/4 стакана отрубей, 2 чайные ложки смеси специй (по вкусу), 1/4 чайной ложки корицы, 3 чайные ложки сахара, 1 стакан молока, 2 яйца, 2 столовые ложки растительного масла, 1/4 чайной ложки разрыхлителя для теста. Для соуса: 1 стакан сметаны, 2 столовые ложки меда, 1/2 чайной ложки смеси специй.

Для приготовления теста в течение 1—2 минут взбивать в миксере все составляющие до получения однородной массы. Тесто накрыть и дать постоять 20 минут. Приготовить соус. Для этого в течение 30 секунд сметану с медом и специями взбить в миксере. Разогреть блинницу, в каждое углубление положить по 2 столовые ложки теста. Выпекать по 1 минуте с каждой стороны. Готовые блинчики сложить стопкой и полить соусом.

БЛИНЧИКИ ПО-МЕКСИКАНСКИ С АВОКАДО

Для теста: 1/3 стакана кукурузной или овсяной муки, 1/2 стакана пшеничной муки, 1 чайная ложка сахара, 1 стакан нежирных сливок (8%-ных), 2 яйца, 2 столовые ложки растопленного сливочного масла, 1/4 чайной ложки разрыхлителя для теста, соль по вкусу. Для начинки: 1 крупный спелый авокадо, 8—10 перьев зеленого лука, 2 помидора, 1 чайная ложка кетчупа, 2 чайные ложки лимонного сока, молотый перец и соль по вкусу.

Для приготовления теста все составляющие взбивать в миксере до тех пор, пока не получится однородная масса. Тесто накрыть и оставить на 20 минут. Авокадо очистить от кожуры и сердцевины, мелко нарезать. С помидоров снять кожицу, нарезать и вынуть семена. Нарезанные авокадо и помидоры смешать с кетчупом и лимонным соком, посолить и поперчить. Взбивать в миксере в течение 2—3 минут. Добавить нарезанный зеленый лук и оставить на 20 минут. Разогреть блинницу, в каждое углубление положить по 2—3 столовые ложки теста, поверхность разровнять. Выпекать по 1—2 минуты с каждой стороны. Одну половинку готового блинчика намазать приготовленной массой и накрыть второй половинкой.

БЛИНЧИКИ ПО-ПЕРУАНСКИ

2 стакана блинной муки, 2 чайные ложки сахара, 2 стакана пахты, 2 яйца, 3 столовые ложки растопленного сливочного масла. Для начинки: 500 г говяжьего фарша, 1 столовая ложка смеси пряностей по вкусу, 1/4 стакана воды, 200 г сладкого кетчупа или другого сладкого соуса, 300 г консервированных красных бобов, 2 столовые ложки зелени кориандра.

Фарш 8—10 минут жарить на сильном огне, непрерывно помешивая. Добавить специи, жарить еще 1 минуту. Уменьшить огонь до среднего, влить воду, добавить бобы и соус, довести до кипения, затем на слабом огне прогревать еще 10 минут, помешивая время от времени. Снять с огня, добавить кориандр и поместить в теплое место. Для приготовления теста все его составляющие смешать в миксере, полученной смеси дать 20 минут постоять под крышкой. В каждую выемку блинницы положить по 2 столовые ложки теста. Выпекать по 2—3 минуты с каждой стороны. Перед подачей на стол в центр каждого блинчика положить приготовленный фарш.

БЛИНЧИКИ ПО-ФРАНЦУЗСКИ

Для теста: 1/2 стакана муки, 1 стакан молока, 2 чайные ложки сахара, 2 яйца, 2 столовые ложки растопленного сливочного масла, 1 чайная ложка ванильной эссенции. Для соуса: 2 столовые ложки сливочного масла, 1/3 стакана сахара, 1/4 стакана лимонного сока, 3 столовые ложки жирных сливок.

Для приготовления теста все составляющие смешать в миксере до получения однородной массы. Тесто накрыть и оставить на 10 минут. Приготовить соус. Для этого масло, сахар и лимонный сок в течение 1—2 минут взбить в миксере. Добавить сливки и взбивать еще 30 секунд. Поставить в холодильник. Разогреть блинницу, в каждое углубление положить по 2 столовые ложки теста. Выпекать в течение 30 секунд с каждой стороны. В это время соус на 3—4 минуты поместить в микроволновую печь при уровне мощности 5, помешивая через каждую минуту, или подогреть на очень слабом огне до полного растворения сахара. Готовые блинчики два раза последовательно сложить пополам, полить приготовленным соусом. Блюдо можно украсить ломтиками лимона.

БЛИНЧИКИ С АБРИКОСАМИ

1 стакан муки, 1 стакан молока, 5 яиц, 3 столовые ложки сахара, 3 столовые ложки растительного масла, 400 г абрикосов без косточек, 1/4 чайной ложки соды, 1 пакетик ванильного сахара.

Смешать яйца, молоко, растительное масло, сахар и муку. Полученную смесь взбивать в миксере 3—4 минуты. Тесто накрыть и оставить на 10 минут. Абрикосы мелко нарезать, добавить вместе с содой и ванильным сахаром в тесто, взбивать в миксере 1 минуту. В каждую выемку блинницы положить по 2 столовые ложки теста. Выпекать по 2—3 минуты с каждой стороны.

БЛИНЧИКИ С АПЕЛЬСИНОВЫМ КРЕМОМ

1/2 стакана муки, 2 яйца, 1/2 стакана молока, 4 столовые ложки растопленного сливочного масла, 1/2 чайной ложки апельсиновой цедры, 1/4 стакана сока апельсина. Д л я к р е м а: 2 столовые ложки сливочного масла, 1 1/2 стакана молока, 1 яйцо, 6 чайных ложек сухого порошка для заварного крема (или 2 чайные ложки крахмала и 2 чайные ложки сахара), 2 столовые ложки сахара, 1 чайная ложка измельченной апельсиновой цедры, 1 столовая ложка апельсинового ликера (или другого фруктового ликера).

Все составляющие для теста смешать и взбивать в миксере 3—4 минуты. Тесто выдержать под крышкой в течение 20 минут при комнатной температуре. В каждую выемку блинницы положить по 2 столовые ложки теста. Выпекать по 2—3 минуты с каждой стороны. Готовые блинчики держать в тепле. Заранее приготовить крем. Для этого тщательно перемешать яйцо, сахар, цедру и порошок заварного крема, полученную смесь залить 1/2 стакана молока и вновь перемешать. Остальное молоко довести до кипения, влить в него смесь, приготовленную для крема, варить на слабом огне, непрерывно помешивая, до загустения. Снять с огня, добавить ликер и охладить. Испеченные блинчики свернуть в виде трубочек или «фунтиков», наполнив каждый из них приготовленным кремом. Уложить блинчики с кремом в форму (или на противень), смазать сливочным маслом и 15 минут запекать в духовке при температуре 180.

БЛИНЧИКИ С ЗЕМЛЯНИКОЙ

1 стакан муки, 1 стакан молока, 4 яйца, 4 столовые ложки сахара, 2 стакана земляники, 2 столовые ложки растительного масла, 2 столовые ложки сахарной пудры.

Желтки растереть с сахаром, развести молоком, всыпать муку, все тщательно перемешать. Взбить яичные белки, добавить их в приготовленную смесь вместе с растительным маслом. Полученную массу взбивать в миксере 2—3 минуты. Промытые и обсушенные ягоды земляники добавить в тесто, все аккуратно перемешать. В каждую выемку блинницы положить по 2 столовые ложки теста. Выпекать по 2—3 минуты с каждой стороны. Горячие блинчики посыпать сахарной пудрой.

БЛИНЧИКИ С КЛУБНИКОЙ

1 стакан муки, 1 стакан молока, 4 яйца, 4 столовые ложки сахара, 2 стакана клубники, 2 столовые ложки растительного масла, 2 столовые ложки сахарной пудры.

Желтки растереть с сахаром, развести молоком, всыпать муку, все тщательно перемешать. Взбить яичные белки, добавить их в приготовленную смесь вместе с растительным маслом. Полученную массу взбивать в миксере 2—3 минуты. Промытые и обсушенные ягоды клубники добавить в тесто, все аккуратно перемешать. В каждую выемку блинницы положить по 2 столовые ложки теста. Выпекать по 2—3 минуты с каждой стороны. Горячие блинчики посыпать сахарной пудрой.

БЛИНЧИКИ С МАЛИНОЙ

1/2 стакана муки, 1 столовая ложка малины, 1 яйцо, 1 стакан молока, 1 столовая ложка растительного масла, 4 столовые ложки сахара, 1 столовая ложка крахмала, 2 столовые ложки воды, 1/4 чайной ложки разрыхлителя для теста.

Малину засыпать 2 столовыми ложками сахара и оставить на 30 минут. Сок слить, добавить размешанный с водой крахмал, подогреть, помешивая, до загустения. Добавить малину, перемешать и остудить. Молоко, яйцо и растительное масло, сахар и муку смешать и взбивать в миксере в течение 3—4 минут. Оставить, накрыв, на 10 минут. Добавить разрыхлитель для теста, все тщательно перемешать. Разогреть блинницу, в каждое углубление налить по 2 столовые ложки теста. Выпекать 1,5—2 минуты, затем каждый блинчик перевернуть и печь еще 1 минуту. Готовые блинчики смазать малиновой смесью, сложить вдвое, затем еще раз вдвое. Подать со взбитыми сливками или сметаной с сахаром.

БЛИНЧИКИ С ТВОРОГОМ И ВАНИЛИНОМ

Для теста: 1/2 стакана муки, 1 столовая ложка сахара, 4 яйца, 1/2 стакана молока, 2 столовые ложки растопленного сливочного масла, 1/2 чайной ложки разрыхлителя для теста. Для начинки и соуса: 450 г консервированных вишен в сиропе, 350 г жирного творога, 1/4 стакана сахара, 1/2 чайной ложки ванильной эссенции или 1 пакетик ванильного сахара, 1 чайная ложка натертой лимонной цедры, 3 чайные ложки лимонного сока, 2 чайные ложки крахмала, 1 чайная ложка коньяка.

Для приготовления теста все составляющие тщательно перемешать в миксере. Тесто накрыть и оставить на 20 минут. Творог, сахар, ванилин, лимонную цедру и лимонный сок тщательно растереть до получения однородной массы. 1/4 стакана вишневого сиропа смешать с крахмалом, влить коньяк. Добавить еще 1 стакан сиропа, подогреть, помешивая, на слабом огне до загустевания. Разогреть блинницу, в каждое углубление выложить по 2—3 столовые ложки теста. Выпекать в течение 1—2 минут с каждой стороны. На готовые блинчики положить по 2 столовые ложки творожной массы и по 3—4 вишни, свернуть в трубочки и полить вишневым соусом.

БЛИНЧИКИ С ТВОРОЖНЫМ КРЕМОМ
И ВИШНЯМИ

1/2 стакана муки, 1 столовая ложка сахара, 4 яйца, 1 столовая лож-ка размягченного сливочного масла. Д л я н а ч и н к и: 400 г творога, 1 стакан вишен без косточек, 1/4 стакана сахара, 1 пакетик ваниль-ного сахара, 1 чайная ложка лимонной цедры, 3 чайные ложки лимон-ного сока. Д л я с о у с а: 3/4 стакана вишневого сока, 2 столовые ложки сахара, 2 чайные ложки крахмала, 1 чайная ложка коньяка или вишневого ликера.

Все составляющие теста смешать, смесь взбивать в миксере 2—3 ми-нуты. Тесто выдержать в течение 20 минут под крышкой. Затем в каждую выемку блинницы положить по 2 столовые ложки теста. Выпекать по 2—3 минуты с каждой стороны. Готовые блинчики держать в теплом месте под полотенцем. Для приготовления начинки тщательно смешать творог, сахар, ваниль, цедру и лимонный сок. Для приготовления соуса 1/4 ста-кана вишневого сока смешать с крахмалом, добавить коньяк (или ликер) и остальной сок. Полученную смесь довести до кипения, непрерывно по-мешивая. На каждый испеченный блинчик положить творожную массу, 2—3 вишни и свернуть его в трубочку. Блинчики разложить на порцион-ные тарелки, сверху залить приготовленным соусом.

БЛИНЧИКИ СО СЛАДКИМ ПЕРЦЕМ
И ЧЕРНЫМИ МАСЛИНАМИ

2 сладких красных перца, 6—8 черных маслин, 1/2 стакана муки, 1/2 стакана молока, 3 яйца, 2 столовые ложки растительного масла, 1 столовая ложка нарезанного базилика, 1/4 чайной ложки разрыхли-теля для теста, молотый перец, соль по вкусу.

Перцы разрезать пополам, удалить семена и пленки и запекать в мик-роволновой печи в течение 3—4 минут при уровне мощности 10 либо в духовке или ростере в течение 7—8 минут при температуре 220. Горячие перцы завернуть в полотенце на несколько минут, затем снять кожицу и мелко нарезать. В миксере взбить смесь молока с яйцом, маслом, мукой и нарезанным перцем. Полученную однородную массу поперчить и посо-лить. Растереть маслины с базиликом, добавить в тесто. Положить раз-рыхлитель, размешать, накрыть и оставить на 20 минут. Разогреть блин-ницу, в каждое углубление положить 1—2 столовые ложки приготовлен-ного теста. Выпекать в течение 1—2 минут с каждой стороны. Подать с салатом из свежих овощей.

БЛИНЧИКИ СО СЛИВАМИ

1 стакан муки, 3/4 стакана молока, 3 яйца, 4 столовые ложки саха-ра, 300 г спелых слив, 1 чайная ложка корицы, 1/4 чайной ложки соды.

Сливы очистить от кожицы и косточек, мелко нарезать, засыпать сахаром, оставить на 20 минут. Яйца, растительное масло, молоко и муку смешать и взбивать в миксере в течение 1—2 минут, затем оставить на 10 минут. Сливы размять вилкой, добавить в тесто вместе с корицей и содой, взбивать в миксере 3—4 минуты. В каждую выемку блинницы положить по 2 столовые ложки теста. Выпекать по 2—3 минуты с каждой стороны.

БЛИНЧИКИ СО ШПИНАТОМ И БЕКОНОМ

Для теста: 1/2 стакана муки, 125 г мороженого шпината, 1/4 стакана натертого сыра, 1 стакан молока, 1 яйцо, 1/2 стакана томатной пасты, перец и соль по вкусу. Для начинки: 100 г бекона, 125 г мороженого шпината, 3 яйца, 1/4 стакана молока, 1/4 стакана натертого сыра, перец, соль по вкусу.

Для приготовления теста все составляющие смешать в миксере в течение 3—4 минут до получения однородной массы. Тесто накрыть и оставить на 10 минут. Для приготовления начинки бекон мелко нарезать, поставить в микроволновую печь на 3 минуты при уровне мощности 7 или подержать 5 минут на слабом огне. Добавить шпинат, посолить, поперчить и растереть до получения однородной массы. Добавить яйца, молоко и натертый сыр. Поместить в микроволновую печь на 3—4 минуты при уровне мощности 5, перемешивая через каждую минуту (или подогревать на слабом огне до тех пор, пока смесь не загустеет и не начнет отставать от ложки). Разогреть блинницу, в каждое углубление поместить по 2 столовые ложки теста, разровнять поверхность. Выпекать в течение 1—2 минут с каждой стороны. На готовые блинчики выложить приготовленную начинку, свернуть их трубочками, положить на сковородку. Поместить на 3 минуты в микроволновую печь при уровне мощности 7 или на 7 минут в духовку при температуре 180.

БЛИНЧИКИ ШОКОЛАДНЫЕ
С ФРУКТОВЫМ СОУСОМ

Для теста: 1 стакан муки, 1/4 стакана сахара, 2 столовые ложки какао, 1 стакан сливок, 1 яйцо, 1 столовая ложка растопленного сливочного масла, 1/4 чайной ложки разрыхлителя для теста. Для соуса: 1 апельсин, 8 крупных ягод клубники, 1/2 стакана черники, 1 столовая ложка сахара, 2 чайные ложки ликера.

Все составляющие для приготовления теста в течение 1—2 минут смешать в миксере. Тесто накрыть и оставить на 20 минут. Апельсин очистить, разделить на дольки. С каждой дольки снять пленку, оставив только мякоть. Все действия производить над миской, чтобы не пропало ни капли сока. Добавить чернику, ягоды клубники, каждую из которых разрезать на 4 части, всыпать сахар, влить ликер. Все осторожно, чтобы не повредить ягоды, перемешивать до тех пор, пока сахар полностью не растворится. Разогреть блинницу, в каждое углубление положить по 2 столовые ложки теста. Выпекать по 1 минуте с каждой стороны. Готовые блинчики подать с соусом из фруктов. Украсить взбитыми сливками.

БЛИНЧИКИ «ЭКОНОМНЫЕ»

1 1/2 стакана муки, 2 яйца, 1 стакан молока, 1/2 стакана воды, 1/2 чайной ложки сливочного масла, соль по вкусу.

Яйца разболтать с молоком, добавить соль, воду и развести тесто. В каждую выемку блинницы, предварительно смазанную сливочным маслом, положить по 2 столовые ложки теста. Выпекать по 1 минуте с каждой стороны.

БЛИНЧИКИ ЯБЛОЧНО-КАРАМЕЛЬНЫЕ

1/4 стакана муки, 1 крупное яблоко, 2 яйца, 1/4 стакана молока, 1 столовая ложка сливочного масла, 1/3 стакана воды, 4 столовые ложки сахара, 1 столовая ложка лимонного сока, 1/2 чайной ложки натертой цедры лимона, 1/4 чайной ложки корицы, 1/2 чайной ложки разрыхлителя для теста.

Яблоко очистить от кожицы и сердцевины, нарезать или натереть на крупной пластмассовой терке, положить в миску, залить водой и поместить в микроволновую печь на 4—5 минут при уровне мощности 5 или потушить на слабом огне в течение 8 минут. Добавить лимонный сок, 2 столовые ложки сахара, цедру. Готовить еще 4—5 минут в микроволновой печи при уровне мощности 7, помешивая каждые 2 минуты, или 10 минут на слабом огне. Смесь должна приобрести цвет карамели. В миксере в течение 3—4 минут взбить яйца с молоком, мукой, маслом и корицей. Добавить разрыхлитель для теста и остывшую яблочную смесь. Продолжать взбивать еще 2—3 минуты до получения однородной массы. Разогреть блинницу, в каждое углубление положить по 2 столовые ложки приготовленного теста. Выпекать в течение 1—2 минут, затем перевернуть, посыпать сахаром и через 1 минуту снова перевернуть на 20—30 секунд, чтобы сахар расплавился. Подать со взбитыми сливками или сливочным маслом.

БЛИНЫ БЕЛОРУССКИЕ

2 стакана пшеничной муки, 200 г картофеля, 25 г свежих дрожжей, 1/3 стакана растительного масла, 1 1/2 стакана молока, соль по вкусу.

Дрожжи развести в теплом молоке с мукой, на 3—4 часа поставить в теплое место. Картофель натереть на мелкой терке, смешать с тестом, посолить и дать еще немного подойти. В тесто можно добавить немного гречневой или ячменной муки. Каждую выемку блинницы смазать растительным маслом, налить в нее 2 столовые ложки теста. Выпекать по 1—2 минуты с каждой стороны. Готовые блины подать со сметаной или жареным шпиком.

БЛИНЫ ГРЕЧНЕВЫЕ С ЯЙЦАМИ

3/4 стакана гречневой крупы, 1 1/2 стакана пшеничной муки, 1 столовая ложка сухих (или 50 г свежих) дрожжей, 1 стакан молока, 2 яичных желтка, 2 столовые ложки растительного масла, 1/4 стакана жирных сливок, 2—3 яйца, 100 г растопленного сливочного масла.

Крупу промыть, постоянно помешивая, подсушить на сковородке, размельчить в миксере в порошок. В полученную гречневую муку добавить дрожжи, размешанные с молоком и, перемешав, поставить в теплое место. Когда тесто поднимется, добавить в него стакан муки, перемешать и вторично дать время подняться. Затем в тесто добавить желтки, масло, сливки, все тщательно перемешать и дать тесту подняться последний раз. Яйца сварить вкрутую и мелко нарубить. В каждую выемку блинницы налить по 2 столовые ложки теста, размазать тонким слоем, посыпать рублеными яйцами. Выпекать 1—2 минуты с каждой стороны. Готовые блины сложить в стопку, промазывая растопленным сливочным маслом.

БЛИНЫ ГУРЬЕВСКИЕ

4 стакана пшеничной муки, 100 г сливочного масла, 4 яйца, 3 стакана кефира, 1 столовая ложка сахара, соль по вкусу.

Масло растереть с четырьмя желтками, солью и сахаром, взбивать в миксере в течение 2—3 минут, затем разбавить кефиром (тесто должно быть как густая сметана). Влить взбитые в пену яичные белки, осторожно вымешать и сразу же выпекать блины. В каждую выемку блинницы положить по 2 столовые ложки готового теста. Выпекать по 2—3 минуты с каждой стороны.

БЛИНЫ ЗАВАРНЫЕ

1 стакан гречневой крупы, 1 стакан пшеничной муки, 2 столовые ложки воды, 50 г свежих дрожжей, 2 стакана молока, 3 яичных белка, 100 г сливочного масла.

Крупу промыть, постоянно помешивая, подсушить на сковородке, размельчить в миксере в порошок. 1/2 стакана гречневой муки и 1/2 стакана пшеничной муки смешать и заварить с 1 1/2 стакана крутого кипятка, вымесить и слегка остудить. Развести дрожжи в 1/2 стакана теплой воды, влить в заварное тесто и дать ему подняться в теплом месте. Добавить оставшуюся муку, стакан теплого молока, все тщательно вымесить и дать подняться еще раз. Масло вскипятить со стаканом молока, кипящую смесь влить в тесто, перемешать, добавить взбитые яичные белки и на 20—30 минут поставить в теплое место. В каждую выемку блинницы налить по 2 столовые ложки готового теста, выпекать по 1—2 минуты с каждой стороны.

БЛИНЫ ЗАКУСОЧНЫЕ

1 стакан муки, 4 яйца, 1 1/2 стакана молока, 1/4 столовой ложки соли, 2 столовые ложки растительного масла, молотый черный и сладкий перец на кончике ножа.

Все составляющие смешать, полученную смесь взбивать в миксере 3—4 минуты до образования однородной пышной массы. Накрыть тесто и выдержать его около 1 часа при комнатной температуре. В каждую выемку блинницы положить по 2 столовые ложки теста. Выпекать по 2—3 минуты с каждой стороны.

БЛИНЫ ИЗ СЫРОГО КАРТОФЕЛЯ

500 г картофеля, 1/2 стакана кефира, 2 столовые ложки растительного масла, 1 яйцо, 2 столовые ложки муки, 1/2 чайной ложки соды, соль по вкусу.

Картофель очистить, натереть на мелкой терке, отжать сок. Добавить яйцо и кефир, размешанный с водой, посолить. Все тщательно перемешать, добавить муку, растительное масло и вымесить до получения однородной массы. Разогреть блинницу, положить в каждое углубление по 1—2 столовые ложки теста. Выпекать в течение 1—2 минут с каждой стороны. Подать со сметаной или растопленным салом и салатом из свежих овощей.

БЛИНЫ КАРТОФЕЛЬНЫЕ

1 столовая ложка муки, 10 средних картофелин, 50 г сливочного масла, 3 столовые ложки молока, 1 столовая ложка крахмала, 1 столовая ложка сахара, 4 яйца, 1/3 стакана растительного масла для жарения.

Картофель сварить в подсоленной воде и горячим взбить в миксере в пюре. Масло, молоко и крахмал смешать и подогреть на слабом огне до получения однородной загустевшей массы. Затем остудить ее, добавить сахар, яйца, муку и 1—2 минуты взбивать в миксере. Полученную массу влить в пюре, все тщательно перемешать в миксере. Каждую выемку блинницы смазать растительным маслом, налить в нее 2 столовые ложки теста, размазать его тонким слоем. Выпекать по 1—2 минуты с каждой стороны.

БЛИНЫ КАРТОФЕЛЬНЫЕ
(белорусская кухня)

500 г картофеля, 4 столовые ложки муки, 1 стакан молока, 2 яйца, 1/2 стакана сливок, 1 чайная ложка растительного масла, 2 столовые ложки сливочного масла, соль по вкусу.

Очищенный картофель сварить на пару, протереть. В теплом молоке растворить сахар, добавить яичные желтки и муку, посолить. Все смешать с протертым картофелем. Подготовленную массу хорошо вымесить, добавить в нее взбитые яичные белки, сливки и снова вымесить. Разогреть блинницу, в каждое углубление выложить по 2 столовые ложки теста. Жарить в течение 2—3 минут с каждой стороны. Подать со сметаной.

БЛИНЫ КАРТОФЕЛЬНЫЕ
(чешская кухня)

300 г картофеля, 8 столовых ложек муки, 20 г дрожжей, 2 яйца, 2 стакана молока, 2 столовые ложки сахарной пудры, соль по вкусу.

Дрожжи развести в 2 столовых ложках теплого молока и оставить в теплом месте. Из отваренного ранее картофеля приготовить пюреобразную массу, добавить в нее муку, яйца, дрожжи и оставшееся молоко, посолить. Все тщательно перемешать и оставить на 1 час в теплом месте. Разогреть блинницу, в каждое углубление выложить по 2 столовые ложки теста. Жарить в течение 2—3 минут с каждой стороны. Готовые блины скатать в трубочки и посыпать сахарной пудрой.

БЛИНЫ КРАСНЫЕ

2 стакана гречневой крупы, 2 стакана молока, 50 г свежих дрожжей, 2 яйца, 3 столовые ложки растопленного сливочного масла, 1 чайная ложка сахара, 1/2 чайной ложки соли.

Крупу промыть, постоянно помешивая, подсушить на сковородке, размельчить в миксере в порошок. Полученную крупу смешать с дрожжами, разведенными в 1 1/2 стакана молока, дать тесту подняться в теплом месте. Добавить оставшееся теплое молоко с распущенным в нем маслом, желтками, солью и сахаром. Снова дать тесту подняться. Добавить взбитые белки, тесто осторожно перемешать и сразу печь из него блины. В каждую выемку блинницы налить по 2 столовые ложки теста, выпекать по 1 минуте с каждой стороны.

БЛИНЫ КРУЖЕВНЫЕ
СО СЛИВКАМИ «МОРОЗКО»

3 стакана пшеничной муки, 3 яйца, 4 стакана молока, 2 стакана сливок, 2 столовые ложки сахара, 30 г дрожжей.

Молоко подогреть, взять половину нужного количества и смешать с дрожжами, чтобы они разошлись, добавить сахар и яйца, посолить и хорошенько перемешать. Дрожжевую массу осторожно влить в муку, помешивая, чтобы не было комков. Тесто на 20 минут поставить в теплое место. Когда оно поднимется, медленно влить кипящее молоко, интенсивно перемешивая. В каждую выемку блинницы поместить по 2 столовые ложки готового теста, выпекать по 1—2 минуты с каждой стороны. Готовые блины смазать маслом, сложить горкой. К блинам подать масло, сметану и сливки «Морозко». Для их приготовления заморозить сливки, затем разбить толкушкой и взбивать в миксере в течение 2—3 минут. Взбитую массу порциями выложить на блины.

БЛИНЫ МОРКОВНЫЕ

1/2 стакана блинной муки, 4 крупные морковки, 50 г сливочного масла, 1/3 стакана изюма без косточек, 6 яиц, 2 столовые ложки сметаны, 1 1/2 стакана молока, 2 столовые ложки молотых сухарей, 1/2 стакана растительного масла для жарения.

Морковь натереть на мелкой терке и 5—6 минут потушить с маслом и изюмом на слабом огне, затем остудить, добавить остальные составляющие, предварительно взбитые в миксере в течение 3—4 минут. Каждую выемку блинницы смазать растительным маслом, налить в нее 2 столовые ложки теста, размазать его тонким слоем. Выпекать по 1—2 минуты с каждой стороны.

БЛИНЫ РИСОВЫЕ

1 1/2 стакана пшеничной муки, 1/2 стакана риса, 1 1/2 стакана молока, 30 г свежих дрожжей, 1/2 стакана густых сливок, 2 яйца, 3 столовые ложки растительного масла, 100 г твердого сыра, соль по вкусу.

Рис промыть, подсушить, смолоть в миксере или в кофемолке в муку. Из пшеничной муки, теплого молока и дрожжей приготовить опару, дать ей подняться в теплом месте. Добавить все остальные продукты, смесь взбивать в миксере 2—3 минуты. Полученной смеси еще раз дать подняться в теплом месте. В каждую выемку блинницы положить по 2 столовые ложки готового теста. Выпекать по 2—3 минуты с каждой стороны.

БЛИНЫ РУССКИЕ

3/4 стакана муки, 2 стакана молока, 30 г свежих дрожжей или 1 столовая ложка сухих, 3 яйца, 2 столовые ложки сахара, 3 столовые ложки растительного масла, 100 г растопленного сливочного масла, соль по вкусу.

Дрожжи и 1 столовую ложку сахара развести в 1/2 стакана молока. Оставшееся молоко, сахар, растительное масло и муку взбивать в миксере в течение 1—2 минут. Посолить, добавить дрожжи, взбивать еще 30 секунд. Поставить в теплое место и держать там до тех пор, пока объем теста не увеличится в 1,5—2 раза. Разогреть блинницу, в каждое углубление налить по 3—4 столовые ложки приготовленного жидкого теста (тесто нужно брать сверху, не перемешивая, иначе оно осядет). Выпекать по 1 минуте с каждой стороны. Готовые блины уложить стопкой, промазывая растопленным сливочным маслом. Подать с икрой, копченой рыбой или сметаной.

БЛИНЫ СКОРОСПЕЛЫЕ

3 стакана муки, 3 стакана воды, 2—3 яйца, 1 столовая ложка сахара, 1/2 чайной ложки соды, 1/2 чайной ложки лимонной кислоты, соль по вкусу.

Яйца смешать с тремя стаканами теплой воды, добавить сахар и соду, посолить, затем всыпать муку и все тщательно взбивать в миксере в течение 2—3 минут. Лимонную кислоту развести в стакане воды, влить в подготовленное тесто, осторожно перемешать и немедленно начать печь блины. В каждую выемку блинницы поместить по 2 столовые ложки готового теста. Выпекать по 2—3 минуты с каждой стороны.

БЛИНЫ С ЗЕЛЕНЫМ ЛУКОМ

1 стакан блинной муки, 5 яиц, 1/2 стакана молока, 1 столовая ложка сахара, 300 г зеленого лука, 3 столовые ложки растительного масла, соль по вкусу.

Все составляющие, кроме лука, смешать, смесь взбивать в миксере в течение 2—3 минут. На 10 минут оставить в посуде под крышкой. Зеленый лук нарезать на кусочки длиной 1 см, добавить в тесто, все тщательно перемешать. В каждую выемку блинницы поместить по 2 столовые ложки готового теста. Выпекать по 2—3 минуты с каждой стороны.

БЛИНЫ С ПИВОМ

1 стакан муки, 3 яйца, 1 стакан молока, 1/2 стакана пива, 2 столовые ложки растительного масла, соль по вкусу.

Смешать яйца, молоко, растительное масло, соль и муку. Полученную смесь взбивать в миксере 2—3 минуты. Добавить пиво, взбивать еще 0,5—1 минуту. Тесто накрыть и выдержать 30 минут при комнатной температуре. В каждую выемку блинницы положить по 2 столовые ложки теста. Выпекать по 2—3 минуты с каждой стороны.

ОЛАДЬИ ВЕГЕТАРИАНСКИЕ

1/2 стакана овсяных хлопьев, 1/4 стакана пшена, 2 стакана воды, 2 стакана молока, 2 столовые ложки риса, 4 яйца, 30 г дрожжей, 1/4 стакана растительного масла.

Рис, пшено перебрать, промыть, соединить с овсяными хлопьями и всыпать в кипящую воду с молоком. Кашу варить 30—40 минут на слабом огне, затем охладить, посолить, добавить дрожжи, разведенные в теплой воде, яйца. Все тщательно перемешать и дать тесту подняться. В каждую выемку блинницы, смазанную растительным маслом, поместить по 2 столовые ложки готового теста. Выпекать по 2—3 минуты с каждой стороны. Подать со сметаной, вареньем или джемом.

ОЛАДЬИ ДЕСЕРТНЫЕ

2 стакана муки, 150 г сливочного масла, 3 яйца, 1 столовая ложка сахара, 1 стакан сметаны, 1 пакетик ванильного сахара.

Сливочное масло растереть с сахаром и яичными желтками. Муку смешать со сметаной и заварить на слабом огне, все время перемешивая, чтобы не пригорела. Когда масса загустеет, охладить, смешать с маслом и желтками, растирая в одном направлении. Добавить 2—3 чайные ложки сметаны, взбитые с ванилью, и пенку из трех белков. В каждую выемку блинницы положить по 2 столовые ложки теста. Выпекать по 2—3 минуты с каждой стороны. Готовые оладьи подать с соком или вареньем.

ОЛАДЬИ КАРТОФЕЛЬНО-МОРКОВНЫЕ

8 картофелин, 2 моркови, 2 яйца, 3 столовые ложки муки, 1—2 столовые ложки сметаны, 3 столовые ложки сливочного масла, соль по вкусу.

Очищенные картофель и морковь натереть на терке. Картофельную массу смешать с морковной, добавить яйца, муку, сметану, посолить и тщательно перемешать. В каждую выемку блинницы, смазанную маслом, поместить по 2 столовые ложки готового теста. Выпекать по 2—3 минуты с каждой стороны.

ОЛАДЬИ СКОРЫЕ

2 стакана пшеничной муки, 3 яйца, 2 столовые ложки сливочного масла, 2 столовые ложки сахара, 1 стакан сметаны, 1/4 стакана растительного масла, соль по вкусу.

Растереть желтки со сметаной, сахаром, посолить, добавить муку и влить пенку из трех белков. В каждую выемку блинницы, смазанную растительным маслом, поместить по 2 столовые ложки готового теста. Выпекать по 1—2 минуты с каждой стороны.

ОЛАДЬИ С ПРОСТОКВАШЕЙ

1 стакан пшеничной муки, 1 стакан гречневой муки, 2 1/2 стакана простокваши, 1 яйцо, 1 столовая ложка сахара, сода на кончике ножа.

Смешать муку двух видов, добавить соду, сахар, простоквашу и взбитое яйцо, посолить. Тесто тщательно перемешать и сразу же выпекать оладьи. В каждую выемку блинницы положить по 2 столовые ложки теста. Выпекать по 2—3 минуты с каждой стороны.

ОЛАДЬИ С КАБАЧКАМИ

3 стакана муки, 500 г очищенной мякоти кабачков, 1 яйцо, 1 столовая ложка сахара, 1 столовая ложка яблочного уксуса, 2 столовые ложки растительного масла, 1/4 чайной ложки соды, соль по вкусу.

Кабачки нарезать дольками и варить в небольшом количестве воды; сваренные овощи протереть через сито. В полученное овощное пюре, не давая ему остыть, влить уксус, добавить яйца, сахар, всыпать муку, смешанную с содой, посолить. Тесто тщательно вымесить, после чего в каждую выемку блинницы, смазанную растительным маслом, положить по 2 столовые ложки теста. Выпекать по 2—3 минуты с каждой стороны.

ОЛАДЬИ С МОРКОВЬЮ

4 стакана муки, 600 г моркови, 1 яйцо, 1 столовая ложка сахара, 1 столовая ложка яблочного уксуса, 2 столовые ложки растительного масла, 1/4 чайной ложки соды, соль по вкусу.

Очищенную морковь натереть на мелкой терке. В полученную массу влить уксус, добавить яйца, сахар, всыпать муку, смешанную с содой, посолить. Тесто тщательно вымесить, после чего в каждую выемку блинницы, смазанную растительным маслом, положить по 2 столовые ложки теста. Выпекать по 2—3 минуты с каждой стороны.

ОЛАДЬИ С ТЫКВОЙ

3 стакана муки; 500 г очищенной мякоти тыквы, 1 яйцо, 1 столовая ложка сахара, 1 столовая ложка яблочного уксуса, 2 столовые ложки растительного масла, 1/4 чайной ложки соды, соль по вкусу.

Тыкву нарезать на кусочки и сварить в небольшом количестве подсоленной воды, затем пропустить через мясорубку или размельчить в миксере. В полученное овощное пюре, не давая ему остыть, влить уксус, добавить яйца, сахар, всыпать муку, смешанную с содой. Тесто тщательно вымесить, после чего в каждую выемку блинницы, смазанную растительным маслом, положить по 2 столовые ложки теста. Выпекать по 2—3 минуты с каждой стороны.

ПАМПУШКИ ИЗ КАРТОФЕЛЯ
С ЧЕРНИЧНЫМ КРЕМОМ

1 стакан муки, 3 отварные картофелины, 3 стакана молока, 2 столо-
вые ложки растительного масла, 3 яйца, сахар, соль по вкусу. Для
к р е м а: 4 стакана черники, 1/2 стакана сахара, цедра и сок 1 лимо-
на, 3 яйца, 1 столовая ложка желатина, 3 столовые ложки сахарной
пудры.

Картофель размять, добавить муку, яйца, молоко, растительное масло,
все тщательно перемешать и посолить. Готовое тесто поставить на 1 час в
теплое место, после чего в каждую выемку блинницы, смазанную растительным маслом, положить по 2 столовые ложки теста. Выпекать по 2—3
минуты с каждой стороны. Готовые пампушки подать с черничным кремом. Для его приготовления чернику залить небольшим количеством
воды, добавить сахар, цедру лимона и довести до кипения. Охладить,
процедить, добавить лимонный сок, яичные желтки и растворенный желатин. Желатин предварительно замочить в 3/4 стакана холодной кипяченой воды. Через 1 час набухший желатин растворить при нагревании. Готовый крем выложить на пампушки, украсить взбитыми белками и сахарной пудрой.

ПИРОГ ИЗ БЛИНЧИКОВ

1/2 стакана блинной муки, 2 столовые ложки растопленного сливоч-
ного масла, 2 столовые ложки сахара, 5 яиц, 1 стакан молока, цедра 1
лимона и 1 апельсина, 3 столовые ложки ликера или коньяка. Для
н а ч и н к и: 100 г очищенных орехов, 1 столовая ложка ванильного са-
хара, 150—200 г варенья или мармелада.

Все составляющие для выпечки блинчиков тщательно перемешать в
миксере в течение 3—4 минут до образования однородной массы. В каждую выемку блинницы, смазанную растительным маслом, положить по 2
столовые ложки теста. Выпекать по 2—3 минуты с каждой стороны. Каждый испеченный блинчик смазать вареньем и посыпать измельченными
орехами. Блинчики сложить в стопки по 5—6 штук. При желании верх
украсить измельченными орехами и ягодами из варенья.

«СТОЖОК» БЛИННЫЙ ШОКОЛАДНО-ОРЕХОВЫЙ

Для т е с т а: 3/4 стакана муки, 2 яйца, 1 яичный желток, 3/4 ста-
кана молока или сливок, 2 столовые ложки растопленного сливочного
масла, 1/4 чайной ложки разрыхлителя для теста. Для н а ч и н к и:
126 г очищенных грецких орехов, 150 г шоколада, столовая ложка сли-
вочного масла, 1/3 стакана сахара, 1 чайная ложка натертой апель-
синовой цедры, 1 столовая ложка апельсинового сока.

Для приготовления теста все составляющие в течение 2—3 минут смешать в миксере до получения однородной массы. Тесто накрыть и оста-

вить на 20 минут. Приготовить начинку. Для этого орехи, масло, сахар, сок и цедру лимона смешать в миксере, добавить мелко накрошенный шоколад и поместить в микроволновую печь на 3—4 минуты при уровне мощности 5 или подогреть на слабом огне до расплавления шоколада. Разогреть блинницу, в каждое углубление положить по 2—3 столовые ложки теста. Выпекать в течение 1—2 минут с каждой стороны. Готовые блинчики положить один на другой, прослаивая шоколадной массой. Таким образом приготовить один или два «стожка». Каждый из них неплотно обернуть фольгой и поместить в микроволновую печь на 1—2 минуты при уровне мощности 7 или на 5 минут в духовку при температуре 180. Затем снять фольгу и подержать еще столько же. Немного остудить и разрезать на порции по диаметрам. Украсить взбитыми сливками.

МОРОЖЕНИЦА

Мороженое — замечательное лакомство, любимое и детьми и взрослыми. Универсальный десерт и украшение любого стола, мороженое всегда пользуется спросом. Торговля предлагает широкий выбор замороженных сладостей, и все-таки многие хозяйки не прочь купить мороженицу и готовить мороженое в домашних условиях. Это понятно, ведь приготовленное дома мороженое, во-первых, гораздо дешевле, а во-вторых в наибольшей степени отвечает вкусам каждой отдельной семьи. Но самое главное заключается в том, что больше всего мороженого хочется летом, в жару, на даче, а этот нежный продукт очень плохо переносит перемещения на большие расстояния без холодильника. Отправляясь на дачу, в деревню, трудно взять с собой мороженое впрок, но в это же время практически все составляющие для его самостоятельного приготовления почти всегда находятся под рукой. Их только нужно смешать, положить в мороженицу — и через некоторое время свежим и оригинальным мороженым можно угощать и домочадцев и гостей.

Для приготовления мороженого нужно заложить продукты по одному из указанных в книге рецептов в мороженицу, поместить ее в морозильную камеру любого холодильника и включить в сеть таким образом, как это указано в инструкции. Мороженицу следует выключить, не вынимая из холодильника, до того, как смесь окончательно загустеет. В противном случае лопасти, размешивающие содержимое мороженицы, могут сломаться.

Выключенную мороженицу следует оставить в морозильнике до полного созревания мороженого, то есть еще на 1—1,5 часа. Готовое мороженое можно подавать с различными джемами и вареньями, сладкими соусами, гарнировать бисквитами, вафлями, дроблеными орехами, цукатами, сухофруктами и, конечно, свежими фруктами и ягодами.

МОРОЖЕНОЕ АНАНАСНОЕ

500 г свежего или консервированного ананаса, 1 стакан сахара, 2 стакана воды, 1 стакан лимонного сока, 1 чайная ложка желатина.

Ломтики ананаса тщательно растолочь в ступке, влить лимонный сок и приготовленный сахарный сироп. Желатин замочить в холодной воде и, когда он набухнет, залить небольшим количеством горячего сиропа, затем добавить к основной массе, все тщательно перемешать и поместить в мороженицу.

МОРОЖЕНОЕ АПЕЛЬСИНОВОЕ

Цедра 3 апельсинов, 1 стакан лимонного сока, 1 лимон, 1 стакан сахара, 2 стакана воды, 1 чайная ложка желатина.

Сварить сахарный сироп, добавить натертую на терке апельсиновую цедру, предварительно удалив белую кожицу, обладающую горьким вкусом. Смешать с тщательно растертой мякотью 1 лимона, влить лимонный сок, добавить желатин, предварительно замоченный в небольшом количестве холодной воды. Полученную смесь процедить и поместить в мороженицу.

МОРОЖЕНОЕ «БЕДНЫЙ СТУДЕНТ»

2 стакана молока, 200 г ржаных сухарей, 4 яичных желтка, 3/4 стакана сахара, 3 средних яблока, 2 столовые ложки воды, 2 столовые ложки сока, 1 стакан 30%-ных сливок.

Яблоки очистить, натереть на мелкой терке, добавить воду и потушить 5—7 минут на слабом огне, помешивая. Ржаные сухари размочить в молоке, дать настояться 1—2 часа, отжать и процедить. Желтки растереть с сахаром, залить процеженным молоком, подогреть на слабом огне до загустения. Смешать с яблочным пюре, лимонным соком, остудить в холодильнике. Добавить взбитые сливки, осторожно перемешать и выложить в мороженицу.

МОРОЖЕНОЕ ВАНИЛЬНОЕ

4 стакана молока, 8 яичных желтков, 1 1/2 стакана сахара, пакетик ванильного сахара, 125 г сливочного масла.

Молоко довести до кипения в небольшой кастрюле и поставить ее на огонь в кастрюлю больших размеров с горячей водой. Желтки, растертые с сахаром, постепенно соединить с молоком и, непрерывно помешивая, проварить смесь до загустения. Снять с плиты и охладить, периодически помешивая, чтобы смесь не покрылась корочкой. В охлажденную массу добавить растертое сливочное масло, ванилин, все тщательно размешать и выложить в мороженицу.

МОРОЖЕНОЕ ВИНОГРАДНОЕ

1 1/2 стакана 30%-ных сливок, 1 стакан белого виноградного вина, 4 яйца, 1 стакан сахара.

Яйца взбить с сахаром в миксере, добавить вино. Смесь, непрерывно помешивая, довести до загустения на слабом огне. Остудить в холодильнике, влить взбитые сливки, осторожно перемешать и выложить в мороженицу.

МОРОЖЕНОЕ ВИШНЕВОЕ

1 стакан 30%-ных сливок, 2 стакана вишен без косточек, 2 стакана сахара, 5 яичных белков, 2 столовые ложки лимонного сока.

Вишни засыпать 1 стаканом сахара и оставить на 2—3 часа, после чего сок слить в отдельную посуду. Ягоды протереть через сито в пюре. Из оставшегося сахара, вишневого и лимонного сока сварить сироп. Белки взбить, постепенно влить в них горячий сироп. В конце добавить вишневое пюре, осторожно перемешать, остудить в холодильнике. Полученную массу смешать со взбитыми сливками и выложить в мороженицу.

МОРОЖЕНОЕ ДИЕТИЧЕСКОЕ

2 стакана молока, 3 яичных желтка, 6 столовых ложек сахара, 3 столовые ложки сливочного масла, 1 пакетик ванильного сахара.

Молоко соединить с желтками, сахаром и молоком, тщательно взбивать в миксере в течение 3—4 минут. Приготовленную смесь довести до кипения (но не кипятить!) на слабом огне. Тотчас снять с плиты и добавить ванилин. Все тщательно перемешать и поместить в мороженицу.

МОРОЖЕНОЕ ИЗ ДЫНИ

300 г мякоти дыни, 4 стакана сахара, 2/3 стакана лимонного сока, 2/3 стакана апельсинового сока, 1 чайная ложка желатина.

Кусочки дыни, очищенной от кожицы, тщательно размять, смешать с сахаром и оставить на 3—4 часа, затем, перемешав, добавить сок цитрусовых и желатин, предварительно замоченный в небольшом количестве холодной воды. Полученную смесь поместить в мороженицу.

МОРОЖЕНОЕ ИЗ ЗЕМЛЯНИКИ

2 стакана земляники, 5 стаканов сахара, 2/3 стакана лимонного сока, 1 чайная ложка желатина.

Ягоды тщательно растереть, смешать с сахаром и оставить на 3—4 часа, затем, перемешав, добавить лимонный сок и желатин, предварительно замоченный в небольшом количестве холодной воды. Полученную смесь поместить в мороженицу.

МОРОЖЕНОЕ ИЗ СОКА КРАСНОЙ СМОРОДИНЫ

2 стакана ягод красной смородины, 5 стаканов сахара, 1/3 стакана лимонного сока, 1/3 стакана апельсинового сока.

Сок ягод смешать с сахаром и оставить на 3—4 часа, затем, перемешав, добавить сок цитрусовых и желатин, предварительно замоченный в небольшом количестве холодной воды. Полученную смесь поместить в мороженицу.

МОРОЖЕНОЕ
ИЗ СОКА КРАСНОЙ И ЧЕРНОЙ СМОРОДИНЫ

1 стакан ягод черной смородины, 1 стакан красной смородины, 5 стаканов сахара, 2/3 стакана лимонного сока, 1 чайная ложка желатина.

Сок ягод смешать с сахаром и оставить на 3—4 часа, затем, перемешав, добавить лимонный сок и желатин, предварительно замоченный в небольшом количестве холодной воды. Полученную смесь поместить в мороженицу.

МОРОЖЕНОЕ ИЗ ПОЧЕК СМОРОДИНЫ

1 стакан почек черной смородины, 2 стакана сахара, 4 стакана воды, 1/2 стакана лимонного сока, 1 чайная ложка желатина.

В горячий сахарный сироп опустить почки черной смородины, добавить лимонный сок, остудить и процедить. Желатин предварительно замочить в небольшом количестве холодной воды, залить 2—3 столовыми ложками горячего сиропа, полученную смесь поместить в мороженицу.

МОРОЖЕНОЕ КЛЮКВЕННО-МЕДОВОЕ

1 стакан молока, 1 стакан 30%-ных сливок, 1 стакан клюквы, 1/2 стакана меда, 2 стакана воды.

Клюкву сварить в воде, протереть через сито, смешать с медом, проварить 4—5 минут на слабом огне. Желтки растереть с сахаром, постоянно помешивая, залить кипящим молоком, вливая его тонкой струйкой. Добавить клюкву, еще раз, помешивая, прогреть до образования однородной массы. Остудить в холодильнике, смешать со взбитыми в миксере сливками. Все осторожно перемешать и выложить в мороженицу.

МОРОЖЕНОЕ КОКОСОВОЕ

1 стакан молока, 1 стакан кокосовой стружки, 6 яичных желтков, 1 стакан сахара, 2 столовые ложки ликера, 1 стакан 30%-ных сливок.

Желтки растереть с сахаром, непрерывно помешивая, залить кипящим молоком, вливая его тонкой струйкой. Полученную массу подогреть на слабом огне до загустения, добавить кокосовую стружку, ликер. Смесь остудить в холодильнике, осторожно смешать со взбитыми сливками и выложить в мороженицу.

МОРОЖЕНОЕ КОФЕЙНОЕ

8 яичных желтков, 300 г сахарной пудры, 1 стакан крепкого кофе, 3 стакана сливок.

Яичные желтки растереть с сахарной пудрой, помешивая, постепенно влить кофе и кипящие сливки. Полученную смесь довести до кипения, остудить, процедить и поместить в мороженицу.

МОРОЖЕНОЕ КРЕМ-БРЮЛЕ

1 стакан молока, 1 стакан сахара, 3 яйца, цедра 1 лимона, 2 столовые ложки измельченных грецких орехов (или фундука), 1 стакан 30%-ных сливок.

1/4 стакана сахара растопить в карамель, залить молоком и, помешивая, довести на слабом огне до полного растворения сахара. Оставшийся сахар взбить в миксере с яйцами и лимонной цедрой. Добавить в молоко и проварить, помешивая, на слабом огне или паровой бане до загустения. Добавить орехи, остудить в холодильнике, осторожно смешать со взбитыми сливками и выложить в мороженицу.

МОРОЖЕНОЕ ЛИМОННОЕ

1 стакан воды, 400 г сахара, цедра 1 лимона, 1 стакан лимонного сока, 3 яичных белка.

Сварить сахарный сироп, добавить натертую лимонную цедру и постепенно охладить. В охлажденный сироп влить лимонный сок и процедить. Яичные белки 2—3 минуты взбивать в миксере в густую пену, соединить с приготовленным сиропом. Все осторожно перемешать и поместить в мороженицу.

МОРОЖЕНОЕ МАНДАРИНОВОЕ

Цедра 6—8 мандаринов, 1 стакан лимонного сока, 1 лимон, 1 стакан сахара, 2 стакана воды, 1 чайная ложка желатина.

Сварить сахарный сироп, добавить натертую на терке мандариновую цедру, предварительно удалив белую кожицу, обладающую горьким вкусом. Смешать с тщательно растертой мякотью 1 лимона, влить лимонный сок, добавить желатин, предварительно замоченный в небольшом количестве холодной воды. Полученную смесь процедить и поместить в мороженицу.

МОРОЖЕНОЕ МИНДАЛЬНОЕ

150 г сладкого миндаля, 30 г горького миндаля, 1/4 стакана сливок, 4 стакана молока.

Сладкий и горький миндаль мелко истолочь, тщательно растереть со сливками и залить кипящим молоком. Полученную смесь остудить в течение 30 минут, процедить и поместить в мороженицу.

МОРОЖЕНОЕ МОККО

2 стакана молока, 4 столовые ложки сахара, 1 столовая ложка крахмала, 1 чайная ложка молотого кофе, 2 яичных желтка.

1 стакан молока вскипятить с сахаром, добавить крахмал, разведенный небольшим количеством холодной воды, поварить несколько минут, снять с огня и охладить. Растертые добела желтки перемешать с 1/2 стакана холодного молока; на оставшемся молоке сварить кофе, процедить, охладить, соединить с желтковой и молочной смесями. Все тщательно перемешать и выложить в мороженицу.

МОРОЖЕНОЕ МОЛОЧНОЕ

2 1/2 стакана молока, 250 г сгущенного молока, 70 г сливочного масла, 2 столовые ложки сахара, 2 яйца, 1 пачка ванильного сахара.

Молоко смешать с ванильным сахаром и кипятить в течение 5 минут. Добавить сгущенное молоко и масло, перемешать. Яйца взбить с сахаром, влить молоко, а затем полученную смесь выдержать на горячей водяной бане до исчезновения пены, после чего поместить в мороженицу.

МОРОЖЕНОЕ ОРЕХОВОЕ

200 г очищенных грецких орехов, 1/4 стакана молока, 4 стакана сливок, 8 яичных желтков, 300 г сахара, ваниль по вкусу.

Орехи растолочь, развести в молоке, затем постепенно влить кипящие сливки. Яичные желтки растереть с сахаром, добавить ваниль, смешать с орехами, разведенными в сливках. Полученную массу довести до кипения на слабом огне, остудить и поместить в мороженицу.

МОРОЖЕНОЕ «ПРАЛИНЕ»

2 стакана 10%-ных сливок, 1 стакан сахара, 1 столовая ложка крахмала, 5 яичных желтков, 1/2 стакана очищенного миндаля, 2 столовые ложки сахарной пудры, 2 столовые ложки сливочного масла, 1/2 стакана 30%-ных сливок.

Желтки растереть с сахаром, добавить крахмал, непрерывно помешивая, добавить кипящие 10%-ные сливки, вливая их тонкой струйкой. Миндаль раздробить в миксере в порошок. Сахарную пудру смешать с маслом и нагревать на медленном огне до получения карамели, смешать с миндальным порошком. Полученную смесь соединить с ранее приготовленной желтковой массой и еще раз прогреть до получения однородного состояния. Затем остудить в холодильнике, осторожно смешать со взбитыми 30%-ными сливками и поместить в мороженицу.

МОРОЖЕНОЕ СЛИВОЧНОЕ

3 яичных желтка, 1 1/2 стакана сахара, 2 стакана молока, 1 стакан взбитых сливок, ванилин по вкусу.

Желтки растереть с сахаром, добавить молоко и ванилин, размешать и нагревать на слабом огне до тех пор, пока смесь не загустеет. Полученную массу остудить и поместить в мороженицу на 30 минут, затем смешать с 1/2 стакана взбитых сливок и вновь поместить в мороженицу. Через 30 минут добавить оставшиеся сливки, перемешать и окончательно заморозить.

МОРОЖЕНОЕ СМЕТАННО-ФРУКТОВОЕ

4 стакана молока, 8 яичных желтков, 300 г сахара, 125 г сливочного масла, 1 1/2 стакана сметаны, цедра 1 лимона.

Молоко довести до кипения в небольшой кастрюле и поставить ее на огонь в кастрюле больших размеров с горячей водой. Желтки, растертые с сахаром, постепенно соединить с молоком и, непрерывно помешивая, проварить смесь до загустения. Снять с плиты и охладить, периодически помешивая, чтобы смесь не покрылась корочкой. В охлажденную массу добавить взбитую в миксере сметану, натертую лимонную цедру, все тщательно размешать и выложить в мороженицу.

МОРОЖЕНОЕ «ТУТТИ-ФРУТТИ»

3 яичных желтка, 1 1/2 стакана сахара, 2 стакана молока, 1 стакан взбитых сливок, 2 стакана мелко нарезанных цукатов или любых свежих фруктов, ванилин по вкусу.

Желтки растереть с сахаром, добавить молоко и ванилин, размешать и нагревать на слабом огне до тех пор, пока смесь не загустеет. Полученную массу остудить и поместить в мороженицу на 30 минут, затем смешать с 1/2 стакана взбитых сливок и вновь поместить в мороженицу. За 20 минут до готовности добавить оставшиеся взбитые сливки и кусочки цукатов или свежих фруктов по выбору.

МОРОЖЕНОЕ ФИСТАШКОВО-МИНДАЛЬНОЕ

100 г очищенных фисташек, 100 г сладкого миндаля, 1/4 стакана молока, 4 стакана сливок, 8 яичных желтков, 300 г сахара, ваниль по вкусу.

Фисташки и сладкий миндаль растолочь, развести в молоке, затем постепенно влить кипящие сливки. Яичные желтки растереть с сахаром, добавить ваниль, смешать с орехами, разведенными в сливках. Полученную массу довести до кипения на слабом огне, остудить и поместить в мороженицу.

МОРОЖЕНОЕ ЧЕРНИЧНОЕ

1 стакан 30%-ных сливок, 1 стакан черники, 1 стакан молока, 1 1/2 стакана сахара, 4 яичных желтка, 1 пакетик ванильного сахара, 2 столовые ложки лимонного сока.

Чернику сварить на слабом огне с 1/2 стакана сахара, добавить лимонный сок и протереть в пюре, остудить. Желтки растереть с 1 стаканом сахара добела, залить кипящим молоком, постоянно помешивая, подержать на слабом огне до загустения. Смешать с черничным пюре, добавить ванилин, остудить в холодильнике. Полученную массу осторожно смешать со взбитыми сливками и выложить в мороженицу.

МОРОЖЕНОЕ ШОКОЛАДНОЕ

8 яичных желтков, 200 г сахарной пудры, 200 г тертого шоколада, 3 стакана сливок.

Яичные желтки растереть с сахарной пудрой и тертым шоколадом, помешивая, постепенно влить кипящие сливки. Полученную смесь довести до кипения, остудить, процедить и поместить в мороженицу.

МОРОЖЕНОЕ ШОКОЛАДНО-ЦИТРУСОВОЕ

4 стакана молока, 8 яичных желтков, 300 г сахара, 1 пакетик ванильного сахара, 125 г сливочного масла, 4—5 столовых ложек порошка какао, цедра 1 лимона.

Молоко довести до кипения в небольшой кастрюле и поставить ее на огонь в кастрюле больших размеров с горячей водой. Желтки, растертые с сахаром, постепенно соединить с молоком и, непрерывно помешивая, проварить смесь до загустения. Снять с плиты и охладить, периодически помешивая, чтобы смесь не покрылась корочкой. В охлажденную массу добавить растертое сливочное масло, ванилин, порошок какао и натертую цедру лимона. Все тщательно размешать и выложить в мороженицу.

МОРОЖЕНОЕ ЯБЛОЧНОЕ

2 стакана натертых яблок, 2 стакана молока, 400 г черствого черного хлеба, 8 яичных желтков, 300 г сахара, 2 стакана 30%-ных сливок, 1/3 стакана лимонного сока.

Черствый хлеб замочить в горячем молоке, добавить яичные желтки, растертые с сахаром. Полученную массу загустить, помешивая, на слабом огне, процедить и остудить. Заморозить до полуготовности, затем добавить натертые яблоки, влить лимонный сок и сливки и окончательно заморозить.

МОРОЖЕНОЕ ЯГОДНОЕ

2 стакана сока ягод (вишни, малины или клубники), 4 стакана сахара, 1/2 стакана лимонного сока, 1 чайная ложка желатина.

Сок ягод смешать с сахаром и оставить на сутки, затем перемешав, добавить лимонный сок и желатин, предварительно замоченный в небольшом количестве холодной воды. Полученную смесь поместить в мороженицу.

ПЛОМБИР АБРИКОСОВЫЙ

500 г спелых абрикосов, 1/2 стакана апельсинового сока, 1 стакан сахара, 1 1/2 стакана 30%-ных сливок, 1/4 стакана ликера, 3 столовые ложки молотых ядрышек абрикоса или миндаля.

Абрикосы залить водой, 3 минуты проварить на медленном огне. Воду слить, плоды протереть в пюре. Водой залить сахар, сварить сироп. Абрикосовое пюре смешать с сиропом и апельсиновым соком, добавить молотые орехи. Смесь 3—4 минуты взбивать в миксере, затем остудить в холодильнике, добавить ликер, взбитые сливки. Все осторожно перемешать и поместить в мороженицу.

ПЛОМБИР ВАНИЛЬНЫЙ

1/2 стакана молока, 3 1/2 стакана сливок, 2 яйца, 250 г сгущенного молока, 2 столовые ложки сахара, 1 чайная ложка желатина, 3 пачки ванильного сахара.

Яичные желтки растереть с сахаром, развести молоком и сливками и, непрерывно помешивая, довести до кипения на слабом огне (но не кипятить), слегка остудить. Желатин замочить в холодной воде и, когда он набухнет, залить небольшим количеством горячего молока. Вылить в яично-молочную смесь, добавить сгущенное молоко и остудить до комнатной температуры. Затем смешать со взбитыми яичными белками, добавить ванильный сахар. Полученную массу выложить в мороженицу.

ПЛОМБИР КАШТАНОВЫЙ

1 стакан очищенных каштанов, 1 стакан молока, 1 стакан сахара, 1 пакетик ванильного сахара, 2 стакана 30%-ных сливок, 3 столовые ложки ликера, 1/2 стакана очищенных грецких орехов.

Каштаны сварить в молоке, извлечь из него и растереть в пюре. В молоко добавить сахар и на медленном огне сварить сироп. Каштановое пюре, сироп, ванильный сахар, измельченные орехи и ликер тщательно перемешать в миксере, смесь остудить в холодильнике. Добавить взбитые сливки, осторожно перемешать и выложить в мороженицу.

ПЛОМБИР МИНДАЛЬНЫЙ

100 г сладкого миндаля, 1—2 ядрышка горького миндаля, 2 столовые ложки воды, 4 яичных желтка, 1/2 стакана сахара, 2 стакана молока, 1/4 стакана абрикосового варенья, 1 стакан 30%-ных сливок.

Миндаль раздробить в миксере, смешать с водой. Желтки растереть с сахаром, соединить с молоком и на слабом огне довести до загустения. Добавить миндаль, нагревать еще 2—3 минуты. Охладить, добавить варенье, остудить в холодильнике, затем влить взбитые сливки, осторожно перемешать и поместить в мороженицу.

ПЛОМБИР ПЕРСИКОВЫЙ

2 крупных персика, 1/2 стакана грейпфрутового сока, 1 стакан сахара, 1/3 стакана воды, 1 стакан 30%-ных сливок, 2 столовые ложки коньяка, 2 столовые ложки изюма без косточек, 4—5 штук кураги.

Персики очистить, вынуть косточки, размять в пюре. Из сахара и воды сварить сироп, влить в пюре. Добавить сок грейпфрута, коньяк, мелко нарезанную курагу, изюм. Смесь остудить в холодильнике, добавить взбитые в миксере сливки, осторожно перемешать и поместить в мороженицу.

ПЛОМБИР СЛИВОЧНЫЙ

1/2 стакана молока, 3 1/2 стакана сливок, 2 яйца, 250 г сгущенного молока, 2 столовые ложки сахара, 1 чайная ложка желатина.

Яичные желтки растереть с сахаром, развести молоком и сливками и, непрерывно помешивая, довести до кипения на слабом огне (но не кипятить), слегка остудить. Желатин замочить в холодной воде и, когда он набухнет, залить небольшим количеством горячего молока. Вылить в яично-молочную смесь, добавить сгущенное молоко и остудить до комнатной температуры. Затем смешать со взбитыми яичными белками и выложить в мороженицу.

ПЛОМБИР ФИСТАШКОВЫЙ

1 1/2 стакана 30%-ных сливок, 200 г очищенных фисташек, 1 стакан сахарной пудры, 4 яичных желтка.

Желтки растереть с сахарной пудрой добела, довести до загустения на паровой бане. Добавить раздробленные в миксере фисташки и остудить смесь в холодильнике. Соединить со взбитыми сливками, осторожно перемешать и выложить в мороженицу.

ПЛОМБИР ЧАЙНЫЙ

2 стакана 10%-ных сливок, 1 пакетик ванильного сахара, 5 яиц, 1 стакан сахара, 3/4 стакана воды, 3 столовые ложки сухого чайного листа, 1 стакан 30%-ных сливок.

Чайный лист залить кипятком в заварочном чайнике, дать настояться в течение 5—7 минут, затем процедить. Яйца растереть с сахаром добела, добавить кипящие 10%-ные сливки, тонкой струйкой вливая их в желтки при непрерывном помешивании. В смесь влить чайную заварку, помешивая, довести до кипения на слабом огне. Остудить в холодильнике, добавить взбитые 30%-ные сливки, все осторожно перемешать и выложить в мороженицу.

ПЛОМБИР ШОКОЛАДНЫЙ

2 стакана молока, 4 яичных желтка, 3/4 стакана сахара, 100 г шоколада, 3/4 стакана 30%-ных сливок, 1 пакетик ванильного сахара, 2 столовые ложки коньяка, 2 столовые ложки изюма без косточек.

Желтки растереть с сахаром добела. Молоко вскипятить, влить в растертые желтки, смесь довести до кипения на слабом огне, непрерывно помешивая. Добавить измельченный шоколад. Охладить и остудить в холодильнике. Добавить взбитые в густую пену сливки, ванилин, коньяк и изюм. Все перемешать и выложить в мороженицу.

ТОРТ «АССОРТИ»

300 г сливочного мороженого, 300 г шоколадного мороженого, 400 г орехового мороженого, 1 пачка бисквитного печенья, 1 пачка вафель, 2 столовые ложки молотых орехов, 50 г шоколада.

Печенье мелко накрошить, вафли нарезать полосками шириной 1,5— 2 см, шоколад раскрошить или натереть на крупной терке. На блюдо выложить приготовленное в мороженице сливочное мороженое, насыпать слой печенья, сверху уложить слой приготовленного в мороженице орехового мороженого, посыпать орехами. Наверх выложить приготовленное в мороженице шоколадное мороженое, посыпать тертым шоколадом. Из вафель выложить бортик вокруг торта, сверху торт украсить цветком из 5—6 кусочков вафель.

«СЮРПРИЗ»

1 кг любого мороженого, 3 яичных белка, 1 стакан сахара, 1 столовая ложка лимонного сока, 2 столовые ложки коньяка, 4—5 кусочков сахара-рафинада.

Белки, сахар и лимонный сок взбить на слабом огне в густую пену. Прогреть духовку до 180°С. Приготовленное в мороженице мороженое горкой выложить на огнеупорное блюдо, сверху так выложить взбитые белки, чтобы мороженое полностью было покрыто ими. Торт поместить на 2 минуты в духовку. В это время сахар-рафинад смочить коньяком, кусочки сахара уложить на вынутый из духовки торт и поджечь их. Торт немедленно подать на стол.

ТОРТ ШОКОЛАДНО-ВАНИЛЬНЫЙ

500 г шоколадного мороженого, 500 г ванильного мороженого, 100 г измельченных грецких орехов. Для глазури: 3 столовые ложки сахара, 3 столовые ложки молока, 1 столовая ложка сливочного масла, 5—6 ложек порошка какао или 100 г натертого шоколада.

На дно металлической формы ложкой, обмакиваемой в горячую воду, уложить в виде мозаики приготовленное в мороженице шоколадное и ванильное мороженое. Уложив один слой, примять его ложкой и посыпать половиной указанного количества орехов. Затем выложить второй слой. Полученную массу поместить в морозильник. Перед подачей на стол окунуть форму на 10—15 секунд в горячую воду, выложить мороженое на блюдо, полить шоколадной глазурью и посыпать оставшимися орехами. Для приготовления глазури растереть в однородную массу все составляющие ее продукты.

ТОРТ ЯГОДНО-СЛИВОЧНЫЙ

500 г любого ягодного мороженого, 500 г сливочного мороженого, 1/2 стакана фруктового сока, 1 столовая ложка желатина, 2 столовые ложки различных ягод или мелко нарезанных фруктов.

Желатин замочить в соке. Когда он набухнет, подогреть на слабом огне до растворения, затем охладить до начала затвердевания (густоты сметаны). Сливочное мороженое, приготовленное в мороженице, уложить пластом на блюдо, сверху разложить 1 стакан ягод и накрыть слоем приготовленного в мороженице ягодного мороженого. Сверху выложить оставшиеся ягоды или фрукты, залить подготовленным желе, поставить в морозильник на 30—40 минут. Перед подачей на стол 5—10 минут подержать при комнатной температуре.

ВАФЕЛЬНИЦА

Одним из самых простых и удобных в применении кухонных приборов является вафельница. Отличаясь внешним оформлением, все вафельницы предназначены для выпечки нежных и хрустящих вафель, столь любимых детьми и взрослыми. Выпекая вафли, следует помнить, что сразу после выпечки они весьма пластичны и им можно придать различную форму — конуса, пакетика и т.д. Через несколько минут вафли остывают и становятся хрупкими. Остывшие вафли прослаивают начинками, заполняют кремом и поливают различными соусами. Пользуясь приведенными рецептами, любители хорошо прожаренных, хрустящих вафель могут добавить к указанному в них времени выпечки по 1 минуте.

В приведенных рецептах температура дана в градусах Цельсия.

ВАФЕЛЬНЫЕ КОНУСЫ
С ОРЕХОВОЙ ПОМАДКОЙ

Для теста: 1/2 стакана муки, 2 столовые ложки крахмала, 2 столовые ложки сахара, 2 яйца, 1/2 стакана 10%-ных сливок, 100 г сливочного масла, 1 столовая ложка коньяка. Для начинки: 1 банка сгущенного молока с сахаром, 1/2 — 1 стакан молотых грецких орехов.

Масло растереть с сахаром и желтками. Добавить сливки и крахмал, взбить миксером до увеличения объема в 1,5—2 раза. Всыпать муку, влить коньяк, осторожно перемешать и добавить взбитые в густую пену белки. Еще раз легонько перемешать и сразу же выпекать в вафельнице в течение 3—4 минут при температуре 180. Горячие вафли свернуть в конус, остудить. Для приготовления начинки нераспечатанную банку сгущенного молока варить в кипятке в течение 3—4 часов. Остудить, содержимое смешать с орехами, полученной массой заполнить вафельные конусы.

ВАФЕЛЬНЫЕ ТРУБОЧКИ С КРЕМОМ

Для теста: 1 1/2 стакана муки, 6 яиц, 150 г сливочного масла, 2 столовые ложки сахара, 200 г 30%-ных сливок. Для крема: 200 г сливочного масла, 1/2 банки сгущенного молока с сахаром.

Желтки растереть с сахаром до исчезновения крупинок. Добавить размягченное масло, растереть в однородную массу. Вместе со сливками взбить в миксере, добавить взбитые в густую пену белки. Тесто оставить на холоде на 20—30 минут. Выпекать в вафельнице в течение 1—2 минут при температуре 200. Горячие вафли свернуть в трубочки или конусы, остудить и заполнить кремом. Для приготовления крема размягченное сливочное масло смешать со сгущенным молоком, взбить до получения однородной массы и увеличения объема в 2 раза.

ВАФЛИ ВАНИЛЬНЫЕ

3/4 стакана муки, 6 яиц, 2 столовые ложки сливочного масла, 4 столовые ложки сахара, 1 пакетик ванильного сахара, 300 г 30%-ных сливок, 1 столовая ложка растительного масла, 1/2 стакана сахарной пудры.

Сливочное масло растереть добела, постепенно добавляя по одному желтку до тех пор, пока объем не увеличится в 1,5—2 раза. Смешать с сахаром и ванильным сахаром, добавить муку, взбитые сливки и в последнюю очередь — белки, взбитые в густую пену. Выдержать тесто в холодильнике в течение 10—15 минут. Выпекать в смазанной растительным маслом вафельнице в течение 2—3 минут при температуре 180. Готовые вафли посыпать сахарной пудрой, смешанной с ванильным сахаром.

ВАФЛИ ИЗ ДРОЖЖЕВОГО ТЕСТА

2 стакана муки, 1 чайная ложка дрожжей, 1 1/2 стакана молока, 2 столовые ложки сахара, 1 столовая ложка маргарина, соль по вкусу, сахарная пудра.

Дрожжи замочить в теплом молоке. Муку просеять, всыпать сахар и соль, размешать, добавив молоко с дрожжами. Влить растопленный, но не горячий маргарин и замесить тесто. Оставить его на 30 минут, затем снова вымесить. Выпекать в смазанной растительным маслом вафельнице в течение 2—3 минут при температуре 200. Готовые вафли посыпать сахарной пудрой.

ВАФЛИ К ПИВУ

2 крупные картофелины, 100 г сливочного масла, 3 яйца, 1/4 чайной ложки соли, 1/2 стакана 30%-ных взбитых сливок, 2 столовые ложки муки, 1/2 чайной ложки специй по вкусу (молотого красного или черного перца, тмина, кориандра, натертого мускатного ореха и т.д.).

Картофель сварить в кожуре, очистить, горячим протереть через сито. Добавить масло, сливки, желтки, посолить и взбить в миксере до получения однородной массы. Добавить муку, взбитые в густую пену белки, специи. Выпекать в смазанной растительным маслом вафельнице при температуре 200 в течение 2—3 минут или чуть дольше для получения более хрустящих вафель.

ВАФЛИ «КОКОСКИ»

1/2 стакана муки, 1 стакан кокосовой стружки, 100 г сливочного масла, 150 г сахара, 1 яичный белок, 1 столовая ложка коньяка или ликера, цедра 1/2 лимона.

Масло и сахар растереть добела, добавить коньяк, взбитые белки, кокосовую стружку, все тщательно перемешать и взбить в миксере в течение 2—3 минут. Добавить цедру лимона, муку, осторожно перемешать. Тесто выкладывать в вафельницу по 2—3 столовые ложки и выпекать в течение 3—4 минут при температуре 180.

ВАФЛИ «КРЕМ-КАРАМЕЛЬ»

Для теста: 1 стакан муки, 3 столовые ложки сахара, 2 столовые ложки размягченного сливочного масла, 1/2 стакана 20%-ных сливок, 2 яичных белка, 1 желток. Для прослойки: 100 г сливочного масла, 1/2 стакана сахара, 1 яйцо, 1/3 стакана молока, 1 чайная ложка муки.

Масло, сахар, сливки и желток взбить в миксере, добавить муку и продолжать взбивать до получения однородной массы. Белки отдельно взбить в густую пену, осторожно ввести в тесто, перемешать. Выпекать немедленно при температуре 180 в течение 2—3 минут, затем при температуре 220 в течение 1—2 минут для большего прожаривания. Для приготовления прослойки 2 столовые ложки сахара нагревать в металлической посуде до тех пор, пока он не приобретет коричневый цвет. Добавить молоко и оставшийся сахар, размешать до его полного растворения. Добавить яйцо, муку и подогреть на водяной бане до загустения. Смесь остудить до комнатной температуры, добавить размягченное масло и взбить в миксере до получения однородной массы. Промазать остывшие вафли, сложить их по две.

ВАФЛИ МИНДАЛЬНЫЕ

Для теста: 2 столовые ложки муки, 100 г сладкого миндаля, 3 зерна горького миндаля, 150 г сливочного масла, 150 г 30%-ных сливок, 150 г сахара, 3 яйца. Для украшения: 100 г горького шоколада, 100 г 30%-ных сливок.

Очищенный от кожицы миндаль (предварительно ошпаренный кипятком) размолоть в порошок, смешать с сахаром, растопленным маслом, сливками и желтками. Полученную массу взбить в миксере до однородного состояния, соединить с отдельно взбитыми белками, охладить. Выпекать немедленно в течение 2—3 минут при температуре 200. Украсить взбитыми сливками, посыпать натертым шоколадом.

ВАФЛИ ОРЕХОВЫЕ

Для теста: 1 стакан муки, 1/2 стакана очень мелко размолотых орехов (любых), 1/4 чайной ложки пекарского порошка, 2 яйца, 1 столовая ложка 20%-ных сливок, 4 столовые ложки сахара. Для украшения: 1 стакан 20%-ных сливок, немного натертого шоколада.

Сливки, муку и орехи перемешать, добавить разрыхлитель. Яйца и сахар взбить миксером до получения густой пены. Осторожно смешать обе части теста. Выпекать немедленно в течение 2—3 минут при температуре 200. На остывшие вафли уложить горкой взбитые сливки, сверху посыпать натертым шоколадом.

ВАФЛИ ПРЯНИЧНЫЕ

1 стакан муки, 1/2 стакана меда, 2 столовые ложки сахара, 50 г свиного жира, 1 столовая ложка коньяка или рома, 1/2 чайной ложки соды, корица, кардамон, имбирь на кончике ножа, сахарная пудра.

Мед разогреть с жиром и сахаром до получения однородной массы. Затем охладить, добавить пряности и муку, коньяк и соду. Замесить тесто и оставить на 8—10 часов. Раскатать тесто в слой толщиной 1,5—2 мм, вырезать пласты по размеру вафельницы, выпекать их в смазанной растительным маслом вафельнице по 2—3 минуты при температуре 200. Горячие вафли посыпать сахарной пудрой.

ВАФЛИ СЛИВОЧНЫЕ
СО СВЕЖИМИ ЯГОДАМИ

Для теста: 1 стакан муки, 1 стакан 30%-ных сливок, 1 яичный желток, 2 яичных белка, 1/2 стакана сахара. Для украшения: 200 г взбитых сливок, 500 г свежих ягод клубники, малины или земляники.

Желток растереть с сахаром добела. Сливки взбить миксером, добавляя в процессе взбивания желтки, всыпать муку, размешать. Белки взбить отдельно в густую пену, аккуратно смешать с ранее приготовленной смесью. Выпекать в смазанной растительным маслом вафельнице в течение 2—3 минут при температуре 180. Готовые вафли охладить, украсить взбитыми сливками, смешанными со свежими ягодами.

ВАФЛИ «ФАНТАЗИЯ»

1 стакан муки, 150 г сливочного масла, 1 столовая ложка молока, 1/2 стакана сахара, 1 яйцо, 2 столовые ложки толченого миндаля, 1/2 чайной ложки корицы, по 1/4 чайной ложки сухих дрожжей, имбиря и кардамона.

Дрожжи замочить в молоке. Масло растопить, добавить все остальные продукты, тщательно вымесить тесто и на 4—6 часов поместить его в холодное место. Раскатать тесто в слой толщиной 1,5—2 мм, вырезать из него любые фигурки, выпекать в смазанной растительным маслом вафельнице в течение 2—3 минут при температуре 180.

ВАФЛИ ХРУСТЯЩИЕ

3 стакана картофельной муки, 250 г маргарина, 350 г сахара, 5—6 яиц, 1 пакетик ванильного сахара, соль по вкусу, сахарная пудра.

Маргарин тщательно растереть с сахаром, добавить яйца, ванилин и муку. Тщательно вымесить тесто, тонкий слой его выложить в вафельницу, смазанную растительным маслом. Выпекать в течение 2—3 минут при температуре 200. Готовые вафли посыпать сахарной пудрой.

ВАФЛИ ШОКОЛАДНЫЕ

Для теста: 1 1/2 стакана муки, 2 столовые ложки сахара, 2 столовые ложки размягченного сливочного масла, 1 столовая ложка молока, 2 яйца, 1/2 пакетика ванильного сахара или 2—3 капли ванильной эссенции. Для прослойки: 100 г шоколада, 1/3 стакана 20%-ных сливок, 2 чайные ложки сливочного масла, 2 столовые ложки ликера или 1 столовая ложка бальзама, 1 чайная ложка размоченного желатина.

Молоко, яичные желтки, масло и сахар взбить в миксере до получения однородной массы. Добавить муку, ванилин и продолжать взбивать 2—3 минуты. Отдельно взбить в плотную густую пену белки, добавить их в полученную ранее смесь, все очень осторожно перемешать. Выпекать в вафельнице немедленно при температуре 180 в течение 2—3 минут. Остывшие вафли промазать шоколадной прослойкой и сложить по две. Для приготовления прослойки на водяной бане смешать масло и мелко накрошенный шоколад. Желатин подогреть в сливках до полного растворения, влить в смесь масла и шоколада, тщательно перемешать, добавить ликер, остудить. Использовать для прослойки вафель в холодном виде.

КРЕКЕРЫ КАРТОФЕЛЬНЫЕ

2 столовые ложки муки, 2 картофелины, сваренные в кожуре, 100 г сливочного масла, 1 яйцо, 1 яичный желток, 2 столовые ложки лимонного сока, 2 столовые ложки молока, 1/4 чайной ложки соды, соль по вкусу.

Картофель очистить и протереть через сито, добавить масло, подогретое вместе с молоком, яйцо и желток. Все тщательно перемешать и взбить в пену. Добавить муку и соду, погашенную лимонным соком. Выпекать в смазанной растительным маслом вафельнице в течение 2—3 минут при температуре 200.

215

КРЕКЕРЫ «ПИКАНТНЫЕ» К ПИВУ

1/2 стакана муки, 100 г твердого сыра, 2 столовые ложки молока, 200 г свежих дрожжей, 150 г сливочного масла, 1 яйцо, 1 столовая ложка мелко нарезанной зелени петрушки, 1 столовая ложка мелко нарезанного укропа, 1/4 чайной ложки соли.

Дрожжи развести молоком. Сыр натереть на мелкой терке, смешать с размягченным сливочным маслом и тщательно растереть. Добавить муку, яйцо, дрожжи, зелень и соль. Замесить тесто, раскатать его в пласт толщиной 2 мм, вырезать полоски или другие фигурки. Выпекать в вафельнице в течение 3—4 минут при температуре 180.

ПЕЧЕНЬЕ «САКСОНСКОЕ»

1/2 стакана пшеничной муки, 1/2 стакана ржаной муки, 1/2 стакана меда, 2 столовые ложки сахара, 2 яйца, 1/2 чайной ложки соды, 1 столовая ложка уксуса, 2 столовые ложки сливочного масла, 50 г леденцов, по 1/2 чайной ложки молотых орехов, корицы, имбиря, аниса и молотого мускатного ореха.

Разогреть мед с маслом и сахаром, всыпать муку, влить погашенную в уксусе соду, добавить специи. Замесить тесто и оставить его на 10—12 часов. Леденцы мелко растолочь, смешать с тестом. Тесто раскатать в пласт толщиной 1,5—2 мм, вырезать коржи по размеру вафельницы. Выпекать по 3—4 минуты при температуре 180. Горячие коржи свернуть в плотные трубочки.

ПИРОЖНОЕ «ДИПЛОМАТ»

Для теста: 1 стакан муки, 1 стакан сметаны, 200 г сливочного масла, 1/2 чайной ложки соды, 1 столовая ложка лимонного сока. Для крема: 200 г сливочного масла, 1/2 стакана сахара, 3/4 стакана молока, 1 яйцо, 3 столовые ложки ликера или коньяка, 1 столовая ложка муки. Для глазури: 100 г шоколада, 1 столовая ложка сливочного масла, 1 столовая ложка молока.

Масло порубить с мукой, добавить погашенную лимонным соком соду, сметану, замесить тесто, поставить на 2 часа на холод. Тесто раскатать в пласты по размерам вафельницы толщиной 1,5—2 мм. Выпекать в вафельнице в течение 1,5—2 минут при температуре 180. Для приготовления крема сахар, муку и яйцо смешать, подогреть на водяной бане до загустения. Добавить ликер и остудить. Размягченное масло взбить с приготовленной массой до однородного состояния. Остывшие коржи сложить по 6 штук, промазывая их кремом. Оставить на 6—8 часов для пропитки. Затем разрезать на отдельные пирожные, обсыпать тертым шоколадом или покрыть шоколадной глазурью, растопив шоколад с маслом и молоком.

ПИРОЖНЫЕ МЕДОВЫЕ

Для теста: 1 1/2 стакана муки, 2 столовые ложки сливочного масла, 1/2 стакана сахара, 2 яйца, 1 чайная ложка соды, 1 стакан меда, 1 столовая ложка коньяка. Для крема: 2 стакана молока, 1/2 стакана муки, 200 г сливочного масла, 250 г сахара, 1 пакетик ванильного сахара, 1 яйцо. Для глазури: 1 яичный белок, 1/2 стакана сахара.

Все продукты для теста, кроме муки, смешать, подогрев на очень слабом огне или паровой бане до получения однородной пенистой массы. Добавить муку, замесить тесто. Раскатать тесто в пласты по размеру вафельницы толщиной в 2—3 мм. Выпекать в смазанной растительным маслом вафельнице по 3—4 минуты с каждой стороны при температуре 200. Для приготовления крема муку смешать с молоком, растереть до получения однородной массы, подогреть на слабом огне до загустения, непрерывно помешивая. Остудить, добавить размягченное сливочное масло, яйцо, сахар и ванилин, все тщательно перемешать и взбить миксером. Для получения глазури яичный белок взбить с сахаром, одновременно подогревая на слабом огне, до получения устойчивой пены. Готовые вафельные коржи в холодном виде сложить в стопки по 4 штуки, промазав кремом. Верхние коржи смазать кремом или горячей глазурью. Приготовленные изделия нарезать на небольшие порции в виде пирожных.

ПИРОЖНЫЕ С ОРЕХОВЫМ КРЕМОМ

Для теста: 8 яичных желтков, 3 яичных белка, 1 стакан сахара, 3/4 стакана муки. Для крема: 2 яйца, 2 яичных желтка, 3/4 стакана сахара, 3/4 стакана молотых орехов, 200 г сливочного масла, 2 столовые ложки коньяка или рома. Для глазури: 1 яйцо, 3/4 стакана сахара, сок 1/2 лимона.

Желтки растереть с сахаром добела. Добавить белки, взбить миксером в течение 4—5 минут, осторожно добавить муку. В смазанной растительным маслом вафельнице в течение 1—2 минут при температуре 200 выпечь коржи, наливая по 2—3 столовые ложки теста за один раз. Для приготовления крема яйца, желтки и сахар смешать и взбить в миксере добела. Постепенно добавить размягченное сливочное масло и орехи, в самом конце влить коньяк или ром. Для получения глазури яйцо с сахаром и лимонным соком взбить в миксере до получения однородной массы. Остывшие коржи смазать кремом и сложить в стопки по 5 штук. Верх украсить глазурью, разрезать на отдельные пирожные.

СОЛЕНКИ КРАСНЫЕ К ПИВУ

1 стакан муки, 4 ложки сливочного масла, 100 г брынзы, 2 яичных желтка, 1 чайная ложка сладкого красного молотого перца, 1/4 чайной ложки соды.

Размягченное масло растереть с брынзой, перцем и желтками. Добавить муку и замесить тесто, оставить его на полчаса. Затем раскатать в пласт толщиной 1,5—2 мм. Выпекать в вафельнице в течение 3—4 минут при температуре 180.

ТРУБОЧКИ БИСКВИТНЫЕ
С ОРЕХОВЫМ КРЕМОМ

Для теста: 1/2 стакана муки, 3 яйца, 1/2 стакана сахара. Для крема: 1/2 стакана очищенных грецких орехов, 2 столовые ложки сахара, 200 г сливочного масла, 1/2 банки сгущенного молока.

Яйца взбить с сахаром до получения устойчивой пены, добавить муку, осторожно перемешать. Выложить по 2 столовые ложки теста на хорошо смазанную растительным маслом поверхность вафельницы. Выпекать в течение 1—2 минут при температуре 180. Горячие вафли быстро свернуть в трубочки. Для приготовления крема сахар растопить на медленном огне, всыпать размельченные орехи, все перемешать, остудить, пропустить через мясорубку. Масло взбить со сгущенным молоком, добавить ореховую массу. Остывшие трубочки наполнить приготовленным кремом.

ТРУБОЧКИ БИСКВИТНЫЕ
С КОФЕЙНЫМ КРЕМОМ

Для теста: 1/2 стакана муки, 3 яйца, 1/2 стакана сахара. Для крема: 200 г сливочного масла, 1/2 стакана сахара, 1/2 стакана молока, 1 чайная ложка растворимого кофе, 1 яйцо, 1 чайная ложка муки.

Яйца взбить с сахаром до получения устойчивой пены, добавить муку, осторожно перемешать. Выложить по 2 столовые ложки теста на хорошо смазанную растительным маслом поверхность вафельницы. Выпекать в течение 1—2 минут при температуре 190. Горячие вафли быстро свернуть в трубочки. Для приготовления крема сахар растереть с яйцами, добавить разведенную в молоке муку, подогреть на паровой бане до загустения. Остудить, добавить кофе, размягченное сливочное масло, все тщательно взбить в миксере. Приготовленным кремом наполнить остывшие трубочки.

ТРУБОЧКИ ВАФЕЛЬНЫЕ
С ЛИМОННЫМ КРЕМОМ

Для теста: 8 яичных желтков, 8 яичных белков, 1 стакан сахара, 3/4 стакана муки. Для крема: 3 яичных желтка, сок 1 лимона, цедра 1/2 лимона, 1 стакан сахара, 2 чайные ложки крахмала, 1 1/2 стакана воды.

Желтки растереть с сахаром добела. Добавить белки, в течение 4—5 минут взбивать миксером, осторожно добавить муку. В смазанной растительным маслом вафельнице выпечь коржи в течение 1—2 минут при температуре 200, наливая по 2—3 столовые ложки теста за один раз. Горячие коржи свернуть в трубочки. Для приготовления крема желтки растереть с сахаром добела, добавить лимонный сок, натертую цедру и крахмал, все перемешать и залить 1/2 стакана холодной воды. 1 стакан воды вскипятить, залить кипятком приготовленную массу, поварить ее на очень слабом огне до загустения. Остывшим кремом заполнить трубочки.

ТРУБОЧКИ ЗАВАРНЫЕ
С АПЕЛЬСИНОВЫМ КРЕМОМ

Для теста: 8 столовых ложек муки, 4 столовые ложки воды, 50 г сливочного масла, 2 яичных желтка, 2 яйца. Для крема: 1 апельсин, 1 стакан сахара, 2 столовые ложки воды, 2 столовые ложки коньяка, 200 г сливочного масла, 2 яичных белка.

Для приготовления теста масло растопить в воде и на слабом огне довести до кипения, всыпать муку и немедленно снять с огня. Остудив, перемешать тесто, добавить яйца и желтки, все тщательно растереть до получения однородной массы. Тесто выложить ложкой в смазанную растительным маслом вафельницу и выпекать в течение 2—3 минут при температуре 180. Горячие вафли свернуть в трубочки. Апельсин разрезать на кружки, сварить в 2 столовых ложках воды с 1/2 стакана сахара. Горячую массу протереть через сито. Белки взбить с 1/2 стакана сахара на слабом огне. Размягченное масло взбить с апельсиновой массой в миксере, добавить коньяк, взбитые белки, все тщательно перемешать. Готовым кремом наполнить вафельные трубочки.

ТРУБОЧКИ ЗАВАРНЫЕ
С ШОКОЛАДНЫМ КРЕМОМ

Для теста: 8 столовых ложек муки, 4 столовые ложки воды, 50 г сливочного масла, 2 яичных желтка, 2 яйца. Для крема: 200 г сливочного масла, 1/2 банки сгущенного молока, 100 г шоколада.

Для приготовления теста масло растопить в воде и на слабом огне довести до кипения, всыпать муку и немедленно снять с огня. Остудив, перемешать тесто, добавить яйца и желтки, все тщательно растереть до получения однородной массы. Тесто выложить ложкой в смазанную растительным маслом вафельницу и выпекать в течение 2—3 минут при температуре 180. Горячие вафли свернуть в трубочки. Для приготовления крема размягченное масло взбить со сгущенным молоком. Шоколад мелко накрошить, растопить на паровой бане, остудить, добавить в приготовленную массу и тщательно перемешать. Наполнить кремом готовые трубочки.

«ФУНТИКИ» ВАФЕЛЬНЫЕ С ЗЕМЛЯНИКОЙ

Для теста: 1 1/2 стакана муки, 2 столовые ложки сливочного масла, 1/2 стакана сахара, 2 яйца, 1 чайная ложка соды, 1 стакан меда, 1 столовая ложка коньяка. Для крема: 3 яичных белка, 1 стакан сахара, 1 стакан ягод земляники, 1 столовая ложка малинового ликера.

Все продукты для теста, кроме муки, смешать, подогрев на очень слабом огне или паровой бане, до получения однородной пенистой массы. Добавить муку, замесить тесто. Раскатать тесто в пласты по размеру вафельницы толщиной 2—3 мм. Выпекать в смазанной растительным маслом вафельнице по 3—4 минуты с каждой стороны при температуре 200. Для приготовления крема белки взбить с сахаром, подогревая смесь на слабом огне, до получения густой и устойчивой пены. В горячую пену добавить ликер и ягоды, все осторожно перемешать. Из горячих вафель свернуть «фунтики», остудить их и наполнить горячим кремом.

«ФУНТИКИ» ВАФЕЛЬНЫЕ С КЛУБНИКОЙ

Для теста: 1 1/2 стакана муки, 2 столовые ложки сливочного масла, 1/2 стакана сахара, 2 яйца, 1 чайная ложка соды, 1 стакан меда, 1 столовая ложка коньяка. Для крема: 3 яичных белка, 1 стакан сахара, 1 стакан ягод клубники, 1 столовая ложка ликера.

Все продукты для теста, кроме муки, смешать, подогрев на очень слабом огне или паровой бане, до получения однородной пенистой массы. Добавить муку, замесить тесто. Раскатать тесто в пласты по размеру вафельницы толщиной 2—3 мм. Выпекать в смазанной растительным маслом вафельнице по 3—4 минуты с каждой стороны при температуре 200. Для приготовления крема белки взбить с сахаром, подогревая смесь на слабом огне, до получения густой и устойчивой пены. В горячую пену добавить ликер и размельченные ягоды клубники, все осторожно перемешать. Из горячих вафель свернуть «фунтики», остудить их и наполнить горячим кремом.

«ФУНТИКИ» ВАФЕЛЬНЫЕ С МАЛИНОЙ

Для теста: 1 1/2 стакана муки, 2 столовые ложки сливочного масла, 1/2 стакана сахара, 2 яйца, 1 чайная ложка соды, 1 стакан меда, 1 столовая ложка коньяка. Для крема: 3 яичных белка, 1 стакан сахара, 1 стакан ягод малины, 1 столовая ложка малинового ликера.

Все продукты для теста, кроме муки, смешать, подогрев на очень слабом огне или паровой бане, до получения однородной пенистой массы. Добавить муку, замесить тесто. Раскатать тесто в пласты по размеру вафельницы толщиной 2—3 мм. Выпекать в смазанной растительным маслом вафельнице по 3—4 минуты с каждой стороны при температуре 200. Для приготовления крема белки взбить с сахаром, подогревая смесь на слабом огне, до получения густой и устойчивой пены. В горячую пену добавить ликер и ягоды, все осторожно перемешать. Из горячих вафель свернуть «фунтики», остудить их и наполнить горячим кремом.

«ФУНТИКИ» ВАФЕЛЬНЫЕ С ЯБЛОЧНЫМ СУФЛЕ

Для теста: 1 1/2 стакана муки, 2 столовые ложки сливочного масла, 1/2 стакана сахара, 2 яйца, 1 чайная ложка соды, 1 стакан меда, 1 столовая ложка коньяка. Для крема: 3—4 кислых яблока, 1 стакан сахара, 3 яичных белка, 1 столовая ложка корицы.

Все продукты для теста, кроме муки, смешать, подогрев на очень слабом огне или паровой бане, до получения однородной пенистой массы. Добавить муку, замесить тесто. Раскатать тесто в пласты по размеру вафельницы толщиной 2—3 мм. Выпекать в смазанной растительным маслом вафельнице по 3—4 минуты с каждой стороны при температуре 200. Яблоки очистить от кожуры, извлечь сердцевину и запечь в духовке, горячими протереть через сито. На слабом огне взбить белки с сахаром до получения устойчивой пены и, не переставая взбивать, добавить в нее яблочное пюре. Из горячих вафель свернуть «фунтики», остудить их и наполнить суфле, поверхность суфле посыпать корицей.

ЭЛЕКТРОПАРОВАРКА

Электропароварка — одно из самых современных устройств для приготовления здоровой и качественной пищи. Она позволяет создать во всем объеме, предназначенном для приготовления блюд, один и тот же температурный режим и поддерживать его на нужном уровне в течение всего процесса приготовления пищи. Многие хозяйки ошибочно считают, что на пару́ готовятся в основном блюда диетической кухни. Однако существует огромное количество кулинарных изделий, которые приобретают нужную консистенцию и вкус, только будучи приготовленными на пару́. В этом случае в продуктах сохраняются многие полезные вещества, клейковина и т.д., которые при варке в воде вымываются и изменяют вкус приготавливаемого блюда. На пару́ легко и быстро готовятся всевозможные вареники, клецки, пудинги и т.п. Эти простые и недорогие блюда могут разнообразить стол в любой семье, они полезны детям и пожилым людям и, безусловно, понравятся хозяйкам.

Конструкция кастрюли и сковородок-скороварок позволяет сохранять в приготовленных блюдах аромат используемых продуктов, витамины и минеральные соли. В процессе приготовления пищи сохраняются все минеральные вещества, поэтому подсаливать блюдо следует по собственному вкусу только после окончания варки.

В процессе приготовления различных блюд их можно укладывать либо на дно посуды, либо на имеющиеся в комплекте решетки. В пароварке прекрасно готовятся мясные блюда, причем мясо можно потушить или сварить. Так же быстро и легко можно приготовить в ней овощные блюда. Если овощи должны хорошо развариться (например, для приготовления пюре), то их следует подержать в посуде под крышкой до полного охлаждения. В остальных случаях посуду следует открывать сразу же по окончании времени, указанного в рецепте.

Рецепты, приведенные в книге, рассчитаны в среднем на 3—4 порции. Приготовление в большей по объему посуде требует лишь увеличения количества воды, наливаемой для образования пара.

ВАРЕНИКИ КАРТОФЕЛЬНЫЕ

400 г картофеля, 3 столовые ложки муки, 1 яйцо, 500 г яблок, 3 столовые ложки сахара, 100 г сметаны, 1 чайная ложка корицы, 125 г мелкого изюма, 100 г сливочного масла, 1/4 чайной ложки соли.

Картофель отварить в кожуре, очистить и охладить, натереть на терке, добавить муку, яйца, соль и замесить тесто. Сразу же раскатать из него лепешки толщиной 0,5 см и величиной с тарелку. Яблоки очистить, нарезать ломтиками, смешать с сахаром, сметаной, корицей и изюмом. Картофельные лепешки смазать размягченным маслом, завернуть в них яблочную начинку, придав форму вареника. В пароварку налить 1 стакан воды, решетки смазать растительным маслом, уложить вареники, готовить на пару́ 20—25 минут. Готовые вареники посыпать сахарной пудрой и подать со сметаной.

ВАРЕНИКИ КАРТОФЕЛЬНЫЕ С КАПУСТОЙ

Для теста: 500 г картофеля, 1 яйцо, 2 столовые ложки муки. Для фарша: 1/2 стакана манной крупы, 100 г капусты, 50 г домашней ветчины, перец, соль по вкусу.

Отваренный в кожуре картофель очистить, измельчить с помощью блендера, шинковки или миксера. Добавить яйцо, муку и мешать, пока не получится мягкое тесто, которое отстает от рук. Приготовить фарш путем измельчения капусты и ветчины с помощью шинковки или блендера. Манную крупу поджарить на слабом огне, помешивая, чтобы не пригорела. Когда крупа подрумянится, влить тонкой струйкой кипящую подсоленную воду в таком количестве, чтобы получилась густая каша, охладить ее и смешать с капустно-ветчинной смесью, добавив перец. Картофельное тесто раскатать в пласт толщиной 0,5 см и стаканом вырезать из него кружочки. Уложив в центр каждого фарш, соединить края и защипать. В пароварку налить 1 стакан воды, решетки смазать растительным маслом, уложить вареники, готовить на пару 20—25 минут. Готовые вареники подать со сметаной.

ВАРЕНИКИ С КАРТОФЕЛЕМ

Для теста: 1 стакан муки, 1 яйцо, 2 столовые ложки сливочного масла или стакан сметаны, 1/2 стакана теплой воды, соль. Для фарша: 400 г картофеля, 1—2 луковицы, 1 столовая ложка растительного масла.

Из просеянной муки и яйца, смешанного с водой, замесить крутое тесто и оставить его на 30—40 минут. Подготовить фарш: очищенный картофель отварить, протереть горячим, посолить и смешать с поджаренным луком. Готовое тесто раскатать в пласт толщиной 2 мм, края на ширину 5—6 см смазать яйцом, разведенным в воде. Уложить рядами шарики из фарша на расстоянии 3—4 см друг от друга. Край смазанной полосы теста приподнять, накрыть им фарш и вырезать вареники специальной формочкой. В пароварку налить 1 стакан воды, решетки смазать растительным маслом, уложить вареники, готовить на пару 20—25 минут. Готовые вареники подать со сметаной.

223

ВАРЕНИКИ КАРТОФЕЛЬНЫЕ
С ПТИЧЬИМИ ПОТРОХАМИ

Для теста: 500 г картофеля, 1 яйцо, 2 стакана муки. Для фарша: 1/2 стакана манной крупы, 100 г потрохов птицы, перец, соль по вкусу.

Отваренный в кожуре картофель очистить, измельчить с помощью блендера, шинковки или миксера. Добавить яйцо, муку и мешать, пока не получится мягкое тесто, которое отстает от рук. Приготовить фарш путем измельчения потрохов курицы, утки или гуся с помощью миксера или блендера. Манную крупу поджарить на слабом огне, помешивая, чтобы не пригорела. Когда крупа подрумянится, влить тонкой струйкой кипящую подсоленную воду в таком количестве, чтобы получилась густая каша, охладить ее и смешать с потрохами, добавив перец. Картофельное тесто раскатать в пласт толщиной 0,5 см и стаканом вырезать из него кружочки. Положив в центр каждого фарш, соединить края и защипать. В пароварку налить 1 стакан воды, решетки смазать растительным маслом, уложить вареники, готовить на пару 25—30 минут. Готовые вареники подать со сметаной.

ВАРЕНИКИ КАРТОФЕЛЬНЫЕ СО ШПИНАТОМ

400 г картофеля, 100 г шпината, 1 маленькая луковица, 1/2 стакана муки, 1 яйцо, 1/2 стакана сметаны, 1 чайная ложка сливочного масла, пряности, перец, соль по вкусу.

Очищенный картофель измельчить в шинковке, отжать, добавить мелко нарезанный шпинат, поджаренный на масле лук, пряности, соль и перец, все хорошо перемешать и немного потушить на сковородке. Из муки, яйца и теплой воды замесить тесто, раскатать в пласт толщиной 2 мм, вырезать кружочки и положить на них фарш, завернуть края и защипать. В пароварку налить 1 стакан воды, решетки смазать растительным маслом, уложить вареники, готовить на пару 30—35 минут. Готовые вареники подать со сметаной.

ВАРЕНИКИ С ВЕТЧИНОЙ

Для теста: 1 стакан кефира, 1 яйцо, 1/2 чайной ложки соды, 1/8 чайной ложки соли, 3—4 стакана муки. Для начинки: 100 г ветчины, 3—4 картофелины, 1 небольшая луковица, 2—3 столовые ложки растопленного сливочного или растительного масла, 1/4 чайной ложки соли.

Ветчину мелко нарубить. Картофель сварить в мундире, очистить и размять горячим, смешать с мелко нарезанным луком и ветчиной, посолить. Соду погасить кефиром, добавить яйцо, соль, муку и замесить мяг-

кое тесто. Из теста скатать колбаску диаметром 3—4 см, нарезать кружочками толщиной 2 см. Из каждого кусочка раскатать кружок толщиной в 3—4 мм, уложить на середину начинку, края защипать и готовить немедленно. В пароварку налить 1 стакан воды, решетки смазать растительным маслом, уложить вареники, готовить на пару 20—25 минут. Готовые вареники подать со сметаной.

ВАРЕНИКИ С ВИШНЕЙ

Для теста:1 стакан кефира, 1 яйцо, 1/2 чайной ложки соды, 1/8 чайной ложки соли, 3—4 стакана муки. Для начинки: 1 кг свежих вишен, 1 1/2 стакана сахара, 2 столовые ложки крахмала, 1/2 стакана сахарной пудры.

Из вишен вынуть косточки, сок слить, ягоды смешать с сахаром и крахмалом. Соду погасить кефиром, добавить яйцо, соль, муку и замесить мягкое тесто. Из теста скатать колбаску диаметром 3—4 см, нарезать кружочками толщиной 2 см. Из каждого кусочка раскатать кружок толщиной в 3—4 мм, уложить на середину начинку, края защипать и готовить немедленно. В пароварку налить 1 стакан воды, решетки смазать растительным маслом, уложить вареники, готовить на пару 15—20 минут. Готовые вареники посыпать сахарной пудрой, подать со сметаной.

ВАРЕНИКИ С КАРТОФЕЛЕМ

Для теста: 1 стакан кефира, 1 яйцо, 1/2 чайной ложки соды, 1/8 чайной ложки соли, 3—4 стакана муки. Для начинки: 3—4 картофелины, 1 небольшая луковица, 2—3 столовые ложки растопленного сливочного или растительного масла, 1/4 чайной ложки соли.

Картофель сварить в мундире, очистить и размять горячим, смешать с мелко нарезанным луком, посолить. Соду погасить кефиром, добавить яйцо, соль, муку и замесить мягкое тесто. Из теста скатать колбаску диаметром 3—4 см, нарезать кружочками толщиной 2 см. Из каждого кусочка раскатать кружок толщиной 3—4 мм, уложить на середину начинку, края защипать и готовить немедленно. В пароварку налить 1 стакан воды, решетки смазать растительным маслом, уложить вареники, готовить на пару 20—25 минут. Готовые вареники подать со сметаной.

ВАРЕНИКИ С КАРТОФЕЛЕМ И ТВОРОГОМ

Для теста: 1 стакан муки, 1 яйцо, 1 столовая ложка манной крупы, 1/4 стакана воды, 1 столовая ложка сливочного масла, 1/2 стакана сметаны, соль. Для фарша: 250 г картофеля, 125 г творога, 1 луковица, 1 столовая ложка растительного масла, перец, соль.

225

Сваренный картофель превратить в пюре с помощью блендера или миксера, перемешать с творогом и поджаренным на растительном масле луком, добавив по вкусу соль и перец. Манную крупу замочить в воде для набухания, добавить яйцо, соль, муку, тщательно перемешать и приготовить тесто. Раскатать его в тонкий пласт и нарезать на квадратики. На каждый квадратик положить фарш из картофеля, соединить противоположные концы и защипать. В пароварку налить 1 стакан воды, решетки смазать растительным маслом, уложить вареники, готовить на пару 20—25 минут. Готовые вареники полить растопленным сливочным маслом, подать со сметаной.

ВАРЕНИКИ С КЛУБНИКОЙ

Для теста: 1 стакан кефира, 1 яйцо, 1/2 чайной ложки соды, 1/8 чайной ложки соли, 3—4 стакана муки. Для начинки: 2 стакана ягод клубники, 1/2 стакана сахара, 1 столовая ложка крахмала, 1/2 стакана сахарной пудры.

Ягоды смешать с сахаром и крахмалом. Соду погасить кефиром, добавить яйцо, соль, муку и замесить мягкое тесто. Из теста скатать колбаску диаметром 3—4 см, нарезать кружочками толщиной 2 см. Из каждого кусочка раскатать кружок толщиной 3—4 мм, уложить на середину начинку, края защипать и готовить немедленно. В пароварку налить 1 стакан воды, решетки смазать растительным маслом, уложить вареники, готовить на пару 15—20 минут. Готовые вареники посыпать сахарной пудрой, подать со сметаной.

ВАРЕНИКИ С МАЛИНОЙ

Для теста: 1 стакан кефира, 1 яйцо, половина чайной ложки соды, 1/8 чайной ложки соли, 3—4 стакана муки. Для начинки: 2 стакана ягод малины, 1/2 стакана сахара, 1 столовая ложка крахмала, 1/2 стакана сахарной пудры.

Ягоды смешать с сахаром и крахмалом. Соду погасить кефиром, добавить яйцо, соль, муку и замесить мягкое тесто. Из теста скатать колбаску диаметром 3—4 см, нарезать кружочками толщиной 2 см. Из каждого кусочка раскатать кружок толщиной 3—4 мм, уложить на середину начинку, края защипать и готовить немедленно. В пароварку налить 1 стакан воды, решетки смазать растительным маслом, уложить вареники, готовить на пару 15—20 минут. Готовые вареники посыпать сахарной пудрой, подать со сметаной.

ВАРЕНИКИ С ТВОРОГОМ

Для теста: 1 стакан кефира, 1 яйцо, 1/2 чайной ложки соды, 1/8 чайной ложки соли, 3—4 стакана муки. Для начинки: 400 г творога, 1/2 стакана сахара, 2 яйца, 1 пакет ванильного сахара, 1/2 стакана сахарной пудры.

Творог хорошо отжать и перемешать с яйцами, сахаром и ванилином. Соду погасить кефиром, добавить яйцо, соль, муку и замесить мягкое тесто. Из теста скатать колбаску диаметром 3—4 см, нарезать кружочками толщиной 2 см. Из каждого кусочка раскатать кружок толщиной 3—4 мм, уложить на середину начинку, края защипать и готовить немедленно. В пароварку налить 1 стакан воды, решетки смазать растительным маслом, уложить вареники, готовить на пару 15—20 минут. Готовые вареники посыпать сахарной пудрой, подать со сметаной.

ВАРЕНИКИ С ЧЕРНИКОЙ

Для теста: 1 стакан кефира, 1 яйцо, половина чайной ложки соды, 1/8 чайной ложки соли, 3—4 стакана муки. Для начинки: 2 стакана ягод черники, 1/2 стакана сахара, 1 столовая ложка крахмала, 1/2 стакана сахарной пудры.

Ягоды смешать с сахаром и крахмалом. Соду погасить кефиром, добавить яйцо, соль, муку и замесить мягкое тесто. Из теста скатать колбаску диаметром 3—4 см, нарезать кружочками толщиной 2 см. Из каждого кусочка раскатать кружок толщиной 3—4 мм, на середину уложить начинку, края защипать и готовить немедленно. В пароварку налить 1 стакан воды, решетки смазать растительным маслом, уложить вареники, готовить на пару 15—20 минут. Готовые вареники посыпать сахарной пудрой, подать со сметаной.

ГАЛУШКИ КАРТОФЕЛЬНЫЕ

500 г картофеля, 2 столовые ложки сливочного масла, 2 яйца, 2 столовые ложки муки, 2 столовые ложки натертого сыра, перец, соль по вкусу.

Отваренный в мундире картофель очистить, измельчить с помощью шинковки или блендера или пропустить через мясорубку. Добавить столовую ложку масла, яйца, муку, часть натертого сыра, молотый перец, соль, все тщательно перемешать. Готовую массу разделить на галушки. В пароварку налить 1 стакан воды, решетки смазать растительным маслом, уложить галушки, готовить на пару 15—20 минут. Готовые галушки переложить в глубокую сковороду, посыпать оставшимся натертым сыром, сбрызнуть растопленным маслом и поставить на несколько минут в духовку.

ГАЛУШКИ КАРТОФЕЛЬНЫЕ С ВЕТЧИНОЙ

500 г картофеля, 1/2 стакана панировочных сухарей, 3 столовые ложки муки, 4 столовые ложки сметаны, 1 яйцо, 120 г ветчины, по 1 столовой ложке растительного и сливочного масла, соль.

Отваренный в мундире картофель очистить и пропустить через мясорубку или измельчить в блендере. Сухари поджарить на сливочном масле, добавить сметану, рубленую ветчину, муку и соль. Все это соединить с картофельной массой и хорошенько перемешать. Из полученного теста сделать длинную колбаску и нарезать ее на кусочки, сформовать из них галушки. В пароварку налить 1 стакан воды, решетки смазать растительным маслом, уложить галушки, готовить на пару 25—30 минут. Подать со сметаной.

ГАЛУШКИ КАРТОФЕЛЬНЫЕ С МЯСОМ

500 г картофеля, 500 г мяса, 1 яйцо, 2 столовые ложки муки, 2 столовые ложки растительного масла, 1 стакан томатного соуса, соль.

Отваренный в мундире картофель очистить, превратить в пюре блендером либо пропустить через мясорубку. Подготовленное сырое мясо пропустить через мясорубку, посолить, соединить с размятым картофелем и яйцом, тщательно перемешать. Сформовать галушки, обвалять в муке. В пароварку налить 1 стакан воды, решетки смазать растительным маслом, уложить галушки, готовить на пару 15—20 минут. Подать, полив томатным соусом.

ГАЛУШКИ ПО-УКРАИНСКИ

1 кг картофеля, 2 яйца, 2 столовые ложки свиного жира, 2 столовые ложки муки, 5 столовых ложек натертого сыра, 100 г сала, 1 столовая ложка растительного масла, соль.

Сваренный картофель истолочь, смешать с мукой, яичными желтками, жиром и посолить. Из теста сформовать галушки. В пароварку налить 1 стакан воды, решетки смазать растительным маслом, уложить галушки, готовить на пару 30—35 минут. Перед подачей полить растопленным маслом. Растопить нарезанное кубиками сало, вынуть шкварки. Отваренные галушки слегка обжарить на растительном масле, смешать с натертым сыром, добавить шкварки.

ГАЛУШКИ С МАРМЕЛАДОМ

500 г картофеля, 3 столовые ложки муки, 200 г мармелада, 4 столовые ложки панировочных сухарей, 1 яйцо, 2 столовые ложки растительного масла, сахар, соль.

Вареный картофель пропустить через мясорубку или шинковку, добавить яйцо, посолить и смешать с мукой. Замесить тесто и приготовить длинный валик, разрезать его на кусочки средней толщины. В каждом кусочке сделать углубление, в которое уложить мармелад и немного сахара. Галушки завернуть и защипать края. В пароварку налить 1 стакан воды, решетки смазать растительным маслом, уложить галушки, готовить на пару 20—25 минут. Готовые галушки обвалять в поджаренных на масле панировочных сухарях.

КАРМАШКИ С ЛЕГКИМ

300 г муки, 4 столовые ложки воды, 1 чайная ложка маргарина, соль, перец, 3 желтка, панировочные сухари, 200 г отварного легкого, 2—3 столовые ложки сливочного масла или маргарина.

Из просеянной муки замесить тесто, добавив воду, маргарин или масло, соль и 2 желтка. Раскатать его и разделать на четырехугольники. Сваренное легкое очень мелко порубить, посолить и поперчить, добавить желток и панировочные сухари. На четырехугольники положить по маленькой порции легкого, скрепить в виде треугольников-кармашков. В пароварку налить 1 стакан воды, решетки смазать растительным маслом, уложить кармашки, готовить на пару 30—35 минут. Готовые изделия сбрызнуть маслом.

КАРТОФЕЛЬ «РИНГО»

500 г картофеля, 2 столовые ложки сливочного масла или 1/2 стакана сметаны, соль.

В пароварку налить 1 стакан воды, решетки смазать растительным маслом, уложить нарезанный дольками картофель, готовить на пару 25—30 минут, посолить. Подать с маслом или сметаной.

КЛЕЦКИ ИЗ КАРТОФЕЛЬНОГО КРАХМАЛА

750 г картофеля, 170 г крахмала, 2 небольших яйца, 1 стакан горячей воды, гренки из 2—3 булочек, соль.

Очистить накануне сваренный в мундире картофель, натереть его на мелкой терке или в шинковке, посолить, смешать с крахмалом, яйцами, добавить горячую воду, все тщательно перемешать до образования упругой массы. Руки посыпать мукой и сформовать клецки диаметром 5—6 см. В середину клецек положить гренки. В пароварку налить 1 стакан воды, решетки смазать растительным маслом, уложить клецки, готовить на пару 15—20 минут. Клецки можно использовать в качестве гарнира к мясным блюдам, дикой или домашней птице.

КЛЕЦКИ ИЗ ПЕЧЕНКИ

150 г печенки, 100 г белого хлеба, 1/4 стакана молока, 1 яйцо, по 1 столовой ложке мелко нарубленного лука и мелко нарезанной зелени петрушки, 2 столовые ложки жира, соль, перец, щепотка майорана, панировочные сухари.

Печенку наскоблить ножом. Лук и петрушку слегка обжарить в жире. Белый хлеб размочить в молоке, размять, смешать с яйцом, добавить специи, соль. Все смешать вместе в однородную массу. Добавить панировочные сухари, чтобы можно было замесить клецки. Полученной массе дать постоять 0,5 часа, затем смочить руки водой и скатать клецки величиной с грецкий орех. В пароварку налить 1 стакан воды, решетки смазать растительным маслом, уложить клецки, готовить на пару 30—35 минут.

КЛЕЦКИ КАРТОФЕЛЬНЫЕ ПО-НЕМЕЦКИ

400 г картофеля, 1 стакан манной крупы, 2 ломтика белого хлеба, 2 столовые ложки маргарина, 4 стакана молока, соль по вкусу.

Очищенный картофель натереть на терке или шинковке и отжать. Картофель переложить в миску, разрыхлить, посолить. Приготовить гренки: ломтики белого хлеба нарезать на кубики и обжарить. На молоке сварить манную крупу, смешать ее с картофельной массой. Руки смочить в холодной воде и вымесить тесто, пока оно не перестанет прилипать к миске. Руки снова смочить водой и вылепить клецки, наполнив их гренками. В пароварку налить 1 стакан воды, решетки смазать растительным маслом, уложить клецки, готовить на пару 30—35 минут. Клецки можно использовать как гарнир к мясным блюдам, дикой или домашней птице.

КЛЕЦКИ КАРТОФЕЛЬНЫЕ ПО-ЧЕШСКИ

1 кг сырого картофеля, 350 г вареного картофеля, 20 г белого хлеба, 1 столовая ложка маргарина, 1 столовая ложка натертого хрена, соль.

Очищенный сырой картофель натереть на мелкой терке или в шинковке и отжать сок. Очищенный вареный картофель измельчить подобным же образом. Смешать картофельные массы, добавить хрен, соль и осевший на дно крахмал из отжатого сока. Чтобы масса клецок была эластичной, обдать ее кипятком. Слегка смоченными руками сформовать круглые клецки диаметром 6 см, вовнутрь положить обжаренные ломтики белого хлеба. В пароварку налить 1 стакан воды, решетки смазать растительным маслом, уложить клецки, готовить на пару 25—30 минут. Подать со сметаной или маслом.

КЛЕЦКИ КАРТОФЕЛЬНЫЕ ПО-ЭСТОНСКИ

1 кг картофеля, 1 стакан ячневой крупы, 75 г шпика, 1 луковица, соль.

Сырой очищенный картофель натереть на терке и отжать, добавить приготовленную из ячневой муки кашу, мелко нарезанный шпик, посолить. Все тщательно перемешать и из полученной массы сформовать круглые клецки. В пароварку налить 1 стакан воды, решетки смазать растительным маслом, уложить клецки, готовить на пару 30—35 минут. Клецки можно использовать в качестве гарнира к мясным блюдам, дикой или домашней птице.

КЛЕЦКИ КАРТОФЕЛЬНЫЕ С ВИШНЯМИ

1 кг картофеля, 250 г вишен без косточек, 250—300 г муки, 1 яйцо, 30 г манной крупы, 100 г сливочного масла, 4 столовые ложки панировочных сухарей, сахар, соль.

Сваренный в мундире картофель очистить и сразу же размять. Смешать с солью, мукой, манной крупой, яйцом и 50 г масла для получения крутого теста. Скатать из теста толстый батон и нарезать его на тонкие кружки. На каждый кружок положить горстку вишен и завернуть края. В пароварку налить 1 стакан воды, решетки смазать растительным маслом, уложить клецки, готовить на пару 10—15 минут. Панировочные сухари спассеровать на масле, посыпать ими клецки и подать с сахаром.

КЛЕЦКИ КАРТОФЕЛЬНЫЕ С ГРИБАМИ ПО-ПЕТЕРБУРГСКИ

500 г картофеля, 3 столовые ложки растительного масла, 1/2 стакана сметанного соуса, соль. Для фарша: 40 г сушеных грибов, 1 луковица, 1 столовая ложка растительного масла.

Натертый сырой картофель отжать, добавить соль и разделать в виде лепешек. На них положить грибной фарш, сформовать клецки продолговатой формы и слегка обжарить. В пароварку налить 1 стакан воды, решетки смазать растительным маслом, уложить клецки, готовить на пару 20—25 минут. Для приготовления фарша сухие грибы замочить в холодной воде на 2—3 часа, затем их промыть, отварить и обжарить с нашинкованным луком.

КЛЕЦКИ КАРТОФЕЛЬНЫЕ С МЯСОМ

600 г картофеля, 1 столовая ложка муки, 1 столовая ложка растительного масла, 1/2 стакана сметаны, соль. Для фарша: 200 г говядины, 1 небольшая луковица, 1 столовая ложка растительного масла, соль по вкусу.

Очищенный сырой картофель натереть на терке или шинковке, отжать, добавить муку, соль и перемешать. Из полученной массы приготовить клецки и начинить их фаршем. Для приготовления фарша говядину пропустить через мясорубку, обжарить вместе с репчатым нашинкованным луком и вареными грибами, добавить мелко нарезанное вареное

231

яйцо, соль, перец. В пароварку налить 1 стакан воды, решетки смазать растительным маслом, уложить клецки, готовить на пару 30—35 минут. Готовые клецки слегка обжарить или запечь в духовке.

КЛЕЦКИ КАРТОФЕЛЬНЫЕ С РЫБОЙ

500 г картофеля, 2 столовые ложки растительного масла, 1/2 стакана сметанного соуса, перец, соль. Для фарша: 125 г филе рыбы, 30 г сушеных грибов, 1 луковица, 1 яйцо, 1 столовая ложка растительного масла.

Натертый сырой картофель отжать, добавить соль и разделать в виде лепешек. На них положить фарш, сформовать клецки продолговатой формы и слегка обжарить. В пароварку налить 1 стакан воды, решетки смазать растительным маслом, уложить клецки, готовить на пару 20—25 минут. Для приготовления фарша филе рыбы пропустить через мясорубку или измельчить блендером, обжарить вместе с репчатым нашинкованным луком и вареными грибами, добавить мелко нарезанное вареное яйцо, соль, перец.

КЛЕЦКИ КАРТОФЕЛЬНЫЕ С ЯБЛОКАМИ

500 г картофеля, 5—6 яблок, полстакана муки, 1 яйцо, 1 столовая ложка жира, 2 столовые ложки молока, сахар, лимонная кислота, соль.

Отваренный в мундире картофель превратить в пюре с помощью шинковки или терки, добавить молоко, яйцо, соль, муку, замесить тесто так, чтобы оно отставало от рук, и сформовать лепешки диаметром 8—9 см. Небольшие яблоки очистить от кожуры, удалить сердцевину, разрезать на четыре части и сбрызнуть разведенной лимонной кислотой, чтобы не потемнели. На каждую лепешку положить по дольке яблока и тщательно защипать края теста. В пароварку налить 1 стакан воды, решетки смазать растительным маслом, уложить клецки, готовить на пару 20—25 минут.

КЛЕЦКИ ПО-ВЕНЕЦИАНСКИ

250 г рубленого мяса, 50 г натертого сыра, 1 яйцо, 1/2 луковицы, 3 ломтика белого хлеба, 3 столовые ложки сметаны, 1 столовая ложка крахмала, 1 кубик бульона, по 2 веточки петрушки и укропа, соль и перец по вкусу.

Мясо хорошо перемешать с сыром, мелко нарубленным луком, яйцом и размягченной размятой булкой, приправить солью и перцем. Сформовать клецки. В пароварку налить 1 стакан воды, решетки смазать растительным маслом, положить на них клецки и готовить на пару в течение

35 минут. Для приготовления соуса сметану смешать с крахмалом, вылить в воду с кубиком бульона и дать закипеть. Соус приправить солью и перцем, добавить зелень. Полить этим соусом клецки. Подать с макаронами или рисом.

КНЕДЛИ В САЛФЕТКЕ

250 г муки, 4 яйца, 1 стакан молока, соль по вкусу.

Взбить желтки, добавить молоко, соль по вкусу, муку, отдельно взбитые белки и замесить тесто. Салфетку намочить в холодной воде, отжать и завязать в ней кусок теста, сделав 2 узла по бокам с каждой стороны. В пароварку налить 1 стакан воды, решетки смазать растительным маслом, уложить узелок с тестом, готовить на пару 30—35 минут. Затем содержимое салфетки вынуть и тотчас же разрезать на тонкие полоски.

КНЕДЛИ КАРТОФЕЛЬНЫЕ С ГРИБАМИ

500 г картофеля, 150—200 г свежих грибов, 1 стакан муки, 1 яйцо, 1 1/2 ложки растительного масла, 1/2 ложки панировочных сухарей, 1/2 луковицы, 150 г белого хлеба, перец, соль.

Грибы нарезать и сварить в небольшом количестве воды. Лук нарезать кружочками и поджарить до светло-золотистого цвета. Намочить белый хлеб в воде или молоке, отжать. Отваренные грибы (без жидкости), нарезанный репчатый лук и отжатый белый хлеб пропустить через мясорубку, растереть, добавить соль и перец. Если начинка слишком жидкая, добавить панировочные сухари. Приготовить картофельное тесто. Очищенный сырой картофель натереть на терке или в шинковке, сок слить, добавить муку, яйцо, соль и замесить тесто. Сформовать кнедли с грибной начинкой. В пароварку налить 1 стакан воды, решетки смазать растительным маслом, уложить кнедли, готовить на пару 30—35 минут. Перед подачей полить растопленным маслом.

КНЕДЛИ С ПЕЧЕНКОЙ

400 г белого хлеба, 250—300 г печенки, 50 г шпика, 1 стакан молока, 1 яйцо, 2 столовые ложки муки, 1 луковица, цедра 1 лимона, соль.

Хлеб нарезать кубиками. Печенку, шпик, лук и зелень провернуть через мясорубку и смешать с хлебными кубиками. В молоке развести муку, добавить яйцо. Смесь вылить на хлебную массу и оставить на 20 минут, прикрыв крышкой. Затем по желанию приправить зеленью петрушки и лимонной цедрой, посолить. Из полученной массы сформовать кнедли и слегка обвалять в муке. В пароварку налить 1 стакан воды, решетки смазать растительным маслом, уложить кнедли, готовить на пару 10—15 минут.

КНЕДЛИ СО СЛИВАМИ

400 г картофеля, 4 столовые ложки муки, 1 яйцо, 200 г свежих слив, 1 столовая ложка сахара, 1 столовая ложка сливочного масла, соль.

Очищенный сырой картофель натереть на терке или в шинковке, сок слить, добавить муку, яйцо, соль и замесить тесто, как для вареников. Из теста сформовать шарики и зафаршировать каждый из них сливой без косточки, предварительно обкатанной в сахаре. В пароварку налить 1 стакан воды, решетки смазать растительным маслом, уложить кнедли, готовить на пару 30—35 минут. Перед подачей полить растопленным маслом.

КОТЛЕТЫ ПАРОВЫЕ

350 г куриного мяса, 150 г телятины без костей, 1 яйцо, 2 столовые ложки сметаны, 2 столовые ложки масла или маргарина, 2—3 столовые ложки панировочных сухарей, соль и перец по вкусу.

Мясо провернуть через мясорубку, добавить немного соли и перца, а также сметаны и сформовать котлеты. В середину каждой положить по кусочку масла. Обвалять котлеты в яйце и сухарях. В пароварку налить 1 стакан воды, решетки смазать растительным маслом, положить на них котлеты и готовить на пару в течение 35 минут. На гарнир подать жаренный во фритюре картофель или зеленый горошек.

ОМЛЕТ СО ШПИНАТОМ

1 яйцо, несколько зеленых листьев шпината, 3/4 стакана молока, 1 столовая ложка сливочного масла, соль по вкусу.

Листья зеленого шпината перебрать, очистить от стеблей, промыть в большом количестве холодной воды несколько раз и разрезать на 3—4 части. Положить шпинат в кастрюлю с растопленным маслом, поставить на огонь и тушить в закрытой посуде 5—8 минут, периодически помешивая. Сырое яйцо тщательно смешать с холодным молоком, тушеным шпинатом и солью. Налить эту смесь в фарфоровую или эмалированную кружку. В пароварку налить 1 стакан воды, поставить в нее кружку и готовить 15—20 минут, пока масса не загустеет. Подать в горячем виде.

ОМЛЕТ ЯИЧНЫЙ

1 яйцо, 1 чайная ложка пшеничной муки, 3/4 стакана молока, сахар и соль по вкусу.

Пшеничную муку смешать с 1/4 стакана молока. Остальное молоко вскипятить, влить в него разведенную муку и, помешивая, кипятить 15 минут. Снять с огня и слегка охладить. Взбить яйцо с сахаром, соединить с молоком, проваренным с мукой, добавить соль и перемешать. Полученную смесь залить в форму. В пароварку налить 1 стакан воды, поставить в нее форму и готовить 20 минут.

ОМЛЕТ ЯИЧНЫЙ СЛАДКИЙ

1 яйцо, 3/4 стакана молока, 1 чайная ложка сливочного масла, 2 ванильных сухаря, соль и сахар по вкусу.

Сырое яйцо растереть с сахаром, развести холодным молоком и посолить. Сухари разрезать на кусочки и уложить в кружку, залить молочно-яичной смесью и накрыть плотно крышкой. Через 20—25 минут, когда сухари набухнут, посуду со смесью поместить в пароварку и готовить 15—20 минут, предварительно налив в пароварку 1 стакан воды. Подать в горячем или холодном виде.

ОМЛЕТ ЯИЧНЫЙ С МОРКОВЬЮ

1 яйцо, 1/2 стакана молока, 1 небольшая морковка, 1 1/2 чайной ложки сливочного масла, соль по вкусу.

Морковь вымыть щеткой, очистить, натереть на терке, положить в кастрюлю с растопленным маслом, накрыть крышкой и тушить 15—20 минут на слабом огне до мягкости. Во время тушения морковь следует периодически перемешивать, подливая по столовой ложке молока. Сырое яйцо тщательно смешать с тушеной морковью и оставшимся холодным молоком, добавить соль, налить эту смесь в кружку, смазанную сливочным маслом. В пароварку налить 1 стакан воды, поставить в нее кружку и готовить 15—20 минут. Подать в горячем виде.

ПАШТЕТ МЯСНОЙ ДЛЯ САНДВИЧЕЙ

500 г мелко нарубленного жареного или вареного мяса, 3 столовые ложки муки, 1 1/2 столовой ложки сливочного масла, 2 яичных желтка, 1 чайная ложка соли, 1/2 чайной ложки горчицы, 3—4 столовые ложки лимонного сока, по 1 столовой ложке нарубленной петрушки и укропа, 1 сладкий перец, 1—2 маленьких острых перчика.

Желтки, молоко и муку перемешать со сливочным маслом, специями и солью и положить в форму. В пароварку налить 1 стакан воды, поставить в нее форму и готовить 10—15 минут. Когда готовая смесь остынет, смешать ее с рубленым мясом и прочими продуктами, сбрызнуть лимонным соком.

ПЕЛЬМЕНИ КАРТОФЕЛЬНЫЕ СО СМЕТАНОЙ

1 кг картофеля, 2 столовые ложки муки, 4 столовые ложки сметаны, 1 яйцо, 200 г мяса, соль по вкусу.

Очищенный сырой картофель натереть на мелкой терке или в шинковке, хорошо отжать, добавить муку, соль и тщательно перемешать. Картофельную массу разделить на небольшие лепешки, положить на середину каждой из них мясной фарш и соединить края. В пароварку налить 1 стакан воды, решетки смазать растительным маслом, уложить пельмени, готовить на пару 30—35 минут. Перед подачей полить растопленным маслом или сметаной.

ПЕЛЬМЕНИ КАРТОФЕЛЬНЫЕ
СО ШПИКОМ

700 г картофеля, 1/2 стакана пшеничной или овсяной муки, 1 яйцо, 1 луковица, 100 г шпика, 1 1/2 ложки сметаны, перец, жир, соль.

Натертый сырой картофель слегка отжать и смешать с овсяной или пшеничной мукой и яйцом, посолить. Массу разделать на круглые лепешки, на середину каждой из них положить фарш, приготовленный из смеси шпика, нарезанного мелкими кубиками, мелко нарубленного лука, молотого перца и соли. Лепешки сложить пополам, придав им форму полумесяца. В пароварку налить 1 стакан воды, решетки смазать растительным маслом, уложить пельмени, готовить на пару 30—35 минут. Перед подачей полить сметаной.

ПИРОГ С СЫРОМ

2 столовые ложки муки, 2 столовые ложки масла, 3/4 стакана молока, 1/2 стакана натертого сыра, 2—3 яйца, соль и перец по вкусу.

Из масла, муки и молока приготовить соус бешамель, добавить сыр, посолить, поперчить и дать массе остыть. Отдельно взбить желтки и белки и вылить в остывший загустевший соус. Форму смазать маслом, вылить в нее массу. В пароварку налить 1 1/2 стакана воды, поставить в нее форму и готовить 35 минут.

ПОНЧИКИ СЛАДКИЕ ИЗ КАРТОФЕЛЯ

500 г картофеля, 1 яйцо, 1 столовая ложка сахара, 1 1/2 стакана растительного масла, 20 г дрожжей, 1 столовая ложка молока, 1 1/2 стакана муки, ванильный сахар, соль.

Сваренный в кожуре картофель очистить и пропустить через мясорубку или шинковку. Добавить соль, яйцо, масло, ванильный сахар, муку и тщательно перемешать. Дрожжи развести в подслащенном молоке, смешать со столовой ложкой муки и оставить для подъема, после чего смешать с подготовленной картофельной массой. Приготовить крутое тесто и поставить для подъема на 1 час. На поверхности, смазанной маслом, раскатать блин, нарезать стаканом кружочки. В пароварку налить 1 стакан воды, решетки смазать растительным маслом, уложить пончики, готовить на пару 10—15 минут. Посыпать ванильным сахаром и подать к столу.

ПУДИНГ БИСКВИТНЫЙ

2 яйца, 2 столовые ложки муки, 1 чайная ложка сливочного масла, 2 столовые ложки малинового варенья, сахар по вкусу.

Желтки растирать с сахаром не менее 15 минут. Затем добавить к ним сперва муку, а потом взбитые в пену белки. Выложить массу в форму, смазанную маслом, закрыть крышкой. В пароварку налить 1 стакан воды, поставить в нее форму и готовить 30 минут. Готовый пудинг полить малиновым сиропом. Для приготовления сиропа в варенье добавить 1/2 стакана горячей воды и прокипятить.

ПУДИНГ ИЗ КРАБОВ

300 г мяса крабов, 1/2 стакана крахмала, 1 стакан молока, 1 ломтик размягченного в молоке белого хлеба, 2 яйца, 1 большой очищенный помидор, 1/4 чайной ложки перца, 1 чайная ложка сушеного майорана, 1 чайная ложка сливочного масла или маргарина, 1 чайная ложка панировочных сухарей, соль по вкусу.

Крахмал заварить в молоке. Белый хлеб протереть через сито, смешать с желтком и солью, затем с остуженной крахмальной массой. Мясо крабов и разрезанные на ломтики помидоры потушить на маргарине, добавив специи. Смешать с основной массой. Добавить взбитые белки, посолить, приправить специями, выложить в смазанную маслом и посыпанную панировочными сухарями форму. В пароварку налить 1 1/2 стакана воды, поставить в нее форму и готовить 30—40 минут. Готовый пудинг украсить кусочками крабов и помидоров.

ПУДИНГ ЛИМОННЫЙ

1 столовая ложка пшеничной муки, 1 столовая ложка сливочного масла, 2 столовые ложки молотых сухарей, 1/2 яйца, 1/4 лимона, соль и сахар по вкусу.

Яйцо взбить с сахаром. Сливочное масло размять до мягкости и перемешать с просеянными сухарями, мукой и солью. Добавить взбитое яйцо, лимонный сок и снятую с лимона натертую цедру. Все тщательно перемешать, уложить массу в смазанную маслом форму, закрыть пергаментной бумагой. В пароварку налить 1 1/2 стакана воды, поставить в нее форму и готовить 1 час.

ПУДИНГ МАКАРОННЫЙ

3 яйца, 1—2 столовые ложки сахара, 2 столовые ложки крахмала, 4 столовые ложки холодного молока, 10—12 длинных макарон, 4 столовые ложки рома или коньяка, 1/2 чайной ложки корицы.

Желтки и сахар хорошо взбить. В 1 столовой ложке холодного молока развести крахмал и добавить его к взбитым с сахаром желткам. Оставшееся молоко вскипятить, понемногу влить в яичную массу. Полученную смесь вылить в фарфоровую или эмалированную кружку. В пароварку налить 1 стакан воды, поставить в нее форму и готовить 10—15 минут. Вареные макароны положить в миску, залить взбитыми белками, а затем горячей пудинговой массой. Как только блюдо остынет, полить его ромом и поставить в холодильник на 2—3 часа. Перед подачей на стол слегка посыпать корицей.

ПУДИНГ «МАНЧЕСТЕРСКИЙ»

200 г вареного куриного мяса, 500 г сырой свинины, 1 луковица, 1 столовая ложка хорошо промытого сырого риса, 2 столовые ложки томата-пюре, 1/2 стакана воды, соль, перец и майоран по вкусу.

Куриное мясо и свинину пропустить через мясорубку, хорошо перемешать с прочими продуктами. Массу выложить в форму. В пароварку налить 1 1/2 стакана воды, поставить в нее форму и готовить 1 час. Готовое блюдо можно подать как в холодном, так и в горячем виде.

ПУДИНГ ПО-КРЕОЛЬСКИ

120 г белого хлеба без корки, 1—2 столовые ложки сахара, 2 яйца, 2 столовые ложки сливочного масла, 250 г инжира, 1 стакан молока, 2 столовые ложки панировочных сухарей.

Сахар и желтки взбить, добавить растопленное сливочное масло, размягченный в молоке белый хлеб, а также молоко и мелко нарубленный сушеный инжир. Все хорошо перемешать, в конце добавить отдельно взбитые белки с сахаром. Форму для пудинга смазать маслом и посыпать панировочными сухарями, накрыть крышкой. В пароварку налить 1 стакан воды, поставить в нее форму и готовить 30 минут.

ПУДИНГ РИСОВЫЙ

2 столовые ложки риса, 1/2 стакана молока, 1/2 стакана воды, 1 столовая ложка сливочного масла, 1 яйцо, 1/2 стакана фруктового соуса, соль и сахар по вкусу.

Перебранный и вымытый рис засыпать в посуду с кипящей подсоленной водой и варить 20 минут на слабом огне. Добавить подогретое молоко и продолжать варить при слабом кипении на плите или в жарочном шкафу 1 час, закрыв кастрюлю крышкой. Готовую кашу немного охладить, добавить в нее желток, растертый с сахаром, размешать и ввести взбитый в пену белок. Заправленную кашу уложить в форму, смазанную сливочным маслом. Форму прикрыть крышкой. В пароварку налить 1 стакан воды, поставить в нее форму и готовить 30 минут. Готовый пудинг выложить из формы на блюдо и полить его сладким фруктовым соусом или вареньем.

ПУДИНГ РЫБНЫЙ ПО-МАДРИДСКИ

750 г тушеной рыбы, 2 столовые ложки растительного масла, 400 г помидоров, 3 яйца, 1—2 столовые ложки сливочного масла или маргарина, 1 стакан майонеза, 2—3 столовые ложки панировочных сухарей, соль и перец по вкусу.

Рыбу слегка потушить, разделить на кусочки и удалить по возможности все кости. Помидоры ошпарить кипятком, снять кожицу и потушить их в растительном масле, чтобы они разварились. Затем помидоры смешать с кусочками очищенной рыбы, добавить яйца, соль и перец. Форму для пудинга хорошо смазать маслом, посыпать сухарями и выложить в нее подготовленную массу. В пароварку налить 1 1/2 стакана воды, поставить в нее форму и готовить 40—50 минут. Подать в горячем виде, полив майонезом.

ПУДИНГ ТВОРОЖНЫЙ С МОРКОВЬЮ

100 г творога, 1 средняя морковка, 1 чайная ложка сливочного масла, 1 столовая ложка молотых сухарей, 1/2 яйца, 2 столовые ложки малинового или земляничного варенья, соль и сахар по вкусу.

Творог протереть через сито, соединить с просеянными сухарями, желтком, сахаром, солью, очищенной и натертой на терке морковью. Белок взбить в крепкую пену, осторожно вмешать в массу. Выложить все в смазанную маслом форму и закрыть ее крышкой. В пароварку налить 1 1/2 стакана воды, поставить в нее форму и готовить 40 минут. Пудинг полить малиновым или земляничным сиропом. Для приготовления сиропа в малиновое или земляничное варенье добавить 1/2 стакана горячей воды и прокипятить.

ПУДИНГ ТВОРОЖНЫЙ С ЯБЛОКАМИ

100 г творога, 1 большое яблоко, 1 чайная ложка сливочного масла, 1 столовая ложка молотых сухарей, 1/2 яйца, 2 столовые ложки малинового или земляничного варенья, соль и сахар по вкусу.

Творог протереть через сито, соединить с просеянными сухарями, желтком, сахаром, солью, очищенными и натертыми на терке яблоками.

Белок взбить в крепкую пену, осторожно вмешать в массу. Выложить все в смазанную маслом форму и закрыть ее крышкой. В пароварку налить 1 1/2 стакана воды, поставить в нее форму и готовить 40 минут. Пудинг полить малиновым или земляничным сиропом. Для приготовления сиропа в малиновое или земляничное варенье добавить 1/2 стакана горячей воды и прокипятить.

ПУДИНГ ХЛЕБНЫЙ

100 г пшеничного хлеба, 1 чайная ложка сливочного масла, 1 яйцо, 1/4 лимона, 1/2 стакана молока, сироп из любого варенья, сахар по вкусу.

Черствый пшеничный хлеб нарезать мелкими кубиками. Желток растереть с сахаром, постепенно развести горячим молоком и добавить натертую цедру лимона. Полученной смесью залить кусочки хлеба, перемешать и дать им набухнуть. Затем ввести взбитый в густую пену белок и перемешать с хлебом. Форму смазать сливочным маслом, уложить в нее подготовленную массу, закрыть крышкой. В пароварку налить 1 1/2 стакана воды, поместить в нее форму и готовить 40 минут. Готовый пудинг выложить из формы на тарелку и полить сиропом из варенья. Для приготовления сиропа в любое варенье добавить 1/2 стакана горячей воды и прокипятить.

ПУДИНГ «ЮЖНЫЙ»

3—4 стакана отварного рассыпчатого риса, 2 столовые ложки сахара, 1 столовая ложка сливочного масла (соскобленного ножом с куска), 50 г фиников без косточек, 50 г очищенных грецких орехов, 50 г очищенного миндаля.

Рис смешать с сахаром и сливочным маслом, выложить в форму для пудинга пластом в 2 см. Сверху положить половину указанного количества фиников и орехов и слегка придавить. Затем выложить слой риса, на него — слой орехов и фиников. Сверху положить оставшийся рис. Форму накрыть крышкой. В пароварку налить 1 стакан воды, поставить в нее форму и готовить 30 минут.

РУЛЕТИКИ МЯСНЫЕ

1 стакан вареного, нарезанного мелкими кубиками куриного или телячьего мяса, 1 луковица, 1 долька чеснока, 1 маленький острый перчик или 1/2 чайной ложки красного молотого перца, 1 стакан консервированной кукурузы, 3/4 стакана свиного жира, несколько листьев кукурузы, 1 столовая ложка растительного масла, соль по вкусу.

Лук, стручок перца и чеснок мелко нарубить и слегка потушить в растительном масле. Смешать с мясом и посолить. Жир смешать с зернами кукурузы и также слегка посолить. Листья кукурузы обдать кипятком, приготовить их для фарширования, то есть разрезать один раз вдоль и два раза поперек так, чтобы можно было сделать из них конвертики. Конвертики наполнить мясным фаршем, закрыть, обвязать ниткой. В пароварку налить 1 стакан воды, поставить в нее форму и готовить 10—15 минут. Подать на стол с пикантным томатным соусом. Листья, которые были использованы для обвертывания, удалить, так как их не едят.

ТВОРОЖНИКИ ВАРЕНЫЕ С КАРТОФЕЛЕМ

150 г творога, 500 г картофеля, 2 яйца, 2 столовые ложки сливочного масла, 1 1/2 столовой ложки сахара, стакан панировочных сухарей, соль.

Масло хорошо растереть, добавить взбитые миксером яйца, натертый сырой картофель, протертый и отжатый творог, сахар, соль, молотые сухари. Все тщательно перемешать и сформовать творожники. В пароварку налить 1 стакан воды, решетки смазать растительным маслом, уложить творожники, готовить на пару 30—35 минут. Перед подачей творожники запанировать в сухарях, поджаренных в масле и смешанных с сахаром.

ЦЕППЕЛИНЫ ПО-ПОЛЬСКИ

1,5 кг картофеля, 350 г говядины, 1 луковица, 100 г шпика, соль, перец, маргарин или масло.

Половину порции картофеля очистить и натереть в сыром виде, другую половину сварить в мундире, очистить и тоже натереть. Оба вида как следует перемешать, посолить. Отварное или жареное мясо мелко нарезать. Лук слегка обжарить, смешать с мясом. Начинку приправить солью и перцем. Из картофельной массы приготовить колбаски длиной примерно 6—8 см, наполнив их начинкой. В пароварку налить 1 стакан воды, решетки смазать растительным маслом, уложить изделия, готовить на пару 30—35 минут. К цеппелинам подать жареный шпик.

ЦЕППЕЛИНЫ С МЯСОМ

500 г картофеля, 160 г свинины, 1 небольшая луковица, 50 г шпика, соль по вкусу.

250 г сырого очищенного картофеля натереть на терке или в шинковке. Столько же картофеля отварить в кожуре, очистить, пропустить через мясорубку. Все посолить, смешать и разделать в форме лепешек. Приготовить фарш из вареного мяса и поджаренного лука, посолить, разложить на лепешки, свернуть их пирожками. В пароварку налить 1 стакан воды, решетки смазать растительным маслом, уложить цеппелины. Готовить на пару 30—35 минут. Подать с жареным шпиком.

ЦЕППЕЛИНЫ
С ТВОРОГОМ ПО-ЛИТОВСКИ

500 г картофеля, 200 г творога, 2 столовые ложки жира. Для соуса: 20 г шпика, 1 луковица, 1—2 столовые ложки сметаны, соль.

Сырой очищенный картофель натереть (2/3 нормы), отжать сок через марлю, добавить вареный картофель, посолить и перемешать. Из приготовленной массы сделать продолговатые цеппелины, начинить их творогом. В пароварку налить 1 стакан воды, решетки смазать растительным маслом, уложить цеппелины, готовить на пару 30—35 минут. Приготовить соус. Поджарить на сале лук и добавить сметану. Залить соусом цеппелины и ненадолго поместить в духовой шкаф. Подать в горячем виде.

ШАРИКИ КАРТОФЕЛЬНЫЕ,
ФАРШИРОВАННЫЕ ШПИКОМ

500 г картофеля, 1/3 стакана муки, 1 яйцо, 100 г свиного сала, 2—3 луковицы, 1 столовая ложка растительного масла, специи, соль.

Сырой картофель очистить, натереть на терке или шинковке и слегка отжать. Всыпать просеянную пшеничную муку, положить яйца, посолить и тщательно размешать. Полученную массу разделать на круглые лепешки, на середину каждой положить фарш. Для приготовления фарша свиное сало или шпик нарезать мелкими кубиками, добавить мелко нарезанный репчатый лук, черный молотый перец и соль, тщательно перемешать. В пароварку налить 1 стакан воды, решетки смазать растительным маслом, уложить шарики, готовить на пару 20—25 минут. Готовые изделия поджарить в масле или подрумянить в духовке.

СКОРОВАРКА «SICOMATIK-S»

Скороварка «Sicomatik-S» — единственный в своем роде кухонный прибор, принцип действия которого основан на накоплении и сохранении тепла в процессе приготовления пищи. Конструкция скороварки позволяет быстро и качественно готовить в ней супы, вторые и сладкие блюда.

Продукты, подвергнутые кулинарной обработке в кастрюле-скороварке, сохраняют намного больше витаминов и минеральных веществ, чем приготовленные в обычной посуде. Поэтому солить блюда следует только после окончания варки по собственному вкусу. Для приготовления супов в скороварке требуется минимальное количество жидкости. Таким образом экономится энергия, не пропадают ароматические вещества. Приготовленный концентрированный суп по окончании варки необходимо разбавить кипятком. В скороварке прекрасно готовятся мясные блюда, причем мясо можно зажарить, потушить или сварить. Запеченное мясо имеет румяную корочку и сохраняет все соки, на вкус оно остается сочным и нежным.

Главная особенность скороварки состоит в том, что с момента образования в ней нужного количества пара требуется либо минимальная подача энергии, либо вообще в ней отпадает необходимость. Высокое давление пара внутри скороварки и хорошая теплоизоляция приготовляемой пищи позволяют равномерно прогревать продукты по всему объему, что способствует улучшению вкусовых качеств готовых блюд. Так как скороварка долго сохраняет тепло, то после окончания времени приготовления, указанного в рецепте, ее следует немедленно снять с огня, охладить и открыть крышку так, как это указано в прилагаемой инструкции. Отсчет времени приготовления блюда начинается с момента, когда устанавливается регулятор режима, то есть в прорези на ручке появляется цифра 1 или 2.

БЛЮДА ИЗ МЯСА

БАРАНИНА ПО-ИРЛАНДСКИ

250 г баранины, 250 г свежей капусты, 250 г картофеля, 2 стакана воды, 3 веточки петрушки, 1/2 чайной ложки тмина, соль и перец по вкусу.

Баранину нарезать кубиками, капусту мелко нарезать соломкой или порубить. Картофель очистить и нарезать кубиками. Все сложить в скороварку, добавить приправы, залить водой и закрыть крышкой. Готовить 10—15 минут, установив регулятор на уровень 2. После приготовления крышку медленно повернуть и открыть скороварку. В готовое блюдо добавить мелко нарезанную петрушку.

БАРАНИНА ТУШЕНАЯ ПОД БЕЛЫМ СОУСОМ

700 г жирной баранины, 1 1/2 стакана воды, 1 луковица, 100 г сметаны , 1 столовая ложка муки, 1 долька чеснока, соль по вкусу.

Промытое мясо нарезать на кусочки и потушить в скороварке в 1/2 стакане воды так, чтобы из тканей вышел жир. Затем посолить, обжарить со всех сторон, добавить лук, нарезанный кружочками, мелко нарезанный чеснок. Влить в скороварку 1 стакан воды, закрыть крышкой. Готовить 15—20 минут, установив регулятор на уровень 2. После приготовления крышку медленно повернуть и открыть скороварку. Из сметаны и муки приготовить белый соус и залить им готовое мясо.

БАРАНИНА ТУШЕНАЯ С ФАСОЛЬЮ

250 г баранины, 250 г зеленой фасоли в стручках, 2—3 столовые ложки растительного масла, 2 картофелины, 1 стакан воды, 1 кубик мясного бульона, 4 веточки петрушки, перец и соль по вкусу.

Баранину нарезать кубиками. Растительное масло разогреть в скороварке и обжарить в нем баранину. Всыпать приправы, добавить картофель, нарезанный четвертинками, фасоль, бульонный кубик и залить водой. Скороварку закрыть крышкой и готовить 10—12 минут, установив регулятор на уровень 2. После приготовления крышку медленно повернуть и открыть скороварку. Готовое блюдо посыпать мелко нарезанной петрушкой.

ГОВЯДИНА В МАРИНАДЕ ПОД СОУСОМ

400 г говядины, 3 ягоды можжевельника, 1 лавровый лист, 1 лист шалфея, 1 луковица, 1 бутон гвоздики, 30 г корня сельдерея, 30 г моркови, 1 столовая ложка маргарина, 30 г копченого сала, 2—3 хлебные корки, разведенный уксус или кислое молоко, соль и сахар по вкусу. Для с о у с а: 250 г мяса на кости, 1 чайная ложка «вегеты», 2 стакана воды, 3—4 пера лука-порея, мускатный орех и соль по вкусу.

Отделив мясо от костей, отбить его, положить в небольшую эмалированную кастрюлю вместе с пряностями, шалфеем, сельдереем и морковью, залить доверху разведенным уксусом или кислым молоком. Поставить мясо в прохладное место, через 2—3 дня вынуть из жидкости, дать стечь. Мясо из маринада поджарить вместе с кусочками сала и хлебными корками. Посолить, залить небольшим количеством соуса, сверху посыпать мелко нарезанным луком. Для приготовления соуса налить в скороварку воду, положить мясо с косточкой и зелень, посыпать сверху приправой и закрыть крышкой. Готовить 20 минут, установив регулятор на уровень 1. После приготовления крышку медленно повернуть и открыть скороварку. В готовый соус добавить соль и мускатный орех по вкусу.

ГОВЯДИНА ПО-ИСПАНСКИ

350 г говядины, говяжья кость, 3 стакана воды, 3—4 пера зеленого лука, 4—5 веточек петрушки, 1 столовая ложка натертого мускатного ореха, перец и соль по вкусу.

В скороварку налить воду, положить говяжью кость, специи и довести до кипения. Мясо опустить в кипящий бульон, скороварку накрыть крышкой. Готовить 30—40 минут, установив регулятор в положение 2. Затем крышку медленно открыть, снять пенку и охладить. Достать мясо из бульона, разрезать на кусочки, посыпать натертым мускатным орехом и измельченной зеленью. Подать с жареным картофелем, соусом из хрена и солеными огурцами.

ГОВЯДИНА ПО-МОСКОВСКИ

500 г говядины, 3 столовые ложки растительного масла, 1 луковица, 1 помидор, 1 морковка, 1 столовая ложка нарезанного шалфея, 1 стакан воды, 3 столовые ложки сливок, 2—3 столовые ложки кетчупа, соль и белое вино по вкусу.

Подготовленное мясо со всех сторон обжарить в скороварке в горячем масле, посыпать солью, перцем и шалфеем. Лук, томаты и морковь нарезать маленькими кубиками. Влить воду и накрыть скороварку крышкой. Готовить 15—18 минут, установив регулятор на уровень 2. После приготовления крышку медленно повернуть и открыть скороварку. Готовое мясо полить кетчупом и сливками. Добавить по вкусу белое вино.

ГОВЯДИНА РУБЛЕНАЯ ПО-МИНСКИ

500 г говядины, 3 столовые ложки растительного масла, 1 долька чеснока, 1 луковица, 1 стручок сладкого перца, 1 помидор, 2 веточки розмарина, 1 стакан воды, 2—3 столовые ложки кетчупа, 2—3 столовые ложки красного вина, перец и соль по вкусу.

Говядину нарезать полосками и слегка обжарить в горячем растительном масле, добавить мелко нарезанный чеснок и лук, сладкий перец и помидор, нарезанный кубиками. Все положить в скороварку, добавить пряности и воду. Закрыть крышкой и тушить 3 минуты, установив регулятор на уровень 2. После приготовления медленно повернуть крышку скороварки и открыть ее. Готовое блюдо полить кетчупом и красным вином.

ГУСЬ, ТУШЕННЫЙ В БУЛЬОНЕ

1 кг гусятины, 2 стакана воды, 250 г яблок, 2 столовые ложки маргарина, 3—4 веточки петрушки, 2 веточки полыни, соль по вкусу.

Тушку гуся разрубить на части, поджарить в скороварке в небольшом количестве жира, залить кипящей водой, крышку закрыть. Готовить 25—30 минут, установив регулятор на уровень 1. Затем крышку скороварки медленно открыть. Мясо посолить, свернуть в трубочки, скрепить нитками и положить в скороварку. Добавить измельченную полынь и яблоки, нарезанные крупными кусками. Готовить 10—15 минут, установив регулятор на уровень 2. После приготовления крышку медленно повернуть и открыть скороварку. Готовое блюдо посыпать рубленой петрушкой.

ЖАРКОЕ ИЗ ГОВЯДИНЫ

500 г говядины, 3—4 столовые ложки растительного масла, 1 луковица, 1 морковка, 1 помидор, 2—3 столовые ложки красного вина или кетчупа, черный перец и соль по вкусу, 1 стакан воды.

Подготовленную говядину разрезать на кусочки и обжарить в подсолнечном масле. Смешать со специями, измельченным луком, нарезанной кубиками морковью и помидором. Добавить воду, вытереть край скороварки и закрыть крышкой. Готовить 20—30 минут, установив регулятор на уровень 2. После приготовления медленно повернуть крышку скороварки и открыть ее. В готовое жаркое добавить кетчуп или красное вино.

ЖАРКОЕ ИЗ СВИНИНЫ

350 г свинины, 1 большая луковица, 2 дольки чеснока, 2—3 столовые ложки растительного масла, 1 стакан воды, 2—3 столовые ложки кетчупа, черный перец, соль по вкусу.

Подготовленную свинину натереть пряностями и обжарить в скороварке в растительном масле. Лук нарезать кубиками, добавить в мясо и потушить. Долить воду, закрыть скороварку крышкой и готовить: шейную часть или вырезку 15—20 минут, заднюю часть — 20—25 минут, установив регулятор на уровень 2. После приготовления медленно повернуть крышку скороварки и открыть ее. Жаркое полить кетчупом.

ЖАРКОЕ ИЗ УТКИ ПО-ИТАЛЬЯНСКИ

1 утка, утиные потроха, 2 столовые ложки маргарина, 1 яйцо, 1 апельсин, 2 веточки петрушки, 2 ломтика белого хлеба, 2 столовые ложки растительного масла, 2 столовые ложки кетчупа, 1/4 чайной ложки мускатного ореха, соль по вкусу.

Подготовленную птицу натереть солью снаружи и внутри. Взбить в пену маргарин со щепоткой соли и небольшим количеством натертой апельсиновой цедры, добавить яйцо, размоченный и отжатый белый хлеб, мелко нарезанные утиные потроха, мускатный орех и нарезанную петрушку. Полученной массой начинить птицу, обжарить на растительном масле в скороварке, влить 1 стакан воды и закрыть крышку. Готовить 15—20 минут, установив регулятор на уровень 2. После приготовления крышку медленно повернуть и открыть скороварку. Готовое блюдо полить кетчупом.

КОРЕЙКА ТУШЕНАЯ ПОД БЕЛЫМ СОУСОМ

700 г корейки, 1 1/2 стакана воды, 1 луковица, 100 г сметаны, 1 столовая ложка муки, соль по вкусу.

Промытое мясо положить в скороварку, залить 1 стаканом кипящей воды и потушить, чтобы из тканей вышел жир. Затем посолить, обжарить со всех сторон, добавить лук, нарезанный кружочками, и 1 стакан воды. Закрыть скороварку крышкой, готовить 15—20 минут, установив регулятор на уровень 2. После приготовления крышку медленно повернуть и открыть скороварку. Из сметаны и муки приготовить белый соус и залить им готовое мясо.

ПОЧКИ ГОВЯЖЬИ ТУШЕНЫЕ

500 г почек, 3 столовые ложки растительного масла, 1 помидор, 1 морковка, 1 луковица, 1 стакан воды, по 1/4 чайной ложки сушеного розмарина, черного перца и тмина, 3 столовые ложки сливок, соль по вкусу.

Растительное масло подогреть в скороварке, обжарить в нем почки, посыпать пряностями и посолить. Помидор, морковь и лук мелко нарезать, добавить в кастрюлю, влить воду, обтереть край скороварки и закрыть крышкой. Готовить 15—18 минут, установив регулятор на уровень 2. После приготовления крышку медленно повернуть и открыть скороварку. В готовое блюдо добавить сливки.

РАГУ ИЗ КРОЛИКА

500 г мяса кролика, 1/2 стакана уксуса, 2 стакана воды, 3—4 столовые ложки растительного масла, 1 луковица, 1 головка гвоздики, 2 горошка перца, 1 стакан мясного бульона, 1 стакан красного вина, сахар, 2 столовые ложки кетчупа, лимонный сок и соль по вкусу.

Мясо нарезать кусочками и положить в уксус на 12 часов, потом достать, посолить и обжарить в растительном масле. Луковицу нарезать мелкими ломтиками и положить сверху. Добавить специи, бульон, вино и сахар, залить водой. Скороварку закрыть, готовить 10 минут, установив регулятор в положение 2. После приготовления крышку медленно повернуть и открыть скороварку. Готовое рагу полить кетчупом и лимонным соком по вкусу.

СВИНИНА ЗАПЕЧЕННАЯ

500 г мяса, 1 стакан красного вина, 1 столовая ложка растительного масла, 1 луковица, 1 чайная ложка ягод можжевельника, 4 горошины черного перца, 1 головка гвоздики, 1 столовая ложка измельченного сельдерея, 1 лавровый лист, 3 ломтика черного хлеба, 1/2 чайной ложки корицы, молотый перец, соль по вкусу.

Очищенное от костей мясо натереть солью и молотым перцем, положить в скороварку, добавить сельдерей, лук, лавровый лист, ягоды можжевельника, черный перец, гвоздику. Все смешать, залить до половины вином и закрыть крышкой. Готовить 15—20 минут, установив регулятор на уровень 2. Затем скороварку охладить и медленно открыть крышку. Мясо достать из бульона, слегка охладить, нарезать ломтиками и положить на предварительно нагретый противень. Натереть черный хлеб, смешать с корицей и сахаром, ровным слоем посыпать мясо, сбрызнуть растительным маслом, запечь в духовке.

СВИНИНА, ТУШЕННАЯ С ОВОЩАМИ

500 г свинины, 500 г сладкого красного перца, 3 помидора, 2 луковицы, 1 столовая ложка маргарина, 1 столовая ложка сладкого молотого красного перца, 3 стакана воды, 100 г риса, по 1 столовой ложке нарезанной петрушки, соль по вкусу.

Перец и мясо нарезать кусочками. Помидоры ошпарить и снять с них кожицу. В горячем жиру поджарить мясо и нарезанный лук, добавить сладкий молотый перец, стакан кипящей воды и немного потушить. Затем добавить мелко нарезанные помидоры, промытый рис, залить оставшейся кипящей водой и закрыть скороварку. Готовить 15—20 минут, установив регулятор на уровень 2. После приготовления крышку медленно повернуть и открыть скороварку. Готовое блюдо посыпать петрушкой.

СЕРДЦЕ ГОВЯЖЬЕ ТУШЕНОЕ

500 г говяжьего сердца, 1 маленькая луковица, 1 гвоздика, 1 лавровый лист, 3—4 столовые ложки растительного масла, 1 стакан воды, 2—3 столовые ложки кетчупа, 3 столовые ложки белого вина, 1/2 чайной ложки лимонного сока, 3 столовые ложки сливок, соль и сахар по вкусу.

В скороварке разогреть растительное масло и обжарить в нем разрезанное пополам или нарезанное кубиками сердце. Лук нарезать кубиками и добавить в кастрюлю вместе с пряностями и водой. Закрыть крышкой и готовить 15—20 минут, установив регулятор на уровень 2. После приготовления скороварку охладить, крышку медленно повернуть и открыть скороварку. В готовое блюдо добавить кетчуп, вино, сливки, сахар, соль и лимонный сок.

СЕРДЦЕ СВИНОЕ ТУШЕНОЕ

500 г свиного сердца, 3—4 столовые ложки растительного масла, 1 луковица, 2 головки гвоздики, 1 лавровый лист, 2—3 ягоды можжевельника, 1/2 чайной ложки чесночного порошка, 2—3 горошка черного перца, 1 стакан воды, 2—3 столовые ложки кетчупа, 3—4 столовые ложки красного вина, паприка и соль по вкусу.

Сердце нарезать кубиками и слегка обжарить в разогретом растительном масле. Лук нарезать тонкими колечками, положить в скороварку вместе с сердцем, добавить воду, пряности, обтереть край скороварки и закрыть ее. Готовить 15—20 минут, установив регулятор на уровень 2. После приготовления крышку медленно повернуть и открыть скороварку. Готовое блюдо полить кетчупом, влить вино.

СОЛЯНКА ПО-СЕРБСКИ

По 100 г говядины, телятины и свинины, 2—3 столовые ложки растительного масла, 1 сладкий перец, 1 большая луковица, 2 помидора, 2 веточки петрушки, соль по вкусу.

Мясо нарезать мелкими кубиками и обжарить в скороварке в растительном масле, посыпать пряностями. Лук нарезать, положить в скороварку, добавить очищенные и нарезанные кружками помидоры и перец, всыпать рис. Влить воду и закрыть скороварку. Готовить 10—15 минут, установив регулятор на уровень 2. После приготовления крышку медленно повернуть и открыть скороварку. Перед подачей посыпать рубленой петрушкой.

ТЕЛЯТИНА ПО-МОЖАЙСКИ

400 г телятины, 2 столовые ложки маргарина, 3 столовые ложки измельченных вареных грибов, 1/4 стакана сливок, 1/4 стакана бульона или воды, соль по вкусу.

Промытое и обсушенное мясо слегка отбить, нарезать на куски. Куски свернуть трубочками и закрепить с помощью ниток. Обжарить в скороварке в горячем жире, посолить, добавить грибы, сливки, залить бульоном или водой. Закрыть крышку скороварки и готовить 15—20 минут, установив регулятор на уровень 2. После приготовления крышку медленно повернуть и открыть скороварку. Подать с гречневой кашей или вареным картофелем.

ФРИКАСЕ ИЗ КУРИЦЫ

1 курица, 4 стакана воды, 30 г сельдерея, 2 столовые ложки маргарина, 2 столовые ложки муки, 1 яичный желток, 1 чайная ложка лимонного сока, соль по вкусу.

Курицу разрезать на части, положить в скороварку, добавить сельдерей, посолить, залить водой и закрыть крышку. Готовить 10 минут, установив регулятор на уровень 1. После приготовления крышку медленно повернуть и открыть скороварку. Отдельно поджарить на маргарине муку, понемногу влить 2 стакана куриного бульона из скороварки. Смесь проварить, ввести желток, заправить лимонным соком. Соус налить в блюдо и положить в него разрезанную готовую курицу.

ЦЫПЛЕНОК-ГРИЛЬ

1 небольшой цыпленок, 150 г оливкового масла для обмазывания, по 1/4 чайной ложки черного перца, паприки и тмина, по 2 веточки розмарина и эстрагона, 1—3 столовые ложки растительного масла для жарения, 1 стакан воды, соль по вкусу.

Цыпленка вымыть, просушить и разрезать на части. Приготовить смесь из оливкового масла и пряностей, натереть ею части цыпленка и обжарить их в масле со всех сторон. В скороварку налить воду, протереть края, закрыть крышкой. Готовить 6—7 минут, установив регулятор в положение 2. После приготовления крышку медленно повернуть и открыть скороварку. Готовое мясо приправить кетчупом или каким-либо другим соусом по вкусу.

БЛЮДА ИЗ ОВОЩЕЙ И ГРИБОВ

БАТОН ОВОЩНОЙ

250 г тушеной моркови, 250 г тушеной свеклы, 150 г белого хлеба, 2 луковицы, 30 г шпика, 2 яйца, 1/2 чайной ложки толченого тмина, 1/4 чайной ложки молотого красного перца, 1 чайная ложка «вегеты», 2 столовые ложки маргарина, 2 столовые ложки толченых сухарей, соль и кетчуп по вкусу.

Овощи протереть, размоченный белый хлеб пропустить через мясорубку. Нарезанный лук поджарить с кубиками шпика, соединить с яйцами и овощной массой. Если масса будет влажной, добавить немного манной крупы. Придать массе прямоугольную форму, запанировать в сухарях, осторожно обжарить в кипящем маргарине с обеих сторон. Добавить немного воды и закрыть крышкой. Готовить 15—20 минут, установив регулятор на уровень 1. После приготовления крышку медленно повернуть и открыть скороварку. Готовые овощи полить кетчупом.

ГРИБЫ С ОВОЩАМИ

500 г грибов, 50 г копченого сала, 1 луковица, 250 г моркови, 150 г свежего гороха, 500 г картофеля, 2 стакана бульона или воды, 2 столовые ложки кетчупа, 2 веточки петрушки, соль по вкусу.

Кубики лука обжарить в скороварке с мелко нарезанным салом. Подготовленные овощи и картофель нарезать маленькими кусочками и смешать с салом и луком, добавить мелко нарезанные грибы. Размешать в бульоне кетчуп, посолить. Смесь влить в скороварку и закрыть ее крышкой. Готовить 10—15 минут, установив регулятор на уровень 1. После приготовления крышку медленно повернуть и открыть скороварку. Готовое блюдо посыпать мелко нарезанной петрушкой.

ГУЛЯШ ГРИБНОЙ

750 г грибов, 50 г шпика, 1 маленькая луковица, 1 столовая ложка муки, 1 стакан воды, соль и черный перец по вкусу.

Подготовленные грибы нарезать кусочками толщиной 1—2 см. Лук нарезать кубиками и поджарить в скороварке вместе со шпиком, добавить грибы, посолить, посыпать мукой, перцем, добавить стакан воды. Закрыть скороварку крышкой, готовить 10—15 минут, установив регулятор на уровень 2. После приготовления крышку медленно повернуть и открыть скороварку. Подать с жареным картофелем.

КАПУСТА КРАСНОКОЧАННАЯ В ВИНЕ

500 г нашинкованной капусты, 1 стакан воды, 2—3 столовые ложки растительного масла, 1/2 стакана красного вина, соль и перец по вкусу.

Налить в скороварку воду, положить капусту, добавить приправу и закрыть крышкой. Готовить 4—5 минут, установив регулятор на уровень 2. После приготовления медленно повернуть крышку скороварки и открыть ее. Затем слегка обжарить капусту в масле, посыпать пряностями и полить вином.

КОЛЬРАБИ ПО-ФРАНЦУЗСКИ

4 средних кочана кольраби, 1 чайная ложка «вегеты», 1 стакан воды, 2 столовые ложки масла или маргарина, 1—2 веточки петрушки, соль по вкусу.

Кольраби мелко нарезать квадратиками или соломкой, нежные листики мелко нарубить, посыпать «вегетой». Налить в скороварку воду, положить кольраби и масло и закрыть крышкой. Готовить 5 минут, установив регулятор на уровень 1. После приготовления медленно повернуть крышку и открыть ее. Кольраби вынуть, положить на блюдо, посыпать нарезанной петрушкой.

МОРКОВЬ, ТУШЕННАЯ ПО-ДЕРЕВЕНСКИ

500 г моркови, 2—3 столовые ложки сливочного масла или маргарина, 3—4 веточки петрушки, 1 стакан воды, 1/2 чайной ложки вегеты, соль по вкусу.

Морковь нарезать кружочками или настрогать. Налить в скороварку воду, положить морковь, добавить «вегету» и закрыть крышкой. Готовить 3—4 минуты, установив регулятор на уровень 1. После приготовления медленно повернуть крышку скороварки и открыть ее. Добавить масло или маргарин, посыпать зеленью петрушки.

МОРКОВЬ, ТУШЕННАЯ В СОБСТВЕННОМ СОКУ

500 г моркови, 2—3 столовые ложки растительного масла, 3—4 веточки петрушки, 1 стакан воды, перец, соль и сахар по вкусу.

Налить в скороварку масло и добавить очищенную и помытую морковь, пряности. Налить воду и закрыть крышкой. Готовить 10 минут, установив регулятор на уровень 1. После приготовления медленно повернуть крышку скороварки и открыть ее. Морковь аккуратно нарезать и посыпать зеленью.

ОВОЩИ С ГРИБАМИ

500 г грибов, 1 натертая маленькая луковица, 1 столовая ложка маргарина, 3 веточки петрушки, соль и перец по вкусу.

Подготовленные мелко нарезанные грибы и лук, помешивая, поджарить в разогретом маргарине. Как только выделится сок, заправить пряностями и закрыть скороварку крышкой. Готовить 8—10 минут, установив регулятор на уровень 1. После приготовления крышку медленно повернуть и открыть скороварку. Перед подачей на стол посыпать мелко нарезанной петрушкой.

ПОМИДОРЫ В СМЕТАНЕ

750 г помидоров, 1 столовая ложка сливочного масла или маргарина, 150 г сметаны или молока, по 2 веточки петрушки и укропа, соль и молотый красный перец по вкусу.

Очищенные помидоры нарезать кружочками или средней величины кубиками, припустить в горячем сливочном масле, при усиленном выделении сока посыпать небольшим количеством муки. Затем добавить сметану и пряности, закрыть крышкой. Готовить 2—3 минуты, установив регулятор на уровень 1. После приготовления крышку медленно повернуть и открыть скороварку. Готовое блюдо посыпать измельченной зеленью.

РИЗОТТО С ГРИБАМИ

2 стакана риса, 3—4 столовые ложки растительного масла, 1 луковица, соль, черный перец, 2 стакана воды или мясного бульона, 50 г консервированных шампиньонов, сыр по вкусу.

Масло подогреть в скороварке и немного потушить в нем нарезанный кубиками лук. Добавить рис и потушить, посыпать пряностями, налить воду или мясной бульон и закрыть скороварку. Готовить 7 минут, установив регулятор в положение 1. После приготовления скороварку охладить, медленно повернуть крышку и открыть ее. Добавить шампиньоны, все перемешать и подогреть. Сверху посыпать натертым сыром.

ЦУККИНИ В СОБСТВЕННОМ СОКУ

500 г цуккини, 1/2 стакана воды, 2—3 столовые ложки масла или маргарина, по 1—2 веточки петрушки и укропа, перец и соль по вкусу.

Цуккини помыть, разрезать на 4 части. Налить в скороварку воду, опустить в нее цуккини, добавить измельченную зелень. Закрыть скороварку. Готовить 2—3 минуты, установив регулятор на уровень 1. После приготовления медленно повернуть крышку скороварки и открыть ее. Цуккини посыпать перцем и солью и полить растопленным маслом или маргарином. Подать с рисом или лапшой.

ЧЕЧЕВИЦА ПО-МОЛДАВСКИ

250 г чечевицы, 1 стакан воды, 3—4 столовые ложки растительного масла, 1 столовая ложка томатного соуса, 2—3 чайные ложки уксуса, 1 морковка, 1 лук-порей, 1 кубик мясного бульона, перец, соль, паприка по вкусу, белое вино по вкусу.

Чечевицу перебрать. Налить воду в скороварку, добавить масло, бульонный кубик, томатный соус и уксус. Добавить нарезанные маленькими кубиками морковь и лук, вскипятить. Добавить чечевицу, пряности и соль. Все перемешать и закрыть скороварку. Готовить 15—20 минут, установив регулятор на уровень 2. После приготовления медленно повернуть крышку скороварки и открыть ее. Готовую чечевицу посыпать паприкой, добавить по вкусу белое вино.

ШПИНАТ, ТУШЕННЫЙ С МАСЛОМ

500 г шпината, 1 стакан воды, 2 столовые ложки сливочного масла или маргарина, мускатный орех и соль по вкусу.

Налить в скороварку воду и добавить приготовленный шпинат, закрыть крышкой и готовить 2—3 минуты, установив регулятор на уровень 1. После приготовления медленно повернуть крышку скороварки и открыть ее. Шпинат выложить на блюдо, посыпать пряностями, сверху уложить кусочки масла или маргарина.

БЛЮДА ИЗ РЫБЫ

КАМБАЛА, ТУШЕННАЯ С ПОМИДОРАМИ

500 г филе камбалы, 1 лимон, 1 столовая ложка «вегеты», 2—3 помидора, 1 стакан воды, 2—3 столовые ложки масла или маргарина, соль по вкусу.

Рыбу помыть, полить лимонным соком, сверху посыпать «вегетой». Помидоры обдать кипятком, снять с них кожу, разрезать на восемь частей. Налить в скороварку воду, положить туда все составляющие и закрыть крышкой. Готовить 8—10 минут, установив регулятор на уровень 1. После приготовления медленно повернуть крышку скороварки и открыть ее. Рыбу выложить на миску или блюдо и подать с жареным картофелем.

ЛАНГУСТ С ОВОЩАМИ

500 г лангуста, 1 долька чеснока, 1 стакан воды, 2—3 столовые ложки растительного масла, 2 помидора, 1/4 чайной ложки молотого черного перца, 1/4 чайной ложки паприки, 1 чайная ложка сушеного розмарина, 1 чайная ложка натертого миндального ореха, 2—3 столовые ложки кетчупа.

Лангуст натереть пряностями. Чеснок мелко нарезать и обжарить в масле в скороварке, затем сверху положить лангуста. Помидоры обдать кипятком и очистить от кожуры, нарезать ломтиками и положить сверху на лангуста. Залить водой и закрыть скороварку крышкой. Готовить 10 минут, установив регулятор на уровень 2. После приготовления крышку медленно повернуть и открыть скороварку. Готовое блюдо полить кетчупом и посыпать миндалем.

РАГУ ИЗ РЫБЫ

800 г рыбного филе, 50 г сала, 1 луковица, 3 столовые ложки муки, 3 стакана бульона, 1 чайная ложка сахара, 1 чайная ложка лимонного сока или уксуса, 1 чайная ложка горчицы, 1/2 чайной ложки красного перца, 2 соленых огурца, соль по вкусу.

Рыбное филе сбрызнуть уксусом или лимонным соком, положить в закрытую посуду, поставить в холодное место. Приготовить соус. Для этого нарезанный лук и муку поджарить на сале, понемногу влить кипящий бульон, заправить горчицей, красным перцем, сахаром и при желании лимонным соком. Рыбное филе нарезать кубиками, положить в скороварку, залить приготовленным соусом и закрыть крышкой. Готовить 10—15 минут, установив регулятор на уровень 2. После приготовления крышку медленно повернуть и открыть скороварку. В готовое блюдо добавить огурец, нарезанный маленькими кубиками.

РЫБА, ЖАРЕННАЯ ПО-ГРЕЧЕСКИ

500 г рыбы, 2 дольки чеснока, 2—3 горошины черного перца, 3 столовые ложки растительного масла, 2—3 столовые ложки кетчупа, 1 луковица, по 2 веточки розмарина и эстрагона, 1 стакан воды, соль и кетчуп по вкусу.

Рыбу обжарить в скороварке на растительном масле, добавить мелко нарезанный чеснок и оставить томиться. Зелень мелко нарезать, хорошо обжарить на масле, добавить пряности и соль. Лук нарезать кружочками и положить сверху, после чего немного потушить. Зелень и лук положить в скороварку, залить водой и закрыть крышкой. Готовить 20 минут, установив регулятор в положение 2. После приготовления крышку медленно повернуть и открыть скороварку. Готовую рыбу полить кетчупом, подать с жареными овощами.

РЫБА ПОД КИСЛЫМ СОУСОМ

500 г рыбного филе, 1 лимон, 2 столовые ложки растительного масла, 2 столовые ложки майонеза, 1 стакан кефира, 3—4 веточки петрушки, 2 сваренных вкрутую яйца, 3 помидора, соль по вкусу.

Филе нарезать кусочками, сбрызнуть лимонным соком, посолить, положить в скороварку с разогретым растительным маслом Приготовить смесь из майонеза, кефира, лимонного сока и зелени, залить ею рыбу. Готовить 20 минут, установив регулятор на уровень 1. После приготовления крышку медленно повернуть и открыть скороварку. На гарнир подать нарезанные помидоры и яйца.

СУДАК, ТУШЕННЫЙ В ВИНЕ

1 кг рыбы, 2 столовые ложки маргарина, 50 г сельдерея, 1 стакан белого вина, 1 чайная ложка лимонного сока или уксуса, 3 веточки петрушки, соль по вкусу.

Рыбу почистить, сбрызнуть лимонным соком или уксусом, посолить. Поставить на холод в закрытой посуде. В скороварку положить маргарин и мелко нарезанный сельдерей, поставить на огонь, нагреть. Затем положить рыбу и влить вино. Готовить 15—20 минут, установив регулятор на уровень 2. После приготовления крышку медленно повернуть и открыть скороварку. Готовую рыбу посыпать мелко нарезанной петрушкой.

ФИЛЕ РЫБНОЕ

500—750 г рыбного филе, 1 луковица, по 2 веточки эстрагона, петрушки и укропа, 1 ложка растительного масла, 4 столовые ложки кетчупа, 1 стакан воды, черный перец и соль по вкусу.

Лук и петрушку нарезать соломкой и обжарить в скороварке в растительном масле, посыпать черным перцем и полить томатным соусом. Сверху положить филе, посыпать измельченным эстрагоном и укропом, залить водой. Закрыть скороварку, готовить 6—7 минут, установив регулятор на уровень 1. После приготовления медленно повернуть крышку скороварки и открыть ее. Подать с жареным картофелем или отварным рисом.

ФОРЕЛЬ В ШАМПИНЬОННОМ СОУСЕ

500 г форели, 2 столовые ложки сливочного маргарина, 1 столовая ложка муки, 100 г тушеных шампиньонов, 1 чайная ложка лимонного сока, 1 стакан воды, 3 веточки петрушки, соль по вкусу.

Рыбу нарезать на кусочки, сбрызнуть лимонным соком, немного погодя посолить. Затем положить рыбу в скороварку, добавить воду и закрыть крышкой. Готовить 10—15 минут, установив регулятор на уровень 2. После приготовления крышку медленно повернуть и открыть скороварку. Приготовить соус. Для этого муку поджарить в маргарине, понемногу влить рыбный отвар, заправить мелко нарезанными шампиньонами и измельченной петрушкой. Готовую рыбу залить приготовленным соусом.

ДЕСЕРТ

ДЕСЕРТ ИЗ СУШЕНЫХ ФРУКТОВ

250 г сушеных фруктов, 1 стакан воды, 2 столовые ложки сахара, 3 столовые ложки натертого миндаля, корица по вкусу.

Налить в скороварку воду, положить сушеные фрукты, сахар и корицу. Закрыть скороварку, готовить 3—4 минуты, установив регулятор на уровень 2. После приготовления медленно повернуть крышку скороварки и открыть ее. Подать с белым вином, посыпав миндалем.

МУСС ЯБЛОЧНЫЙ

250 г яблок, 3 столовые ложки сахара, 1/2 пакетика ванильного сахара, цедра 1/2 лимона, 1 стакан воды.

Яблоки нарезать кусочками. В скороварку налить воду, положить яблоки и лимонную цедру, предварительно измельченную в миксере. Закрыть скороварку, готовить 2—3 минуты, установив регулятор на уровень 1. После приготовления медленно повернуть крышку скороварки и открыть ее. Яблоки откинуть на дуршлаг, выложить на блюдо. Сок слить, добавить сахар и ванильный сахар. Все тщательно перемешать и полученной смесью залить яблоки. Подать в холодном виде.

РИС МОЛОЧНЫЙ

2 стакана молока, 2 стакана риса, 4 стакана воды, 2 столовые ложки масла или маргарина, 2 чайные ложки сахара, 1 пакетик ванильного сахара, 1/2 чайной ложки корицы, соль по вкусу.

Смешать молоко, воду, соль, масло или маргарин, добавить рис. Полученную смесь вылить в скороварку и закрыть крышкой. Готовить 8 минут, установив регулятор на уровень 1. После приготовления крышку медленно повернуть и открыть скороварку. В готовый рис добавить сахар и ванильный сахар, сверху посыпать корицей.

СУПЫ

БОРЩ РУССКИЙ

250 г красной свеклы, 2—3 столовые ложки растительного масла, 2 стакана воды, 250 г говядины, 1 чайная ложка лимонного сока, 1 чайная ложка сахара, 1 чайная ложка «вегеты», 1 стакан сметаны, соль и перец по вкусу.

Красную свеклу вымыть, очистить от кожуры, мелко нарезать брусочками и потушить в скороварке в растительном масле. Влить воду, всыпать «вегету». Мясо нарезать кубиками, положить в скороварку и закрыть ее крышкой. Готовить 20—25 минут, установив регулятор на уровень 2. После приготовления крышку медленно повернуть и открыть скороварку. В готовый борщ добавить лимонный сок, сахар, перец и соль. Перед подачей в борщ положить сметану.

БУЛЬОН ИЗ ТЕЛЯТИНЫ

350 г телятины, 1 мозговая кость, 2 стакана воды, 2 помидора, 1 луковица, 1 стручок перца, 1 морковка, пучок лука-порея, по 3—4 веточки петрушки и сельдерея, мускатный орех по вкусу.

Мясо нарезать маленькими кубиками и положить в скороварку вместе с костным мозгом. Помидоры обварить кипятком, снять кожицу, нарезать кубиками и положить в скороварку. Добавить мелко нарезанный лук, сельдерей и морковь. Посыпать сверху пряностями, налить воду и закрыть крышкой. Готовить 20 минут, установив регулятор на уровень 1. После приготовления медленно повернуть крышку скороварки и открыть ее. Готовый бульон посыпать мелко нарезанной зеленью.

СУП ИЗ БЫЧЬИХ ХВОСТОВ

250 г бычьих хвостов, 2—3 столовые ложки растительного масла, 1 луковица, 1 крупная картофелина, 1 помидор, 1 лавровый лист, 1 головка гвоздики, 2—3 горошины черного перца, 2 стакана воды, 3 столовые ложки красного вина, 1 столовая ложка натертого миндаля, сахар, соль и лимонный сок по вкусу.

Масло налить в скороварку, добавить нарезанные на кусочки бычьи хвосты и хорошенько обжарить. Тоненькими ломтиками нарезать лук, картофель, морковь и помидор, добавить в скороварку и чуть-чуть обжарить. Затем мясо и овощи залить водой, закрыть скороварку и готовить 25—30 минут, установив регулятор на уровень 2. После приготовления медленно повернуть крышку скороварки и открыть ее. Из готового супа достать бычьи хвосты и мелко нарезать мясо, после чего положить обратно в суп. Миндаль смешать с вином и слегка проварить. Добавить в суп вместе с сахаром и лимонным соком.

СУП ИЗ КЕРВЕЛЯ

50 г кервеля, 1 морковка, 1 луковица, 1 пучок лука-порея, 2 столовые ложки подсолнечного масла, 2 стакана воды, 2 кубика мясного бульона, 2 столовые ложки сметаны.

Морковь и лук нарезать ломтиками, лук-порей нарезать мелкими кружочками. Масло разогреть в скороварке, добавить овощи, залить водой, добавить мясной бульон. Закрыть скороварку и готовить 3 минуты, установив регулятор на уровень 2. Затем скороварку снять с огня и дать супу настояться. После этого медленно повернуть крышку скороварки и открыть ее. Готовый суп сверху посыпать нарезанным кервелем и добавить сметану.

СУП ИЗ ЦВЕТНОЙ КАПУСТЫ

200 г цветной капусты, 1 стакан молока, 1 стакан воды, 2—3 миндальных ореха, 2 столовые ложки сметаны, соль, белый перец, мускатный орех по вкусу.

Капусту разобрать на мелкие части. Молоко и воду налить в скороварку и нагреть. Добавить приправы и капусту, посолить. Закрыть скороварку и готовить 3—4 минуты, установив регулятор на уровень 1. После приготовления медленно повернуть крышку скороварки и открыть ее. Добавить натертый миндаль и сметану.

СУП КАРТОФЕЛЬНЫЙ

4 картофелины, 1 луковица, 1 долька чеснока, 1 столовая ложка «вегеты», 2 столовые ложки растительного масла, 2 стакана воды, соль, майоран, перец и мускатный орех по вкусу.

Сырой картофель нарезать брусочками. Луковицу нарезать ломтиками. Налить в скороварку растительное масло, нагреть его. Картофель и лук положить в скороварку, сверху посыпать пряностями, посолить, залить водой, крышку протереть и закрыть скороварку. Готовить 3—4 минуты, установив регулятор на уровень 2. После приготовления медленно повернуть крышку скороварки и открыть ее. В готовый суп добавить по вкусу майоран.

СУП ЛУКОВЫЙ ПО-ФРАНЦУЗСКИ

4 большие луковицы, 4 столовые ложки растительного масла, 1 чайная ложка муки, 2 стакана воды, 2 кубика мясного бульона, 1 чайная ложка сахара, 1/4 чайной ложки порошка карри, 2 тоста из хлеба, 100 г твердого сыра.

Масло налить в скороварку и накалить. Добавить мелко нарезанный лук и обжарить его до золотистого цвета. Сверху насыпать муку и обжарить ее до золотистого цвета. Добавить воду, бульон, положить карри, сахар, протереть крышку и закрыть скороварку. Готовить 2 минуты, установив регулятор на уровень 1. После закипания уменьшить огонь, затем сразу снять с плиты. После приготовления медленно повернуть крышку скороварки и открыть ее. Суп налить в тарелки. Подсушенный хлеб нарезать мелкими кусочками, положить в суп, сверху посыпать натертым сыром.

СУП ОВОЩНОЙ

400 г различных овощей, включая 2 картофелины, 4 столовые ложки растительного масла, по 2 веточки петрушки и базилика, 2 стакана воды, соль, перец по вкусу.

Подготовленные овощи нарезать кубиками. Масло разогреть в скороварке и немного потушить в нем овощи и картофель. Посыпать пряностями и влить воду. Обтереть края и закрыть скороварку крышкой. Готовить 8—10 минут, установив регулятор на уровень 2. После приготовления крышку медленно повернуть и открыть скороварку. Сверху готовый суп посыпать рубленой петрушкой и базиликом.

СУП РИСОВЫЙ С ЯБЛОКОМ

2 столовые ложки риса, 1 стакан воды, 1 измельченное яблоко, сок и цедра 1 лимона, 1 столовая ложка сахара, 2 столовые ложки изюма.

Промытый рис вскипятить в скороварке в стакане воды, добавить яблоко, сок и измельченную цедру лимона, сахар. Закрыть скороварку и готовить 6 минут, установив регулятор на уровень 2. После приготовления медленно повернуть крышку скороварки и открыть ее. Приготовленный суп подать с изюмом.

СУП С ВЕТЧИНОЙ

100 г ветчины, 1 маленькая луковица, 1 перо лука порея, 2—3 столовые ложки растительного масла, 2 столовые ложки перловой крупы, 1 лавровый лист, 2 стакана воды, 1 столовая ложка натертого сыра, черный перец и соль по вкусу.

Лук и порей нарезать кольцами. Масло подогреть в скороварке и потушить в нем лук и порей, добавить вымытую крупу и пряности, залить водой. Протереть край и закрыть скороварку. Готовить 15—20 минут, установив регулятор на уровень 2. Затем скороварку охладить и открыть. Добавить нарезанную кубиками ветчину и прокипятить. Сверху посыпать натертым сыром, базиликом.

СУП ТОМАТНЫЙ

3—4 помидора, 1 стакан воды, 1 лимон, суповые приправы.

Налить в скороварку воду, положить помидоры, закрыть крышкой и готовить в течение 5—8 минут, установив регулятор на уровень 2. После приготовления медленно повернуть крышку скороварки и открыть ее. Готовые помидоры протереть через сито, добавить приправы и сок лимона. Подать горячим.

ЩИ СМОЛЕНСКИЕ

250 г баранины, 250 г белокочанной капусты, 250 г картофеля, 2 стакана воды, 1/4 чайной ложки тмина, 2 веточки петрушки, соль и перец по вкусу.

Баранину нарезать кубиками. Капусту мелко порубить. Картофель нарезать кружками. Все поместить в скороварку, посыпать пряностями, залить водой и закрыть крышкой. Готовить 10—15 минут, установив регулятор на уровень 2. После приготовления крышку медленно повернуть и открыть скороварку. Перед подачей посыпать нарезанной петрушкой.

ЭЛЕКТРОШИНКОВКА

Одними из самых полезных кулинарных изделий являются овощные блюда, особенно салаты из свежих овощей и фруктов. Однако любая хозяйка знает, как много времени требует приготовление самого нехитрого салата, особенно если овощи и фрукты нужно нарезать особым образом.

Электрошинковка — это устройство, незаменимое в приготовлении овощных блюд. Ведь вкус и качество многих овощных и фруктовых салатов зависят не только от того, какие составляющие включены в их рецептуру, но и от того, как нарезаны продукты для их приготовления. Не менее важно это обстоятельство и в том случае, когда продукты в дальнейшем подвергаются тепловой обработке. Нарезанные кружочками, соломкой, брусочками, кубиками и т.п., они изменяют не только внешний вид блюда. Форма нарезки сказывается и на том, как быстро в процессе приготовления нашинкованные продукты пропитываются соусами или жирами. Неоценимым преимуществом использования электрошинковки является быстрота измельчения продуктов. Даже большое их количество она нарезает за короткое время, а это, в свою очередь, позволяет сохранить в приготавливаемых блюдах соки, витамины и минеральные вещества. Немаловажно и то, что продукты, измельченные с помощью электрошинковки, выглядят эстетично и вызывают аппетит.

Конструкция электрошинковок всех типов позволяет использовать самые разнообразные насадки, замена которых занимает минимум времени, а значит, любая, даже самая неопытная, хозяйка имеет возможность быстро, красиво и разнообразно нарезать свежие овощи и фрукты, причем как по отдельности друг от друга, так и перемешивая их прямо в чаше шинковки.

БАКЛАЖАНЫ, ПАНИРОВАННЫЕ В СУХАРЯХ

600 г баклажанов, 3 яйца, 3—4 столовые ложки муки, 3—4 столовые ложки панировочных сухарей, соль по вкусу, растительное масло для фритюра.

Баклажаны очистить от кожуры, измельчить в шинковке с насадкой для нарезки тонкими ломтиками. Обвалять во взбитых яйцах, муке, еще раз в яйцах и, наконец, в сухарях. Жарить баклажаны во фритюре, посолить. Подать к мясу, птице, рыбе, блюдам из макарон.

БЛИНЧИКИ ИЗ КОЛЬРАБИ

1 кг кольраби, 1 стакан муки, 1/2 стакана молока, 4 яйца, жир или растительное масло для жарения, соль и перец по вкусу.

Из муки, молока и яиц замесить тесто для блинов и оставить на 30 минут. Кольраби очистить, измельчить в шинковке с насадкой в виде мелкой терки, поперчить, посолить, добавить к тесту для блинов. На разогретой с растительным маслом сковороде выпечь из приготовленного теста блинчики. Подать к бульону.

ГАРНИР ИЗ КАПУСТЫ С СЫРОМ

1 кг капусты, 200 г сыра, 4 столовые ложки растительного масла, 2 луковицы, 1/4 стакана бульона или воды, 1 стакан сметаны, 1 столовая ложка муки, 3—4 столовые ложки натертых сухарей, мускатный орех и соль по вкусу.

Лук и капусту измельчить в шинковке с насадкой для получения соломки. В кастрюле с растительным маслом обжарить измельченный лук, по частям присоединить и обжарить измельченную капусту, добавить немного жидкости и потушить. В полумягкую капусту добавить сметану, предварительно смешанную с мукой, мускатный орех, соль, часть натертого сыра. Капусту положить в смазанную жиром и посыпанную сухарями форму, посыпать смесью натертого сыра и сухарей, по поверхности разложить кусочки масла. Запекать в духовке в течение 20 минут. Подать к мясному блюду.

ГАРНИР ИЗ КОЛЬРАБИ

750 г кольраби, 1 стакан воды, 2 столовые ложки маргарина, 2—3 веточки петрушки, соль по вкусу.

Промытую и очищенную кольраби измельчить в шинковке с насадкой для получения соломки и потушить в воде, прокипяченной с маргарином и солью. Перед подачей на стол посыпать нарезанной зеленью петрушки.

ГАРНИР ИЗ ТУШЕНОЙ БРЮКВЫ

1 кг брюквы, 100 г сливочного масла, 1 столовая ложка сахара, 1/4 стакана воды, 3—4 столовые ложки сметаны, 1 столовая ложка муки или крахмала, соль и перец по вкусу.

Брюкву промыть, очистить от кожуры, измельчить в шинковке с насадкой для получения брусочков. В кастрюле растопить сливочное масло, добавить сахар, прогреть до коричневого цвета, добавить брюкву, перец, соль, воду и тушить до готовности. Заправить брюкву мукой или разведенным в воде крахмалом, добавить сметану. Подать в качестве гарнира к мясным блюдам вместе с отварным картофелем.

ГАРНИР КАПУСТНЫЙ ПО-ПОЛЬСКИ

800 г белокочанной капусты, 150 г яблок, по 3—4 веточки петрушки и укропа, 20 г муки, 100 г сметаны, 1 чайная ложка уксуса, соль и сахар по вкусу.

Капусту очистить, измельчить в шинковке с насадкой для получения соломки, залить небольшим количеством кипящей воды, прикрыть крышкой. Яблоки измельчить в шинковке с насадкой для получения брусочков. Когда капуста прокипит, ненадолго открыть кастрюлю, добавить измельченные яблоки и доварить под крышкой. Мягкую капусту посолить, добавить немного сахара, заправить мукой, разведенной холодным отваром из капусты, прокипятить, приправить уксусом, соединить со сметаной. Выложить в салатник, посыпать рубленой зеленью. Подать к мясу.

ГАРНИР «МОЗЕЛЬСКИЙ»

1 кг брюквы, 2 столовые ложки маргарина, 3 столовые ложки сахара, 1/2 стакана жирного бульона, 1 чайная ложка крахмала, соль по вкусу.

Очищенную брюкву измельчить в шинковке с насадкой для получения соломки. Сахар слегка поджарить в горячем жиру, добавить брюкву, соль, залить горячим бульоном и потушить в закрытой кастрюле, часто встряхивая. Перемешать с разведенной в холодной воде мукой и дать еще раз закипеть. Блюду можно придать кисло-сладкий вкус, если заправить его легким вином, лимонным соком или сиропом.

ГАРНИР «ФАНТАЗИЙНЫЙ»

800 г моркови, 2 столовые ложки маргарина, 2 луковицы, 1 столовая ложка муки, 3—4 веточки петрушки, 1 стакан молока, соль и сахар по вкусу.

Морковь промыть, очистить, измельчить в шинковке с насадкой для получения брусочков. Лук очистить, измельчить в шинковке с насадкой для получения соломки. В кастрюле растопить жир, обжарить в нем морковь с измельченным луком, добавить молоко и тушить. Заправить морковь мукой, разведенной молоком, довести до кипения, добавить соль и сахар, посыпать мелко нарезанной зеленью петрушки. Подать к мясу и рыбе.

ГАРНИР «ФРУКТОВЫЙ»

2—3 груши, 3—4 яблока (винно-кислого вкуса), 1/3 стакана сока черной или красной смородины, сахар по вкусу.

Груши и яблоки помыть, измельчить в шинковке с насадкой в виде крупной терки, перемешать, добавить сахар и полить соком черной или красной смородины. На стол подать к тушеному или вареному мясу.

ДЕСЕРТ «АЛАМДАР»

*200 г очищенной тыквы, 200 г кислых яблок, 2 столовые ложки саха-
ра, 1 чайная ложка лимонного сока, 50 г грецких орехов.*

Очищенную тыкву и яблоки с удаленной сердцевиной измельчить в
шинковке с насадкой в виде крупной терки. Орехи измельчить в шинковке с насадкой в виде мелкой терки. Тыкву и яблоки приправить лимонным соком, сахаром, смешать с орехами. Приготовить за 2 часа до подачи на стол.

ДЕСЕРТ «АССОРТИ»

*3 ломтика ананаса, 2 банана, 2 яблока, гроздь винограда, 1/2 стака-
на майонеза, 1/2 стакана сгущенного молока или крема из сливок,
3—4 листа зеленого салата.*

Ананас, бананы и яблоки измельчить в шинковке с насадкой для нарезки тонкими ломтиками, добавить ягоды винограда. Майонез смешать
со сгущенным молоком и осторожно перемешать с фруктами. Салат хорошо охладить и подать на блюде, украшенном листьями зеленого салата.

ДЕСЕРТ «ВЕНСКИЙ»

*200 г персиков, 200 г сочных груш, 1 чайная ложка лимонного сока,
сахар по вкусу.*

Персики и груши промыть, измельчить в шинковке с насадкой для
получения брусочков, приправить по вкусу сахаром и лимонным соком,
охладить. Приготовить не раньше, чем за полчаса перед подачей на стол.

ДЕСЕРТ «КАПРИЗ»

*500 г зрелой дыни, 1 рюмка фруктового вина, 1 чайная ложка лимон-
ного сока, ваниль и сахар по вкусу.*

Дыню промыть, нарезать продольными ломтиками, срезать корку,
удалить семена, измельчить в шинковке с насадкой для нарезки тонкими
ломтиками, положить в стеклянный салатник, пересыпав сахаром и ванилью. Приправить вином и лимонным соком. Приготовить за 2 часа до
подачи на стол, сильно охладить.

ДЕСЕРТ «КАРЛСБАД»

*100 г яблок, 100 г груш, 100 г слив, 150 г винограда, 50—100 г сахарной
пудры, 1 рюмка вина, 1 чайная ложка лимонного сока, 50 г миндаля
или грецких орехов.*

Орехи измельчить в шинковке с насадкой в виде крупной терки.
Фрукты промыть, удалить сердцевину и семена, каждый вид фруктов от-

дельно измельчить в шинковке с насадкой для получения брусочков, виноградины разрезать пополам. Все смешать, приправить сахарной пудрой и лимонным соком, красиво уложить в вазе и залить вином. Сверху посыпать измельченными орехами.

ДЕСЕРТ «КРАСНОДАРСКИЙ»

250 г мякоти дыни, 300 г малины, 2—3 столовые ложки сахара, 2—3 столовые ложки взбитых сливок или сливочного мороженого.

Дыню помыть, очистить от кожицы и семян, измельчить в шинковке с насадкой для получения брусочков. Вымытую малину прибавить к нарезанной дыне, перемешать, посыпать сахаром, украсить взбитыми сливками или сливочным мороженым.

ДЕСЕРТ «КРЫМСКИЙ»

400 г тыквы, 100 г яблок, 1 чайная ложка лимонного сока, сахар по вкусу. Д л я   с о у с а: 1 стакан молока, 1 яичный желток, 2 столовые ложки сахара, 1 чайная ложка картофельной муки, цедра с 1 апельсина.

Для приготовления соуса отваренную апельсиновую корку измельчить в шинковке с насадкой для получения соломки. Картофельную муку развести в 100 г холодного молока, влить в оставшееся кипящее молоко, добавить апельсиновую корку и, помешивая, вскипятить. Желток растереть с сахаром так, чтобы получилась пышная масса. Влить струей кипящее молоко (предварительно вскипяченное с картофельной мукой), тщательно перемешивая, охладить. Тыкву и яблоки промыть, очистить, из тыквы удалить семена, измельчить в шинковке с насадкой в виде крупной терки. Приправить по вкусу сахаром, лимонным соком, положить в стеклянный салатник, залить апельсиновым соусом, охладить.

ДЕСЕРТ «МАГРИБ»

2 банана, 2 столовые ложки изюма, 2 столовые ложки измельченного кокосового ореха, 1 столовая ложка мелко нарубленной постной ветчины, 2—3 столовые ложки сливок, цедра 1/2 лимона, 3—4 листа зеленого салата.

Изюм замочить в воде. Бананы измельчить в шинковке с насадкой для нарезки тонкими ломтиками и смешать с кокосовым орехом, измельченным в шинковке с насадкой в виде крупной терки, мелко нарубленной ветчиной и изюмом. Добавить сливки, сок и натертую цедру. Все осторожно перемешать и дать постоять 30 минут. Подать на стол, украсив листьями салата и поджаренными ломтиками белого хлеба.

ДЕСЕРТ «МИКСИ»

500 г тыквы, 100 г очищенных орехов, 1 лимон, 2 столовые ложки меда или сахара.

Тыкву очистить, измельчить в шинковке с насадкой для получения соломки. Орехи измельчить в шинковке с насадкой в виде крупной терки. Из лимона выжать сок, цедру натереть. Все смешать, добавить мед или сахар. Вместо лимона можно использовать клюквенную массу.

ДЕСЕРТ «ОСЕННИЙ»

3 яблока, 200 г слив, 100 г очищенных орехов, 2 столовые ложки сметаны, 1 столовая ложка меда, 1 чайная ложка лимонного сока, 1/2 чайной ложки корицы.

Из промытых слив вынуть косточки, яблоки измельчить в шинковке с насадкой для нарезки тонкими ломтиками или с насадкой для получения соломки. В сметану добавить мед, корицу, толченые орехи, лимонный сок и залить фрукты полученной смесью.

ДЕСЕРТ «ПОЛУДЕННЫЙ»

200 г очищенной тыквы, 200 г кислых яблок, 2 столовые ложки сахара, 1 чайная ложка лимонного сока, 5 столовых ложек клюквенного сока, 50 г грецких орехов.

Очищенную тыкву и яблоки с удаленной сердцевиной измельчить в шинковке с насадкой в виде крупной терки. Орехи измельчить в шинковке с насадкой в виде мелкой терки. Тыкву и яблоки приправить лимонным соком, клюквенным соком, сахаром, смешать с орехами. Приготовить за 2 часа до подачи на стол.

ДЕСЕРТ «ПРАЖСКИЙ»

400 г груши или яблок, 1 чайная ложка лимонного сока, сахар по вкусу. Для соуса: 3—4 яичных желтка, 2 столовые ложки сахара, 1 стакан сливок, 1 пакетик ванильного сахара.

Для приготовления соуса вскипятить сливки, желтки растереть с сахаром, постепенно подливать горячие сливки, все время помешивая и следя, чтобы соус не свернулся. Соус вместе с посудой поставить в кастрюлю с горячей водой. Взбивать на пару до тех пор, пока соус не загустеет, затем добавить ванильный сахар. Остудить в холодной воде, часто помешивая. Для приготовления салата груши и яблоки промыть, очистить, измельчить в шинковке с насадкой для получения соломки или с насадкой в виде крупной терки. Приправить сахаром и лимонным соком. Положить в стеклянный салатник, залить ванильным соусом.

ДЕСЕРТ «РИНГО»

400 г ежевики, 100 г грецких орехов, 2 яичных желтка, 100—150 г сахара, 100 г сухого белого вина, 1 чайная ложка лимонной цедры.

Ядра грецких орехов измельчить в шинковке с насадкой в виде мелкой терки. Перебранную и вымытую ежевику выложить в салатник, посыпать измельченными ядрами грецких орехов. Яичные желтки взбить с сахаром, развести сухим белым вином, добавить натертую лимонную цедру. Полученным соусом полить ягоды ежевики.

ДЕСЕРТ «САНТА»

400 г кислых яблок, 50 г очищенных грецких орехов, 50 г клюквы, цедра с 1 апельсина, сахар и ваниль по вкусу.

Яблоки промыть, разрезать пополам, удалить сердцевину, измельчить в шинковке с насадкой для получения соломки или с насадкой в виде крупной терки. Орехи измельчить в шинковке с насадкой для получения соломки, смешать с сахаром и ванилью, приправить соком, отжатым из клюквы, апельсиновой цедрой и залить яблоки.

ДЕСЕРТ «ТАМБОВСКИЙ»

500 г тыквы, 500 г ревеня, 2 столовые ложки сахара, 1/2 чайной ложки корицы, цедра 1/2 лимона.

Ревень измельчить в шинковке с насадкой для получения брусочков, пересыпать сахаром и дать постоять. Очищенную тыкву измельчить в шинковке с насадкой для получения соломки. Цедру измельчить в шинковке с насадкой в виде мелкой терки. Когда ревень даст сок, смешать его с подготовленной тыквой, натертой цедрой и корицей. Подать со взбитыми сливками.

ДРАНИКИ КАРТОФЕЛЬНЫЕ ПО-БЕЛОРУССКИ

1,5—2 кг картофеля, 4 луковицы, 1 яйцо, 2—3 столовые ложки муки, растительное масло или жир для жарения, соль по вкусу.

Очищенный и вымытый картофель и очищенный репчатый лук измельчить в шинковке с насадкой в виде мелкой терки, добавить взболтанное яйцо и муку, посолить, размешать. На сковороде сильно разогреть жир, ложкой выложить небольшое количество картофельной массы, размазать тонким слоем. Жарить на сильном огне, подрумянить с обеих сторон. Поджаренные драники подать сразу же. Если жарится много драников, готовые уложить на противне или листе (не более чем в два слоя) и поставить в нагретую духовку.

ЗАКУСКА «ВИТАМИННАЯ»

750 г капусты, 2 столовые ложки маргарина или растительного масла, 1 луковица, 1 чайная ложка тмина, 1/2 стакана воды, 2—3 веточки петрушки, соль по вкусу.

Очищенную и промытую капусту измельчить в шинковке с насадкой для получения соломки. Лук измельчить в шинковке с насадкой для нарезки тонкими ломтиками. Жир разогреть, положить в него измельченный лук, поджарить до ярко-желтого оттенка и тушить вместе с перемешанной с пряностями капустой на слабом огне до тех пор, пока не выделится сок и капуста не свернется. Затем заправить небольшим количеством кипящей воды или бульоном, посолить, накрыть кастрюлю крышкой и варить до готовности овощей. Подать на стол, посыпав зеленью петрушки.

ЗАКУСКА ИЗ КАБАЧКОВ С ГРИБАМИ

1 кг кабачков, 300 г грибов, 2 луковицы, 2 помидора, 4 столовые ложки растительного масла, 2 столовые ложки муки, 4 столовые ложки сметаны, соль по вкусу.

Кабачки очистить, измельчить в шинковке с насадкой для нарезки тонкими ломтиками. Промытые грибы, очищенный лук и помидоры без кожицы измельчить в шинковке с насадкой для получения соломки. Кабачки запанировать в муке и на разогретом масле поджарить с обеих сторон до золотистого цвета. На сковороде с разогретым маслом спассеровать лук, поджарить грибы, добавить немного бульона, добавить сметану, помидоры, соль. Смесь проварить, залить ею кабачки, прогреть все вместе и подать с отварным картофелем.

ЗАКУСКА ИЗ СЕЛЬДЕРЕЯ С МОРКОВЬЮ

200 г сельдерея, 200 г моркови, 200 г свежей капусты, 2 луковицы, 6 столовых ложек растительного масла, 1 стакан томата-пюре, перец, соль и сахар по вкусу.

Капусту и лук измельчить в шинковке с насадкой для получения соломки. Морковь и сельдерей измельчить в шинковке с насадкой в виде крупной терки. Лук обжарить в растительном масле, добавить морковь, сельдерей и капусту. Овощи обжарить, долить немного воды, добавить специи, тушить под крышкой до размягчения, затем добавить томат-пюре, соль и сахар, проварить и остудить.

ЗАКУСКА «ЛЮБИТЕЛЬСКАЯ»

400 г моркови, 1 банка зеленого горошка, 100 г сливочного масла, четверть стакана воды, 1 чайная ложка сахара, 1 стакан молока, 2 столовые ложки муки, соль по вкусу.

Морковь очистить, вымыть, измельчить в шинковке с насадкой для получения брусочков, обжарить в кастрюле с разогретым маслом, добавить горячую воду, накрыть крышкой и тушить на слабом огне до готовности. Добавить горошек, залить молочным соусом. Для приготовления соуса муку спассеровать в растопленном масле, добавить молоко, соль, прогреть на слабом огне, помешивая, чтобы не образовались комочки.

ЗАКУСКА «МАЙКОПСКАЯ»

500 г лука, 250 г помидоров, 3 столовые ложки растительного масла или жира, 1 чайная ложка муки, 3 столовые ложки кислого молока, сахар, перец и соль по вкусу.

Очищенный лук и очищенные от кожицы помидоры измельчить в шинковке с насадкой для нарезки тонкими ломтиками, положить в подогретое масло, посолить и тушить. Муку развести молоком, медленно влить в овощи и варить до готовности. Заправить пряностями.

ЗАПЕКАНКА ИЗ ЧЕРНОГО КОРНЯ

500 г черного корня (козельца), 400 г картофеля, 200 г моркови, 150 г натертого сыра, 1/2 пучка петрушки, 2 яичных желтка, 150 г сметаны, 5 столовых ложек винного уксуса, соль по вкусу.

Картофель и морковь очистить, вымыть и измельчить в шинковке с насадкой для нарезки тонкими ломтиками. Черный корень очистить, измельчить в шинковке с насадкой для нарезки тонкими ломтиками и сразу же положить в воду с уксусом (чтобы корень не потемнел). Затем достать его из уксуса, отварить в небольшом количестве подсоленной воды в течение 8 минут и откинуть на дуршлаг. Картофель и морковь отварить в небольшом количестве подсоленной воды в течение 5 минут. Черный корень, картофель и морковь положить слоями в жаропрочную форму, посыпая каждый слой небольшим количеством сыра. Мелко нарезанную петрушку смешать с яичными желтками и сметаной. Соус вылить на овощи, сверху равномерно распределить оставшийся сыр. Запекать в разогретой до 200°С духовке примерно 20 минут.

ЗАПЕКАНКА ИЗ ЯБЛОК И ОВСЯНЫХ ХЛОПЬЕВ

200 г овсяных хлопьев, 150 г сахара, 100 г сливочного масла, 400 г яблок, 2 яйца, 2 стакана молока, щепотка ванилина, 2—3 столовые ложки натертых сухарей, 1 столовая ложка растительного масла.

Яблоки измельчить в шинковке с насадкой в виде крупной терки. Овсяные хлопья вместе с сахаром обжарить в сливочном масле. В смазанную растительным маслом и посыпанную сухарями форму положить слой овсяных хлопьев, слой яблок, все залить смесью взбитого яйца, молока и ванилина. Сверху положить кусочки сливочного масла, запечь в духовке. Подать с холодным молоком или фруктовым соусом.

ЗАПЕКАНКА «ЛЕЙПЦИГСКАЯ»

200 г гороха, 250 г моркови, 150 г кольраби, 150 г спаржи, 150 г цветной капусты, 150 г сморчков, 3 столовые ложки сливочного масла, 8 раковых хвостов, 1 столовая ложка муки, клецки из булки, соль по вкусу.

Горох сполоснуть. Морковь почистить и измельчить в шинковке с насадкой для получения соломки. Вымытую и очищенную кольраби также измельчить в шинковке с насадкой для получения соломки. Спаржу измельчить в шинковке с насадкой для нарезки тонкими ломтиками. Тщательно очищенную и промытую в соленой воде цветную капусту разделить на кочешки. Сморчки почистить и тщательно промыть, чтобы удалить весь песок. Блюдо будет вкуснее, если каждый овощ потушить отдельно с небольшим количеством масла и воды. Горох, морковь, кольраби и спаржу перемешать, посыпать мукой, солью и запечь. Затем положить в миску, украсить цветной капустой, сморчками, раковыми хвостами и клецками из булки.

ЗАПЕКАНКА МОРКОВНАЯ

500 г моркови, 200 г черствого белого хлеба, 2 яйца, 1/2 стакана молока, 100 г сливочного масла или маргарина, 2—3 столовые ложки натертых сухарей, соль, мускатный орех или кардамон по вкусу.

Морковь сварить, снять кожицу, измельчить в шинковке с насадкой в виде крупной терки. С хлеба снять корочку, залить его молоком, дать набухнуть, отжать, размешать с морковью, добавить яйца, специи, соль. Форму смазать жиром, посыпать сухарями, наполнить массой, посыпать сухарями. Сверху положить кусочки масла, запечь в духовке. Подать в горячем виде с растопленным маслом или сметаной.

ИКРА ИЗ БАКЛАЖАНОВ С ПОМИДОРАМИ

3—4 средних баклажана, 4 луковицы, 4 помидора, 1 чайная ложка уксуса или лимонного сока, 4 столовые ложки растительного масла, соль и перец по вкусу.

Баклажаны отварить, освободить от кожицы и измельчить в шинковке с насадкой для получения брусочков. Очищенный репчатый лук и помидоры измельчить в шинковке с насадкой для нарезки тонкими ломтиками, обжарить в растительном масле и добавить к баклажанам. Затем добавить уксус или лимонный сок, растительное масло, соль и перец. Все составляющие части тщательно перемешать, нагреть до кипения и варить 8—10 минут на слабом огне, после чего охладить.

КАБАЧКИ ТУШЕНЫЕ

2 кабачка, 4 столовые ложки растительного масла, 1 чайная ложка муки, 2 столовые ложки сметаны, 3—4 веточки петрушки.

Кабачки очистить от кожуры, измельчить в шинковке с насадкой для нарезки тонкими ломтиками, посыпать мукой, обжарить в масле, залить горячей водой, посолить. Тушить под крышкой до готовности. При подаче на стол заправить сметаной, посыпать мелко нарезанной зеленью петрушки. Подать с отварным картофелем и холодной ветчиной.

КАПУСТА КРАСНОКОЧАННАЯ, ТУШЕННАЯ С ЯБЛОКАМИ

600 г краснокочанной капусты, 200 г яблок, 1 луковица, 2 столовые ложки растительного масла, 1/4 стакана бульона или воды, 2—3 столовые ложки яблочного сока или желе из красной (черной) смородины, 2 головки гвоздики, 1/4 чайной ложки корицы, соль и сахар по вкусу.

Капусту и лук измельчить в шинковке с насадкой для получения соломки, яблоки без сердцевины измельчить в шинковке с насадкой в виде крупной терки. Обжарить измельченный лук в разогретом растительном масле, добавить капусту, перемешивая, прогреть до полуготовности, затем добавить горячий бульон или воду, яблочный сок или желе. Тушить под крышкой, добавив соль, сахар, измельченные яблоки, специи. В готовом блюде не должно быть жидкости.

КАПУСТА ПО-КОРЕЙСКИ

1 кг белокочанной капусты, 3 столовые ложки соли, 1 луковица, 1—2 дольки чеснока, 1 чайная ложка уксуса, красный молотый перец по вкусу.

Белокочанную капусту измельчить в шинковке с насадкой для получения соломки, пересыпать солью и оставить на несколько часов. Лук и чеснок измельчить в шинковке с насадкой в виде мелкой терки и смешать с красным перцем, затем все перемешать с засоленной капустой, переложить в глиняный горшок. Сверху положить груз и оставить на 2—3 дня.

КАПУСТА, ТУШЕННАЯ ПО-ПОЛЬСКИ

600 г капусты, 100 г сливочного масла, 2 столовые ложки пшеничной муки, 1 чайная ложка лимонного сока, 1/4 стакана воды, 1/2 стакана томата-пюре, 3 столовые ложки сметаны, 1/4 чайной ложки тмина, соль и сахар по вкусу.

С кочана капусты снять наружные листья, кочан измельчить в шинковке с насадкой для получения соломки, положить в кастрюлю, переложить кусочками масла, посыпать тмином, солью, сахаром и мукой. Добавить воду, томат-пюре и тушить капусту в закрытой кастрюле. Добавить сметану и лимонный сок.

КОЛЬРАБИ ПО-ФЛАМАНДСКИ

750 г молодой кольраби с листьями, 2—3 морковки, 1/2 стакана воды, 2—3 веточки укропа, 2 столовые ложки масла или маргарина, соль по вкусу.

Подготовленные кольраби и морковь измельчить в шинковке с насадкой для получения брусочков, опустить в соленую кипящую воду и потушить в закрытой посуде. Снять с огня и сразу же добавить укроп и масло.

КОЛЬРАБИ ТУШЕНАЯ

2 кочана кольраби, 4 столовые ложки жира, 1 чайная ложка муки, 4 столовые ложки растительного масла, 2 столовые ложки сметаны, 3—4 веточки петрушки, соль по вкусу.

Кольраби очистить от кожуры, измельчить в шинковке с насадкой для нарезки тонкими ломтиками, посыпать мукой, обжарить в масле, залить горячей водой, посолить, добавить сметану. Тушить под крышкой до готовности. При подаче на стол посыпать мелко нарезанной зеленью петрушки. Подать с отварным картофелем и холодной ветчиной.

КОМПОТ ИЗ ТЫКВЫ И РЕВЕНЯ

300 г тыквы, 300 г ревеня, 100 г сахара, цедра 1 лимона или апельсина, 1/2 чайной ложки корицы, 3 стакана воды.

Очищенную тыкву измельчить в шинковке с насадкой в виде крупной терки. Промытый ревень измельчить в шинковке с насадкой для получения соломки. Сварить сироп со специями, опустить в него ревень, вскипятить, добавить тыкву, снова довести до кипения и затем охладить. Подать со взбитыми сливками.

КОТЛЕТЫ МОРКОВНЫЕ

100 г моркови, 10 столовых ложек манной крупы, 1/2 стакана воды, 3 яйца, 3—4 столовые ложки молотых сухарей, 2 столовые ложки растительного масла, жир для жарения, соль и сахар по вкусу.

Очищенную морковь измельчить в шинковке с насадкой в виде крупной терки, обжарить на растительном масле, добавить воду и тушить до готовности. Затем засыпать заранее прожаренную манку, соль, сахар и прогреть 5 минут. Полученную массу немного остудить, добавить взбитое яйцо, сформовать котлеты, запанировать в сухарях. Поджарить котлеты на разогретом жире. Подать с сахаром, сметаной, корицей.

КРЕМ ИЗ РЕВЕНЯ

400 г ревеня, 200 г сливок, 1 стакан сахара, 1 чайная ложка желатина, 1/2 стакана воды.

Очищенный ревень измельчить в шинковке с насадкой для получения соломки, засыпать сахаром и выдержать в закрытой крышкой посуде. Желатин залить водой на один час. Ревень тушить в сиропе до полуготовности, затем добавить набухший желатин, дать ему раствориться. Сливки взбить миксером, вмешать в них холодный сироп и кусочки ревеня, оставив часть для гарнира. Перед подачей крем охладить.

КРЕМ «ЮЖНЫЙ»

1 кг тыквы, 200 г сушеных абрикосов, 2 столовые ложки сливочного масла, 200 г сливок, щепотка ванилина, цедра 1 лимона, сахар по вкусу.

Очищенную тыкву измельчить в шинковке с насадкой для получения соломки или с насадкой в виде мелкой терки, положить в кастрюлю, добавить промытые абрикосы, сливочное масло. Тушить до тех пор, пока тыква и абрикосы не станут очень мягкими. Готовую массу охладить, затем смешать со взбитыми сливками, добавить сахар. Подать с ванильным или шоколадным соусом.

КРЕСС-САЛАТ С МАЙОНЕЗОМ

300—400 г кресс-салата, 2 крутых яйца, 3—4 столовые ложки майонеза.

Кресс-салат перемыть в большом количестве воды, отряхнуть, отрезать корешки, измельчить в шинковке с насадкой для получения соломки. Крутые яйца очистить, измельчить в шинковке с насадкой для получения брусочков, добавить к кресс-салату, смешать с майонезом. Украсить нарезанной розочками редиской.

КРУЖОЧКИ ЯБЛОЧНЫЕ

4 яблока, 1 стакан молока, 1 1/2 стакана муки, 4 столовые ложки меда, растительное масло для жарения, соль по вкусу.

Яблоки очистить, удалить сердцевину, измельчить в шинковке с насадкой для нарезки тонкими ломтиками. Из муки и молока замесить жидкое тесто, добавляя яйца, соль, сахар. На сковороде разогреть масло, наколоть на вилку кружок яблока, погрузить его в тесто, быстро опустить в масло и обжарить с обеих сторон. Подать кружочки с медом и молоком.

КАРРИ С БЕЛОКОЧАННОЙ КАПУСТОЙ

600 г капусты, 400 г картофеля, 1 столовая ложка порошка карри, 3/4 стакана растительного масла, 400 г лука, по 1/2 чайной ложке тмина и красного молотого перца, 2 лавровых листа, 4—5 головок гвоздики, 100 г томатной пасты, 1 стакан бульона или воды, соль по вкусу.

Лук измельчить в шинковке с насадкой для нарезки тонкими ломтиками, капусту измельчить в шинковке с насадкой для получения соломки, очищенный картофель измельчить в шинковке с насадкой для получения брусочка. Масло разогреть, слегка обжарить в нем лук. Развести порошок карри в небольшом количестве бульона и потушить его в течение 3—4 минут на слабом огне, но так, чтобы он сохранил свой аромат. Затем добавить приправы и капусту. Все тушить при непрерывном помешивании в течение 10 минут. Добавить картофель вместе с томатной пастой, мясным бульоном или водой. Варить блюдо на слабом огне до готовности. Перед подачей на стол удалить лавровый лист и гвоздику, посолить.

КАРРИ С ОВОЩАМИ

250 г зеленой фасоли, 250 г картофеля, 250 г помидоров, 2 столовые ложки растительного масла, 1 крупная луковица, 1 долька чеснока, 1 столовая ложка порошка карри, 1 чайная ложка лимонного сока, соль по вкусу.

Лук и чеснок измельчить в шинковке с насадкой в виде крупной терки. Очищенные стручки зеленой фасоли и очищенный картофель измельчить в шинковке с насадкой для получения соломки. Лук и чеснок слегка обжарить в растительном масле. Добавить порошок карри и тушить в течение 3—4 минут на слабом огне, затем добавить помидоры и измельченные стручки зеленой фасоли. Можно добавить также небольшое количество воды, но соус должен быть достаточно густым. Когда фасоль будет совсем готова, добавить подготовленный картофель. Все продукты потушить, перед готовностью посолить и добавить сок лимона.

ЛУК ПО-ГРЕЧЕСКИ

1 кг зеленого лука, 2 столовые ложки растительного масла, сок 2 лимонов, 1 корешок сельдерея, по щепотке тимьяна и кориандра, 5—6 горошин черного перца, 1 лавровый лист, 1/4 стакана воды, соль.

Лук измельчить в шинковке с насадкой для получения брусочков, сельдерей измельчить в шинковке с насадкой в виде крупной терки. Добавить растительное масло, сок лимона и специи, посолить, залить кипятком и тушить, затем остудить. Подать в холодном виде с белым хлебом.

МОРКОВЬ ВО ФРИТЮРЕ

600 г моркови, 1/4 стакана молока, 1 стакан муки, 2 яйца, масло для жарения, соль по вкусу.

Вымытую морковь сварить до полуготовности, воду слить, очистить, измельчить в шинковке с насадкой для получения брусочков. Из молока, муки, яиц и соли приготовить тесто. Для этого яйца взбить, размешать с мукой до однородной консистенции, посолить. Измельченную морковь окунуть в приготовленное тесто и опустить в разогретое растительное масло, во фритюр, жарить до золотистого цвета. Вынуть шумовкой на сито, дать стечь маслу.

МОРКОВЬ ПОД БЕЛЫМ СОУСОМ

800 г моркови, 100 г сливочного масла, 1 столовая ложка муки, 1 стакан молока или сметаны, соль и сахар по вкусу.

Морковь промыть, очистить, сполоснуть, измельчить в шинковке с насадкой для нарезки тонкими ломтиками. В кастрюле растопить 50 г масла, положить в нее морковь, помешивая, обжарить, добавить воду и тушить до полуготовности под крышкой. Из остального масла, муки, молока или сметаны приготовить белый соус. Тушенную до полуготовности морковь залить соусом, довести до готовности, добавить соль, сахар. Подать к блюдам из кур, кролика.

МОРКОВЬ ТУШЕНАЯ

800 г моркови, 100 г сливочного масла, 1/4 стакана воды, соль и сахар по вкусу.

Морковь промыть, очистить, сполоснуть, измельчить в шинковке с насадкой для нарезки тонкими ломтиками. В кастрюле растопить масло, положить в нее морковь, помешивая, обжарить, добавить воду, соль, сахар и тушить до полной готовности под крышкой.

МОРКОВЬ ТУШЕНАЯ С СЫРОМ

800 г моркови, 50 г сливочного масла, 1 столовая ложка растительного масла, 50 г сыра, соль по вкусу.

Морковь очистить, измельчить в шинковке с насадкой для получения соломки и тушить в небольшом количестве подсоленной воды с растительным маслом. Перед подачей полить растопленным сливочным маслом, посыпать натертым сыром.

ОВОЩИ КИСЛО-СЛАДКИЕ ПО-ПРОВАНСАЛЬСКИ

4 молодые луковицы, 3 морковки, 2 черешка сельдерея, 2 кольраби, 1 стручок красного сладкого перца, 1 стручок желтого сладкого перца, 2 дольки чеснока, 250 г консервированного ананаса кусочками, 2 столовые ложки мелко нарезанной кинзы, 3 столовые ложки соевого соуса, 1 столовая ложка жидкого меда, 1 столовая ложка крахмала, 1 чайная ложка свежего натертого имбиря, 1 чайная ложка карри, на кончике ножа корицы, кориандра, душистого и жгучего красного перца, 4 столовые ложки растительного масла.

Овощи вымыть и, если нужно, очистить. Лук, морковь и сельдерей измельчить в шинковке с насадкой для нарезки тонкими ломтиками, кольраби измельчить в шинковке с насадкой для получения брусочков, перец измельчить в шинковке с насадкой для получения соломки. Очищенный чеснок мелко нарубить. Масло разогреть на большой сковороде, слегка обжарить чеснок. Затем постепенно добавить овощи и жарить на среднем огне при постоянном помешивании в течение 5 минут. Добавить кусочки ананаса, 2 столовые ложки ананасового сока и 6 столовых ложек воды. Тушить под крышкой 2—3 минуты до полуготовности. Смешать соевый соус, мед, крахмал и пряности, добавить соевый соус с медом и пряностями в сковороду, перемешать, довести до кипения и посыпать кинзой.

ОВОЩИ С РЫБОЙ ПО-ГРЕЧЕСКИ

200 г моркови, 400 г капусты, 100 г лука, 50 г корня сельдерея, 50 г корня петрушки, 300 г картофеля, 800 г рыбного филе, 4 столовые ложки растительного масла, 2 столовые ложки сливочного масла, 1 чайная ложка растительного масла, 1/4 стакана воды или бульона, 1 чайная ложка лимонного сока, по 3—4 веточки петрушки и укропа, 3—4 столовые ложки сметаны, соль по вкусу.

Морковь, капусту, лук, сельдерей и петрушку измельчить в шинковке с насадкой для получения соломки. Картофель измельчить в шинковке с насадкой для получения брусочков. В кастрюле с растительным маслом сначала обжарить морковь, капусту, затем добавить лук, сельдерей, картофель. Долить немного воды или бульона и тушить под крышкой 20 минут. Филе рыбы сбрызнуть растительным маслом и лимонным соком, замариновать, пока тушатся овощи. К готовым овощам добавить нарезанное брусочками филе, сметану, посолить. Сверху положить кусочки сливочного масла и тушить под крышкой еще 15 минут. При подаче посыпать мелко нарезанной зеленью.

ОЛАДУШКИ «ДЕТСКИЕ»

800 г тыквы, 2 яйца, 3—4 столовые ложки муки, растительное масло для жарения, соль по вкусу.

Очищенную тыкву измельчить в шинковке с насадкой в виде крупной терки, добавить яичные желтки, соль, муку, рубленые семечки тыквы и ввести взбитые в густую пену белки. На разогретой сковороде испечь из приготовленного теста оладьи. Подать со сметаной, сахаром, корицей или вареньем.

ОЛАДЬИ ИЗ КАБАЧКОВ

500 г кабачков, 4 столовые ложки манной крупы, 2 яйца, 1 столовая ложка муки, растительное масло для жарения, соль и сахар по вкусу.

Кабачки промыть, очистить, измельчить в шинковке с насадкой в виде крупной терки. Если кабачки переросли, сердцевину не использовать. Добавить в массу прогретую манку, яичные желтки, соль, сахар, муку. После этого ввести взбитые миксером в густую пену белки и осторожно размешать. В разогретое масло ложкой выложить тесто из кабачков и поджарить оладьи с обеих сторон. Подать со сметаной.

ОЛАДЬИ «ЛЮБИТЕЛЬСКИЕ»

400 г тыквы, 1 стакан муки, 1/2 стакана молока или простокваши, 2 яйца, щепотка ванилина, сода на кончике ножа, растительное масло для жарения, соль по вкусу.

Очищенную тыкву измельчить в шинковке с насадкой в виде мелкой или крупной терки, добавить молоко, муку, соль, сахар, яичные желтки, ванилин, соду. В полученную массу осторожно вмешать белки, взбитые в густую пену миксером. На кипящем масле поджарить румяные оладьи. Подать горячими со сметаной или вареньем.

ОЛАДЬИ МОРКОВНЫЕ

800 г моркови, 1/2 стакана молока, 1 столовая ложка сахара, 3/4 стакана муки, 2 яйца, растительное масло для жарения, сметана, корица, сахар и соль по вкусу.

Очищенную морковь измельчить в шинковке с насадкой в виде крупной терки и тушить в небольшом количестве воды и молока. Когда смесь остынет, добавить соль, сахар, желтки, муку и взбитые белки. Столовой ложкой налить массу на сковороду с растительным маслом и обжарить с обеих сторон до светло-коричневого цвета. Подать со сметаной, сахаром и корицей.

ОЛАДЬИ «ОРИГИНАЛЬНЫЕ»

500 г кореньев сельдерея, 300 г натертого сыра, 4 яйца, 4 столовые ложки молотых сухарей, 8 столовых ложек муки, 3—4 веточки петрушки, жир для жарения, соль по вкусу.

Коренья сельдерея промыть, очистить, измельчить в шинковке с насадкой в виде мелкой терки, смешать с яйцами, мукой, натертым сыром, мелко нарезанной зеленью петрушки, солью и сухарями. Из приготовленного теста на разогретой сковороде выпечь оладьи с обеих сторон. Подать со сметаной.

ПЕРЕЦ ПО-ТИРАСПОЛЬСКИ

8 стручков сладкого перца, 8 помидоров, 3 столовые ложки растительного масла, 50 г шпика, 2 луковицы, 2 дольки чеснока, 6 яиц, 3—4 веточки петрушки, соль и молотый черный перец по вкусу.

Очищенный лук и чеснок измельчить в шинковке с насадкой для получения соломки. Из перца вынуть сердцевину, промыть его и вместе с помидорами измельчить в шинковке с насадкой для нарезки тонкими ломтиками. Шпик нарезать маленькими кусочками, обжарить на сковороде, добавить измельченные лук и чеснок, слегка обжарить. Перец положить на лук в сковороде, прикрыть крышкой и тушить 10 минут. Помидоры положить на перец, посыпать молотым перцем, посолить и потушить. Яйца взбить, посолить, залить ими овощи на сковороде, прогреть до загустения яиц. Готовое блюдо посыпать мелко нарезанной зеленью петрушки. Подать с жареным картофелем.

ПЕРЕЦ, ТУШЕННЫЙ С ЛУКОМ

600 г красного, зеленого и желтого стручкового перца, 2 луковицы, 3 столовые ложки растительного масла, 1/2 стакана сметаны, соль по вкусу.

Нарезанные и промытые стручки перца с удаленной сердцевиной и очищенный репчатый лук измельчить в шинковке с насадкой для нарезки тонкими ломтиками. Лук обжарить в растительном масле, добавить перец, соль и тушить под закрытой крышкой на слабом огне, не допуская, чтобы продукты разварились в кашу. Если при тушении появилось много жидкости, в конце тушения крышку снять и дать жидкости испариться.

РЕВЕНЬ СВЕЖИЙ С САХАРОМ

400 г ревеня, 100 г сахара, цедра 1 лимона или апельсина, 1/2 чайной ложки корицы.

Молодой ревень промыть, снять волокнистую кожицу, измельчить в шинковке с насадкой для получения соломки, посыпать сахаром и, плотно закрыв посуду, оставить в холодном месте на 2 часа. Подать, посыпав натертой цедрой лимона или апельсина, корицей. При желании ревень можно подать со взбитыми сливками.

РЕВЕНЬ С СУХАРЯМИ И СЛИВКАМИ

0,5 кг ревеня, 200 г сухарей из черного хлеба, 2 столовые ложки масла, 1 стакан сливок, 2 столовые ложки сахара, 2 столовые ложки воды, щепотка ванилина.

Сухари измельчить в шинковке с насадкой в виде мелкой терки. Ревень измельчить в шинковке с насадкой для получения соломки, варить в воде с сахаром, затем вынуть его шумовкой. В разогретом масле обжарить сухари. Сливки взбить в миксере и добавить ванилин. На блюдо слоями выложить сухари, ревень, взбитые сливки. Блюдо подать с сиропом из ревеня или со смесью молока с сиропом.

РИС С ЗЕЛЕНЬЮ И СЛАДКИМ ПЕРЦЕМ

1/2 стакана риса, 4 столовые ложки маргарина, 4 столовые ложки измельченной зелени, по 2 стручка красного и желтого сладкого перца, 1 стручок зеленого сладкого перца, 2 луковицы, 5 консервированных помидоров, 2 измельченные дольки чеснока, 1 лавровый лист, 1/2 стакана овощного бульона, жгучий красный перец на кончике ножа, 2—3 веточки петрушки, черный перец и соль по вкусу.

Стручки перца разрезать пополам, удалить зерна, перегородки и плодоножки, вымыть и измельчить в шинковке с насадкой для получения соломки. Очищенный лук и помидоры измельчить в шинковке с насадкой для нарезки тонкими ломтиками. Рис хорошо промыть под струей проточной воды и дать воде стечь, затем обжарить в 1 столовой ложке растопленного маргарина, добавить 3 стакана воды, посолить и тушить при помешивании 35—40 минут. Затем выложить рис в смазанную жиром кольцевую форму для риса и уплотнить. Перец и лук потушить в оставшемся маргарине, добавить бульон, помидоры и пряности, тушить на слабом огне до полуготовности. Рис опрокинуть на большое блюдо, овощи положить в середину рисового кольца. Готовое блюдо посыпать измельченной петрушкой.

САЛАТ «АЙДАХО»

200 г красной капусты, 200 г маринованных или соленых грибов, 1 соленый огурец, 1 яйцо, 200 г сметаны или 100 г растительного масла, 1 чайная ложка лимонного сока, соль и сахар по вкусу.

Капусту, огурцы и грибы измельчить в шинковке с насадкой для получения соломки. Лук измельчить в шинковке с насадкой для нарезки тонкими ломтиками. Капусту пересыпать солью и потолочь до появления сока. Все приготовленные продукты смешать со сметаной или с растительным маслом, добавить соль, сахар, лимонный сок.

САЛАТ «АНДАЛУЗИЯ»

250 г помидоров, 1 свежий огурец, 1 редька, 1 луковица, по 3 веточки петрушки и укропа, 3 столовые ложки растительного масла, 1 столовая ложка уксуса, 1—2 сваренных вкрутую яйца, соль и перец по вкусу.

Сваренные вкрутую яйца измельчить в шинковке с насадкой для получения брусочков. Помидоры, огурец, редьку и лук измельчить в шинковке с насадкой для получения соломки. Все осторожно перемешать, добавив соль, перец, зелень петрушки и укропа, а также уксус, растительное масло.

САЛАТ «АППЕТИТНЫЙ»

400 г свежей капусты, 1 красный или зеленый перец, 1 столовая ложка сахара, 2 столовые ложки сока лимона или клюквы, 2 столовые ложки сметаны или кефира, перец и соль по вкусу.

Капусту и перец измельчить в шинковке с насадкой в виде мелкой терки. Добавить сахар, соль, сок лимона или клюквы, сметану или кефир. Все тщательно перемешать.

САЛАТ «АПШЕРОН»

500 г баклажанов, 2 помидора, 75 г маслин, 1 долька чеснока, 3 столовые ложки оливкового масла, 5 веточек петрушки, 3—4 листика тимьяна, 1/2 стакана йогурта, 8—10 капель табаско (жгучий соус), 1/2 чайной ложки сушеного розмарина, соль по вкусу.

Баклажаны очистить и измельчить в шинковке с насадкой для нарезки тонкими ломтиками. Помидоры надрезать, обдать кипятком, удалить кожицу. Затем разрезать пополам, удалить основания плодоножек и семена, измельчить в шинковке с насадкой для получения брусочков. Петрушку и тимьян вымыть под струей холодной воды, обсушить и измельчить в шинковке с насадкой в виде мелкой терки. Чеснок измельчить ручным прессом. Баклажаны, помидоры и маслины выложить в салатницу. Заправить салат чесноком, солью и оливковым маслом, поставить в закрытой посуде не менее чем на 60 минут в холодильник. Для соуса добавить в йогурт табаско, зелень и розмарин, перемешать, заправить салат соусом незадолго до подачи на стол.

САЛАТ «БЕРЛИНСКИЙ»

200 г краснокочанной капусты, 100 г яблок, 2 луковицы, 4 столовые ложки майонеза, 3—4 веточки петрушки, морковь для украшения, соль по вкусу.

Капусту очистить, измельчить в шинковке с насадкой для получения соломки, слегка посолить. Вымытые и очищенные яблоки и лук также измельчить в шинковке с насадкой для получения соломки. Все перемешать с майонезом, положить в стеклянный салатник, украсить веточками петрушки и фигурно нарезанной морковью.

САЛАТ БРЮКВЕННО-МОРКОВНЫЙ С ЯБЛОКАМИ

300 г брюквы, 2—3 морковки, 2—3 яблока, 1 чайная ложка лимонного сока, 2—3 столовые ложки растительного масла, по 2—3 веточки петрушки и укропа, соль по вкусу.

Очищенную и вымытую брюкву измельчить в шинковке с насадкой для нарезки тонкими ломтиками. Очищенную и вымытую морковь измельчить в шинковке с насадкой в виде крупной терки. Яблоки без сердцевины измельчить в шинковке с насадкой для получения брусочков. Брюкву, морковь и яблоки перемешать, заправить смесью лимонного сока и растительного масла, посолить и посыпать мелко нарезанной зеленью.

САЛАТ «БУЛГАР»

100 г стручков зеленого сладкого перца, 200 г помидоров, 200 г груш, 3—4 столовые ложки растительного масла, 1 чайная ложка лимонного сока или уксуса, соль и сахар по вкусу.

Сполоснуть перец, помидоры и груши. Обрезать верхушки стручков вместе со стеблем и вычистить семена. Перец измельчить в шинковке с насадкой для получения соломки. Помидоры и очищенные груши измельчить в шинковке с насадкой для получения брусочков. Все составные части осторожно перемешать с растительным маслом. Приправить солью, сахаром, лимонным соком или уксусом. Уложить на небольшом стеклянном блюде, украсить полосками зеленого перца.

САЛАТ «ВЕСЕННИЙ»

300—400 г свежего шпината, 2 крутых яйца, 4 столовые ложки майонеза, редиска для украшения.

Шпинат промыть в большом количестве воды, отряхнуть, отрезать корешки и стебли, измельчить в шинковке с насадкой для получения соломки. Крутые яйца очистить, измельчить в шинковке с насадкой для получения брусочков, добавить к шпинату, перемешать с майонезом. Украсить нарезанной розочками редиской.

САЛАТ «ГРОДНЕНСКИЙ»

250 г свежей капусты, 150 г моркови, 4 столовые ложки майонеза, 3—4 веточки петрушки, морковь для украшения, соль по вкусу.

Капусту очистить, измельчить в шинковке с насадкой для получения соломки, посолить. Морковь вымыть щеткой, очистить, измельчить в шинковке с насадкой в виде мелкой терки. Морковь и капусту перемешать с майонезом. Положить в салатник, украсить веточками петрушки и полосками красиво нарезанной моркови.

САЛАТ «ДАЧНЫЙ»

20 г лука-порея, 200 г яблок, 4 столовые ложки майонеза, 3—4 листа зеленого салата.

Порей сполоснуть в проточной воде и очистить, светлые части измельчить в шинковке с насадкой для получения соломки. Яблоки вымыть, очистить, измельчить в шинковке с насадкой в виде крупной терки. Порей и яблоки смешать с майонезом, уложить на салатных листьях на небольшом стеклянном блюде. Сверху посыпать нарубленными зелеными листьями порея.

САЛАТ «ДЕРЕВЕНСКИЙ»

250—300 г редьки, 2 столовые ложки растительного масла или 2—3 столовые ложки сметаны, 1 чайная ложка уксуса, 1 большая луковица, 2—3 веточки укропа или петрушки, соль по вкусу.

Редьку очистить от кожицы и тщательно помыть, после чего положить в холодную воду на 20—25 минут (для уменьшения остроты вкуса и специфического запаха), затем слить воду и измельчить в шинковке с насадкой в виде крупной терки. Заправить растительным маслом, солью и уксусом. Можно добавить мелко нарезанный репчатый лук. Перед подачей на стол блюдо посыпать зеленью укропа или петрушки. Вместо растительного масла можно заправить салат сметаной. Уксус в этом случае на добавлять.

САЛАТ «ЗАБОРИСТЫЙ»

400 г вареной свеклы, 1 столовая ложка натертого хрена, 1 кислое яблоко, 100 г сметаны, соль и сахар по вкусу.

Вареную свеклу очистить, измельчить в шинковке с насадкой для получения брусочков, смешать с яблоками, измельченными в шинковке с насадкой в виде крупной терки. Добавить мелко натертый хрен, сметану, соль и сахар.

САЛАТ «ЗАКУСОЧНЫЙ»

300 г моркови, 300 г капусты, 1 луковица, 100 г майонеза (сметаны) или 50 г растительного масла, соль и сахар по вкусу.

Очищенную морковь измельчить в шинковке с насадкой в виде крупной терки. Капусту и лук измельчить в шинковке с насадкой для получения соломки. Капусту потолочь, добавив немного соли, затем все продукты перемешать, добавить майонез или растительное масло и сахар.

САЛАТ «ЗАЛЬЦБУРГСКИЙ»

8 тонких ломтиков ветчины, 4 помидора, 2 средних огурца, 2 яблока, 2 корня сельдерея, 2 столовые ложки апельсинового сока, 2—3 маринованных листа салата, майонез по вкусу.

Каждый ломтик ветчины скатать в небольшой рулет. Огурцы, яблоки и сельдерей измельчить в шинковке с насадкой для получения соломки, перемешать с соком апельсина, выложить на плоскую тарелку, обложить кругом маринованными салатными листьями, четвертушками помидоров и рулетами из ломтиков ветчины. Все обильно полить майонезом.

САЛАТ «ЗДОРОВЬЕ»

8 помидоров, 1 огурец, 1 яблоко, 3 столовые ложки майонеза, 2—3 веточки петрушки, 2—3 веточки укропа, сахар и соль по вкусу.

Небольшие крепкие помидоры промыть, срезать верхушки, вынуть сердцевину, углубление посыпать солью и начинить. Начинку приготовить из огурцов, яблок и зелени, измельченных в шинковке с насадкой в виде мелкой терки. Все смешать и добавить майонез, соль и сахар.

САЛАТ «ЗИМНИЙ»

2 свеклы, 2 яблока, 1 корень хрена, 1 чайная ложка лимонного сока, 100 г сметаны, соль и перец по вкусу.

Свежие яблоки измельчить в шинковке с насадкой в виде крупной терки, свеклу и хрен измельчить в шинковке с насадкой в виде мелкой терки. Перемешать, добавить лимонный сок, перец, посолить. Заправить салат сметаной.

САЛАТ ИЗ БАКЛАЖАНОВ

500 г баклажанов, 1 большая луковица, 3 столовые ложки растительного масла, 1 чайная ложка лимонного сока, сахар, 2 крутых яйца, 2—3 веточки петрушки, сахар, соль и черный перец по вкусу.

Баклажаны помыть и испечь в духовке, следя, чтобы они не пригорели. После охлаждения снять кожицу, мякоть измельчить в шинковке с насадкой для получения брусочков. Очищенный лук измельчить в шинковке с насадкой для нарезки тонкими ломтиками. Баклажаны перемешать с репчатым луком, добавить растительное масло, лимонный сок, сахар, соль и черный перец. Готовое блюдо выложить в салатник и украсить нарезанными крутыми яйцами и зеленью петрушки.

САЛАТ ИЗ ДЫНИ С ЯБЛОКАМИ (КЛЮКВОЙ)

300 г мякоти дыни, 2 яблока виннокислого вкуса или 100 г ягод клюквы, 100 г сметаны, 2—3 веточки петрушки или укропа, сахар и соль по вкусу.

Мякоть дыни измельчить в шинковке с насадкой в виде крупной терки вместе с яблоками. Вместо яблок можно использовать клюкву, измельчив ее в шинковке с насадкой в виде мелкой терки. В измельченную дыню с яблоками или клюквой добавить сахар и соль, смешать со сметаной и посыпать нарезанной зеленью петрушки или укропа.

САЛАТ ИЗ КАБАЧКОВ ПО-РУМЫНСКИ

400 г кабачков цуккини, 3 помидора, по 1 стручку желтого и зеленого сладкого перца, 2 луковицы лука-шалота, 4 пера зеленого лука, 2 столовые ложки винного уксуса, 1 столовая ложка горчицы, 1/2 чайной ложки мелко нарезанного тимьяна, 4 столовые ложки оливкового масла, молотый черный перец и соль по вкусу.

С кабачков срезать концы, тщательно вымыть под струей холодной воды. Помидоры разрезать пополам, удалить основания плодоножек и семена. Стручки перца разрезать пополам, удалить сердцевину и белые перегородки с семенами, вымыть. Лук-шалот и зеленый лук вымыть под струей холодной воды. Вымытые кабачки измельчить в шинковке с насадкой в виде крупной терки. Мясистую часть помидоров измельчить в шинковке с насадкой для получения соломки. Подготовленный перец измельчить в шинковке с насадкой для получения брусочков. Лук-шалот и зеленый лук измельчить в шинковке с насадкой для нарезки тонкими ломтиками. Для приготовления соуса смешать уксус, лук-шалот, горчицу, соль, перец и взбить в миксере до кремообразной массы. Затем добавить зеленый лук, тимьян и масло, перемешать и полученным соусом заправить салат. Перед подачей на стол салат должен постоять в холодильнике примерно 30 минут.

САЛАТ ИЗ КРАСНОКОЧАННОЙ КАПУСТЫ

1 небольшой кочан красной капусты, 1 чайная ложка лимонного или клюквенного сока, 1 столовая ложка кукурузного масла, сахар и соль по вкусу.

Капусту измельчить в шинковке с насадкой для получения соломки. В кастрюлю налить немного горячей воды, добавить соль, сахар, измельченную капусту, накрыть крышкой и тушить до размягчения, затем капусту откинуть на сито, охладить, переложить в салатницу, добавить лимонный или клюквенный сок, заправить кукурузным маслом. Салат желательно приготовить за час до подачи, чтобы он успел настояться.

САЛАТ ИЗ КРАСНОКОЧАННОЙ КАПУСТЫ С ГРИБАМИ

300 г краснокочанной капусты, 300 г грибов, 2 соленых огурца, 1 луковица, 2—3 веточки петрушки или укропа, 200 г сметаны, сахар и соль по вкусу.

Капусту и отваренные грибы измельчить в шинковке с насадкой для получения соломки. Огурцы и лук измельчить в шинковке с насадкой для нарезки тонкими ломтиками, затем капусту немного посолить, растереть до образования сока. Все продукты перемешать, добавив сметану, соль и сахар. Салат посыпать мелко нарезанной зеленью петрушки или укропа.

САЛАТ ИЗ МОРКОВИ С СЕЛЬДЕРЕЕМ

300 г моркови, 100 г сельдерея, 100 г консервированного зеленого горошка, 100 г майонеза или сметаны, 1 чайная ложка лимонного сока, соль и сахар по вкусу.

Очищенные морковь и сельдерей измельчить в шинковке с насадкой в виде крупной терки, сбрызнуть лимонным соком, перемешать с зеленым горошком, добавить соль, сахар и залить сметаной или майонезом.

САЛАТ ИЗ МОРКОВИ С ХРЕНОМ

400 г моркови, 1 столовая ложка хрена, по 3—4 веточки петрушки и укропа, 200 г сметаны, 1 чайная ложка лимонного сока, соль и сахар по вкусу.

Очищенную морковь промыть, измельчить в шинковке с насадкой в виде крупной терки, смешать с тертым хреном, добавить лимонный сок, сахар, соль, перемешать и положить в салатницу. Перед подачей залить сметаной и посыпать мелко нарезанной зеленью.

САЛАТ ИЗ МОРКОВИ С ХРЕНОМ И ЯБЛОКАМИ

2—3 морковки, 1 корешок хрена, 2 антоновских яблока, 1 чайная ложка лимонного сока, соль и сахар по вкусу.

Морковь и хрен тщательно помыть щеткой, очистить от кожицы, измельчить в шинковке с насадкой в виде мелкой терки. Яблоки измельчить в шинковке с насадкой в виде крупной терки. Морковь, хрен и яблоки перемешать, добавить сахар, соль, полить лимонным соком.

САЛАТ ИЗ ПЕРЦА ПО-БОЛГАРСКИ

2—3 зеленых или красных перца, 1 соленый огурец, 1 средняя луковица, 2—3 столовые ложки растительного масла, 2—3 веточки укропа, сахар и соль по вкусу.

Перец помыть, удалить семена и измельчить в шинковке с насадкой для получения соломки. Соленый огурец и очищенный лук измельчить в шинковке с насадкой для нарезки тонкими ломтиками. Все овощи смешать, добавить сахар и соль, заправить растительным маслом, посыпать нарезанной зеленью укропа.

САЛАТ ИЗ РЕДИСА, ЯБЛОК И КОНСЕРВИРОВАННЫХ ОГУРЦОВ

300 г редиса, 3—4 яблока, 2—3 консервированных огурца среднего размера, 1 средняя луковица, 2—3 пера зеленого лука, 2—3 веточки укропа или петрушки, 100 г майонеза или сливок, соль по вкусу.

Яблоки с удаленной сердцевиной измельчить в шинковке с насадкой в виде крупной терки. Консервированные огурцы и очищенный репчатый лук измельчить в шинковке с насадкой для нарезки тонкими ломтиками. Редис помыть, измельчить в шинковке с насадкой для получения брусочков, смешать с измельченными яблоками, консервированными огурцами и репчатым луком. Добавить нарезанный зеленый лук и зелень укропа или петрушки. Посолить, заправить майонезом или сливками.

САЛАТ ИЗ РЕДЬКИ, МОРКОВИ И ЯБЛОК

2 небольшие редьки, 2—3 морковки, 2 антоновских яблока, 2—3 дольки чеснока, 1 чайная ложка лимонного сока или 3—4 столовые ложки сметаны.

Редьку и морковь хорошо помыть в проточной воде с помощью щетки, после чего очистить от кожицы и измельчить в шинковке с насадкой в виде крупной терки. Яблоки, очищенные от кожицы, измельчить в шинковке с насадкой для нарезки тонкими ломтиками и смешать с овощами. Чеснок мелко нарезать или измельчить в шинковке с насадкой в виде мелкой терки и добавить к салату. Готовое блюдо полить лимонным соком или сметаной.

САЛАТ ИЗ СЕЛЬДЕРЕЯ, МОРКОВИ И ЯБЛОК

2 корня сельдерея, 1 морковка, 1 яблоко виннокислых сортов, 100 г майонеза, 1 столовая ложка столовой горчицы, 2—3 веточки укропа, 2—3 веточки петрушки или листья зеленого салата, соль и сахар по вкусу.

Сельдерей и морковь, тщательно вымытые и измельченные в шинковке с насадкой для получения брусочков, смешать с яблоком, измельченным в шинковке с насадкой для получения соломки. В майонез добавить горчицу, перемешать и заправить салат. Добавить соль и сахар. Готовый салат украсить зеленью укропа и петрушки или зеленым листовым салатом.

САЛАТ ИЗ СЕЛЬДЕРЕЯ С ОРЕХАМИ

1 корень сельдерея, 1—2 яблока, 1 ложка лимонного сока, 3—4 столовые ложки майонеза, 100 г орехов (фундук, лещина), 1 крутое яйцо, соль и сахар по вкусу.

Корень сельдерея помыть в проточной воде и отварить до приобретения им мягкой консистенции (не допуская, однако, перевара). После охлаждения очистить от кожицы и измельчить в шинковке с насадкой для получения брусочков. Яблоки, очищенные от кожицы, измельчить в шинковке с насадкой для нарезки тонкими ломтиками. Орехи очистить от кожуры, ядра измельчить в шинковке с насадкой в виде мелкой терки. Яблоки смешать с сельдереем, добавить лимонный сок, майонез, соль и сахар. Салат посыпать измельченными орехами. Перед подачей на стол украсить рубленым крутым яйцом.

САЛАТ ИЗ СЕЛЬДЕРЕЯ С ЯБЛОКАМИ

300—400 г корней сельдерея, 1 большое антоновское яблоко, 3—4 пера зеленого лука, 2—3 веточки укропа, петрушки или помидоры для украшения, 2—3 столовые ложки растительного масла, 1 чайная ложка лимонного сока, сахар и соль по вкусу.

Корни сельдерея помыть в проточной воде с помощью щетки, очистить от кожицы и измельчить в шинковке с насадкой для получения соломки. Яблоко хорошо помыть, измельчить в шинковке с насадкой для нарезки тонкими ломтиками и смешать с измельченными корнями сельдерея, добавить нарезанный зеленый лук и укроп, растительное масло, лимонный сок, сахар и соль. Салат можно украсить зеленью петрушки и укропа или ломтиками помидоров.

САЛАТ ИЗ ТЫКВЫ ПО-МОЛДАВСКИ

200 г тыквы, половина корня сельдерея, 1 большое яблоко, 1/2 стакана кислого молока или кефира, 2—3 столовые ложки сахара, 1/2 чайной ложки лимонного сока, пакетик ванильного сахара или ванилина.

Очищенную и вымытую тыкву и корень сельдерея измельчить в шинковке с насадкой в виде мелкой терки. Очищенное яблоко с удаленной сердцевиной измельчить в шинковке с насадкой в виде крупной терки и смешать с тыквой. Кислое молоко или кефир взбить с сахаром, добавить лимонный сок и пакетик ванильного сахара или ванилина. Все смешать и заправить салат.

САЛАТ ИЗ ЦВЕТНОЙ КАПУСТЫ

1 кочан цветной капусты, 1/2 стакана майонеза, 4—5 листиков зеленого салата, красный перец и соль по вкусу.

Свежую молодую капусту измельчить в шинковке с насадкой для нарезки тонкими ломтиками, заправить майонезом и посолить. Положить на листья зеленого салата и посыпать красным перцем.

САЛАТ ИЗ ЦИКОРИЯ ПОД МАЙОНЕЗОМ

350 г цикория, 3—4 веточки петрушки, 3 столовые ложки майонеза.

Цикорий очистить, вырезать у основания горькую сердцевину, измельчить в шинковке с насадкой для получения соломки. Сразу же перемешать с майонезом, выложить в салатник. Украсить веточками петрушки.

САЛАТ ИЗ ЦИКОРИЯ С ЗЕЛЕНЫМ ГОРОШКОМ

200 г цикория, 100 г зеленого горошка, 3—4 столовые ложки растительного масла, 100 г яблок, 1 чайная ложка лимонного сока или уксуса, соль и сахар по вкусу, редиска для украшения.

Цикорий очистить, вырезать у основания часть сердцевины, придающую салату горький вкус, измельчить в шинковке с насадкой для получения соломки. Яблоки измельчить в шинковке с насадкой для нарезки тонкими ломтиками. В цикорий добавить молодой свежий горошек и измельченные яблоки, размешать с растительным маслом, солью, сахаром, лимонным соком. Уложить на маленьком стеклянном блюде. Украсить кружками нарезанной редиски.

САЛАТ «ИЮЛЬСКИЙ»

4 морковки, 4 помидора, 1 огурец, 2 яблока, 2 луковицы, 2—3 веточки петрушки, 1 лимон, 1 столовая ложка растительного масла, 1 чайная ложка сахара, соль по вкусу.

Очищенную морковь измельчить в шинковке с насадкой для получения соломки. Помидоры, огурцы, лук и яблоки измельчить в шинковке с насадкой для нарезки тонкими ломтиками. Все перемешать, залить смесью растительного масла и лимонного сока, добавить сахар, соль и измельченную зелень.

САЛАТ КАПУСТНЫЙ С ОГУРЦАМИ

400 г белокочанной капусты, 100 г соленых огурцов и огуречный рассол, 2—3 столовые ложки растительного масла, сахар по вкусу, редиска или помидор для украшения.

Капусту очистить, измельчить в шинковке с насадкой для получения соломки. Огурец очистить, измельчить в шинковке с насадкой в виде крупной терки. Соединить все составные части, перемешать, приправить по вкусу сахаром, растительным маслом и огуречным рассолом. Уложить в салатнике, украсить ломтиками помидоров или редиски.

САЛАТ «КРАКОВСКИЙ»

1 небольшой кочан капусты, 2 кислых яблока, 1 луковица, 2—3 веточки петрушки, 3 сваренных вкрутую яйца, 1 чайная ложка лимонного сока, 2 чайные ложки растительного масла, 1 чайная ложка сахара, 1 чайная ложка горчицы, 1/2 стакана сливок, соль по вкусу.

Капусту и яблоки измельчить в шинковке с насадкой в виде крупной терки. Лук измельчить в шинковке с насадкой для нарезки тонкими ломтиками. Капусту смешать с натертыми яблоками и луком. Яичные желтки протереть через сито, добавить соль, сахар, горчицу, растительное масло. Все тщательно размешать, добавить лимонный сок и взбитые сливки. Приготовленный соус ввести в салат, посыпать рубленым яичным белком и зеленью петрушки.

САЛАТ «КРЕСТЬЯНСКИЙ»

500 г редьки, 1 средняя луковица, 1—2 столовые ложки растительного масла, 1 чайная ложка уксуса, по 1 веточке укропа и петрушки, соль и перец по вкусу.

Редьку измельчить в шинковке с насадкой в виде крупной терки и обдать кипятком. Лук и зелень измельчить в шинковке с насадкой для получения соломки. Когда редька обсохнет, смешать ее с измельченным луком, добавить растительное масло. Салат приправить уксусом, перцем, солью и посыпать зеленью.

САЛАТ «ЛЕТНИЙ»

1 кочан салата, 2 морковки, 2 корня сельдерея, 2 яблока, 10 грецких или 15 лесных орехов, 2 столовые ложки меда, 3 столовые ложки ананасового сока, сок 1 лимона.

Вымытые листья салата, очищенную морковь и корни сельдерея измельчить в шинковке с насадкой для получения соломки. Яблоки с удаленной сердцевиной измельчить в шинковке с насадкой для нарезки тонкими ломтиками. Листья салата разложить на кухонном полотенце, обсушить, затем положить в салатницу. На листья салата положить морковь, сельдерей и яблоки, хорошо перемешать. Мед, ананасовый и лимонный сок перемешать в миксере (на малой скорости) или венчиком до однородной консистенции. Готовой заправкой залить салат и посыпать измельченными орехами.

САЛАТ «ЛИМОЖ»

300 г помидоров, 150 г лука-порея, 3—4 столовые ложки майонеза, 3—4 листа зеленого салата.

Порей вымыть, очистить, обрезать зеленые листья, светлые части измельчить в шинковке с насадкой для получения соломки. Помидоры измельчить в шинковке с насадкой для нарезки тонкими ломтиками. Порей и помидоры перемешать с майонезом, выложить в стеклянный салатник на салатные листья, сверху покрыть полосками зеленых перьев лука-порея.

САЛАТ «ЛОТАРИНГИЯ»

400 г брюквы, 1 корень сельдерея, 1 луковица, 2—3 яблока, по 3—4 веточки петрушки и укропа, 1 чайная ложка натертого хрена, 1/2 стакана майонеза.

Очищенные брюкву и лук измельчить в шинковке с насадкой для нарезки тонкими ломтиками. Очищенный корень сельдерея и яблоки без сердцевины измельчить в шинковке с насадкой для получения брусочков. Брюкву, сельдерей, яблоки и лук перемешать, заправить хреном и майонезом, посыпать измельченной зеленью.

САЛАТ «ЛУКОВИЧНЫЙ»

3 пера лука-порея, 2 яблока, 3 столовые ложки сметаны или растительного масла, соль и сахар по вкусу.

С белой части стебля порея снять наружные листья, стебель промыть и измельчить в шинковке с насадкой для нарезки тонкими ломтиками. Яблоки измельчить в шинковке с насадкой для получения соломки, перемешать с пореем, добавить соль, сахар, сметану или растительное масло и еще раз слегка перемешать.

САЛАТ «ЛЬЕЖСКИЙ»

200 г цветной капусты, 100 г помидоров, 100 г свежих огурцов, по 3—4 веточки петрушки и укропа, 3—4 пера зеленого лука, 1/2 стакана майонеза.

Молодую цветную капусту отварить и измельчить в шинковке с насадкой для нарезки тонкими ломтиками. Помидоры и огурцы измельчить в шинковке с насадкой для нарезки тонкими ломтиками. В салатницу выложить ряд помидоров и огурцов, посыпать цветной капустой, затем опять выложить ряд помидоров и огурцов, посыпать толстым слоем цветной капусты. Перед подачей залить майонезом и посыпать измельченной зеленью.

САЛАТ «ЛЮБИТЕЛЬСКИЙ»

500 г краснокочанной капусты, 6 яблок, 3 луковицы, 3—4 столовые ложки растительного масла, 1 чайная ложка лимонного сока, 3—4 веточки петрушки, соль и сахар по вкусу.

Капусту очистить от наружных испорченных или увядших листьев, измельчить в шинковке с насадкой в виде мелкой терки. Лук очистить, измельчить в шинковке с насадкой для нарезки тонкими ломтиками. Яблоки сполоснуть, измельчить в шинковке с насадкой в виде крупной терки. Капусту залить небольшим количеством кипящей воды, сварить до половины готовности в закрытой кастрюле, отцедить, дать воде стечь, охладить. Все составные части салата тщательно перемешать, добавить растительное масло, приправить солью, сахаром, лимонным соком. Уложить в салатнике, украсить веточками петрушки. Подать к жареной рыбе, мясу, картофельным котлетам.

САЛАТ «МИНСКИЙ»

500 г свежей капусты, 100 г сметаны, соль, 1 чайная ложка лимонного сока, соль и сахар по вкусу.

Свежую капусту измельчить в шинковке с насадкой в виде крупной терки, размять и оставить на 2 — 3 часа, после чего добавить соль, лимонный сок, сахар и сметану. Тщательно перемешать и подать к столу. Вместо сметаны салат можно заправить растительным маслом или майонезом.

САЛАТ «МИНУТКА»

2 редьки, 100 г сметаны, соль по вкусу.

Очищенную редьку измельчить в шинковке с насадкой для получения соломки или с насадкой для нарезки тонкими ломтиками, положить в миску, посыпать солью, накрыть крышкой и хорошенько встряхнуть. Перед подачей полить сметаной.

САЛАТ «МОЛДАВСКИЙ»

300 г стручков красного или зеленого перца, 2 яблока. Для соуса: 2 столовые ложки растительного масла, 1 столовая ложка томата-пюре, 3 столовые ложки сметаны, 1 луковица, 1 долька чеснока, по 3—4 веточки петрушки и укропа, соль и сахар по вкусу.

Удалить из стручков сердцевину, тщательно промыть их, измельчить в шинковке с насадкой для нарезки тонкими ломтиками. Яблоки измельчить в шинковке с насадкой в виде крупной терки, смешать с перцем и соусом. Для приготовления соуса смешать в миксере растительное масло, томат-пюре, сметану, добавить натертые лук и чеснок, соль, сахар и измельченную зелень.

САЛАТ «МУРОМСКИЙ»

1 небольшой кочан красной капусты, 2 яблока, 1 стакан яблочного сока, 1 головка гвоздики, 1 чайная ложка корицы, 1/2 чайной ложки уксуса, 3 столовые ложки растительного масла, сахар и соль по вкусу.

Капусту и яблоки измельчить по отдельности в шинковке с насадкой для получения соломки. В кастрюле подогреть яблочный сок, соль, сахар, пряности, уксус, добавить капусту и потушить. Остывшую капусту заправить растительным маслом и яблоками.

САЛАТ «НЕОБЫЧНЫЙ»

125 г земляных орехов, 4 помидора, 1 луковица, соль и красный перец по вкусу.

Земляные орехи измельчить в шинковке с насадкой в виде мелкой терки. Помидоры очистить, мякоть измельчить в шинковке с насадкой для нарезки тонкими ломтиками. Лук измельчить в шинковке с насадкой для получения брусочков. Орехи, помидоры и лук тщательно смешать, посолить и посыпать красным перцем, дать постоять для пропитки.

САЛАТ ОВОЩНОЙ С ОСТРЫМ СОУСОМ

3 сваренные в мундире картофелины, 2 корня отваренного сельдерея, 1 большой свежий огурец, 200 г редиски, 1 сладкий перец, 3—4 листа зеленого салата. Для соуса: 1/2 чайной ложки мелко нарубленного репчатого лука, 1/2 чайной ложки винного уксуса, красный перец на кончике ножа, 1/2 чайной ложки соли, 1/2 стакана майонеза.

Очищенный картофель, сельдерей и огурец измельчить в шинковке с насадкой для получения брусочков, редиску измельчить в шинковке с насадкой для нарезки тонкими ломтиками, перец измельчить в шинковке с насадкой для получения соломки. Смешать продукты для соуса и осторожно вылить полученный соус на подготовленные для салата овощи. Все осторожно перемешать. Подать на блюде, украшенном листьями зеленого салата.

САЛАТ «ОГОНЕК»

400 г моркови, 250—300 г красной смородины, 150 г сметаны или 100 г майонеза.

Вымытую и очищенную морковь измельчить в шинковке с насадкой в виде крупной терки, добавить вымытые ягоды красной смородины и свежую сметану или майонез. Все перемешать.

САЛАТ «ОГОРОДНЫЙ»

2—3 помидора, 150 г цветной капусты, 2—3 веточки укропа, 2—3 столовые ложки майонеза или сметаны, соль и перец по вкусу.

Цветную капусту отварить в соленой воде, положить на сито, дать стечь воде. Остывшую капусту измельчить в шинковке с насадкой для получения соломки. Помидоры измельчить в шинковке с насадкой для нарезки тонкими ломтиками. Капусту смешать с майонезом или сметаной и измельченным укропом, затем добавить подготовленные помидоры, посыпанные солью и перцем.

САЛАТ «ОКЛАХОМА»

400 г краснокочанной капусты, 100 г консервированной кукурузы, 2 яблока, 3 луковицы, 3—4 столовые ложки растительного масла, 1 чайная ложка лимонного сока, 3—4 веточки петрушки, соль и сахар по вкусу.

Капусту очистить от наружных испорченных или увядших листьев, измельчить в шинковке с насадкой в виде мелкой терки. Лук очистить, измельчить в шинковке с насадкой для нарезки тонкими ломтиками. Яблоки сполоснуть, измельчить в шинковке с насадкой в виде крупной терки. Капусту залить небольшим количеством кипящей воды, сварить до половины готовности в закрытой кастрюле, отцедить, дать воде стечь, охладить. Все составные части салата тщательно перемешать, добавить растительное масло, приправить солью, сахаром, лимонным соком. Уложить в салатнике, украсить веточками петрушки. Подать к жареной рыбе, мясу, картофельным котлетам.

САЛАТ «ПЕТЕРБУРГСКИЙ»

200 г отварной цветной капусты, 200 г вареной моркови, 100 г вареного сельдерея, 1 луковица, 1 огурец, 1 чайная ложка лимонного сока, 2—3 столовые ложки растительного масла, перец, сахар и соль по вкусу.

Все овощи измельчить в шинковке с насадкой для получения соломки, залить растительным маслом, лимонным соком, добавить специи, тщательно перемешать.

САЛАТ «ПИКАНТНЫЙ»

600 г сельдерея, 3—4 яблока, 1 чайная ложка лимонного сока, 4 столовые ложки майонеза, 2 столовые ложки сметаны, 2—3 грецких ореха, соль и сахар по вкусу.

Свежий, тщательно промытый, очищенный сельдерей и промытые яблоки по отдельности измельчить в шинковке с насадкой в виде крупной терки. Сельдерей сбрызнуть лимонным соком, смазать майонезом, сметаной, добавить яблоки, посыпать солью, сахаром и измельченными орехами.

САЛАТ «ПОЛЕССКИЙ»

400 г вареной свеклы, 1/2 стакана клюквы, 100 г сметаны, соль и сахар по вкусу.

Очищенную свеклу измельчить в шинковке с насадкой для получения соломки, добавить клюкву, измельченную в шинковке с насадкой в виде мелкой терки, сметану, соль и сахар.

САЛАТ «ПРОСТОЙ»

2 кислых яблока, 1 луковица, 3—4 веточки петрушки, 2—3 столовые ложки майонеза.

Промытые яблоки и лук измельчить в шинковке с насадкой для получения соломки, добавить зелень петрушки и майонез.

САЛАТ «САВОЙЯ»

200 г савойской капусты, 100 г соленых огурцов, 100 г яблок, 3—4 столовые ложки растительного масла, 1 чайная ложка лимонного сока или уксуса, соль и сахар по вкусу, веточки петрушки для украшения.

Капусту очистить, измельчить в шинковке с насадкой для получения брусочков, посолить. Огурец и яблоки очистить и измельчить в шинковке с насадкой в виде крупной терки. Капусту, яблоки и огурец перемешать с растительным маслом. Приправить сахаром и лимонным соком, посолить. Уложить на маленьком блюде, украсить веточками петрушки.

САЛАТ «САЛЬВАДОР»

250 г вареного корня сельдерея, 250 г неочищенных, но освобожденных от сердцевины яблок, 100 г грецких орехов, 100 г майонеза, 2 столовые ложки лимонного сока, 1 стакан взбитых сливок или взбитой сметаны, соль по вкусу.

Сельдерей и яблоки измельчить в шинковке с насадкой для получения брусочков, добавить орехи, измельченные в шинковке с насадкой в виде крупной терки. Майонез смешать с лимонным соком, посолить, добавить взбитые сливки или взбитую сметану. Все смешать с салатом и поставить на холод. Подать на салатных листьях.

САЛАТ «СТРАСБУРГСКИЙ»

350 г цикория, 2 помидора, 3—4 столовые ложки растительного масла, 1 чайная ложка лимонного сока или уксуса, сахар и соль по вкусу.

Цикорий очистить, вырезать у основания часть сердцевины, придающую салату горький вкус, измельчить в шинковке с насадкой для получения соломки. Помидоры разрезать на 6—8 частей и смешать с цикорием. Заправить растительным маслом, сахаром и лимонным соком, посолить.

САЛАТ «СТРУЧОК»

2—3 помидора, 200 г стручковой фасоли, 3—4 пера зеленого лука, по 2—3 веточки петрушки и укропа, 3—4 столовые ложки сметаны или майонеза, соль.

Стручковую фасоль отварить в соленой воде и измельчить в шинковке с насадкой для получения брусочков. Помидоры измельчить в шинковке с насадкой для нарезки тонкими ломтиками. Зелень и лук измельчить в шинковке с насадкой в виде мелкой терки. Стручковую фасоль положить в посуду вместе с ломтиками помидоров, зеленью и луком. Салат заправить сметаной, солью или майонезом.

САЛАТ «ТРОИЦКИЙ»

400 г редьки, 100 г лука, 100 г помидоров, 100 г сметаны, соль по вкусу.

Редьку вымыть щеткой, очистить, измельчить в шинковке с насадкой в виде крупной терки, слегка отжать, посолить. Добавить измельченный в шинковке с насадкой для нарезки тонкими ломтиками репчатый лук, размешать со сметаной. Положить в салатник, украсить дольками помидоров. Подать вместе со ржаным хлебом, намазанным сливочным маслом.

САЛАТ «ФАНТАЗИЙНЫЙ»

200 г корней цикория, 1 папайя, 100 г корней сельдерея, 1 чайная ложка «вегеты», 1/2 стакана йогурта, 1 столовая ложка обжаренной миндальной стружки.

Вымытый цикорий и сельдерей измельчить в шинковке с насадкой для получения соломки. Очищенную папайю с удаленными семенами измельчить в шинковке с насадкой для получения брусочков. Для приготовления соуса смешать «вегету» с йогуртом. Салат выложить в салатницу, залить соусом, перемешать. Перед подачей на стол посыпать миндальной стружкой.

САЛАТ «ФЛУЕРАШ»

1 молодой кабачок, 2 луковицы, 2 дольки чеснока, 2 столовые ложки растительного масла, 1 столовая ложка горчицы, 2—3 веточки укропа или петрушки, 2—3 столовые ложки сметаны, 1 морковка, 2—3 помидора, соль и перец по вкусу.

Кабачок помыть, очистить от кожицы, разрезать вдоль пополам, удалить сердцевину, лук очистить. Лук измельчить в шинковке с насадкой для нарезки тонкими ломтиками. Чеснок растереть или измельчить в шинковке с насадкой в виде мелкой терки, смешать с растительным маслом и горчицей, добавить нарезанную зелень укропа или петрушки, соль и перец. Овощной смесью заправить половинки кабачков. При подаче на стол полить сметаной и украсить звездочками из моркови или ломтиками помидоров.

САЛАТ «ФРАНЦУЗСКИЙ»

100 г отварного картофеля, 100 г яблок, 100 г соленых огурцов, 100 г зеленого горошка, 100 г вареного сельдерея, 100 г вареной моркови, 2 луковицы, 200 г майонеза, 3 столовые ложки мелко нарезанной зелени, 1 чайная ложка томатного соуса, перец и соль по вкусу.

Отварной картофель, яблоки, соленые огурцы, вареный сельдерей, вареную морковь и лук измельчить в шинковке с насадкой для получения соломки. Добавить зеленый горошек, томатный соус, перец, соль. Все тщательно перемешать, залить майонезом и посыпать мелко нарезанной зеленью.

САЛАТ «ЭКЗОТИКА»

400 г квашеной капусты, 2 луковицы, 2 морковки, 2 яблока, 1 апельсин, 4 кружочка ананаса, 100 г изюма без косточек, 2 лимона, 4 столовые ложки ананасового сока, 2 столовые ложки сахара, 4 веточки петрушки.

Петрушку вымыть под струей холодной воды, промокнуть кухонным полотенцем, измельчить в шинковке с насадкой для получения соломки. Изюм без косточек измельчить в шинковке с насадкой в виде мелкой терки. Ананас измельчить в шинковке с насадкой для получения брусочков. Квашеную капусту и очищенный лук измельчить в шинковке с насадкой для нарезки тонкими ломтиками. Морковь и яблоки с удаленной сердцевиной измельчить в шинковке с насадкой в виде крупной терки. Апельсин очистить, удалить белую пленку, затем острым ножом с заостренным концом удалить кожицу, разделяющую дольки, и отделить мякоть. Все составляющие салата хорошо перемешать, посыпать сахаром. Выжать лимонный сок, заправить им и ананасовым соком салат, хорошо перемешать. Поставить салат на один час в холодильник. Перед подачей салат посыпать петрушкой.

САЛАТ «ЭЛЬЗАССКИЙ»

2—3 луковицы, 2 соленых огурца, 1 чайная ложка столовой горчицы, 2—3 столовые ложки растительного масла, сахар и соль по вкусу.

Лук очистить, помыть и измельчить в шинковке с насадкой для нарезки тонкими ломтиками. Полученные ломтики поместить в кипящую воду на 40—60 секунд, после чего вынуть и дать стечь воде. Охлажденный лук уложить в салатник. Соленые огурцы измельчить в шинковке с насадкой для получения брусочков, добавить соль, сахар, столовую горчицу и смешать с подготовленным луком. Салат полить растительным маслом. Подать к мясным блюдам.

САЛАТ «ЭСТОНСКИЙ»

1 корень сельдерея, 2 зеленых перца, 100 г майонеза или сметаны, по 3—4 веточки петрушки и укропа, 1/2 чайной ложки уксуса, сахар и соль по вкусу.

Сельдерей промыть, очистить. Подготовить стручки перца: вырезать сердцевину, выдержать стручки в уксусном маринаде или ошпарить кипятком. Сельдерей и стручки перца измельчить по отдельности в шинковке с насадкой для получения соломки, затем сельдерей сбрызнуть уксусом. Овощи смешать со сметаной или майонезом, добавить соль, сахар, посыпать измельченной зеленью.

САЛАТ «ЮЖНЫЙ»

125 г тыквы, 125 г дыни, 125 г яблок, 50 г меда, 1 чайная ложка лимонного сока.

Тыкву измельчить в шинковке с насадкой в виде крупной терки. Яблоки и дыню измельчить в шинковке с насадкой для получения брусочков. Тыкву смешать с медом, яблоками и дыней, полить соком лимона.

САЛАТ ЯБЛОЧНО-БРУСНИЧНЫЙ

300 г кислых яблок, 300 г брусники или джем из брусники, 100 г сметаны, соль и сахар по вкусу.

Яблоки промыть, измельчить в шинковке с насадкой в виде крупной терки, смешать с целыми или раздавленными ягодами брусники или джемом, добавить сметану, сахар, соль. Этот салат подходит к блюдам из птицы и дичи.

САЛАТ ЯБЛОЧНО-ТЫКВЕННЫЙ

3 кислых яблока, 200 г тыквы, 1/2 стакана желе из красной смородины.

Очищенные яблоки и тыкву измельчить в шинковке с насадкой для получения соломки, добавить желе и все перемешать.

СВЕКЛА В ЯИЧНО-КЛЮКВЕННОМ СОУСЕ

500 г вареной свеклы, 2 желтка сваренных вкрутую яиц, 1 чайная ложка горчицы, 100 г сметаны, 1/2 стакана клюквенного сока, по 2—3 веточки петрушки и укропа, соль и сахар по вкусу.

Сваренную свеклу очистить, измельчить в шинковке с насадкой в виде крупной терки. Желтки, горчицу, сметану, клюквенный сок, соль, сахар смешать в миксере. Готовый соус должен иметь консистенцию кефира. Залить свеклу приготовленным соусом, слегка перемешать двумя вилками, посыпать рубленой зеленью.

СОЛЯНКА ПО-ПЕРМСКИ

800 г белокочанной капусты, 1 чайная ложка сахара, 3 столовые ложки растительного масла, 1 луковица, 1/2 стакана воды или яблочного сока, 2 яблока, уксус по вкусу, 1/2 чайной ложки соли, по желанию — 1 чайная ложка тмина и 1 чайная ложка крахмала.

Капусту измельчить в шинковке с насадкой для получения соломки. Яблоки измельчить в шинковке с насадкой для получения брусочков. Лук измельчить в шинковке с насадкой для нарезки тонкими ломтиками. Капусту положить в воду (яблочный сок), вскипевшую вместе с солью, сахаром, маслом и луком, и тушить до полуготовности. Заправить уксусом, добавить измельченные яблоки, закрыть кастрюлю и тушить до готовности. В самом начале тушения можно добавить чайную ложку тмина и чайную ложку крахмала, разведенную в небольшом количестве воды.

СОЛЯНКА С ВИННЫМ СОУСОМ

800 г капусты, 2 кислых яблока, 1 луковица, 2 головки гвоздики, 3 столовые ложки растительного масла, 1 стакан воды или бульона, соль, сахар и уксус по вкусу.

Капусту и лук измельчить в шинковке с насадкой для получения соломки. Яблоки без сердцевины и кожуры измельчить в шинковке с насадкой в виде крупной терки. Измельченную капусту варить в кипящей воде до тех пор, пока она не свернется. Добавить яблоки, гвоздику, лук, соль, сахар и горячую воду. Варить в закрытой кастрюле. Заправить кисло-сладкой смесью из уксуса, сахара и соли или красным вином.

СОУС «ВОСТОЧНЫЙ»

500 г стручкового сладкого перца, 3—4 луковицы, 2 дольки чеснока, 2 столовые ложки растительного масла, 1 столовая ложка уксуса, щепотка сахара, соль и перец по вкусу.

Стручки перца освободить от семян и вымыть, лук и чеснок очистить. Перец, лук и чеснок измельчить в шинковке с насадкой в виде крупной терки, перемешать и потушить на небольшом огне в течение 15 минут, добавив растительное масло. Добавить специи, все хорошо перемешать. Соус очень хорош к жареному мясу, особенно к баранине.

СОУС ИЗ МОРКОВИ С ХРЕНОМ

3—4 морковки, 1/2 стакана натертого хрена, 1/2 стакана кислого молока, 1/2 чайной ложки соли, 1/4 чайной ложки уксуса, 1/2 чайной ложки сахара.

Очищенную морковь сварить до готовности, измельчить в шинковке с насадкой в виде мелкой терки, добавить натертый хрен, соль, уксус и сахар, все тщательно перемешать. Соус развести взбитым кислым молоком. Подать к блюдам из мяса и яиц.

СОУС ЯБЛОЧНО-СВЕКОЛЬНЫЙ

1 яблоко, 1 свекла, 1 столовая ложка лимонного или клюквенного сока, 3 столовые ложки сметаны или 2—3 столовые ложки растительного масла, 2—3 веточки петрушки, сахар и соль по вкусу.

Отварную свеклу и свежее яблоко с удаленной сердцевиной измельчить в шинковке с насадкой в виде мелкой терки, подкислить лимонным или клюквенным соком, добавить растительное масло или сметану, зелень петрушки, сахар и соль.

СОУС ЯБЛОЧНЫЙ С ХРЕНОМ

1 крупное яблоко, 1 небольшой корень хрена, 3 столовые ложки майонеза или сметаны, сахар и соль по вкусу.

Кислое яблоко и хрен измельчить в шинковке с насадкой в виде мелкой терки, добавить соль, сахар, майонез или сметану.

СУП ИЗ СЕЛЬДЕРЕЯ

2 л бульона или воды, 300 г кореньев сельдерея, 2 столовые ложки муки, 2 столовые ложки растительного масла, 2 яичных желтка, 4 столовые ложки сметаны, по 3—4 веточки петрушки и укропа, соль по вкусу.

Коренья сельдерея хорошо промыть, очистить, измельчить в шинковке с насадкой в виде крупной терки, обжарить в растительном масле, добавить муку, проварить. Полученную массу соединить с кипящим бульоном или водой, посолить и варить 15 минут. В готовый суп добавить яичные желтки со сметаной, посыпать его мелко нарезанной зеленью. Подать с гренками.

СУП МОЛОЧНЫЙ С КАБАЧКАМИ

500 г кабачков, 2 столовые ложки растительного масла, 1 стакан воды, 2 столовые ложки пшеничной муки, 4 стакана молока, 2 яичных желтка, соль и сахар по вкусу.

Кабачки очистить, измельчить в шинковке с насадкой для получения брусочков, добавить масло, 1 стакан воды и тушить под крышкой до полного разваривания. Муку размешать со стаканом молока, добавить к кабачкам, помешивая проварить, затем добавить остальное кипяченое молоко и желтки, перемешать. Еще раз проварить, заправить солью и сахаром.

СУП ТОМАТНЫЙ ПО-ИТАЛЬЯНСКИ

4 сосиски, 3 морковки, 5 картофелин, 1 корень петрушки, 200 г шпика, 1 луковица, 4 помидора, 1/4 чайной ложки тмина, 2—3 столовые ложки натертого сыра, 1,5 л воды, соль и перец по вкусу.

Очищенные морковь, корень петрушки, репчатый лук измельчить в шинковке с насадкой для получения соломки. Помидоры и картофель измельчить в шинковке с насадкой для нарезки тонкими ломтиками. Все овощи, кроме лука, отварить в подсоленной воде. Нарезанный шпик и лук обжарить, добавить в суп со специями. При подаче в каждую тарелку с супом положить по помидору и сосиске. Сосиски предварительно отварить и нарезать на кусочки.

СУФЛЕ ИЗ БРЮКВЫ

400 г брюквы, 2 столовые ложки сливочного масла, 1 столовая ложка сахара, 1/2 лимона, 2 яичных белка.

Брюкву запечь или отварить, измельчить в шинковке с насадкой в виде мелкой терки, добавить масло и сахар. Массу сварить, охладить, добавить яичный белок, натертую цедру лимона. Все взбить, подкислить по вкусу лимонным соком. Подать к жаркому из дичи, свинины, баранины, говядины.

ТУШЕНКА ИЗ КАБАЧКОВ С ГРИБАМИ И ПОМИДОРАМИ

600 г кабачков, 300 г грибов, 4 помидора, 2 луковицы, 3 столовые ложки растительного масла, по 3—4 веточки петрушки и укропа, 3—4 столовые ложки сметаны, 2—3 столовые ложки воды, соль по вкусу.

Очищенный лук и промытые грибы измельчить в шинковке с насадкой для получения соломки. Помидоры и кабачки измельчить в шинковке с насадкой для нарезки тонкими ломтиками. Лук и грибы обжарить, положить их в кастрюлю. На сковороде обжарить кабачки, затем вместе с грибами тушить их, добавив соль и воду. Через 10 минут добавить измельченные помидоры, сметану и продолжать тушить до готовности. Подать, посыпав мелко нарезанной зеленью, с жареным или отварным картофелем.

ФАСОЛЬ СТРУЧКОВАЯ С ЯИЧНИЦЕЙ

800 г стручковой фасоли, 100 г сливочного масла, 3 яйца, 3 столовые ложки молока, четверть стакана воды, 1 столовая ложка пшеничной муки, по 3—4 веточки петрушки и укропа, соль по вкусу.

Срезать кончики стручков фасоли, снять боковые прожилки, измельчить в шинковке с насадкой для получения брусочков, положить в кастрюлю с небольшим количеством воды, посолить и тушить до размягчения. К моменту готовности фасоли в посуде не должно остаться лишней жидкости. Добавить масло, яйца взбить, смешать с молоком, мукой, залить этой смесью фасоль, прогреть на огне, помешивая. Готовое блюдо посыпать мелко нарезанной зеленью.

ФРИКАДЕЛЬКИ ИЗ БАКЛАЖАНОВ И КАБАЧКОВ

2 небольших баклажана, 2 молодых кабачка, 1 луковица, 1/2 стакана натертой брынзы, 2 столовые ложки муки, 2 яйца, 1/2 стакана оливкового или подсолнечного масла, соль и черный перец по вкусу.

Сварить до готовности баклажаны, очистить от кожицы и измельчить в шинковке с насадкой в виде крупной терки. Кабачки очистить от кожицы и также измельчить, как баклажаны. Очищенный лук и брынзу измельчить в шинковке с насадкой в виде мелкой терки. Смешать измельченные овощи, добавить к ним репчатый лук, брынзу, 1 столовую ложку муки, яйца, соль и черный перец. Все тщательно перемешать и из полученной массы сформовать шарики, обвалять их в оставшейся муке и обжарить в сотейнике с кипящим маслом.

ЦЕППЕЛИНЫ ПО-ПОЛЬСКИ

2 кг картофеля, 3 столовые ложки сметаны, 150 г копченого шпика, 2 луковицы, 1 столовая ложка молотых сухарей, 1—2 столовые ложки муки, соль по вкусу.

0,5 кг картофеля отварить, горячим измельчить в шинковке с насадкой в виде мелкой терки. Лук измельчить в шинковке с насадкой для нарезки тонкими ломтиками. Остальной очищенный картофель измельчить в шинковке с насадкой в виде мелкой терки, отжать, жидкости дать отстояться, затем воду слить. В картофельную массу добавить осевший крахмал, протертый вареный картофель, соль и густую сметану. Из массы сформовать пробную клецку: если при кипячении она не расплывется, муку больше не добавлять. Для приготовления фарша копченый шпик мелко нарезать, обжарить вместе с измельченным луком, добавить сухари. Приготовленную картофельную массу разделать на небольшие комочки, посередине каждого сделать углубление, положить в него чайную ложку фарша, края теста защипать, придать клецкам форму продолговатых колбасок. Варить цеппелины в слегка подсоленном кипятке, извлечь шумовкой. Подать с растопленным сливочным маслом или сметаной, брусничным вареньем.

ЭЛЕКТРОМИКСЕР

Одним из наиболее широко распространенных кухонных приборов является миксер. Современные электромиксеры имеют, как правило, три скорости вращения различных насадок и способны выполнять разнообразные операции: перемешивание продуктов, их измельчение, взбивание и т.п.

Насадка для измельчения продуктов позволяет раздробить орехи, превратить в пюре ягоды и фрукты. В ходе этих операций регулятор скорости ставится в положение II или III, что соответствует средней или максимальной скорости вращения насадок. Взбивание коктейлей производится на средней скорости (положение регулятора скорости II), а муссов и бисквитного теста — на максимальной скорости (положение III). Минимальная скорость вращения насадок (положение регулятора скорости I) используется для осторожного перемешивания смесей: например, при добавлении в готовое тесто заранее взбитых белков или сливок.

В приведенных рецептах указано количество продуктов, которые можно закладывать в посуду для взбивания за один раз. В случае увеличения количества порций лучше приготовить каждый объем продуктов по отдельности, в несколько приемов, так как результат взбивания большего количества может оказаться не таким, как предполагается рецептурой того или иного блюда.

БЛЮДА ИЗ ТЕСТА

БИСКВИТ ИЗ ГРЕЧНЕВОЙ МУКИ

1/3 стакана гречневой муки, 3 яйца, 3 столовые ложки сахара, цедра 1 лимона или лимонная эссенция, 1 столовая ложка растительного масла для смазывания формы, 2 столовые ложки толченых сухарей.

Желтки взбить в миксере с помощью насадки для измельчения так, чтобы получилась пышная масса, вымешать осторожно с мукой и белками. Взбить в пену в миксере с помощью насадки для взбивания, добавить лимонную цедру или лимонную эссенцию. Выложить в небольшую форму, смазанную маслом и обсыпанную толчеными сухарями. Поставить в духовой шкаф со средним жаром и выпекать около 30 минут. Когда тесто слегка подрумянится и начнет отставать от формы, вынуть и слегка охладить. Посыпать сахарной пудрой. Отдельно подать взбитую сметану с сахаром и ванилью.

БИСКВИТ ИЗ МАКА

1/2 стакана мака, 1/2 стакана сахара, 3 яйца, 1 столовая ложка толченых сухарей, цедра 1 лимона, 1 столовая ложка масла для смазывания формы, 1 пакетик ванильного сахара.

Мак залить кипятком, сварить на слабом огне, отцедить, взбить в миксере с помощью насадки для измельчения. Желтки с сахаром взбить в миксере с помощью насадки для измельчения, смешать с маком. Белки взбить в миксере в пену с помощью насадки для взбивания, положить на желтки, посыпать толчеными сухарями. Полученную массу слегка перемешать, добавить измельченную лимонную цедру и ванильный сахар. Выложить в небольшую форму, смазанную маслом и обсыпанную толчеными сухарями. Выпекать в духовке около 30 минут. Вынуть, слегка охладить, выложить из формы на круглое блюдо, посыпать сахарной пудрой. Края бисквита украсить фруктами из компота. Отдельно подать сметану, взбитую с ванильным сахаром.

БИСКВИТ ИЗ МАНКИ

100 г манной крупы, 3 яйца, 3 чайные ложки сахара, 1 стакан молока, 1 1/2 стакана ванильного соуса, 2 столовые ложки масла для смазывания противня.

Желтки с сахаром и ванилью взбить в миксере с помощью насадки для измельчения так, чтобы получилась пышная масса. С помощью насадки для взбивания белки взбить в миксере, смешать с желтками, пересыпать манной крупой, перемешать и выложить в небольшую форму, смазанную маслом и посыпанную сухарями. Выпекать в духовом шкафу около 30 минут. Готовый бисквит залить молоком и поместить в духовой шкаф на несколько минут. Вынуть и выложить на блюдо. Нарезать порциями, полить ванильным соусом.

БИСКВИТ С ЯГОДАМИ

Для теста: 4 яйца, 3 столовые ложки сахара, 4 столовые ложки муки, 4 ложки сметаны, 1 ложка разрыхляющего порошка, 2 столовые ложки масла для смазывания формы. Для начинки: 300 г земляники или малины, 3 столовые ложки сахара, 1/2 стакана сливок, ваниль.

Желтки с сахаром взбить в миксере с помощью насадки для измельчения так, чтобы получилась пышная масса, добавить сметану, слегка вымешать с просеянной мукой, белками, предварительно взбитыми в пену в миксере, и разрыхляющим порошком. Выложить в смазанную маслом и обсыпанную толчеными сухарями форму, поставить в духовку на 25—30 минут. Когда бисквит немного остынет, выложить из формы и охладить. Острым ножом разрезать на две части, переложить слегка пересыпанной сахаром земляникой или малиной. Сверху украсить сливками, взбитыми с сахаром и ванилью.

БИСКВИТЫ СКОРОГО ПРИГОТОВЛЕНИЯ

3 столовые ложки пшеничной муки, 4 яйца, 1/2 стакана сахара, 50 г рома или коньяка, несколько капель апельсиновой эссенции, лист пергамента, слегка смазанный маслом.

Яйца с сахаром взбивать миксером с помощью насадки для взбивания до тех пор, пока смесь не загустеет и не побелеет. Добавить ром или коньяк, несколько капель апельсиновой эссенции, всыпать муку. Полученную смесь хорошо взбить в миксере и налить в воронку из чистой бумаги. В нижней части воронки оставить отверстие размером в палец. Из отверстия смесь вылить тонкими полосочками на пергаментный лист. Выпекать в умеренно нагретом духовом шкафу.

БИСКВИТЫ ПО-ФРАНЦУЗСКИ

3 стакана муки, 150 г сливочного масла, 1 стакан сахарной пудры, 3 яйца, половина чайной ложки соды, 1 пакетик ванильного сахара, соль по вкусу.

Сливочное масло взбить миксером с помощью насадки для взбивания до пенообразного состояния, добавить сахарную пудру, яйца, соду, ванильный сахар и соль. Всыпать муку и замесить жидкое тесто. Вылить его в объемный шприц и выдавить полоски теста на противень, смазанный маслом. Выпекать в сильно нагретой духовке.

БИШКОТЫ

3/4 стакана муки, 6 яиц, 4 столовые ложки сахарной пудры, вода.

Желтки с 2 столовыми ложками сахарной пудры взбить миксером с помощью насадки для взбивания. Белки взбить в пену с оставшейся пудрой тем же способом. Взбитые желтки осторожно смешать с белками, постепенно размешивая, добавить муку. Противень выстелить тонкой бумагой, посыпанной мукой, на нее быстро вылить готовое тесто и равномерно распределить по толщине. Выпечь в духовом шкафу. Остывшее тесто нарезать тонкими продолговатыми полосками. Подать к кофе, мороженому, шампанскому.

КЕКС МАСЛЯНЫЙ

1 стакан муки, 4 яйца, 1/2 стакана изюма, 3/4 стакана сахара, 150 г сливочного масла, 1/2 стакана сахарной пудры.

Масло с сахаром взбивать миксером с помощью насадки для взбивания до пенообразного состояния, добавить муку и изюм. Продолжая взбивать, вбить одно за другим яйца (белок и желток вместе). Полученную массу вылить в смазанную маслом форму и выпечь в духовом шкафу. Горячий кекс посыпать сахарной пудрой.

КЕКС МРАМОРНЫЙ

4 стакана пшеничной муки, 2 стакана сахара, 6 яиц, 200 г сливочного масла, цедра 1 лимона, 1 чайная ложка разрыхлителя для теста, 2 столовые ложки порошка какао, 1 стакан молока, растопленный шоколад или сахарная пудра.

Масло с сахаром взбить миксером с помощью насадки для взбивания, добавить один за другим желтки, влить молоко с растворенным в нем разрыхлителем, добавить муку, измельченную в миксере лимонную цедру, а в конце — белки, взбитые тем же способом, что и масло, в густую пену. После добавления белков смесь осторожно размешать и разделить на две равные части. В одну из них добавить какао. Форму смазать маслом, зачерпнуть половником из одной половины смеси жидкое тесто и разлить его по дну формы, потом зачерпнуть из другой половины и вылить на уже налитую массу. Повторять до тех пор, пока тесто не будет израсходовано. Приготовленный таким образом кекс в разрезе похож на мрамор. Вынутый из духового шкафа кекс остудить, глазировать растопленным шоколадом или посыпать сахарной пудрой.

КЕКС ОБЫКНОВЕННЫЙ

300 г муки, 500 г молока, 3 яйца, 250 г сахара, 200 г сливочного масла, 1/2 стакана изюма, цедра 1/2 лимона, 1/2 стакана истолченного миндаля, 1/2 чайной ложки пищевой соды, 1 пакетик ванильного сахара, 1/2 стакана сахарной пудры.

Масло с сахаром взбить миксером с помощью насадки для взбивания до пенообразного состояния. Продолжая взбивать, добавить один за другим желтки, влить молоко, всыпать соду, добавить муку и предварительно измельченную в миксере лимонную цедру. Все тщательно смешать. Белки взбить в пену с помощью миксера, добавить миндаль и ванильный сахар. Полученную массу осторожно вылить в тесто, поместить его в намазанную маслом форму для кекса и выпекать в сильно нагретом духовом шкафу. Готовый кекс остудить и перед подачей на стол посыпать сахарной пудрой.

КЕКС ОРЕХОВЫЙ

3 стакана муки, 2 стакана сахара, 200 г сливочного масла, 1 стакан молока, 4 яйца, 2 стакана истолченных грецких орехов, 1 чайная ложка соды, 1 пакетик ванильного сахара, 1/4 чайной ложки лимонной кислоты, 50 г шоколада, 1/2 стакана сахарной пудры.

Масло с сахаром взбивать миксером с помощью насадки для взбивания, не переставая взбивать, добавить один за другим желтки. Затем постепенно добавить молоко, соду, муку, орехи, ванильный сахар. В конце влить белки, предварительно взбитые миксером в пену. Размешанное тесто вылить в продолговатую форму, смазанную маслом. Выпекать в умеренно нагретом духовом шкафу. Готовый кекс остудить и залить шоколадом, растопленным в горячей воде, сверху посыпать сахарной пудрой.

КЕКС С СИРОПОМ

Для теста: 500 г пшеничной муки, 250 г сливочного масла, 200 г сахара, 4 яйца, 2 чайные ложки разрыхлителя для теста, 1/2 стакана молока, по 100 г белого и черного изюма, сок и цедра 1 лимона. Для сиропа: 250 г сахара, 250 г какао, 3—4 ложки горячей воды, 1 столовая ложка растопленного кокосового масла.

Масло с сахаром взбить миксером с помощью насадки для взбивания, по одному добавить желтки, всыпать муку с разрыхлителем теста, молоко и лимон, предварительно измельченный в миксере. Белки взбить в пену с помощью миксера, влить в тесто, добавить изюм. Полученную смесь осторожно размешать и вылить в форму, смазанную маслом. Выпекать в духовке на слабом огне в течение 1,5 часов. Остудить, вынуть из формы, пропитать сиропом, посыпать сахарной пудрой. Для приготовления сиропа какао и сахар растворить в горячей воде, добавить заранее растопленное кокосовое масло и размешивать до тех пор, пока смесь не загустеет.

КРУТОНЫ МИНДАЛЬНЫЕ

150 г миндаля, 5 яичных белков, 250 г сахарной пудры, 2 столовые ложки маргарина для смазывания формы.

Миндаль ошпарить, очистить, обсушить, измельчить в миксере. Белки взбить в пену миксером с помощью насадки для взбивания, смешать с просеянным сахаром, измельченным миндалем. Массу выложить на смазанный маргарином лист тонким пластом, поместить в нежаркий духовой шкаф на 10—15 минут. Когда тесто слегка подрумянится, вынуть, быстро нарезать на полоски по 2 см, накрутить на тонкий валик гладкой стороной внутрь. Быстро снять с валика. Когда тесто затвердеет, разогреть в духовом шкафу.

МАЗУРКА КОРОЛЕВСКАЯ

Для теста: 350 г сахарной пудры, 350 г пшеничной муки, 350 г сливочного масла, 1 лимон, 1/4 стакана кипятка, 350 г мармелада, 100 г миндаля, 6 яиц, жир для смазывания формы, пергаментная бумага. Для глазури: 300 г сахара, 1/2 стакана воды, 1 лимон.

Широкий прямоугольный с невысокими бортами противень выстелить промасленной пергаментной бумагой. Миндаль ошпарить, очистить, взбить миксером с помощью насадки для измельчения. Для приготовления теста в кастрюльке растопить масло, добавить яйца и сахар, растереть, вставить в другую кастрюлю с кипящей водой. Взбивать на пару миксером с помощью насадки для взбивания до тех пор, пока масса не загустеет. К концу взбивания влить тонкой струйкой растопленное масло. Выложить массу на противень, поместить в жаркий духовой шкаф. Выпекать 30—40 минут. Готовое, подрумяненное до светло-золотистого цвета тесто вынуть, слегка охладить, снять с противня, очистить от бумаги. Охладить, разрезать поперек на две части, положить на одну часть мармелад, накрыть другой, слегка прижать, обровнять края. Покрыть глазурью, для приготовления которой в воду добавить сахар, а также сок и очень мелко измельченную миксером цедру лимона, все проварить до загустения.

МАЗУРКА ФИНИКОВАЯ

Для теста: 250 г фиников, 250 г миндаля, 250 г шоколада, 6 яичных белков, 50 г сахарной пудры, 1 вафля. Для глазури: 300 г сахара, 1/2 ложки 6%-ного уксуса, 1/2 стакана воды, 50 г рома.

Из фиников вынуть косточки, раздробить миксером с помощью насадки для измельчения. Шоколад натереть на мелкой терке. Миндаль ошпарить, очистить, раздробить миксером с помощью насадки для измельчения. Белки взбить миксером в пену с помощью насадки для взбивания, к концу взбивания понемногу добавить просеянный сахар. В той же посуде поместить на пар и взбивать до тех пор, пока масса не загустеет. Снять, продолжать взбивать до полного охлаждения. Осторожно смешать с шоколадом, миндалем и финиками. Выложить на вафлю, разложить равномерно. Готовое изделие охладить, покрыть глазурью. Для приготовления глазури в воду добавить уксус, сахар, ром и проварить до загустения.

МАЗУРКА ЦЫГАНСКАЯ

200 г сахара, 100 г муки, 100 г изюма, 100 г орехов, 100 г инжира, 100 г фиников, 50 г апельсиновой корки, 5 яиц, 50 г цукатов, 1 вафля, корица, ваниль, имбирь по желанию.

Муку просеять. Изюм и финики промыть и просушить. Орехи перебрать. Смешать инжир, финики, апельсиновую корку, орехи и цукаты, взбить миксером с помощью насадки для измельчения. Желтки с сахаром взбить миксером с помощью насадки для взбивания так, чтобы получилась пышная масса. Белки взбить в пену миксером с помощью насадки для взбивания, добавить желтки, пряности, муку, еще раз взбить, выложить на вафлю ровным слоем. Поставить в духовой шкаф и выпекать 30 минут.

НУГА ЗАПЕЧЕННАЯ

5 яичных белков, 400 г сахара, 100 г меда, 1 стакан воды, 150 г грецких орехов, 2 вафли, 1 пакетик ванильного сахара.

Орехи перебрать, мед разогреть. Из сахара и кипящей воды приготовить сироп, добавить мед и сварить до густоты. Белки взбить миксером в пену с помощью насадки для взбивания. Тонкой струйкой сироп вылить в пену, продолжая взбивать. Поставить на пар, продолжая взбивать до тех пор, пока масса не начнет опадать, а не литься с ложки. Снять с пара, продолжать взбивать на столе. Добавить к пене 100 г орехов, раздробленных с помощью насадки для измельчения, ваниль, слегка перемешать. Выложить пену на вафли слоем толщиной в 2 см, выровнять по краям, сверху посыпать тонким слоем нарезанных орехов. Поставить в нежаркий духовой шкаф на 10—15 минут. Пена должна медленно подняться и зарумяниться. Нугу вынуть из духового шкафа, когда остынет. Нарезать острым ножом, часто вытирая его чистой мокрой тряпочкой.

НУГА ОРЕХОВАЯ

500 г сахара, 200 г меда, 6 яичных белков, 1 ложка 6%-ного уксуса, 1 стакан воды, 500 г очищенных грецких орехов, 1 пакетик ванильного сахара, 2 вафли.

Сахар залить кипящей водой, добавить уксус, сварить сироп, добавить мед и проварить. Белки взбить в пену миксером с помощью насадки для взбивания. Горячий сироп тонкой струйкой влить в пену, продолжая взбивать. Поставить вместе с посудой, в которой взбивали белки в пену, на пар. Продолжать взбивать до тех пор, пока масса не загустеет и пена не начнет рваться. К полученной массе добавить ваниль, орехи, предварительно измельченные в миксере, тщательно вымешать. Выложить на вафлю ровным слоем, накрыть другой вафлей, прижать дощечкой. На следующий день нарезать острым увлажненным ножом на квадраты или прямоугольники.

ПИРОЖНЫЕ «БЕЗЕ»

5 яичных белков, 500 г сахара, 1 стакан воды, пергаментная бумага, масло для смазки.

Сахар залить кипящей водой, сварить сироп. Приготовить посуду с кипящей водой. Белки взбить миксером с помощью насадки для измельчения в густую пену, заварить их, понемножку вливая в горячий сироп. Поставить посуду со взбитыми в пену белками на пар, продолжая взбивать до тех пор, пока масса не загустеет (в течение 30—40 минут); снять с пара и продолжать взбивать до полного охлаждения. Широкий прямоугольный лист выстелить промасленным пергаментом. Из шприца или пергаментного мешочка выдавить на лист круглые, одинаковые по размеру кружки, поставить в нежаркий духовой шкаф и подсушить, не румяня. Вынуть, охладить.

ПИРОЖНЫЕ МИНДАЛЬНЫЕ

2 столовые ложки муки, 350—400 г сахарной пудры, 250 г миндаля, 20—30 г миндаля для украшения, масло для смазки формы, 4—5 яичных белков, 1 пакетик ванильного сахара, 1 ложка лимонного сока, несколько капель миндальной эссенции.

Миндаль ошпарить, очистить, высушить в духовом шкафу, измельчить с помощью миксера, растереть с сахаром. Белки слегка растереть, смешать с мукой и ванилью. Полученной массой заполнить шприц, предварительно немного подогрев ее. Выдавить из шприца небольшие кружки, на середину каждого положить половинку миндаля. Сбрызнуть водой, поставить в духовой шкаф. Выпекать пирожные до тех пор, пока не подрумянятся. Готовые пирожные вынуть, охладить.

РУЛЕТ С ВАРЕНЬЕМ

5 столовых ложек муки, 6 столовых ложек сахара, 6 яиц, 1 пакетик ванильного сахара, 1/2 стакана густого варенья, 1/2 стакана сахарной пудры.

Желтки с сахаром взбивать миксером с помощью насадки для взбивания до тех пор, пока смесь не загустеет и не побелеет. Добавить муку и белки, взбитые миксером в пену. Все осторожно смешать так, чтобы смесь не опала. Полученное тесто вылить на выстланный промасленной бумагой противень с низкими стенками, распределить равномерным слоем толщиной в палец. Выпекать в хорошо прогретом духовом шкафу в течение 15—20 минут. Готовый пласт опрокинуть на салфетку, очистить от бумаги, смазать вареньем и, подняв край салфетки, свернуть в рулет. Верхнюю часть готового рулета посыпать сахарной пудрой.

РУЛЕТ С ПОВИДЛОМ

7 столовых ложек пшеничной муки, 7 яиц, 7 столовых ложек сахарной пудры, цедра 1/2 лимона, 1/2 стакана повидла, 50 г шоколада, 1/2 стакана сахарной пудры.

Желтки и сахарную пудру взбить миксером с помощью насадки для взбивания. Добавить муку и измельченную миксером цедру. Затем добавить белки, взбитые тем же способом в густую пену. Смесь осторожно размешать и вылить на широкий противень с таким расчетом, чтобы получился пласт толщиной в палец. Выпекать в духовом шкафу до появления красного цвета. Горячий пласт опрокинуть на полотно, смазать повидлом и скатать в рулет. Когда рулет остынет, глазировать его растопленным шоколадом, сверху посыпать сахарной пудрой.

ТОРТ «БЕЛЬГИЙСКИЙ»

Для теста: 8 яичных белков, 2 стакана сахарной пудры, 1/2 стакана истолченных грецких орехов или миндаля, 1 пакетик ванильного сахара или корицы, 1/2 стакана муки. Для крема: 7 яиц, 1 1/2 стакана сахара, 350 г сливочного масла, несколько капель ванильной эссенции или щепотка порошка ванилина.

Белки смешать с сахарной пудрой, взбить в пену миксером с помощью насадки для взбивания. К сгустившимся белкам добавить толченые орехи, смешанные с порошком корицы или ванильным сахаром. Всыпать муку и хорошенько все размешать. Смесь поделить на 4—6 частей и, раскатав на тонкие пласты, выпечь в отдельных формах, смазанных маслом и посыпанных мукой. Для приготовления крема тщательно перемешать все его составляющие. Половину полученного крема оставить для смазывания торта и украшения. Выпеченные и остывшие коржи наложить один на другой, проложив масляным кремом. Верхний корж намазать тонким ровным слоем крема и украсить с помощью шприца. Крем для украшения можно окрасить с помощью шоколада или карамели. С боков торт посыпать поджаренным и измельченным в миксере миндалем.

ТОРТ «ЖЕНЕВСКИЙ»

1/2 стакана пшеничной муки, 1/2 стакана толченого миндаля, 1 стакан сахарной пудры, измельченная цедра 1 лимона, 1/2 стакана изюма без косточек, 5 яичных белков, 3 столовые ложки толченых сухарей.

Миндаль взбить миксером с одним яичным белком с помощью насадки для измельчения, вылить полученную массу в кастрюлю, добавить изюм, сахар, лимонную цедру. Перечисленные продукты аккуратно размешать, к ним добавить муку и остальные белки.. Полученную смесь взбить миксером с помощью насадки для взбивания в течение 5—6 минут и вылить в форму, смазанную маслом и посыпанную сухарями. Выпекать в сильно нагретом духовом шкафу 30—40 минут.

ТОРТ ИЗ ГРЕЦКИХ ОРЕХОВ

Для теста: 500 г сахарной пудры, 500 г грецких орехов, 1 пакетик ванильного сахара, 5—6 яичных белков, 1 лимон, 2 столовые ложки толченых сухарей, 2 столовые ложки масла для смазывания формы. Для крема: 250 г масла, 200 г сахара, 3 яйца, 3 столовые ложки какао, цедра 1 лимона, 3 столовые ложки спирта, 1/4 стакана черного кофе.

Две одинаковые по размеру формы для выпечки торта смазать маслом, посыпать толчеными сухарями, грецкие орехи пропустить через мясорубку, оставив 15 половинок ядрышек для украшения торта. Апельсиновую цедру мелко смолоть. Белки взбить в пену в миксере с помощью насадки для взбивания, добавить сахар, ванильный сахар. Полученную массу растереть миксером с помощью насадки для измельчения так, чтобы получилась пышная масса, смешать с орехами, влить лимонный сок, вымешать. Тесто разделить на две части, положить в формы для выпечки тортов, разровнять поверхность. Выпекать в духовом шкафу около 30—40 минут. Готовые коржи охладить. Для приготовления крема тщательно перемешать все его составляющие. Половину полученного крема оставить для смазывания торта и украшения. Выпеченные коржи переложить другой половиной шоколадного крема, обровнять бока. Верх и бока торта с помощью ножа равномерно покрыть кремом. Остатками крема наполнить шприц, сверху украсить торт узорами из крема и орехами.

ТОРТ ИЗ МАННОЙ КРУПЫ

Для теста: 1 стакан манной крупы, 6 яиц, 1 стакан сахарной пудры, цедра 1 лимона. Для сиропа: 1 1/2 стакана сахара, 1,5 л воды, 50 г рома.

Желтки с сахаром взбивать миксером с помощью насадки для взбивания в течение 3—4 минут. Продолжая взбивать, тонкой струйкой всыпать манную крупу. Добавить лимонную цедру и белки, взбитые в пену с помощью насадки для взбивания. Смесь вылить в смазанную маслом и посыпанную мукой форму для торта и выпечь в духовом шкафу. Когда торт остынет, проколоть его в нескольких местах вилкой и залить кипящим сиропом, приготовленным из сахара, воды и рома. Сироп не должен быть очень густым. Залив торт сиропом, оставить его на время, чтобы впитался сироп. Подать, обильно посыпав сахарной пудрой.

ТОРТ «КОФЕЙНЫЙ»

10 яиц, 1 стакан толченых грецких орехов, 1 стакан сахара, 4 столовые ложки какао, 1 столовая ложка кофе, цедра 1/2 лимона, 3/4 плитки шоколада, 1/2 стакана молока, 2 столовые ложки сливочного масла.

Яйца с сахаром взбивать миксером на очень слабом огне до сгущения. К ним, продолжая взбивать, аккуратно и последовательно добавить орехи, кофе, какао и измельченную в миксере лимонную цедру. Смесь вылить в смазанную маслом и посыпанную сухарями форму и выпечь в духовом шкафу. Готовый и остывший торт покрыть глазурью. Для приготовления глазури шоколад растопить в молоке на слабом огне, постепенно добавляя масло.

ТОРТ МИНДАЛЬНЫЙ

Для теста: 6 яичных белков, 600 г сахара, 300 г миндаля, 2 столовые ложки толченых сухарей, 1 стакан воды, 1/2 чайной ложки 6%-ного уксуса, масло для смазки противня. Для крема: 3 яйца, 2 столовые ложки растворимого кофе, 200 г сахарной пудры, 3 столовые ложки спирта. Для глазури: 1/2 стакана крепкого кофе, 1/2 чайной ложки 6%-ного уксуса, 300 г сахара.

Миндаль ошпарить, очистить, взбить миксером с помощью насадки для измельчения. Две формы смазать маслом, посыпать сухарями. Из сахара, воды и уксуса сварить сироп, белки взбить в пену в миксере с помощью насадки для взбивания. Горячий сироп тонкой струйкой влить в пену и быстро взбить. Смешать с рубленым миндалем и толчеными сухарями, разделить на 2 части. Выпечь 2 коржа, вынуть, охладить. Приготовить кофейный крем, тщательно перемешав все входящие в него продукты. Коржи переложить кремом, обровнять края. Часть крема оставить для украшения. Торт покрыть глазурью, для приготовления которой в кофе добавить уксус и сахар и проварить до загустения. Остатками крема наполнить шприц или пергаментный мешочек, украсить торт сверху.

ТОРТ «ПРОВАНСКИЙ»

Для теста: 10 яичных белков, 400 г сахарной пудры, 400 г миндаля, 1 лимон, 2 столовые ложки масла для смазки формы. Для крема: 400 г сливочного масла, 3 яичных желтка, 400 г сахарной пудры, 100 г миндаля, 2 столовые ложки рома. Для глазури: 300 г сахара, 1/2 стакана воды, 1/2 чайной ложки уксуса, 50 г рома.

400 г миндаля ошпарить, очистить, взбить миксером с помощью насадки для измельчения. 100 г миндаля также ошпарить, очистить, подрумянить на огне и измельчить с помощью насадки для измельчения. Форму для выпечки торта смазать маслом и посыпать толчеными сухарями. Для теста: белки взбить в пену в миксере с помощью насадки для взбивания, к концу взбивания добавить сахар, смешать с миндалем и соком лимона. Выпечь 4 одинаковых круглых коржа, охладить. Для приготовления крема масло взбить в миксере с помощью насадки для взбивания, поочередно добавить 2 белка, понемногу добавить сахар, смешать с подсушенным рубленым миндалем. Для приготовления глазури в воду с уксусом добавить сахар и ром и проварить до загустения. Переложить коржи кремом, обровнять края, покрыть сахарной глазурью с ромом, украсить ягодами из варенья.

ТОРТ «СУХОЙ»

1 1/2 стакана крахмала, 10 яиц, 2 стакана сахара, цедра 1/2 лимона, 1 столовая ложка толченых сухарей, 1/2 стакана сахарной пудры, масло для смазки противня.

Желтки с сахаром взбить миксером с помощью насадки для взбивания. Когда смесь сгустится и побелеет, добавить крахмал и взбивать еще 8—10 минут. Затем добавить измельченную в миксере лимонную цедру, взбитые в пену тем же способом белки. Все осторожно смешать и вылить в форму, смазанную маслом и посыпанную сухарями. Выпекать в сильно нагретом духовом шкафу. Подать, посыпав сахарной пудрой.

ТОРТ ФИНИКОВЫЙ

Для теста: 8 яичных белков, 300 г миндаля, 300 г сахарной пудры, 1 лимон, 500 г фиников, 1 столовая ложка маргарина для смазки формы, 1 столовая ложка толченых сухарей. Для глазури: 1 стакан лимонного сока, 300 г сахара, 1/2 чайной ложки уксуса.

Миндаль измельчить миксером с помощью насадки для измельчения. Из фиников вынуть косточки, нарезать на мелкие кусочки. Белки миксером взбить в пену с помощью насадки для взбивания, добавить сахар и смешать с миндалем, добавить лимонный сок. Половину приготовленной массы положить в форму, покрыть ее слоем фиников, а затем оставшейся массой. Поместить в духовой шкаф и выпекать около 1 часа. Готовый торт охладить, покрыть глазурью. Для приготовления глазури в лимонном соке растворить сахар, добавить уксус, все проварить до загустения. Украсить торт крупной решеткой из узких полосок апельсиновой корки, в точках пересечения уложить финики без косточек.

ЯБЛОКИ, ЗАПЕЧЕННЫЕ В БИСКВИТНОМ ТЕСТЕ

8 кислых яблок, 6 столовых ложек муки, 3 яйца, 2 столовые ложки маргарина, 3 столовые ложки сахара, 4 столовые ложки сметаны, 4 столовые ложки джема, 1 столовая ложка растительного масла для смазывания блюда.

Блюдо смазать маслом. Яблоки вымыть, очистить, удалить сердцевину, в образовавшиеся углубления положить джем. Яблоки уложить на блюдо. Желтки взбить миксером с помощью насадки для измельчения так, чтобы получилась пышная масса, добавить сметану, просеянную муку, белки, взбитые в миксере в пену с помощью насадки для взбивания. Все слегка перемешать. Яблоки покрыть тестом, поставить в горячий духовой шкаф на 20—30 минут. Подать на том же блюде.

КОКТЕЙЛИ И НАПИТКИ

АПЕРИТИВ С МУСКАТНЫМ ОРЕХОМ

2 столовые ложки лимонного сока, 1 яичный желток, 1 чайная ложка сахарного сиропа, щепотка натертого мускатного ореха.

Все продукты поместить в миксер. Взбивать 2—3 минуты.

АПЕРИТИВ С ЧЕРНЫМ ПЕРЦЕМ

1 чайная ложка рома, 2 столовые ложки острого томатного соуса, 1 яичный желток, 1—2 чайные ложки лимонного сока, щепотка соли и перца.

Все продукты поместить в миксер. Взбивать 1—2 минуты.

ГОГОЛЬ-МОГОЛЬ

2 яйца, 1/2 стакана абрикосового сока, 3 столовые ложки сахара, 2 стакана молока, 1/2 стакана воды, 1—2 чайные ложки натертого мускатного ореха, щепотка соли.

Яичные желтки отделить от белков. Желтки взбить до получения густой массы, белки — до образования густой пены. Во взбитые желтки положить немного соли и, продолжая взбивать, добавить сахар и абрикосовый сок. Затем, непрерывно помешивая, влить молоко, холодную кипяченую воду. Все хорошо перемешать и влить в предварительно взбитые яичные белки. Перед подачей посыпать натертым мускатным орехом.

ГОГОЛЬ-МОГОЛЬ ВИШНЕВЫЙ

1/2 стакана вишневого сока, 4 столовые ложки натурального меда, 1 яйцо, 2 стакана холодного молока.

Все продукты поместить в миксер и взбивать 3—4 минуты. Подать охлажденным.

КЕФИР С ЗЕМЛЯНИКОЙ

1 стакан холодного кефира, 2—3 столовые ложки земляники, 1 столовая ложка меда или сахарного сиропа, щепотка корицы.

Землянику взбить до пюреобразного состояния с помощью насадки для измельчения, добавить остальные продукты, перемешать и взбивать в течение 1—2 минут с помощью насадки для взбивания.

КОКТЕЙЛЬ АБРИКОСОВО-МОЛОЧНЫЙ

2 столовые ложки абрикосового ликера, 1/2 стакана холодного молока, кубики льда, 1/2 стакана сливок, 50 г шоколада.

Все продукты поместить в миксер, взбить в течение 1—2 минут, перелить в бокал, дополнить, не перемешивая, кубиками льда, взбитыми сливками и посыпать натертым шоколадом.

КОКТЕЙЛЬ «ЗЕМЛЯНИЧНЫЙ»

2 стакана земляники, 1 стакан холодных густых сливок, 1 столовая ложка сахарной пудры.

Все продукты поместить в миксер. Взбивать 2—3 минуты на средней скорости, разлить на четыре порции, положить в каждую лед.

КОКТЕЙЛЬ ИЗ МОРОЖЕНОГО С АБРИКОСОВЫМ СОКОМ

100 г сливочного мороженого, 5 столовых ложек абрикосового сока, 1/4 стакана холодного молока, 1/2 стакана сливок.

Все продукты, кроме сливок, поместить в миксер, взбить в течение 1—2 минут. Перелить в бокалы и положить сверху по 1 столовой ложке отдельно взбитых сливок.

КОКТЕЙЛЬ «КАПЛЯ»

1 желток, 1/2 стакана сока крыжовника, 1/2 стакана молока, 1 столовая ложка меда.

Желток взбить в миксере с помощью насадки для измельчения. Добавить сок, молоко и мед. Смесь хорошо охладить и подать на стол.

КОКТЕЙЛЬ «КЛУБНИЧНЫЙ»

2 стакана клубники, 1 стакан холодных густых сливок, 1 столовая ложка сахарной пудры, кубики льда.

Все продукты поместить в миксер. Взбивать 2—3 минуты на средней скорости, разлить на четыре порции, положить в каждую лед.

КОКТЕЙЛЬ МОЛОЧНО-АБРИКОСОВЫЙ

2 стакана молока, 1/2 стакана абрикосового сока, 2 яйца, 3 столовые ложки сахара, мускатный орех по вкусу.

Все продукты, кроме молока, поместить в миксер. Взбивать 3—4 минуты, добавить молоко, перемешать, разлить в бокалы и посыпать сверху натертым мускатным орехом.

КОКТЕЙЛЬ МОЛОЧНО-МЕДОВЫЙ С ЕЖЕВИЧНЫМ СОКОМ

3/4 стакана ежевичного сока, 3 яичных желтка, 1 столовая ложка меда, 2 стакана холодного молока.

Все продукты поместить в миксер. Взбивать 2—3 минуты. Перелить в бокал с кусочками льда.

КОКТЕЙЛЬ МОЛОЧНЫЙ
С МАЛИНОВЫМ СИРОПОМ

1/2 стакана холодного молока, 1 столовая ложка малинового сиропа, 1 столовая ложка толченого льда, 50 г мороженого, 1 яйцо.

Все продукты поместить в миксер. Взбить в течение 1—2 минут и процедить. Подать сразу же.

КОКТЕЙЛЬ «РАССВЕТ»

100 г ягод крыжовника, 1/3 стакана молока, 1 яичный желток, 1 столовая ложка меда, несколько капель коньяка, 2—3 кубика льда.

Крыжовник промыть, залить водой, варить до тех пор, пока ягоды не начнут лопаться. Затем протереть их через частое сито, полученный сок охладить. В миксере взбить яичные желтки, добавить сок крыжовника, холодное молоко, мед, коньяк и лед. Полученную смесь взбить в течение 1—2 минут. Подать хорошо охлажденным.

КОКТЕЙЛЬ СЛИВОЧНО-ВИШНЕВЫЙ

4 столовые ложки вишневого сиропа, 50 г сливочного мороженого, 1 стакан холодного молока.

Все продукты, кроме мороженого, поместить в миксер, взбивать 2—3 минуты. Смесь перелить в бокал и опустить в него шарик мороженого с тем, чтобы он плавал, не опускаясь на дно.

КОКТЕЙЛЬ СЛИВОЧНО-КЛУБНИЧНЫЙ

50 г сливочного мороженого, 3 столовые ложки клубничного сиропа, 1/4 стакана холодного молока, 1/2 стакана сливок.

Все продукты, кроме сливок, поместить в миксер. Взбивать 1—2 минуты, перелить в бокал и сверху положить одну столовую ложку отдельно взбитых сливок.

КОКТЕЙЛЬ ФРУКТОВО-МОЛОЧНЫЙ

50 г фруктов из компота ассорти, 2 столовые ложки фруктового сиропа, 1/4 стакана холодного молока, 50 г сливочного или молочного мороженого.

Все продукты поместить в миксер, взбивать 1—2 минуты. Полученную смесь перелить в бокал с предварительно положенными туда фруктами. Подать сразу после приготовления.

КОКТЕЙЛЬ ФРУКТОВЫЙ «БУКЕТ»

2 столовые ложки яблочного сока, 3 столовые ложки абрикосового сока, 3 чайные ложки лимонного сиропа, 1 столовая ложка газированной воды, 2—3 кубика льда.

Взбить в миксере с помощью насадки для измельчения.

КОКТЕЙЛЬ «ШИПУЧИЙ»

2 столовые ложки сока крыжовника, сок 1 лимона, 1 яичный белок, 1/2 стакана газированной воды, 2 кубика льда.

Белки взбить в миксере с помощью насадки для взбивания, добавить сок крыжовника и лимона, лед. Смесь взбить до образования пены, через ситечко процедить в бокал и добавить газированную воду.

КОКТЕЙЛЬ ШОКОЛАДНО-ЧЕРНИЧНЫЙ

1 стакан свежей черники, 2 стакана воды, 1/2 стакана сахара, 5 чайных ложек какао.

Продукты перемешать, подогреть до кипения, охладить. Охлажденную смесь поместить в миксер. Взбить в течение 2—3 минут на средней скорости и разлить по трем стаканам, добавить мелко наколотый лед.

КОКТЕЙЛЬ «ЮПИТЕР»

2 столовые ложки абрикосового сока, 1/4 стакана молока, 2 столовые ложки мороженого, 1 чайная ложка сливок.

Края бокала натереть лимоном или смочить лимонным соком и опустить в сахарную пудру. В миксере взбить сливочное мороженое, абрикосовый сок и холодное молоко. Смесь осторожно, чтобы не нарушить сахарный ободок, образовавшийся на бокале, влить в бокал и сверху положить отдельно взбитые сливки.

КОКТЕЙЛЬ ЯБЛОЧНО-МОЛОЧНЫЙ

1 столовая ложка яблочного сока, 3/4 стакана холодного молока, 1 яйцо, 2 столовые ложки сахарного сиропа.

Все продукты поместить в миксер. Взбивать в течение 1—2 минут, перелить в бокал.

КОКТЕЙЛЬ «ЯГОДНЫЙ»

По 1/2 стакана натурального (неразбавленного и без сахара) малинового, красносмородинового, клубничного сока, 1/2 стакана холодного молока, 3 яичных желтка, 4 столовые ложки сахара.

Все продукты поместить в миксер. Взбивать 3—4 минуты, разлить в четыре бокала.

КОКТЕЙЛЬ ЯИЧНО-КОФЕЙНЫЙ

3 яйца, 3 чайные ложки растворимого кофе, 4 стакана молока, 3 столовые ложки сахара, 1/2 стакана сливок, 30 г порошка какао.

Все продукты, кроме молока, поместить в миксер и взбивать в течение 3—4 минут. Осторожно перемешивая, постепенно влить в смесь четыре стакана горячего молока. Подать горячим в маленьких чашечках.

КОКТЕЙЛЬ ЯИЧНО-КРЫЖОВНИКОВЫЙ

1 яичный желток, 1/3 стакана крыжовника, 1/3 стакана холодного молока, 1 столовая ложка натурального меда, 1 чайная ложка рома, 2 кубика льда.

Все продукты поместить в миксер. Взбивать 3—4 минуты.

КРЮШОН АБРИКОСОВЫЙ

2 столовые ложки абрикосового сока, 1 столовая ложка сахара, 1/3 стакана черничного или малинового морса, 1—2 свежих абрикоса.

Абрикосовый сок с сахаром взбить в миксере с помощью насадки для измельчения, добавить морс. Охладить в холодильнике и добавить газированную воду. Взбить еще раз и разлить в бокалы. В каждый бокал положить по абрикосу, предварительно удалив из них косточки.

МОЛОКО С МАЛИНОЙ И ЯБЛОКАМИ

1 стакан холодного молока, 1 яблоко, 1 столовая ложка ягод малины.

Яблоко разрезать на дольки, удалить семечки и семенные перегородки, измельчить в миксере. Добавить 1/2 стакана молока и ягоды малины. Взбивать 2—3 минуты на средней скорости, затем перелить в бокал, добавив 1/2 стакана холодного молока.

МОЛОКО С ЯГОДАМИ

4 стакана молока, 2 яйца, 100 г сахара, по 2 ложки спелых ягод крыжовника, малины и вишни с предварительно удаленными косточками.

Яйца с сахаром поместить в миксер. Взбивать 3—4 минуты, добавить ягоды, после чего влить молоко.

НАПИТОК
БРУСНИЧНЫЙ С МОРОЖЕНЫМ

4 столовые ложки брусничного сока, 10 г сливочного мороженого, 2 яичных желтка, 1 стакан холодного молока.

Все продукты поместить в миксер, взбивать в течение 1—2 минут.

НАПИТОК
ВИШНЕВО-МОЛОЧНЫЙ С КАКАО

1/2 стакана вишневого сока, 2 стакана молока, 3—4 чайные ложки порошка какао, 3—4 чайные ложки сахарного песка.

Все продукты поместить в миксер и взбивать в течение 1—2 минут на малой скорости.

НАПИТОК «ДЕТСКИЙ»

50 г мороженого, 4 чайные ложки варенья из черноплодной рябины и 1/2 стакана ряженки или кефира.

Все продукты поместить в миксер. Взбивать 2—3 минуты, а затем перелить в бокал.

НАПИТОК ИЗ КЕФИРА
С КЛУБНИЧНЫМ СОКОМ

3/4 стакана кефира, 1 яичный желток, 4 столовые ложки клубничного сока, 2 кубика льда, 1/4 стакана сливок.

Все продукты, кроме сливок, поместить в миксер. Взбивать 1—2 минуты. Процедить, наливая в бокал, сверху положить столовую ложку отдельно взбитых сливок.

НАПИТОК ИЗ КЕФИРА
С ЧЕРНОЙ СМОРОДИНОЙ

2 стакана холодной простокваши или кефира, 1 стакан сока черной смородины, 2 чайные ложки сахарной пудры, 4 кубика льда.

Все продукты поместить в миксер. Взбивать 1—2 минуты на малой скорости, затем разлить на четыре порции и добавить по кубику льда.

НАПИТОК К ЗАВТРАКУ

1 яичный желток, 1—2 столовые ложки малинового сиропа, 1 стакан холодного молока.

Все продукты поместить в миксер и взбивать 3—4 минуты. Подать охлажденным.

НАПИТОК
КЛУБНИЧНО-СМОРОДИНОВЫЙ

3 столовые ложки клубничного сока, 1/2 стакана черносмородинового сока, 1 яичный желток, 2 кубика льда.

Все продукты поместить в миксер. Взбивать 1—2 минуты. Наливая в бокал, процедить.

НАПИТОК МОЛОЧНО-МАЛИНОВЫЙ

2 стакана холодного молока, 2 стакана малины, 2—3 столовые ложки сахарной пудры.

Малину размять деревянной ложкой, добавить холодное молоко и сахарную пудру. Все смешать и взбивать 2—3 минуты, затем разлить в четыре бокала.

НАПИТОК С АПЕЛЬСИНОВЫМ СОКОМ

1/2 стакана апельсинового сока, 2 столовые ложки сахара, 1 яичный желток, 1/4 стакана сливок.

Желток с сахаром взбить в миксере до получения однородной густой массы, влить апельсиновый сок, перемешать, перелить в бокалы и добавить сливки, еще раз перемешать.

НАПИТОК С МИНДАЛЕМ

1 стакан сладкого миндаля, 1/2 стакана воды, 3 абрикоса, 3 столовые ложки размельченного сухого бисквита, 2—3 чайные ложки сахара, 3/4 стакана холодного молока, 1 стакан кефира.

Миндаль очистить, ошпарить кипятком, снять оболочку, влить воду и измельчить в миксере (с помощью соответствующей насадки для измельчения) в течение 2—3 минут до получения однородной массы. Добавить абрикосы, нарезанные кусочками (свежие или из компота), накрошенный бисквит, сахар, молоко и кефир. Взбивать на малой скорости в течение 3—4 минут. Разлить в четыре бокала.

НАПИТОК С ПЕРСИКОВЫМ СОКОМ

4 столовые ложки персикового сока, 1 яичный желток, 2 стакана холодного молока, 2—3 кубика льда, 1/4 стакана сливок.

Все продукты, кроме сливок, поместить в миксер. Взбивать 3—4 минуты, перелить через ситечко в бокал и положить сверху одну столовую ложку отдельно взбитых сливок.

ПУНШ КЛУБНИЧНЫЙ

1/2 стакана клубничного сока, 2 стакана сливок, 3 столовые ложки сахарной пудры.

Сливки взбить в течение 2—3 минут, добавить клубничный сок и сахарную пудру. Взбивать 20 секунд, затем переложить в бокалы и сверху украсить свежими ягодами клубники или сдобным десертным печеньем.

ПУНШ МАЛИНОВЫЙ ОХЛАЖДЕННЫЙ

1/2 стакана малинового сока, 2 стакана сливок, 1/3 стакана сахарной пудры, 2 столовые ложки ягод свежей малины.

Сок, сливки и сахарную пудру поместить в миксер. Взбивать 1—2 минуты на средней скорости. Разлить в четыре бокала и украсить ягодами малины.

ФЛИП АБРИКОСОВО-ВАНИЛЬНЫЙ

1/2 стакана абрикосового сока, 2 столовые ложки ванильного сиропа, 1 стакан молока, 1 яичный желток 1/2 стакана сливок.

Все продукты поместить в миксер. Взбивать в течение 2—3 минут, перелить в бокалы и добавить одну столовую ложку предварительно взбитых сливок.

ФЛИП АПЕЛЬСИНОВО-МОЛОЧНЫЙ

1 столовая ложка ликера, 3 столовые ложки апельсинового сока, 1 яйцо, 1/2 стакана молока, 1 чайная ложка сахарного сиропа.

Все продукты поместить в миксер. Взбивать 1—2 минуты и процедить в бокал.

ФЛИП АПЕЛЬСИНОВЫЙ

2 столовые ложки апельсинового сока, 2 столовые ложки коньяка, 1/2 чайной ложки ликера, яичный желток, 1 столовая ложка сахарного сиропа, щепотка мускатного ореха.

Все продукты поместить в миксер и взбить в течение 1—2 минут. Процедить в бокал, добавить мускатный орех.

ФЛИП БЕЗАЛКОГОЛЬНЫЙ

50 г шоколада, 1 яичный желток, 2 стакана молока, 1/2 стакана сливок.

Все продукты поместить в миксер и взбить в течение 1—2 минут. Разлить через ситечко по бокалам, добавить сверху одну столовую ложку предварительно взбитых сливок.

ФЛИП ВИННО-МОЛОЧНЫЙ

1 стакан красного вина, 1 стакан холодного молока, 1 чайная ложка сахарного сиропа, 1 яичный желток.

Все продукты поместить в миксер. Взбивать 2—3 минуты.

ФЛИП ВИННО-МОЛОЧНЫЙ
С АПЕЛЬСИНОВЫМ СОКОМ

1 чайная ложка красного сухого столового вина, 1 столовая ложка апельсинового сока, 1 яйцо, 1/2 стакана молока, чайная ложка сахарного сиропа.

Все продукты поместить в миксер. Взбивать 2—3 минуты.

ФЛИП КОФЕЙНЫЙ

2 столовые ложки кофейного ликера, 1 яйцо, 2 столовые ложки черного кофе, 1 столовая ложка сахарного сиропа, 2 чайные ложки сливок, щепотка корицы.

Все продукты поместить в миксер. Взбить в течение 2—3 минут до пенообразного состояния. Смесь процедить в бокал, добавить корицу.

ФЛИП ПО-ВЕНГЕРСКИ

1 столовая ложка водки, 1 яичный желток, 2 чайные ложки острого томатного соуса, черный перец и мускатный орех по вкусу.

Все продукты поместить в миксер. Взбить в течение 1—2 минут. Смесь процедить в широкую рюмку, не перемешивая, добавить немного перца, мускатного ореха.

ФЛИП С ВЕРМУТОМ

1 яйцо, 2 столовые ложки белого вермута, 1 чайная ложка лимонного сока, 1—2 чайные ложки сахарного сиропа, несколько кусочков льда.

Продукты поместить в миксер, взбивать в течение 3—4 минут и, процедив в рюмку, долить коньяком, не перемешивая.

ФЛИП С КОНЬЯКОМ

2 столовые ложки коньяка, 2 столовые ложки сгущенного молока, 1 яйцо, 1/2 стакана молока, 1 чайная ложка натертого мускатного ореха.

Все продукты поместить в миксер. Взбивать в течение 3—4 минут, процедить и посыпать тертым мускатным орехом.

ФЛИП С КРАСНЫМ ВИНОМ И КОНЬЯКОМ

1 чайная ложка коньяка, 1/4 стакана красного сухого вина, 1 яйцо, 1—2 чайные ложки сахарного сиропа, натертый мускатный орех по вкусу.

Все продукты поместить в миксер и взбивать в течение 2—3 минут. Смесь процедить в бокал и добавить щепотку мускатного ореха. Красное вино предварительно можно подогреть.

ФЛИП С ШАМПА́НСКИМ И БЕЛЫМ ВИНОМ

1/4 чайной ложки коньяка, 2 столовые ложки белого столового вина, 1 яйцо, 1 чайная ложка сахарного сиропа, натертый мускатный орех по вкусу.

Все продукты поместить в миксер и взбивать 2—3 минуты. Полученную смесь процедить в бокал, добавить мускатный орех и долить бокал охлажденным шампанским.

ФЛИП ТОМАТНЫЙ

1 помидор, 1 яичный желток, 1/4 стакана молока, соль и перец по вкусу.

Все продукты поместить в миксер, взбивать 2—3 минуты. Подать в бокале.

ФЛИП ШОКОЛАДНЫЙ

50 г шоколада, 2 столовые ложки коньяка, 2 столовые ложки рома, 2 яйца, 2 столовые ложки сахарного сиропа, 2 столовые ложки сливок.

Все продукты, кроме шоколада, поместить в миксер. Взбивать в течение 1—2 минут. Перелить в бокалы, сверху положить натертый шоколад.

ФЛИП ЯГОДНЫЙ

1/2 стакана сока черной смородины, 2 столовые ложки клубничного сиропа, 2 чайные ложки лимонного сиропа , 1 яичный желток.

Все продукты поместить в миксер и взбивать в течение 3—4 минут. Подать охлажденным.

КРЕМЫ И МУ́ССЫ

КРЕМ ВАНИЛЬНЫЙ

1/2 стакана сливок, 1 пакетик ванильного сахара, 4 яичных желтка, 2 столовые ложки сахара, 2 яичных белка, 1 чайная ложка желатина.

Желтки с сахаром и ванилью взбить миксером с помощью насадки для измельчения так, чтобы получилась пышная масса. Сливки взбить в миксере с помощью насадки для взбивания в течение 1—2 минут. Белки взбить в миксере в пену с помощью насадки для взбивания. Растворить желатин, смешать с массой из желтков и вымешивать до тех пор, пока масса не загустеет. Массу из желтков и взбитые сливки осторожно и тщательно перемешать, положить в смоченную водой и обсыпанную сахарной пудрой форму, охладить. Перед подачей на стол выложить на стеклянную тарелку.

КРЕМ ГРУШЕВЫЙ

2 груши, нарезанные на кусочки, 1 стакан кефира, 1 стакан молока, 1—2 столовые ложки миндаля, 1 чайная ложка сахара, 2—3 столовые ложки накрошенного сухого бисквита.

Миндаль ошпарить, очистить, добавить немного воды и измельчить в миксере. Добавить все остальные продукты и взбивать 1—2 минуты на малой скорости. Готовую смесь сразу разлить по бокалам.

КРЕМ ЗЕМЛЯНИЧНЫЙ

300 г земляники, 4 яйца, 4 столовые ложки сахара, 1 лимон, 2 чайные ложки желатина.

Яйцо с сахаром в течение 1—2 минут взбить в миксере с помощью насадки для взбивания так, чтобы получилась пышная масса. Добавить протертую землянику и растворенный охлажденный желатин. Снова взбивать до тех пор, пока масса не начнет застывать. Полузастывший крем быстро переложить в смоченную и обсыпанную сахарной пудрой форму. Охладить, выложить на плоское стеклянное блюдо. К крему подать бисквит.

КРЕМ ИЗ ТВОРОГА С КАКАО

50 г творога, 1 столовая ложка порошка какао, 2 столовые ложки сахарного сиропа, 1/2 стакана молока.

Продукты поместить в миксер и взбить до состояния жидкого крема, постепенно подливая молоко. Перелить в бокал, добавить, не перемешивая, одну столовую ложку взбитых сливок и половинку абрикоса из компота или варенья. Подать с бисквитом.

КРЕМ КЛУБНИЧНЫЙ

300 г клубники, 4 яйца, 4 столовые ложки сахара, 1 лимон, 2 чайные ложки желатина.

Яйцо с сахаром в течение 1—2 минут взбивать в миксере с помощью насадки для взбивания так, чтобы получилась пышная масса. Добавить протертую клубнику и растворенный охлажденный желатин. Снова взбивать до тех пор, пока масса не начнет застывать. Полузастывший крем быстро переложить в смоченную и обсыпанную сахарной пудрой форму. Охладить, выложить на плоское стеклянное блюдо. К крему подать бисквит.

КРЕМ КОФЕЙНО-ЯИЧНЫЙ

3 столовые ложки молотого черного кофе, 4 яичных желтка, 2 яичных белка, 4 столовые ложки сахара, 1 чайная ложка желатина, 1/2 стакана сливок, ваниль.

Желтки заварить 1/2 стакана крепкого кофе. Добавить сахар и ваниль, взбить миксером с помощью насадки для измельчения так, чтобы получилась пышная масса. Сливки взбивать в миксере с помощью насадки для взбивания в течение 1—2 минут. Белки взбить в миксере в пену с помощью насадки для взбивания. Растворить желатин, смешать с массой из желтков и помешивать до тех пор, пока смесь не станет густой. Массу из желтков и взбитые сливки осторожно и тщательно перемешать, выложить в смоченную водой и обсыпанную сахарной пудрой форму, охладить. Перед подачей на стол выложить на стеклянную тарелку.

КРЕМ ЛИМОННЫЙ

1 лимон, 4 яйца, 100 г сахара, 1 чайная ложка желатина.

Желтки растереть с сахаром так, чтобы получилась пышная масса. Белки взбить в миксере с помощью насадки для взбивания в течение 1—2 минут. К пене добавить растертые желтки, выжатый лимонный сок и цедру, снятую с лимона, растворенный желатин. Все перемешать и взбивать еще в течение 2—3 минут. Охладить, выложить на плоское стеклянное блюдо. К крему подать бисквит.

КРЕМ МАЛИНОВО-ЯБЛОЧНЫЙ

1 стакан промытых спелых ягод малины, 2 яблока, разрезанных на дольки, 1—2 столовые ложки сахара, 1 стакан холодного молока, 4 столовые ложки взбитых сливок.

Все продукты поместить в миксер. Смесь взбивать в течение 1—2 минут на малой скорости, потом перелить в два бокала. Сверху в каждый бокал положить по две столовые ложки предварительно взбитых сливок.

КРЕМ ТВОРОЖНЫЙ С ДЖЕМОМ

50 г творога, 50 г смородинового джема, 1/2 стакана молока, 1/4 стакана густых сливок, свежие фрукты или ягоды для украшения.

Все продукты поместить в миксер. Взбивать 2—3 минуты на средней скорости, а затем перелить в бокал. Сверху добавить сливки, взбитые на малой скорости в течение 30—60 секунд, украсить фруктами.

КРЕМ ЧАЙНЫЙ

3 столовые ложки крепко заваренного чая, 4 яичных желтка, 2 яичных белка, 6 столовых ложек сахара, 1 стакан молока, 100 г картофельной муки, 1 стакан сливок, 1 чайная ложка желатина, ваниль, ром.

Желатин растворить. Муку развести холодным молоком и довести до кипения, непрерывно помешивая. Желтки растереть с сахаром так, чтобы получилась пышная масса, добавить 2—3 ложки крепкой чайной заварки. Сливки взбивать в миксере с помощью насадки для взбивания в течение 1—2 минут, отдельно взбить в пену белки. К растертым желткам добавить заваренную картофельную муку и растворенный желатин. Когда масса станет густой, как сметана, смешать ее со сливками и взбитыми белками, осторожно перемешать. Выложить в смоченную водой и обсыпанную сахарной пудрой форму. Подать на стеклянном блюде.

КРЕМ ЧЕРЕШНЕВЫЙ

150 г спелых черешен без косточек, 1/3 стакана кефира, 1 столовая ложка миндаля, 2—3 столовые ложки сгущенного молока.

Миндаль ошпарить, очистить, добавить немного воды и измельчить в миксере. Добавить остальные продукты, взбивать в течение 1—2 минут на малой скорости.

КРЕМ ЧЕРНИЧНЫЙ

1 стакан свежей черники, 1/3 стакана сахара, 1/2 стакана холодного молока, немного корицы.

Продукты поместить в миксер и взбивать в течение 1—2 минут с помощью насадки для измельчения на средней скорости.

КРЕМ ЯБЛОЧНО-ТВОРОЖНЫЙ

2 кислых яблока, 100 г творога, 3/4 стакана молока, 2—3 столовые ложки сахара.

Яблоки очистить от кожуры, удалить сердцевину, нарезать дольками. Добавить сахар и творог, поместить в миксер. Взбивать 1—2 минуты с помощью насадки для измельчения на средней скорости. Добавить молоко, взбивать еще 1 минуту при том же режиме. Сразу перелить в бокалы.

КРЕМ ЯИЧНО-ШОКОЛАДНЫЙ

4 яичных желтка, 2 яичных белка, 10 г шоколада или 50 г какао, 2 столовые ложки сахара, 1/2 стакана сливок, ваниль.

Подогретый шоколад растереть с желтками, смешать с сахаром и ванилью, полученную смесь взбить миксером с помощью насадки для измельчения так, чтобы получилась пышная масса. Сливки взбивать в миксере с помощью насадки для взбивания в течение 1—2 минут. Белки взбить в миксере в пену с помощью насадки для взбивания. Растворить желатин, смешать с массой из желтков и помешивать до тех пор, пока смесь не загустеет. Массу из желтков и взбитые сливки осторожно и тщательно перемешать, выложить в смоченную водой и обсыпанную сахарной пудрой форму, охладить. Перед подачей на стол выложить на стеклянную тарелку.

МУСС АПЕЛЬСИНОВЫЙ

2 апельсина, 1 лимон, 150—200 г сахарной пудры, 3 чайные ложки желатина, 2 стакана сливок, корка с 1 апельсина.

Из апельсинов и лимона выжать сок, смешать с предварительно замоченным, отжатым и растворенным желатином. Слегка охладить. Сливки взбить в миксере с помощью насадки для взбивания в течение 1 минуты, добавить сахар, полузастывший сок с желатином. Полученную смесь взбивать еще 2—3 минуты, пока не образуется пышная масса. Вылить в смоченную водой форму, быстро охладить. Выложить на стеклянное блюдо, украсить сваренной апельсиновой коркой.

МУСС ЗЕМЛЯНИЧНЫЙ

400 г земляники, 3 яичных белка, 4 столовые ложки сахарной пудры, 1 чайная ложка желатина, 1—2 вафли.

Ягоды перебрать, промыть, осушить. Белки взбить в миксере с помощью насадки для взбивания в течение 1—2 минут. К пене добавить сахар, размельченные ягоды и растворенный в горячей воде желатин. Взбивать еще 2—3 минуты. Когда мусс начнет остывать, выложить его на стеклянное блюдо в виде пирамиды, украсить вафлями.

МУСС КЛУБНИЧНЫЙ

400 г клубники, 3 яичных белка, 4 столовые ложки сахарной пудры, 1 чайная ложка желатина, 1—2 вафли.

Ягоды перебрать, промыть, осушить. Белки взбить в миксере с помощью насадки для взбивания в течение 1—2 минут. К пене добавить сахар, размельченные ягоды и растворенный в горячей воде желатин. Взбивать еще 2—3 минуты. Когда мусс начнет остывать, выложить его на стеклянное блюдо в виде пирамиды, украсить вафлями.

МУСС МАКОВЫЙ

100 г мака, 100 г сахарной пудры, цедра с 1/2 апельсина, 2 стакана сливок, 1 столовая ложка желатина, 50 г изюма.

Мак ошпарить, пропустить через мясорубку с частой решеткой. Сливки взбивать в миксере с помощью насадки для взбивания в течение 1—2 минут. К концу взбивания добавить сахар, затем промытый изюм, мак, апельсиновую цедру и растворенный в горячей воде желатин. Полученную массу переложить на стеклянное блюдо, украсить песочным печеньем.

МУСС СМЕТАННЫЙ

500 г сметаны, 5 столовых ложек сахарной пудры, 30 г натертой апельсиновой корки, 2 чайные ложки желатина, ваниль.

Сметану взбивать в миксере с помощью насадки для взбивания в течение 2—3 минут, в конце добавить сахар и ваниль, смешать с разведенным желатином, натертой апельсиновой коркой. Взбивать еще 1 минуту. Вылить в смоченную водой форму, стаканчики или в бокалы для шампанского, охладить. Перед подачей на стол сверху украсить вареньем.

МУСС ЯБЛОЧНЫЙ

400 г кислых яблок, 100 г сахарной пудры, 3 яичных белка, 1 чайная ложка желатина, 1 вафля.

Яблоки помыть, испечь, очистить от кожуры и сердцевины, остудить. Влить 1/4 стакана воды и взбивать в миксере с помощью насадки для взбивания в течение 4—5 минут, каждые 30—40 секунд вливая взбитые белки и растворенный в горячей воде желатин. Мусс из яблок можно окрасить красным желатином или розовой пищевой краской, а также соком натертой свеклы. После того как будут смешаны все необходимые продукты, выложить мусс на стеклянную тарелку в виде пирамиды. Украсить вафлями, нарезанными треугольниками.

БЛЕНДЕР

Блендер представляет собой одну из разновидностей миксера, предназначенную не столько для взбивания продуктов, сколько для их измельчения. С помощью блендера легко и быстро готовятся всевозможные пюре, пасты, суфле, супы и соусы. Блендер позволяет быстро и без усилий раздробить орехи, сырые овощи и фрукты. В то же время с помощью блендера можно приготовить коктейли, взбить сметану, сливки и бисквитную массу.

Применяя блендер, нужно учитывать, что этот прибор не предназначен для обработки большого количества продуктов одновременно. В том случае, когда необходимо приготовить большую порцию какого-то блюда, лучше всего разделить ее на небольшие части либо использовать широкую плоскую посуду, чтобы ножи включенного блендера могли пронизывать всю толщу приготавливаемого блюда. Время приготовления может отличаться от указанного в рецепте в зависимости от количества используемых продуктов и объема посуды. Указанное в рецепте время рассчитано на порцию, помещающуюся в мерный стакан, входящий в комплект блендера.

СОУСЫ И СУПЫ

СОУС «БЕРНЕЗ»

2 столовые ложки белого вина, 2 столовые ложки уксуса, 1 мелкая луковица, 2 яичных желтка, 2 столовые ложки сливочного масла, по 1 чайной ложке измельченного зеленого эстрагона и купыря, перец по вкусу.

Лук нарезать кольцами, залить уксусом и 10 минут кипятить на слабом огне. Остудить, добавить белое вино и желтки. Поставить на паровую баню и, постепенно добавляя масло, одновременно взбивать блендером в течение 3—5 минут до получения густой массы. В конце приправить специями.

СОУС ВИННЫЙ

1 стакан белого вина, 3 яйца, 1 столовая ложка сахара, 3 столовые ложки лимонного сока, цедра лимона на кончике ножа, соль по вкусу.

Все продукты смешать в одной посуде. Посуду поставить на паровую баню или на очень слабый огонь и одновременно взбивать смесь блендером в течение 3—5 минут до получения однородной густой массы

СУП-КРЕМ КАРТОФЕЛЬНЫЙ

2 средние картофелины, 2 стакана бульона, 1 стебель лука порея, 1/2 корня сельдерея, 1 1/2 стакана молока, 2 столовые ложки сливок, 1/2 стакана йогурта, по 1 столовой ложке мелко нарезанного зеленого лука и укропа, перец и соль по вкусу.

Картофель очистить, разрезать на 6—8 частей, сельдерей и лук нарезать крупно, все залить бульоном и варить до мягкого состояния. Бульон слить, овощи измельчить блендером в течение 1—2 минут. Добавить молоко и сливки, посолить и поперчить, взбивать еще 30 секунд. Добавить слитый бульон, довести до кипения, остудить. Йогурт взбить блендером в течение 30 секунд, смешать с зеленью и добавить в остывший суп.

СУП-ПЮРЕ ГОРОХОВЫЙ

2 столовые ложки гороха, 2 стакана воды, 1/2 небольшой луковицы, 1 небольшая морковка, 1 чайная ложка муки, 1 столовая ложка растительного масла, по 1 веточке петрушки и укропа, соль и перец по вкусу.

Горох замочить на 3—4 часа, воду слить, залить 2 стаканами воды и варить 2 часа. Лук, морковь, петрушку и укроп мелко нарезать, обсыпать мукой и обжарить в масле. Горох и обжаренные овощи смешать, взбить блендером в течение 4—6 минут. Полученное пюре развести кипяченой водой до желаемой густоты, добавить соль и перец, взбить блендером в течение 1 минуты, затем нагреть.

СУП-ПЮРЕ ПЕРЛОВЫЙ С ПОМИДОРАМИ

1 столовая ложка перловой крупы, 1 крупный помидор, 1 столовая ложка сливочного масла, 1/2 средней морковки, 1/2 небольшой луковицы, по 1 веточке укропа и петрушки, 1 столовая ложка сметаны, 2 стакана воды, 1/4 чайной ложки соли, перец по вкусу.

Крупу замочить на 3—4 часа, затем воду слить. Добавить 1 стакан свежей воды и варить на слабом огне под крышкой 1 час. Помидор ошпарить кипятком, снять кожуру, залить 1 стаканом воды, варить на слабом огне вместе с луком, морковью и зеленью в течение 30—40 минут. Затем воду слить в отдельную посуду, а смесь овощей измельчить блендером в течение 3—4 минут до получения однородной массы. Добавить сливочное масло, соль, перец и взбить блендером еще раз в течение 30—40 секунд. Полученную смесь соединить с отваренной крупой, овощным отваром и нагреть до кипения, но не кипятить. При подаче на стол заправить сметаной.

СУП ИЗ СПАРЖИ ПО-КАЛИФОРНИЙСКИ

250 г спаржи, 2 стакана воды, 1 столовая ложка сливочного масла, 1 столовая ложка муки, 1 столовая ложка лимонного сока, 1 яичный желток, 1 столовая ложка сливок, 1/2 чайной ложки сахара, соль по вкусу.

Спаржу промыть, срезать верхушки. Верхушки залить 1/2 стакана воды и стушить на слабом огне под крышкой. Стебли спаржи очистить, залить подсоленной водой и отварить до мягкого состояния. Воду слить в отдельную посуду. Спаржу вместе с верхушками смешать с мукой, сахаром и сливочным маслом и измельчить блендером в течение 1—2 минут. Добавить слитую воду и довести до кипения. Отдельно блендером взбить желток со сливками и лимонным соком в течение минуты. Полученную смесь влить в снятый с огня суп.

БЛЮДА ИЗ МЯСА И МОРЕПРОДУКТОВ

ЗАКУСКА ИЗ КОПЧЕНОЙ СКУМБРИИ

150 г копченой скумбрии, 100 г плавленого сыра, 1 средняя морковка.

Морковь отварить, нарезать кружочками. Скумбрию очистить от кожи и костей, нарезать тонкими ломтиками. Сыр нарезать кусочками. Все продукты сложить в одну посуду и измельчить блендером в течение 4—5 минут, перемешивая массу через каждую минуту.

ПАСТА ДЛЯ БУТЕРБРОДОВ С КРЕВЕТКАМИ

100 г очищенных креветок, 1 яйцо, 2—3 столовые ложки майонеза, 2 столовые ложки консервированной кукурузы, соль по вкусу.

Яйцо сварить вкрутую, остудить в холодной воде и нарезать на 4—6 частей. Поместить все продукты в одну посуду и взбить блендером в течение 3—4 минут.

ПАШТЕТ ИЗ ГОВЯЖЬЕЙ ПЕЧЕНКИ

200 г печенки, 1 крупная луковица, 1 яйцо, 100 г белого хлебного мякиша, 50 г сливок, 1 чайная ложка соевого соуса, 1/2 бульонного кубика, 1/4 стакана молока.

Хлебный мякиш смешать с бульонным кубиком и молоком. Печенку очистить от пленок и желчных протоков, залить холодной водой и оставить на 3—4 часа. Затем воду слить, печенку нарезать на небольшие кусочки, раздробить блендером до состояния пюре в течение 2—3 минут. Лук нарезать кольцами, обжарить в сливочном масле до мягкого состояния, добавить в слегка охлажденном виде к печенке, взбивать блендером еще 1—2 минуты. Добавить остальные продукты, взбивать еще 2—3 минуты. Переложить в смазанную растительным маслом форму, запекать в духовке 20—25 минут при температуре 220ºС.

ПАШТЕТ ИЗ КРЕВЕТОК С АВОКАДО

100 г очищенных креветок, 1 авокадо, 2 столовые ложки густых сливок, соль по вкусу.

Авокадо нарезать небольшими кусочками, смешать с креветками и сливками. Измельчить в блендере в течение 3—4 минут.

ПАШТЕТ ИЗ КУРИНОЙ ПЕЧЕНКИ

200 г куриной печенки, 1 средняя морковка, 1 маленькая луковица, 50 г сливочного масла, соль и перец по вкусу.

Печенку отварить в небольшом количестве воды в течение 10 минут, в горячем виде нарезать на кусочки и потушить в сливочном масле на слабом огне под крышкой до тех пор, пока она не станет мягкой. Поместить в одну посуду тушеную печенку, измельченные лук и морковь, добавить 2—3 столовые ложки бульона, в котором варилась печенка, посолить и поперчить. Полученную массу измельчить блендером до состояния однородной пасты в течение 5—6 минут. При необходимости добавить еще 2—3 столовые ложки бульона.

ПАШТЕТ ИЗ СВИНОЙ ПЕЧЕНКИ

200 г свиной печенки, 50 г сливочного масла, 1 крупная морковка, 1 средняя луковица, 1 яйцо, 1/4 стакана сливок, соль, перец, мускатный орех по вкусу.

Печенку замочить в холодной воде на 2—3 часа, очистив от пленок и желчных протоков. Затем воду слить, печень промыть, залить свежей водой и варить 10—12 минут. Морковь и лук потушить в сливочном масле. Печенку нарезать мелкими кусочками, измельчить блендером в течение 3—4 минут, смешать с луком и морковью, залить яйцом и прогреть на слабом огне до свертывания белка, непрерывно помешивая. Подготовленную таким образом массу переложить в посуду для измельчения, посолить, добавить пряности и сливки. Взбить блендером в течение 3—4 минут.

СЕЛЬДЬ РУБЛЕНАЯ

1 небольшая сельдь, 1 средняя луковица, 1 столовая ложка растительного масла, 50 г белого хлебного мякиша, 1/2 стакана молока.

Сельдь очистить, вынуть кости, нарезать на 6—8 кусочков, залить 1/4 стакана молока и оставить на 30—40 минут. Хлебный мякиш замочить в молоке, лук нарезать кольцами и потушить в масле под крышкой на слабом огне, затем остудить. Сельдь измельчить блендером в течение одной минуты, добавить лук и взбить в течение одной минуты. Добавить хлебную массу вместе с молоком и взбивать еще в течение одной минуты.

БЛЮДА ИЗ ТВОРОГА И ЯИЦ

ОМЛЕТ ПО-БОЛГАРСКИ

3 яйца, 50 г сливочного масла, 1 сладкий перец, 100 г брынзы.

Перец очистить от сердцевины, нарезать и измельчить блендером в течение одной минуты. Смешать накрошенную брынзу с яйцами и размягченным маслом и взбивать блендером в течение одной минуты. Добавить перец и взбивать еще 30 секунд. Выпекать на сковородке под крышкой.

ОМЛЕТ С ЗЕЛЕНЫМ ЛУКОМ

3 яйца, 1/3 стакана молока, 1 чайная ложка муки, 10 перьев зеленого лука, 2 столовые ложки растопленного сливочного масла, 1/8 чайной ложки соды, 1/4 чайной ложки соли.

Лук крупно нарезать (на куски по 2—3 см). Яйца, молоко, муку и соль взбить блендером в течение 1—2 минут. Добавить соду. Масло растопить на сковородке, выложить зеленый лук и обжарить в течение 30—40 секунд на слабом огне при постоянном помешивании. Сверху вылить яичную массу, перемешать и выпекать под крышкой.

ОМЛЕТ С СЫРОМ

4 яйца, 120 г твердого сыра, 1 столовая ложка муки, 1/4 стакана пива, 50 г сливочного масла.

Сыр натереть, добавить яйца, муку, взбить блендером в течение двух минут. Добавить пиво и взбивать еще 30 секунд. Масло растопить на слабом огне, вылить в приготовленную массу. Запекать под крышкой в течение 10—12 минут.

ПАСТА ИЗ БРЫНЗЫ ДЛЯ БУТЕРБРОДОВ

100 г брынзы, 3—4 грецких ореха, 1 красный сладкий перец, 1 веточка сельдерея, 1/4 чайной ложки молотого красного перца.

Перец разрезать пополам, вынуть сердцевину, испечь в духовке или в ростере. Орехи очистить от скорлупы. Брынзу разломать на мелкие кусочки. Остывший перец и сельдерей нарезать тонкими полосками. Все продукты смешать и измельчить блендером до получения однородной массы.

ПАСТА СЫРНАЯ
ДЛЯ БУТЕРБРОДОВ

100 г твердого сыра, 1 яйцо, 3 столовые ложки майонеза, 1—2 дольки чеснока.

Яйцо сварить всмятку, сыр разломать на 8—10 кусочков, чеснок нарезать кружочками. Все продукты поместить в одну посуду, измельчить блендером в течение 2—3 минут.

ПАСТА ТВОРОЖНАЯ
ПО-КАЛАБРИЙСКИ

200 г творога, 1 спелый помидор, 3—4 зеленые оливки без косточек, 2 веточки майорана, 1 сладкий перец, 1/4 чайной ложки соли, 1/2 чайной ложки красного перца.

Помидор очистить от кожицы, разрезать на 4—6 частей, вынуть семечки. Перец, оливки, майоран нарезать. Все смешать и измельчить блендером в течение 2—3 минут. Добавить творог, соль, перец и взбивать блендером еще 2—3 минуты. Использовать для бутербродов.

ТВОРОГ ЗЕЛЕНЫЙ

200 г творога, 3—4 веточки укропа, 1—2 веточки петрушки, 3—4 дольки чеснока, 3—4 грецких ореха, соль по вкусу.

Орехи очистить от скорлупы, дольки чеснока разрезать на 3—4 части, зелень мелко нарезать. Орехи, зелень и чеснок смешать в одной посуде и измельчить блендером в течение 2—3 минут. Добавить творог, соль и размешать блендером в течение 1—2 минут. Использовать для бутербродов или фарширования помидоров и сладкого перца.

ТВОРОЖНИКИ СО СМЕТАНОЙ

200 г творога, 30 г сливочного масла, 2 яйца, 1/2 стакана муки, 1 столовая ложка сахара, 1 стакан сметаны, 1/6 чайной ложки соды.

Все продукты смешать в одной посуде. Взбить блендером в течение 3—5 минут. Из полученного теста сформовать лепешки и поджарить с двух сторон в растительном масле.

ЯЙЦА ПО-КОРОЛЕВСКИ

6 яичных желтков, 2 столовые ложки сахара, 1 столовая ложка сливочного масла, 1 стакан воды, 2 столовые ложки коньяка, 1 чайная ложка корицы.

Желтки взбить блендером в течение 4—5 минут, немедленно вылить в смазанную сливочным маслом форму и запекать в духовке на очень слабом огне 40—45 минут. Из сахара, воды и корицы сварить сироп. Из яичной запеканки чайной ложкой зачерпнуть небольшие порции и по очереди опустить их в горячий сироп. Когда сироп остынет, добавить коньяк. Готовому блюду дать настояться в течение двух часов.

БЛЮДА ИЗ ОВОЩЕЙ И ГРИБОВ

ИКРА БАКЛАЖАННАЯ

1 небольшой баклажан, 2—3 дольки чеснока, по 1 веточке укропа и петрушки, 2 столовые ложки растительного масла, 1 чайная ложка лимонного сока, соль и перец по вкусу.

Баклажан запечь в духовке до мягкого состояния, обдать холодной водой, снять кожицу, нарезать небольшими кусочками и полить лимонным соком. Чеснок нарезать кружочками, зелень крупно порезать. Все продукты смешать, добавить растительное масло и специи, взбивать блендером в течение 4—5 минут до получения однородной массы.

ИКРА ИЗ ГРИБОВ

6—7 сушеных грибов, 1 средняя луковица, 2 столовые ложки растительного масла, 1 столовая ложка уксуса, 1/4 чайной ложки соли.

Грибы замочить на 1—2 часа, тщательно промыть, отварить, нарезать небольшими кусочками. Лук нарезать кольцами и потушить в растительном масле. Грибы и лук смешать, измельчить блендером в течение 3—4 минут. Добавить соль, уксус и взбить блендером в течение 30 секунд.

ИКРА КАБАЧКОВАЯ

150 г мякоти кабачка, 1 спелый помидор, 1 небольшая луковица, 1—2 дольки чеснока, 1 столовая ложка растительного масла, 1/4 чайной ложки соли, перец и зелень по вкусу.

Мякоть кабачка, помидор и лук нарезать кусочками, обжарить в растительном масле до мягкого состояния на слабом огне под крышкой, затем остудить. Добавить соль, перец, зелень и нарезанный чеснок. Измельчить блендером до однородного состояния в течение 5—6 минут, перемешивая продукты через каждые две минуты.

КОТЛЕТЫ ИЗ ФАСОЛИ

400 г фасоли, 2—3 картофелины, 1—2 яйца, 1 небольшая луковица, 1 столовая ложка сливочного масла, 1/2 стакана растительного масла, 1/2 чайной ложки соли, перец по вкусу.

Фасоль замочить на 4—6 часов, варить на медленном огне до тех пор, пока она не станет мягкой. Лук нарезать кольцами и обжарить на сливочном масле, непрерывно помешивая. Картофель сварить в мундире, очистить от кожуры и нарезать. Все продукты поместить в одну посуду, взбить блендером до получения однородной массы в течение 4—6 минут. Сформовать котлеты и поджарить их в растительном масле.

ПАШТЕТ
ИЗ АВОКАДО С МАЙОНЕЗОМ

1 авокадо, 1 яйцо, 2 столовые ложки лимонного сока, 1 столовая ложка майонеза, соль по вкусу.

Авокадо очистить от кожуры, извлечь сердцевину, нарезать кусочками, залить лимонным соком, перемешать и оставить на 10—15 минут. За это время сварить яйцо вкрутую, охладить, очистить и разрезать на 4—6 частей. Все продукты смешать, взбить блендером в течение 3—4 минут.

ПАШТЕТ ИЗ СВЕКЛЫ

1 небольшая свекла, 1 яйцо, 3 столовые ложки консервированной кукурузы, 3 столовые ложки майонеза, соль по вкусу.

Свеклу отварить, остудить в холодной воде, очистить и нарезать небольшими кусочками. Яйцо сварить вкрутую, остудить, очистить и нарезать на 4—5 частей. Все продукты смешать в одной посуде и измельчить блендером в течение 3—4 минут. Затем посолить и взбивать еще 30 секунд.

ПОМИДОРЫ,
ФАРШИРОВАННЫЕ РЫБОЙ

4 крупных твердых помидора, 500 г трески, 1 чайная ложка каперсов, 1 корень сельдерея, 2 чайные ложки натертого хрена, 1/2 стакана соуса «чили», зелень для украшения.

Рыбу отварить, очистить от костей и разрезать на небольшие кусочки. Сельдерей очистить, нарезать кружками. С помидоров срезать верхушки, ложкой вынуть сердцевину. Рыбу, каперсы, сельдерей, хрен и соус «чили» смешать и взбить блендером в течение 3—4 минут. Помидоры заполнить полученной массой, украсить зеленью.

ПЮРЕ ИЗ ШПИНАТА

100—150 г шпината, 1 чайная ложка муки, 2 столовые ложки расти-
тельного масла, 1/4 стакана простокваши, 1 веточка петрушки,
1 яйцо, 1 столовая ложка натертого сыра или брынзы, 1/2 стакана
воды, соль по вкусу.

Муку, растительное масло и шпинат смешать на сковородке, обжарить на слабом огне. Добавить воду, посолить и тушить под крышкой
10—15 минут. Яйцо взбить блендером с простоквашей и нарезанной петрушкой в течение 1—2 минут, добавить в три приема тушеный шпинат,
каждый раз включая блендер на 30 секунд. Приготовленную смесь посыпать натертым сыром или брынзой.

ПЮРЕ КАРТОФЕЛЬНОЕ РАЗНОЦВЕТНОЕ

6—7 средних картофелин, 1 яйцо, 1 столовая ложка свекольного сока,
2 столовые ложки морковного сока, 1—2 листика шпината, 1/4 ста-
кана сливок, 50 г сливочного масла, 1/2 чайной ложки соли.

Картофель сварить в мундире, обдать холодной водой, очистить от кожуры, разрезать на 4—6 кусков каждую картофелину. Сливки подогреть с
маслом до 40—50°С, добавить соль и яйцо. Картофель и молочную смесь
поместить в одну посуду, перемешать и взбить блендером в течение 5—6
минут до получения пышной однородной массы. Пюре разделить на три
части, в каждую добавить сок свеклы или моркови либо измельченный
шпинат. При подаче выложить пюре на тарелки разноцветными слоями с
помощью кулинарного шприца.

ПЮРЕ ЛУКОВОЕ ПО-ФРАНЦУЗСКИ

2 крупные луковицы, 2—3 средние картофелины, 2 столовые ложки
молока, 50 г сливочного масла, 3 яичных желтка, соль, перец и мус-
катный орех по вкусу.

Очищенный картофель и лук разрезать на части, залить водой так,
чтобы она лишь прикрывала их, варить до готовности. Воду слить, добавить овощи и сливочное масло, растопленное в теплом молоке. Взбить
блендером в течение 3—4 минут. Затем добавить яичные желтки, специи
и взбивать еще одну минуту. Подать сразу.

ДЕСЕРТНЫЕ БЛЮДА

ГОГОЛЬ-МОГОЛЬ

2—3 яичных желтка, 3 столовые ложки сахарной пудры, 2 столовые
ложки ликера или коньяка, 1/2 стакана 30%-ных сливок.

Желтки смешать с сахарной пудрой и взбить в блендере в течение 2—3 минут. Добавить сливки и взбивать еще 1—2 минуты. Влить ликер и взбивать в течение 30 секунд. Употреблять немедленно после приготовления.

ЙОГУРТ АБРИКОСОВЫЙ

2 спелых, мягких абрикоса, 1 стакан кефира, 1/3 стакана 30%-ных сливок, 2 столовые ложки абрикосового сиропа (можно варенья) или 2 столовые ложки сахарной пудры.

Из абрикосов вынуть косточки, мелко нарезать, поместить в блендер вместе с сиропом или сахарной пудрой. Взбить в пюре в течение 40—50 секунд. Добавить сливки и кефир. Взбивать еще одну минуту. Употреблять сразу же после приготовления.

ЙОГУРТ ГРУШЕВЫЙ

1 спелая, сочная груша, 1 стакан кефира, 1/3 стакана 30%-ных сливок, 2 столовые ложки абрикосового сиропа (можно варенья) или 2 столовые ложки сахарной пудры.

Грушу очистить, мелко нарезать, поместить в блендер вместе с сиропом или сахарной пудрой. Взбить в пюре в течение 40—50 секунд. Добавить сливки и кефир, взбивать еще одну минуту. Употреблять сразу же после приготовления.

ЙОГУРТ ЕЖЕВИЧНЫЙ

1/2 стакана свежих ягод ежевики, 1 стакан кефира, 1/2 стакана 20- или 10%-ных сливок, 2 столовые ложки ягодного сиропа (или 1 столовая ложка сиропа и 1 столовая ложка жидкого меда), 1 стакан сахарной пудры, 2 столовые ложки ликера.

Ягоды ежевики мелко нарезать. Кефир смешать с сиропом, всыпать сахарную пудру и взбить в блендере в течение 1,5—2 минут. Добавить измельченные ягоды, взбивать еще 20—30 секунд. Влить ликер и немедленно подать на стол.

ЙОГУРТ ЗЕМЛЯНИЧНЫЙ

1/2 стакана свежих ягод земляники, 1 стакан кефира, 1/2 стакана 20- или 10%-ных сливок, 2 столовые ложки ягодного сиропа (или 1 столовая ложка сиропа и 1 столовая ложка жидкого меда), 1 стакан сахарной пудры, 2 столовые ложки ликера.

Ягоды земляники мелко нарезать. Кефир и сливки смешать с сиропом, всыпать сахарную пудру и взбить в блендере в течение 1,5—2 минут. Добавить измельченные ягоды, взбивать еще 20—30 секунд. Влить ликер и немедленно подать на стол.

ЙОГУРТ КЛУБНИЧНЫЙ

1/2 стакана свежих ягод клубники, 1 стакан кефира, 1/2 стакана 20- или 10%-ных сливок, 2 столовые ложки клубничного сиропа (или 1 столовая ложка сиропа и 1 столовая ложка жидкого меда), 1 стакан сахарной пудры, 2 столовые ложки ликера.

Ягоды клубники мелко нарезать. Кефир и сливки смешать с сиропом, всыпать сахарную пудру и взбить в блендере в течение 1,5—2 минут. Добавить измельченные ягоды, взбивать еще 20—30 секунд. Влить ликер и немедленно подать на стол.

ЙОГУРТ МАЛИНОВЫЙ

1/2 стакана свежих ягод малины, 1 стакан кефира, 1/2 стакана 20- или 10%-ных сливок, 2 столовые ложки малинового сиропа (или 1 столовая ложка сиропа и 1 столовая ложка жидкого меда), 1 стакан сахарной пудры, 2 столовые ложки ликера.

Ягоды малины мелко нарезать. Кефир и сливки смешать с сиропом, всыпать сахарную пудру и взбить в блендере в течение 1,5—2 минут. Добавить измельченные ягоды, взбивать еще 20—30 секунд. Влить ликер и немедленно подать на стол.

ЙОГУРТ МАНГОВЫЙ

2 ломтика манго, 1 стакан кефира, 1/3 стакана 30%-ных сливок, 2 столовые ложки абрикосового сиропа (можно варенья) или 2 столовые ложки сахарной пудры.

Ломтики манго мелко нарезать, поместить в блендер вместе с сиропом или сахарной пудрой. Взбить в пюре в течение 40—50 секунд. Добавить сливки и кефир, взбивать еще одну минуту. Употреблять сразу же после приготовления.

ЙОГУРТ ПЕРСИКОВЫЙ

1 спелый, мягкий персик, 1 стакан кефира, 1/3 стакана 30%-ных сливок, 2 столовые ложки абрикосового сиропа (можно варенья) или 2 столовые ложки сахарной пудры.

Из персика вынуть косточку, мелко нарезать, поместить в блендер вместе с сиропом или сахарной пудрой. Взбить в пюре в течение 40—50 секунд. Добавить сливки и кефир, взбивать еще одну минуту. Употреблять сразу же после приготовления.

КОКТЕЙЛЬ МОЛОЧНО-ВИШНЕВЫЙ

2 столовые ложки вишневого сиропа (или варенья), 100 г сливочного мороженого, 3/4 стакана молока.

Смешать все составляющие и взбить в блендере в течение 2—3 минут. Употреблять немедленно после приготовления.

КОКТЕЙЛЬ МОЛОЧНО-ЕЖЕВИЧНЫЙ

2 столовые ложки ежевичного сиропа (или варенья), 100 г сливочного мороженого, 3/4 стакана молока.

Смешать все составляющие и взбить в блендере в течение 2—3 минут. Употреблять немедленно после приготовления.

КОКТЕЙЛЬ МОЛОЧНО-ЗЕМЛЯНИЧНЫЙ

2 столовые ложки земляничного сиропа (или варенья), 100 г сливочного мороженого, 3/4 стакана молока.

Смешать все составляющие и взбить в блендере в течение 2—3 минут. Употреблять немедленно после приготовления.

КОКТЕЙЛЬ МОЛОЧНО-КЛУБНИЧНЫЙ

2 столовые ложки клубничного сиропа (или варенья), 100 г сливочного мороженого, 3/4 стакана молока.

Смешать все составляющие и взбить в блендере в течение 2—3 минут. Употреблять немедленно после приготовления.

КОКТЕЙЛЬ МОЛОЧНО-МАЛИНОВЫЙ

2 столовые ложки малинового сиропа (или варенья), 100 г сливочного мороженого, 3/4 стакана молока.

Смешать все составляющие и взбить в блендере в течение 2—3 минут. Употреблять немедленно после приготовления.

КОКТЕЙЛЬ СЛИВОЧНО-КОФЕЙНЫЙ

1/2 чайной ложки растворимого кофе, 1/2 столовой ложки 20%-ных сливок, 2 столовые ложки молока, 100 г сливочного мороженого, 1 яичный желток, 2 столовые ложки сахарной пудры, 1—2 столовые ложки кофейного ликера или 2—3 капли эссенции.

Растворимый кофе развести в теплом молоке, смешать с остальными продуктами и взбить в блендере в течение 2—3 минут.

КОКТЕЙЛЬ СЛИВОЧНО-ШОКОЛАДНЫЙ

200 г натертого шоколада, 1/2 столовой ложки 20%-ных сливок, 2 столовые ложки молока, 100 г сливочного мороженого, 1 яичный желток, 2 столовые ложки сахарной пудры, 1—2 столовые ложки шоколадного ликера или 2—3 капли эссенции.

Шоколад развести в горячем молоке, смешать с остальными продуктами и взбить в блендере в течение 2—3 минут.

КОКТЕЙЛЬ ТОНИЗИРУЮЩИЙ

4 яичных желтка, 1/2 стакана лимонного сока, 1/2 стакана коньяка или рома, 1 стакан крепко заваренного чая, 1/2 стакана молока.

Все продукты смешать и взбить в блендере в течение 1—2 минут.

КРЕМ АБРИКОСОВЫЙ

4 абрикоса, 1/2 стакана молока, 2 яйца, 1 столовая ложка крахмала, 3 столовые ложки сахара, 1/2 стакана 30%-ных сливок.

Молоко и крахмал заварить на медленном огне при постоянном помешивании, остудить. С помощью блендера яйцо взбить с сахаром в течение 1—2 минут, добавить размятые абрикосы и молочную смесь, после этого взбивать еще 2—3 минуты. Влить сливки и взбить в течение 2 минут. Полученную массу разлить по формам и остудить в холодильнике.

КРЕМ БАНАНОВЫЙ

2 банана, 1/2 стакана молока, 2 яйца, 1 столовая ложка крахмала, 3 столовые ложки сахара, 1/2 стакана 30%-ных сливок.

Молоко и крахмал заварить на медленном огне при постоянном помешивании, остудить. С помощью блендера яйцо взбить с сахаром в течение 1—2 минут, добавить размятые бананы и молочную смесь, после этого взбивать еще 2—3 минуты. Влить сливки и взбить в течение двух минут. Полученную массу разлить по формам и остудить в холодильнике.

КРЕМ ВИШНЕВЫЙ

1 стакан свежих или мороженых вишен, 1 стакан сахара, 2 яичных белка, 1/4 стакана воды, 2 столовые ложки желатина.

Из ягод вынуть косточки, сок слить в отдельную посуду. Желатин замочить на 30 минут, затем подогреть до растворения, добавить сок, остудить до комнатной температуры. Белки взбить с сахаром в течение 3—4 минут, добавить ягоды и взбивать еще 2—3 минуты. В полученную массу влить приготовленный желатин с соком и взбить в течение 20—30 секунд. Готовую массу разлить по формочкам, поставить на холод.

КРЕМ ИЗ ЧЕРЕШНИ

1 стакан свежих или мороженых ягод черешни, 1 стакан сахара, 2 яичных белка, 1/4 стакана воды, 2 столовые ложки желатина.

Из ягод вынуть косточки, сок слить в отдельную посуду. Желатин замочить на 30 минут, затем подогреть до растворения, добавить сок, остудить до комнатной температуры. Белки взбить с сахаром в блендере в течение 3—4 минут, добавить ягоды и взбивать еще 2—3 минуты. В полученную массу влить приготовленный желатин с соком и взбить в течение 20—30 секунд. Готовую массу разлить по формочкам, поставить на холод.

КРЕМ МАНГОВЫЙ

3 ломтика манго, 1/2 стакана молока, 2 яйца, 1 столовая ложка крахмала, 3 столовые ложки сахара, 1/2 стакана 30%-ных сливок.

Молоко и крахмал заварить на медленном огне при постоянном помешивании, остудить. С помощью блендера яйцо взбить с сахаром в течение 1—2 минут, добавить размятые ломтики манго и молочную смесь, после этого взбивать еще 2—3 минуты. Влить сливки и взбить в течение двух минут. Полученную массу разлить по формам и остудить в холодильнике.

КРЕМ ПЕРСИКОВЫЙ

3 персика, 1/2 стакана молока, 2 яйца, 1 столовая ложка крахмала, 3 столовые ложки сахара, 1/2 стакана 30%-ных сливок.

Молоко и крахмал заварить на медленном огне при постоянном помешивании, остудить. С помощью блендера яйцо взбить с сахаром в течение 1—2 минут, добавить размятые персики и молочную смесь, после этого взбивать еще 2—3 минуты. Влить сливки и взбить в течение 2 минут. Полученную массу разлить по формам и остудить в холодильнике.

КРЕМ ТВОРОЖНО-ВАНИЛЬНЫЙ

150 г творога, 1 пакетик ванильного сахара, 50 г сливочного масла, 1/2 стакана сахара, 1 яйцо, 1/4 стакана густых сливок.

Яйцо взбить блендером с сахаром в течение двух минут. Добавить творог, размягченное масло, сливки и ванильный сахар. Смесь перемешать ложкой и взбивать блендером в течение еще 2—3 минут. При подаче на стол можно посыпать дроблеными орехами.

КРЕМ ТВОРОЖНО-ШОКОЛАДНЫЙ

150 г творога, 50 г шоколада, 50 г сливочного масла, 1/4 стакана сливок, 1 яйцо, 1/2 стакана сахара.

Сливки и шоколад подогреть на водяной бане до расплавления шоколада. Яйцо взбить блендером с сахаром в течение 1—2 минут. Добавить все остальные продукты и взбивать еще 3—4 минуты до получения однородной массы.

МУСС АБРИКОСОВЫЙ

5 свежих абрикосов, 1/2 стакана сахарной пудры, 1 яичный белок, 1/2 стакана 30%-ных сливок, 1 столовая ложка желатина, 1/3 стакана воды.

Желатин на 30 минут замочить в воде, затем подогреть на слабом огне до полного растворения (не кипятить!) и остудить. Мякоть абрикосов взбить с сахарной пудрой до однородного состояния, добавить желатин, белок и сливки. Взбивать блендером в течение 3—5 минут. Готовую массу вылить в одну большую форму или в порционные формочки, поместить в холодильник до окончательного загустения.

МУСС ВИШНЕВЫЙ

1 стакан свежих ягод вишни, 1 столовая ложка манной крупы, 1/2 стакана сахара, 1/2 стакана воды.

Ягоды очистить от косточек, тщательно размять, сок отжать через марлю, поставить его на холод. Выжимки залить водой, вскипятить и еще раз отжать сок. В полученной жидкости заварить манную крупу, добавить сахар, холодный вишневый сок. Взбивать блендером в течение 4—6 минут. Готовую массу переложить в формочки и поставить на холод для застывания.

МУСС ЕЖЕВИЧНЫЙ

1/2 стакана свежей ежевики, 1/2 стакана сахарной пудры, 1 яичный белок, 1/2 стакана 30%-ных сливок, 1 столовая ложка желатина, 1/3 стакана воды.

Желатин на 30 минут замочить в воде, затем подогреть на слабом огне до полного растворения (не кипятить!) и остудить. Ягоды взбить с сахарной пудрой до однородного состояния, добавить желатин, белок и сливки. Взбивать блендером в течение 3—5 минут. Готовую массу вылить в одну большую форму или в порционные формочки, поместить в холодильник до окончательного загустения.

МУСС ЗЕМЛЯНИЧНЫЙ

1/2 стакана свежей земляники, 1/2 стакана сахарной пудры, 1 яичный белок, 1/2 стакана 30%-ных сливок, 1 столовая ложка желатина, 1/3 стакана воды.

Желатин на 30 минут замочить в воде, затем подогреть на слабом огне до полного растворения (не кипятить!) и остудить. Ягоды взбить с сахарной пудрой до однородного состояния, добавить желатин, белок и сливки. Взбивать блендером в течение 3—5 минут. Готовую массу вылить в одну большую форму или в порционные формочки, поместить в холодильник до окончательного загустения.

МУСС ИЗ ДЫНИ

150 г мякоти дыни, 1/2 стакана сахарной пудры, 1 яичный белок, 1/2 стакана 30%-ных сливок, 1 столовая ложка желатина, 1/3 стакана воды.

Желатин на 30 минут замочить в воде, затем подогреть на слабом огне до полного растворения (не кипятить!) и остудить. Мякоть дыни взбить с сахарной пудрой в пюре, добавить желатин, белок и сливки. Взбивать блендером в течение 3—5 минут. Готовую массу вылить в одну большую форму или в порционные формочки, поместить в холодильник до окончательного загустения.

МУСС КЛУБНИЧНЫЙ

1/2 стакана свежей клубники, 1/2 стакана сахарной пудры, 1 яичный белок, 1/2 стакана 30%-ных сливок, 1 столовая ложка желатина, 1/3 стакана воды.

Желатин на 30 минут замочить в воде, затем подогреть на слабом огне до полного растворения (не кипятить!) и остудить. Ягоды взбить с сахарной пудрой до однородного состояния, добавить желатин, белок и сливки. Взбивать блендером в течение 3—5 минут. Готовую массу вылить в одну большую форму или в порционные формочки, поместить в холодильник до окончательного загустения.

МУСС КЛЮКВЕННЫЙ

1 стакан свежей или мороженой клюквы, 1 столовая ложка манной крупы, 1/2 стакана сахара, 1/2 стакана воды.

Ягоды тщательно размять, сок отжать через марлю, поставить на холод. Выжимки залить водой, вскипятить и еще раз отжать сок. В полученной жидкости заварить манную крупу, добавить сахар, холодный клюквенный сок. Взбивать блендером в течение 4—6 минут. Готовую массу переложить в формочки и поставить на холод для застывания.

МУСС КОФЕЙНЫЙ

1 стакан 30%-ных сливок, 1 яичный белок, 1/2 стакана сахарной пудры, 1 чайная ложка желатина, 1/3 стакана воды, 2 чайные ложки растворимого кофе или 1/3 стакана крепко заваренного кофе.

Желатин замочить в воде на 30 минут, затем нагреть до полного растворения, добавить кофе и охладить до комнатной температуры. Смешать все продукты и взбить блендером в течение 3—5 минут. Готовую массу выложить в формы и поставить в холодильник для застывания.

МУСС МАЛИНОВЫЙ

1/2 стакана свежих ягод малины, 1/2 стакана сахарной пудры, 1 яичный белок, 1/2 стакана 30%-ных сливок, 1 столовая ложка желатина, 1/3 стакана воды.

Желатин на 30 минут замочить в воде, затем подогреть на слабом огне до полного растворения (не кипятить!) и остудить. Ягоды взбить с сахарной пудрой до однородного состояния, добавить желатин, белок и сливки. Взбивать в течение 3—5 минут блендером. Готовую массу вылить в одну большую форму или в порционные формочки, поместить в холодильник до окончательного загустения.

МУСС МАНГОВЫЙ

150 г мякоти манго, 1/2 стакана сахарной пудры, 1 яичный белок, 1/2 стакана 30%-ных сливок, 1 столовая ложка желатина, 1/3 стакана воды.

Желатин на 30 минут замочить в воде, затем подогреть на слабом огне до полного растворения (не кипятить!) и остудить. Мякоть манго взбить с сахарной пудрой в пюре, добавить желатин, белок и сливки. Взбивать в течение 3—5 минут блендером. Готовую массу вылить в одну большую форму или в порционные формочки, поместить в холодильник до окончательного загустения.

МУСС СМОРОДИНОВЫЙ

1 стакан свежих ягод смородины, 1 столовая ложка манной крупы, 1/2 стакана сахара, 1/2 стакана воды.

Ягоды тщательно размять, сок отжать через марлю, поставить его на холод. Выжимки залить водой, вскипятить и еще раз отжать сок. В полученной жидкости заварить манную крупу, добавить сахар, холодный смородиновый сок. Взбивать блендером в течение 4—6 минут. Готовую массу переложить в формочки и поставить на холод для застывания.

МУСС ШОКОЛАДНЫЙ

1 стакан 30%-ных сливок, 1 яичный белок, 1/2 стакана сахарной пудры, 1 чайная ложка желатина, 1/3 стакана воды, 2 столовые ложки натертого шоколада.

Желатин замочить в воде на 30 минут, затем нагреть до полного растворения, добавить шоколад и охладить до комнатной температуры. Смешать все продукты и взбить блендером в течение 3—5 минут. Готовую массу выложить в формы и поставить в холодильник для застывания.

ОРЕХОВЫЕ ПАЛОЧКИ

1/2 стакана очищенного арахиса, 1/2 стакана муки, 1/2 стакана сахара, 1 яйцо, 2 столовые ложки сливочного масла.

Арахис раздробить с помощью блендера в течение 2—3 минут. Добавить яйца, сахар и масло. Смесь взбивать блендером в течение еще двух минут. Добавить муку и ложкой замесить тесто, раскатать его и вырезать полоски. Выпекать 20 минут при температуре 200ºC.

ПУДИНГ ИЗ ИНЖИРА ПО-КРЕОЛЬСКИ

200 г инжира, 1—2 столовые ложки сахара, 2 яйца, 50 г сливочного масла, 120 г белого хлебного мякиша, 1 столовая ложка молока.

Хлеб замочить в молоке. Инжир залить холодной водой и оставить на 30 минут. Затем обсушить и нарезать на 5—6 частей каждый плод. Сахар и яичные желтки взбить блендером в течение 2—3 минут. Добавить хлебную массу, масло и инжир, смесь измельчить блендером в течение 2—3 минут. Отдельно взбивать белки 3—4 минуты. Все продукты осторожно смешать, выложить в смазанную маслом форму и готовить два часа на паровой бане.

СУФЛЕ АБРИКОСОВОЕ

350 г свежих абрикосов, 200 г фисташек, 1 лимон, 1 столовая ложка желатина, 300 г творога, 200 г мягкого сыра (типа адыгейского), 2 столовые ложки меда, 2 столовые ложки абрикосового сиропа (или варенья), 1/3 стакана воды.

Желатин замочить в воде для набухания. С лимона снять цедру, мякоть очистить от пленок и мелко нарезать. Творог, сыр, мед, сироп, цедру, мякоть лимона и 100 г фисташек смешать, взбить блендером в течение 2—3 минут до получения однородной массы. Желатин растопить на слабом огне, добавить в приготовленную смесь и взбивать блендером еще в течение 30 секунд. Из абрикосов удалить косточки, мелко нарезать, смешать с полученной массой, выложить в порционные формочки или в одну большую форму. Поместить на холод на 4—8 часов. При подаче на стол посыпать измельченными фисташками.

СУФЛЕ ВИШНЕВОЕ

300 г свежих ягод вишни, 200 г фисташек, 1 лимон, 1 столовая ложка желатина, 300 г творога, 200 г мягкого сыра (типа адыгейского), 2 столовые ложки меда, 2 столовые ложки вишневого сиропа, 1/3 стакана воды.

Желатин замочить в воде для набухания. С лимона снять цедру, мякоть очистить от пленок и мелко нарезать. Творог, сыр, мед, сироп, цедру, мякоть лимона и 100 г фисташек смешать, взбить блендером в течение 2—3 минут до получения однородной массы. Желатин растопить на слабом огне, добавить в приготовленную смесь и взбивать блендером еще в течение 30 секунд. Из вишен извлечь косточки, нарезать на мелкие части, смешать с полученной массой, выложить в порционные формочки или в одну большую форму. Поместить на холод на 4—8 часов. При подаче на стол посыпать измельченными фисташками.

СУФЛЕ ИЗ КРАСНОЙ СМОРОДИНЫ

300 г свежих ягод красной смородины, 200 г фисташек, 1 лимон, 1 столовая ложка желатина, 300 г творога, 200 г мягкого сыра (типа адыгейского), 2 столовые ложки меда, 2 столовые ложки ягодного сиропа (или варенья из красной смородины), 1/3 стакана воды.

Желатин замочить в воде для набухания. С лимона снять цедру, мякоть очистить от пленок и мелко нарезать. Творог, сыр, мед, сироп, цедру, мякоть лимона и 100 г фисташек смешать, взбить блендером в течение 2—3 минут до получения однородной массы. Желатин растопить на слабом огне, добавить в приготовленную смесь и взбивать блендером еще в течение 30 секунд. Полученную массу смешать с очищенными ягодами красной смородины, выложить в порционные формочки или в одну большую форму. Поместить на холод на 4—8 часов. При подаче на стол посыпать измельченными фисташками.

СУФЛЕ ИЗ ЧЕРНОЙ СМОРОДИНЫ

300 г свежих ягод черной смородины, 200 г фисташек, 1 лимон, 1 столовая ложка желатина, 300 г творога, 200 г мягкого сыра (типа адыгейского), 2 столовые ложки меда, 2 столовые ложки ягодного сиропа (или варенья из черной смородины), 1/3 стакана воды.

Желатин замочить в воде для набухания. С лимона снять цедру, мякоть очистить от пленок и мелко нарезать. Творог, сыр, мед, сироп, цедру, мякоть лимона и 100 г фисташек смешать, взбить блендером в течение 2—3 минут до получения однородной массы. Желатин растопить на слабом огне, добавить в приготовленную смесь и взбивать блендером еще в течение 30 секунд. Полученную массу смешать с очищенными ягодами черной смородины, выложить в порционные формочки или в одну большую форму. Поместить на холод на 4—8 часов. При подаче на стол посыпать измельченными фисташками.

СУФЛЕ КЛУБНИЧНОЕ

300 г свежих ягод клубники, 200 г фисташек, 1 лимон, 1 столовая ложка желатина, 300 г творога, 200 г мягкого сыра (типа адыгейского), 2 столовые ложки меда, 2 столовые ложки клубничного сиропа, 1/3 стакана воды.

Желатин замочить в воде для набухания. С лимона снять цедру, мякоть очистить от пленок и мелко нарезать. Творог, сыр, мед, сироп, цедру, мякоть лимона и 100 г фисташек смешать, взбить блендером в течение 2—3 минут до получения однородной массы. Желатин растопить на слабом огне, добавить в приготовленную смесь и взбивать блендером еще в течение 30 секунд. Полученную массу смешать с ягодами клубники, выложить в порционные формочки или в одну большую форму. Поместить на холод на 4—8 часов. При подаче на стол посыпать измельченными фисташками.

СУФЛЕ МАЛИНОВОЕ

300 г свежих ягод малины, 200 г фисташек, 1 лимон, 1 столовая ложка желатина, 300 г творога, 200 г мягкого сыра (типа адыгейского), 2 столовые ложки меда, 2 столовые ложки малинового сиропа (или варенья), 1/3 стакана воды.

Желатин замочить в воде для набухания. С лимона снять цедру, мякоть очистить от пленок и мелко нарезать. Творог, сыр, мед, сироп, цедру, мякоть лимона и 100 г фисташек смешать, взбить блендером в течение 2—3 минут до получения однородной массы. Желатин растопить на слабом огне, добавить в приготовленную смесь и взбивать блендером еще в течение 30 секунд. Полученную массу смешать с ягодами малины, выложить в порционные формочки или в одну большую форму. Поместить на холод на 4—8 часов. При подаче на стол посыпать измельченными фисташками.

СУФЛЕ МАНГОВОЕ

300 г мякоти манго, 200 г фисташек, 1 лимон, 1 столовая ложка желатина, 300 г творога, 200 г мягкого сыра (типа адыгейского), 2 столовые ложки меда, 2 столовые ложки ягодного сиропа, 1/3 стакана воды.

Желатин замочить в воде для набухания. С лимона снять цедру, мякоть очистить от пленок и мелко нарезать. Творог, сыр, мед, сироп, цедру, мякоть лимона и 100 г фисташек смешать, взбить блендером в течение 2—3 минут до получения однородной массы. Желатин растопить на слабом огне, добавить в приготовленную смесь и взбивать блендером еще в течение 30 секунд. Полученную массу смешать с мякотью манго, выложить в порционные формочки или в одну большую форму. Поместить на холод на 4—8 часов. При подаче на стол посыпать измельченными фисташками.

СУФЛЕ ПЕРСИКОВОЕ

400 г свежих персиков, 200 г фисташек, 1 лимон, 1 столовая ложка желатина, 300 г творога, 200 г мягкого сыра (типа адыгейского), 2 столовые ложки меда, 2 столовые ложки персикового сиропа (или варенья), 1/3 стакана воды.

Желатин замочить в воде для набухания. С лимона снять цедру, мякоть очистить от пленок и мелко нарезать. Творог, сыр, мед, сироп, цедру, мякоть лимона и 100 г фисташек смешать, взбить блендером в течение 2—3 минут до получения однородной массы. Желатин растопить на слабом огне, добавить в приготовленную смесь и взбивать блендером еще в течение 30 секунд. Из персиков извлечь косточки, нарезать на мелкие кусочки и смешать с полученной массой, выложить в порционные формочки или в одну большую форму. Поместить на холод на 4—8 часов. При подаче на стол посыпать измельченными фисташками.

СУФЛЕ ЧЕРНИЧНОЕ

300 г свежих ягод черники, 200 г фисташек, 1 лимон, 1 столовая ложка желатина, 300 г творога, 200 г мягкого сыра (типа адыгейского), 2 столовые ложки меда, 2 столовые ложки черничного сиропа (или варенья), 1/3 стакана воды.

Желатин замочить в воде для набухания. С лимона снять цедру, мякоть очистить от пленок и мелко нарезать. Творог, сыр, мед, сироп, цедру, мякоть лимона и 100 г фисташек смешать, взбить блендером в течение 2—3 минут до получения однородной массы. Желатин растопить на слабом огне, добавить в приготовленную смесь и взбивать блендером еще в течение 30 секунд. Полученную массу смешать с ягодами черники, выложить в порционные формочки или в одну большую форму. Поместить на холод на 4—8 часов. При подаче на стол посыпать измельченными фисташками.

СОДЕРЖАНИЕ

К читателю **5**

ТУРБОПЕЧЬ 7
Блюда из мяса и птицы **8**
Блюда из рыбы и морепродуктов **38**
Блюда из овощей и грибов **47**
Изделия из теста и десерт **58**

ФРИТЮРНИЦА 71
Блюда из мяса и птицы **71**
Блюда из рыбы и морепродуктов **82**
Блюда из творога и сыра **90**
Блюда из овощей **92**
Изделия из теста и десерт **105**

РОСТЕР 118
Изделия с мясом и птицей **118**
Изделия с рыбой и морепродуктами **129**
Изделия с овощами и грибами **137**
Изделия из творога, сыра и яиц **142**
Десертные блюда **146**

ГРИЛЬ 150

БЛИННИЦА 179

МОРОЖЕНИЦА 199

ВАФЕЛЬНИЦА 211

ЭЛЕКТРОПАРОВАРКА 222

СКОРОВАРКА «SICOMATIK-S» 243
Блюда из мяса и птицы **243**
Блюда из овощей и грибов **250**
Блюда из рыбы **254**
Десерт **256**
Супы **257**

ЭЛЕКТРОШИНКОВКА 261

ЭЛЕКТРОМИКСЕР 303
Блюда из теста **303**
Коктейли и напитки **314**
Кремы и муссы **324**

БЛЕНДЕР 330
Соусы и супы **330**
Блюда из мяса и морепродуктов **332**
Блюда из творога и яиц **334**
Блюда из овощей и грибов **336**
Десертные блюда **338**

ВКУСНО И БЫСТРО

Редактор *Т. Другова*
Художественный редактор *А. Сауков*
Технические редакторы *В. Куркова, А. Щербакова*
Корректор *М. Минкова*

Изд. лиц. № 065377 от 22.08.97

Налоговая льгота — общероссийский классификатор
продукции ОК-005-93, том 2; 953000 — книги, брошюры

Подписано в печать с готовых монтажей 28.01.00.
Формат 70х100 1/16. Гарнитура «Таймс». Печать офсетная.
Усл. печ. л. 28,6+0,97 вкл. Уч.-изд. л. 21,0.
Доп. тираж 7000 экз. Зак. № 3273.

ЗАО «Издательство «ЭКСМО-Пресс»,
125190, Москва, Ленинградский проспект,
д. 80, корп. 16, подъезд 3.

Тверской ордена Трудового Красного Знамени
полиграфкомбинат детской литературы им. 50-летия СССР
Министерства Российской Федерации по делам печати,
телерадиовещания и средств массовых коммуникаций.
170040, Тверь, проспект 50-летия Октября, 46.